MÁS ALLÁ
NCOS

LIANO
ERADOR

JULIANO
Y DE CONSTANCIO

MITROVICA
DE A JULIANO

AQUINCUM - BUDAPEST
CIUDAD NATAL DE MURRULA

NAISO - NIŠ
CIUDAD NATAL DE CONSTANCIO II

CONSTANTINOPLA - ESTAMBUL
EN DICIEMBRE DE 361 JULIANO AUGUSTO ENTRA EN LA CAPITAL

ANTIOQUÍA - ANTAKYA
5 DE MARZO DE 363
PARTIDA HACIA LA CAMPAÑA SASÁNIDA

CARRAS - HARRÁN
EL EJÉRCITO ES DIVIDIDO EN DOS

CALLINICUM - CALINICO
27 DE MARZO DE 63

CTESIFONTE
EN JUNIO DE 363 EL EJÉRCITO ANTE LOS MUROS DE LA CIUDAD

MARANGA
21 DE JUNIO DE 363

CAMINO A SAMARRA
26 DE JUNIO DE 363: MUERE JULIANO

TARSO
LOS RESTOS DE JULIANO RECIBEN SEPULTURA

DRACO
LA SOMBRA DEL EMPERADOR

DRACO
LA SOMBRA DEL EMPERADOR

Massimiliano Colombo

Traducción de Juan Carlos Gentile Vitale

Barcelona • Madrid • Bogotá • Buenos Aires • Caracas • México D.F. • Miami • Montevideo • Santiago de Chile

Título original: *Draco. L'ombra de l'imperatore*
Traducción: Juan Carlos Gentile Vitale
1.ª edición: noviembre 2015

Consell de Cent, 425-427 - 08009 Barcelona (España)
www.edicionesb.com

Printed in Spain
ISBN: 978-84-666-5600-9
DL B 20859-2015

Impreso por LIBERDÚPLEX, S.L.
Ctra. BV 2249, km 7,4
Polígono Torrentfondo
08791 Sant Llorenç d'Hortons

A L'aura, encontrada en Roma hace dos mil años,*
que ha afrontado conmigo este largo viaje en el tiempo
hasta las orillas del impetuoso Tigris.

* Juego de palabras intraducible entre el nombre propio *Laura* y el sintagma *el aura*. *(N. del T.)*

La dinastía constantiniana

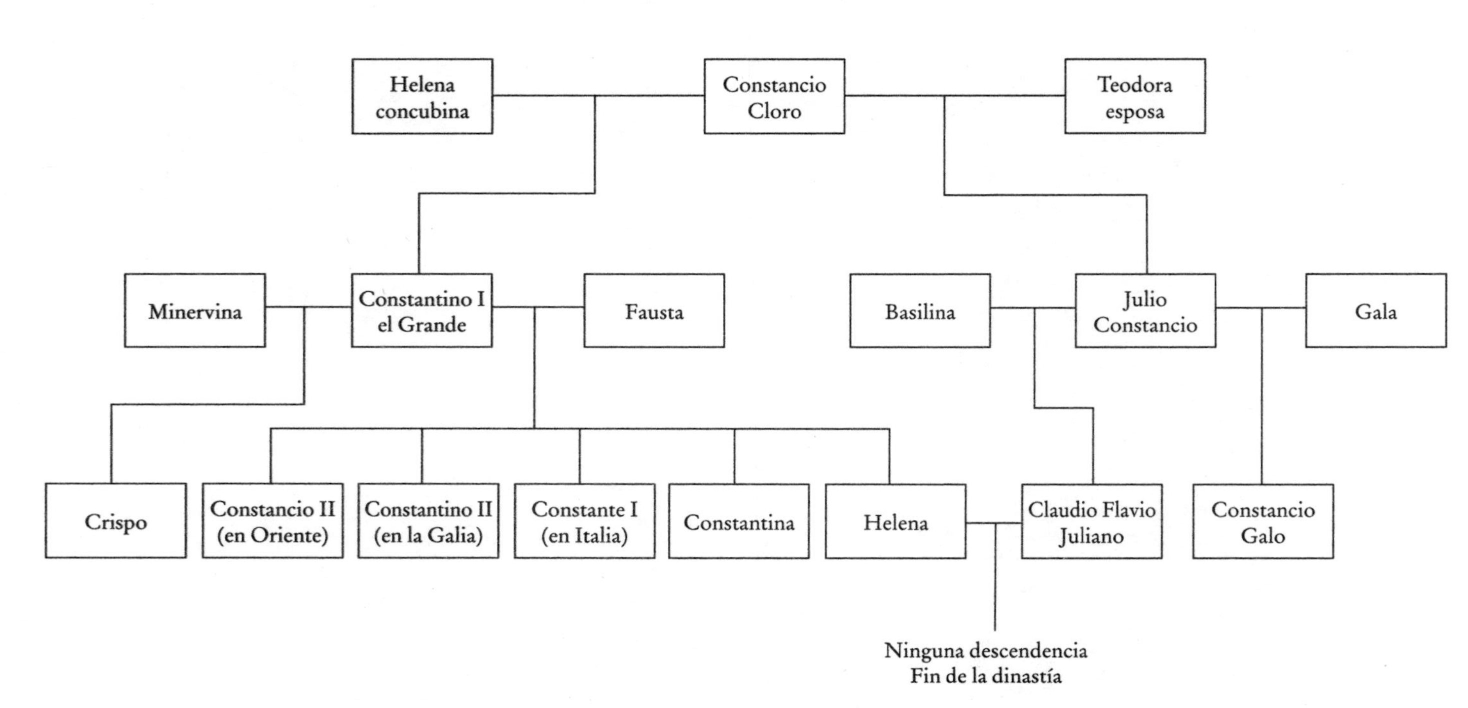

I

Mediolanum

Agosto del 355 d. C.

El viento cálido del verano empujó al cernícalo sobre la soleada llanura, hacia los campos cultivados en los márgenes de la gran ciudad. Bajo la mirada del depredador corrían relucientes cursos de agua, escudo líquido que abrazaba los sólidos muros erigidos para defender a la población.

Torreones semejantes a mudos centinelas interrumpían la muralla de la ciudad a lo largo de las vías que corrían en todas direcciones. Desde allí era fácil alcanzar Aquileia y luego proseguir hacia Constantinopla, o bien ir en dirección oeste y luego al norte, hacia Vienne o la Galia, hasta Lutecia. Desde allí se podía tener el control de las vías hacia el Rin y el alto curso del Danubio; desde allí el emperador y su corte guiaban la lucha por el dominio del imperio.

Quien quisiera reinar sobre Roma debía hacerlo desde la antigua capital de los insubrios, la ciudad llamada Mediolanum.

En el último siglo, Mediolanum había prosperado, y se había expandido dentro de los antiguos muros y fuera de ellos. Rica y poderosa, acuñaba moneda en su propia ceca y albergaba villas señoriales, jardines, galerías, estatuas, termas y teatros. Por sí solo, el imponente complejo del palacio imperial ocupaba todo un barrio en la parte occidental de la ciudad. El conjunto de suntuosos edificios residenciales y administrativos, erigidos en el curso de los años, alojaba la estructura administrativa del imperio. Entre jardines exóticos cuajados como joyas en majestuosas columnatas, se asomaban muchos de los palacios de la corte, según el modelo oriental, directamente sobre el inmenso escenario personal del divino augusto, el circo ecuestre, construido junto a los muros.

Desde una de las torres de la línea de partida de las carreras de carros elevó el vuelo una bandada de palomas. El movimiento no escapó a la vista aguda del cernícalo, pero el depredador permaneció inmóvil, con las alas desplegadas, contemplando la arena que se extendía debajo de él. Atraído por un resplandor en el torbellino de colores que rodeaba el recorrido del certamen, el cernícalo giró y bajó en picado. En aquel momento se elevó el estruendo de la multitud y la rapaz, espantada, volvió a abrir las alas y voló hacia la campiña.

Un hombre de entre el público del estadio señaló un punto en el cielo.

—Un halcón se ha dirigido derecho al carro de los Azules.

—¿Dónde, Victor?

—Allá abajo, pero ya ha volado.

Los alaridos en torno a ellos reclamaron la atención de los dos hombres en la arena. Al sonar las trompetas y tras ser agitada la tela blanca, los carros habían dejado las *carceres*, las puertas de salida. Después de haber recorrido a toda velocidad la primera parte del anillo, con trayectorias forzadas para no chocarse, habían cogido la recta que llevaba al primer paso por la meta, silbando como flechas bajo las gradas y la tribuna de los jueces. El auriga de los Verdes se había puesto de inmediato en cabeza y alcanzó la curva de la mitad delante de todos los demás, pero en su ímpetu la tomó con una trayectoria demasiado cerrada. La rueda izquierda del carro chocó contra el murete interno del circuito. El carro dio un violento salto, luego volcó y arrolló al conductor, que, como todos los demás, tenía las bridas atadas a la cintura. El público se puso en pie de un salto con una exclamación cuando los cuatro caballos del segundo tiro, el de los Rojos, apenas salidos de la curva a toda velocidad, se precipitaron sobre el imprevisto obstáculo. Los demás competidores abrieron la trayectoria tratando de evitar el peligroso embrollo mientras los caballos de los Verdes se replegaban tras su desatinada carrera, arrastrando la cuadriga volcada reducida ya a una carcasa.

Los carros desfilaron más allá de la meta y superaron el obelisco en el centro del murete para alcanzar la curva sucesiva. Al auriga de los Verdes los caballos lo arrastraron un buen trecho, hasta que consiguió cortar las bridas con el puñal. Tambaleándose había alcanzado a los sirvientes, que lo hicieron salir de la pista antes de que los carros pasaran por segunda vez.

—Victor, ¿ves al auriga de los Blancos? Dos vueltas más y estará en cabeza.

—Filopatros, los caballos exteriores de tu Victorio no están coordinados. ¡Verás qué bonita voltereta le harán dar! Yo digo que dentro de dos vueltas será Polidoxo, de los Azules, el primero en pasar por aquí abajo.

Otro alarido de la multitud; en el segundo paso por la meta se habían tocado dos carros. Los Azules y los Blancos no se caían simpáticos y los dos rivales estaban arriesgándolo todo para alcanzar al tiro que iba en cabeza.

—Polidoxo es un pendenciero, Victor.

—¡Dale un latigazo, Polidoxo!

Victor se había puesto en pie.

—¡Que corra sangre!

Los ocho caballos recorrieron la recta al límite de la extenuación, con las ruedas de los dos carros chocando. En las gradas los partidarios de los Azules despotricaban contra el auriga de los Blancos. Polidoxo llegó a la curva por la parte interior de la pista y aprovechó la ocasión para dar un golpe de cola a su directo adversario, tratando de descarrilarlo, pero Victorio lo intuyó y, en el último momento, contuvo los caballos. El Azul entró en la curva a demasiada velocidad y el carro se le fue hacia la derecha. El auriga intentó enderezarlo, pero la sacudida hizo que perdiera el control. El vehículo volcó entre los gritos de triunfo de los partidarios de Victorio. Filopatros alzó los puños al cielo con un alarido de alegría y Victor vio que una nube de polvo engullía al auriga de los Azules. Se colocó el pelo rubio y se secó el sudor de la frente; luego se sentó en la gradería de mármol mientras todos alrededor de él ensalzaban al nuevo campeón. Desde aquel momento pareció perder interés por la competición y su mirada se tornó ausente, como alejada de la multitud excitada.

Instantes después, Victor concentró su atención en Filopatros, que había estado todo el rato desgañitándose. Lo conocía desde hacía solo un par de días, pero tenían muchas cosas en común, aunque eran hijos de mundos distintos. Filopatros era de Antioquía, un griego de la cabeza a los pies, aunque los rasgos marcados, la tez aceitunada y el pelo negro azabache lo hacían parecer sasánida. No era imponente, pero el físico sinuoso y el encanto oriental le daban un halo de misterio.

—Bien, era la última carrera de la jornada; ahora, vamos a cobrar —dijo el griego, contento.

—Yo no tengo nada que cobrar —refunfuñó Victor.

—Has querido apostarlo todo a Polidoxo, pero se sabía que el viejo está acabado.

—Más de dos mil carreras ganadas, ¡y tenía que volcar justo hoy!

—Eso sucede. El campeón envejece y llega uno más joven que se lo come.

Fueron a cobrar el dinero de la apuesta y luego se encaminaron, entre la multitud, a la salida, el *vomitorium*, que conducía el flujo de espectadores hacia el exterior, a los amplios espacios enfrente del complejo imperial. Una vez fuera, vieron que iba a su encuentro un astrólogo, de esos que predecían el futuro por pocas monedas. Victor lo apartó y le hizo señas a Filopatros de que lo siguiera. Bordearon los barrios de la corte, vigilados por un cordón invisible de guardias armados.

Victor sabía cómo moverse por Mediolanum. Venía, como Filopatros, de lejos, pero del Norte. De origen franco, rubio, de ojos verdes y alto de estatura, era un *gentilis*, o mejor, el hijo de un *gentilis*, uno de aquellos emigrantes que Roma había sabido transformar en colonos dedicados a la agricultura, listos, si era necesario, para convertirse en soldados. El nombre latino que había asumido indicaba el deseo del padre de integrar a su hijo en aquel universo llamado Roma. Muchos bárbaros habían hecho la misma elección, pero el nombre Victor tenía también un sentido religioso: la victoria del bien sobre el mal, un sentido que, de seguro, importaba más al padre que al hijo.

Abriéndose paso, cogieron una vía que llevaba al Foro, entre el humo de la carne asada sobre tejas calientes de los vendedores ambulantes y los puestos que despachaban hogazas y pan especiado para todos los gustos. Aflojaron el paso para disfrutar de la sombra y curiosear entre la mercancía de las tiendas que se asomaban a la calle, hasta que de detrás de una columna de los soportales apareció una matrona con el rostro embadurnado de maquillaje y cogió al griego por el brazo. Filopatros la miró, sorprendido y complacido a la vez, pero Victor sacudió la cabeza.

—¿Tienes prisa, amigo?

—Hazme caso, griego. Vamos a las termas, nos refrescamos bien y por la tarde nos damos una vuelta por el puerto. Las mujeres, allí, son mucho mejores.

El griego se soltó y la mujer los maldijo con un vozarrón que resonó en los soportales.

Aún se reían cuando la gran plaza del Foro se abrió ante los ojos de Filopatros. Había oído hablar de ella, pero no se la imaginaba tan grande y se detuvo, asombrado, a mirar alrededor. Era el centro de la ciudad, donde confluían todas las calles principales. La enorme explanada rectangular estaba pavimentada con lastras de piedra clara y por los dos lados largos corrían columnatas adornadas con estatuas honorarias.

—¿Qué es aquello? —El griego señaló el majestuoso edificio al otro lado de la plaza.

—Es la curia —respondió Victor—, donde se reúne el Senado municipal. A su izquierda, en la esquina, está el *macellum*, el mercado, y a la derecha, la *opulens moneta*, la ceca, que el divino augusto reabrió hace dos años. —Filopatros recorrió las columnatas con la mirada—. Sobre el lado opuesto está el *capitolium*... —El griego observó aquel edificio, que a diferencia de los otros estaba en ruinas—. Está dedicado a Júpiter, Juno y Minerva. Parece que quieren demolerlo dentro de poco. No se puede entrar, pero si quieres verlo de cerca...

—Diría que no —dijo Filopatros.

Victor sonrió.

—¿Eres cristiano?

—Soy arriano, ¿por qué?

—A lo largo de la calle que va a las termas hay dos basílicas. Si quieres podemos detenernos.

—¿También tú eres arriano?

—Claro —respondió Victor.

Solo dos días y ya una mentira.

Victor no era arriano y tampoco era trinitario, un adepto del credo niceno. No le importaban las disputas teológicas ni le interesaba saber si Jesús estaba hecho de la misma sustancia que su Padre o si Dios era único, eterno e indivisible, como juraban los seguidores de Arrio. Indiferente al Padre y al Hijo, tampoco seguía a los antiguos dioses, se llamaran Júpiter, Juno o Minerva.

Victor solo creía en aquello que veía, pero se lo guardaba para sí. En aquellos tiempos decir que no se tenía fe era demasiado peligroso, más que creer en los antiguos dioses; y Victor debía su buena suerte a la capacidad de adaptarse a la situación.

Victor era un *referendarius*, un espía bien entrenado y listo para ejecutar las misiones más sucias. No era un *agens in rebus* o un *notarius* que se enriquecía vendiendo informaciones más o menos verdaderas a los poderosos de la corte. Su misión era infiltrarse y descubrir secretos allí donde los demás *agens in rebus* no llegaban. Podían llamarlo para realizar incursiones clandestinas en los territorios de los alamanes, para vigilar a un enemigo del emperador y, en algunos casos, para eliminarlo con una rápida cuchillada en la oscuridad.

Llevaba una vida solitaria y peligrosa, en la que a veces ya ni siquiera sabía quién era. Victor recibía una orden y la ejecutaba, sin preguntarse el motivo.

La orden que estaba ejecutando en aquel momento preveía el encuentro con Filopatros en Mediolanum, de donde habrían partido juntos para un destino aún ignoto.

Hicieron un alto en la *basilica vetus*, a lo largo de uno de los canales que atravesaban la ciudad. Entraron por la gran puerta central y recorrieron la nave principal, seguidos por el eco de sus pasos. A diferencia de los cultos antiguos, reservados a los sacerdotes oficiantes, la nueva religión, el cristianismo, necesitaba edificios amplios y cubiertos para la celebración de la eucaristía, en la que podía —o mejor, debía— participar todo el pueblo. Constantino el Grande, padre del emperador gobernante en aquel momento, Constancio II, había favorecido la construcción de las nuevas basílicas según el modelo de las civiles, que albergaban actividad tanto comercial como política. En pocos años, la estructura arquitectónica con la nave central, alta y amplia, y las laterales, más bajas y estrechas, había arraigado en todo el imperio. La difusión de los nuevos templos religiosos iba al mismo paso que el abandono de los viejos, dejados en el olvido y la incuria junto con los antiguos dioses, con gran placer de los seguidores del nuevo culto.

Victor y Filopatros se arrodillaron bajo la luz que descendía de las ventanas situadas en la parte superior de la nave y comenzaron a susurrar plegarias. Una letanía que Victor desgranaba de memoria y entre dientes, pensando en los encuentros que le esperaban después de las termas. ¿Velia o Milania? No, mejor Teodora, siempre que no hubiera llegado alguna muchacha nueva... Sonrió. Los lujos de una gran ciudad eran fundamentales, aunque fuera pocos días al año. Se percató de que también Filopatros estaba ansioso y no se entretuvo más.

Al salir de la iglesia, retomaron el camino hacia los penachos de humo blanco que ascendían desde las termas de Hércules. Cortando por las callejas entre talleres de alfareros, zapateros y fabricantes de telas, llegaron a la entrada monumental del edificio, con la cúpula del *frigidarium*, que descollaba sobre el tímpano de la columnata.

Había muchas idas y venidas, pero más tranquilas que las del gentío del circo. Filopatros y Victor se pusieron a la cola para pagar el acceso, haciendo guiños a algunas muchachas que salían de las termas con el pelo aún húmedo. Cuando entraron, el griego se quedó boquiabierto.

El rectángulo delimitado por una columnata era un gimnasio al aire libre donde se entrenaban varios hombres. Incitados por una pequeña multitud, dos luchadores se batían, abrazados. Un grupo de chiquillos perseguía una pelota y algunos hombres de aspecto marcial levantaban pesos para tonificar la musculatura. A las mujeres se les reservaban espacios separados porque la moral de la nueva religión no permitía la promiscuidad ni siquiera entre las aguas termales.

—Ven —dijo Victor—, los vestuarios están por aquí.

Los dos entraron en una de las exedras que se asomaban al pórtico, se desvistieron y les dejaron las ropas a los sirvientes. Luego se sumergieron en la amplia *natatio*, la piscina exterior junto al *calidarium*. Por lo general, la sala de los baños calientes era la primera meta del recorrido termal: aquel día, sin embargo, estaba casi desierta.

El sol comenzaba a caer, pero el calor aún hacía que la atmósfera fuera sofocante. Seguido por Filopatros, Victor se desplazó a la gran sala del *frigidarium*, la de los baños fríos. Apoyados en el borde de la piscina disfrutaron del frescor y del espectáculo de la gran cúpula por encima de su cabeza. El sol del atardecer jugaba con el agua, reflejándose en los mosaicos y en los bustos de mármol que representaban las estaciones. Victor fijó sus ojos verdes en la estatua de Heracles, representado apoyado en una clava. De pronto se sintió observado y percibió la mirada de Filopatros. El griego estudiaba las cicatrices del franco, en el pecho y, sobre todo, en el hombro derecho, una amplia franja de piel cauterizada.

—¿Un alamán?

—Sí, o quizá dos.

El franco sonrió, complacido. Filopatros lo imitó.

—Lo ideal para eliminar un tatuaje; esos con que se marcan los soldados, ¿sabes a qué me refiero?

Victor se miró el hombro.

—Es cierto. Nunca lo había pensado.

Era verdad lo que había dicho Filopatros, pero ¿cómo podía saberlo?

—Y entonces, griego, ¿de dónde has caído?

—De Antioquía. Pasé algunos años en una guarnición, luego me asignaron a la escolta de un obispo de Alejandría llamado Jorge de Capadocia. Es un personaje importante, ¿lo conoces?

—No.

—Según parece he cumplido bien mi deber, porque hace diez días recibí la orden de venir aquí lo antes posible. Una misión importante de la que por ahora no sé nada.

Victor escrutó al griego, reflexionando. Mentía. ¿Por qué hacer que acudiese un soldado desde Grecia para una misión en los alrededores de Mediolanum? Mentiroso Filopatros, pensó el franco. Era probable que su verdadero trabajo fuese, más o menos, similar al de Victor. Un experto *agens in rebus*, quizás un sicario; tal vez estuviera allí para controlar a Victor. O para eliminarlo...

—¿Y tú, franco?

—Estoy en la escolta personal del *magister equitum* Ursicino.

—¿Sabes adónde nos mandan?

—No. Solo sé que debemos partir mañana.

Filopatros miró alrededor mientras se echaba un poco de agua fría por encima.

—¿Mañana mismo? —preguntó—. Bueno, al menos tenemos toda la noche por delante.

Frescos y descansados, dejaron atrás las termas para volver hacia la parte occidental de la ciudad. Volvieron por un itinerario distinto del de la ida, bordeando la muralla en dirección a la puerta meridional, aquella que conducía a Placentia y luego abajo hasta Roma. En aquella zona, Mediolanum había superado sus propios muros y el decumano máximo se extendía más allá de la población en un paseo flanqueado por tiendas, en torno a las que había surgido un nuevo barrio. Allí el canal que rodeaba los muros era más ancho y sobre la orilla se habían construido embarcaderos para mover las mercancías que viajaban por el río entre Mediolanum y los puertos del Adriático, tanto de ida como de vuelta. La ciudad tenía la suerte de ser un nudo de comunicación de toda la región, por tierra y por el río. Mediolanum era una ciudad de agua.

Allende los muros, en la vecindad asomada al puerto, lejos de los fastos del palacio imperial, las residencias episcopales y las prohibiciones religiosas, florecían actividades más o menos lícitas, que hacían del barrio una sentina de vicio y de peligro. Victor y Filopatros cogieron uno de los callejones laterales del decumano y se los tragó una oscuridad solo a ratos rasgada por las manchas de luz de las lámparas de aceite colgadas de las puertas. Era la zona de los burdeles y las timbas, lo ideal para dos soldados con los bolsillos llenos.

Vagaron un poco; luego Victor entró en una taberna. El posadero, un hombretón calvo de barba hirsuta, los saludó. Se sentaron y pidieron de beber mientras pasaban revista a los parroquianos. En torno a una mesa donde se jugaba a los dados se había reunido un corrillo de caras patibularias.

—¿Está Velia? —le preguntó Victor al posadero.

El hombre posó la garrafa de vino aguado y se rio burlón.

—De momento está ocupada... No sé para cuánto tendrá.

Filopatros notó una sombra de disgusto en el rostro de Victor y le preguntó:

—¿Quién es esa Velia?

—Una sabina ardiente, amigo mío.

El griego soltó una carcajada; luego su mirada cayó sobre una muchacha jovencísima, pálida y rubia. Victor la presentó como Milania, hermana menor de Velia. Eran las hijas del posadero, a las que el padre prostituía con los parroquianos.

A la mañana siguiente, las nubes cubrían Mediolanum. El ruido metálico de los cascos sobre el empedrado de la plaza retumbó en la cabeza de Victor, que trataba de recordar cómo había terminado la noche. Pasó los dedos bajo el yelmo, rozando un chichón doloroso que tenía en la nuca. El efecto de la borrachera se estaba pasando y sentía dolores por todo el cuerpo. Entonces... ¡Ah, sí! Milania en brazos de Filopatros, habían bebido y comido, luego el griego había subido con la muchacha y él se había quedado solo, bebiendo, hasta que había llegado ella, Velia. La muchacha le alteraba la sangre. A pesar de todo el vino que tenía en el cuerpo, Victor la había cogido en brazos para llevarla a la pequeña habitación donde la había besado, amado y poseído... hasta la última moneda. Al final se había derrumbado de repente, como un árbol bajo el hacha del leñador.

Luego... Un vago recuerdo de brazos poderosos que lo arrastraban fuera de la cama y de la habitación, imprecaciones de desprecio y el agua fría en la cara. Se había despertado sobresaltado y le había pegado un puñetazo al posadero, luego...

Victor se volvió para mirar a Filopatros, que cabalgaba a su lado. Un morado bajo el ojo y un labio partido. A pesar del dolor de cabeza, sonrió: se acordó de que el griego había acudido a ayudarlo con un ánfora llena de aceite que había partido en la cabeza del posadero. Luego se habían acercado los bribones que jugaban a los dados. Eran demasiados y los habían echado de la taberna, pero sin abrirles la panza a cuchilladas. En resumen, todo había ido bien. De vez en cuando hacía falta una buena pelea.

El cortejo estaba dejando atrás Mediolanum, tras atravesar la puerta occidental. El pataleo de los cascos atronaba aún en la cabeza del franco, pero por lo menos ya resonaba entre los muros de las casas. Una vez superados los altares funerarios en el exterior de la ciudad, los jinetes aceleraron la marcha.

—Cuidado con lo que haces, Victor. No te pierdo de vista.

El aludido se volvió y vio cabalgar a su izquierda a Amiano Marcelino, el *protector* del general Ursicino: túnica blanca adornada con motivos mitológicos en oro, coraza de escamas y yelmo embellecido con gemas de colores que valían como dos caballos.

—A tus órdenes, señor.

—Si por mí fuera, esta mañana te habría dado patadas en el

culo, pero por algún motivo que desconozco el *magister* te protege y te ha querido a toda costa en su guardia, a pesar de que estabas borracho.

—El *magister* es un santo, *protector*.

—Haz que no tenga que arrepentirse —dijo Amiano con una mirada cortante. A continuación señaló con la cabeza a Filopatros y siguió—: En cuanto a ti, *graeculo*, que sepas que has elegido un pésimo compañero de viaje; por tanto, compórtate como es debido. No me interesa quién eres ni de dónde vienes. Has sido asignado a mí, así que obedéceme o te arranco la cabeza a mordiscos. ¿He sido claro?

Filopatros asintió en silencio. Amiano remontó la columna y se acercó al general.

—¿*Graeculo*?

—Sí —dijo Victor—, quiere decir griego, pero en el sentido de «bastardo griego» o...

—Sé qué quiere decir. ¿Qué tiene contra los griegos?

—Todo —respondió el franco, examinándolo—, es de Antioquía, como tú...

La cabeza de la columna aumentó la marcha y los jinetes se pusieron en fila al trote rápido. Victor observó que Amiano cabalgaba al lado de Ursicino y se tranquilizó. Podía decir adiós a Velia; después de lo que había sucedido habría sido difícil verla otra vez. Y en cuanto a volver a Mediolanum, en fin...

Por el momento lo único que tenía seguro era un largo viaje hasta el destino final: la colonia Agripina. Se preguntó cuántos, entre el séquito del general, sabían que estaban yendo a desafiar a la muerte y también cuántos de ellos, sin que lo supieran los otros, tenían su mismo encargo.

Montando a la cabeza de su guardia, seguido por una decena de tribunos, Ursicino parecía protegido como una gema preciosa, pero en realidad era el peón sacrificable del grupo. Ya era un milagro que aún estuviera vivo. El general había estado a un paso del patíbulo, pocos meses antes, por sospecha de traición.

El año anterior, Ursicino había prestado servicio ante el viceemperador para el Imperio de Oriente, Constancio Galo, primo y, a la vez, cuñado del emperador. El reinado de Galo se caracterizaba por la crueldad y las persecuciones que habían enviado a la muerte a numerosos inocentes, acusados de conspiración y prácticas mágicas: se decía que el soberano merodeaba por Antioquía de noche, de incógnito y con escolta, le pedía a la gente que opinara sobre su manera de gobernar y luego los molía a palos. Temiendo que Galo pudiera amenazar su autoridad, el emperador lo había alejado de las tropas y había ordenado su arresto. A Ursicino lo habían acusado de fomentar una revuelta contra Galo, con el fin de poner en su puesto a su hijo una vez que el viceemperador hubiera sido destituido. Así que el emperador lo llamó a Mediolanum y lo condenó a muerte, pero la ejecución de la sentencia se aplazó. Entre tanto, el 9 de diciembre del 354 cayó la cabeza de Galo.

Y cuando Constancio II, el divino augusto, decidía el destino de Ursicino en Mediolanum, el viento de la traición empezó a soplar en Germania. Claudio Silvano, valiente general al mando del ejército en la Galia, fue acusado de querer usurpar el trono. Algunas cartas comprometedoras con su firma habían llegado al más alto funcionario de la corte: el eunuco Eusebio, el *praepositus sacri cubiculi*, el responsable del sagrado dormitorio del emperador. Eusebio decidía quién subía y quién bajaba en los favores del emperador, y otorgaba o denegaba las audiencias; al convertirse en el intermediario entre el emperador y el mundo, poseía un enorme poder.

Procesado en rebeldía en Mediolanum, Claudio Silvano había sido absuelto porque las acusaciones se habían revelado falsas. Pero en Germania y para evitar una muerte que creía segura, el general ya se había proclamado emperador. Era el 11 de agosto del año 355.

La tremenda noticia se había mantenido en secreto. El divino augusto Constancio había decidido con sus funcionarios que con el pretexto de una pacificación atraerían a Silvano a Mediolanum. A tal fin escribieron una carta amistosa de convocatoria y para hacerla plausible eligieron como portador a un hombre que inspiraría en Silvano la máxima confianza. Sacaron de las mazmorras a Ursicino, general en abierta oposición con los altos funcionarios del divino augusto y testigo vivo de la clemencia del emperador.

Si el plan llegaba a buen fin, Ursicino se ganaría el puesto de Silvano. Pero era posible que el espejismo de un nuevo encargo no bastara y que Ursicino reconociera la autoridad de Silvano, convirtiéndose así en un peligroso adversario para Constancio. Ahí entraba en escena Victor. El verdadero papel del franco, en medio de aquel grupo de jinetes dispuestos a defender al *magister equitum* Ursicino, era cortarle el cuello al primer atisbo de traición.

Victor se acomodó la almilla y se apretó el barboquejo.

Matar a un hombre por órdenes superiores, incluso un alto funcionario, no era demasiado complicado; lo difícil era salir vivo una vez cumplida la misión.

Victor se volvió otra vez hacia Filopatros. ¿Quién era? ¿Por qué lo habían reclutado sin decirle nada? El griego era el único de la escolta al que Victor no conocía. No había podido estudiarlo suficientemente. De todos los demás había aprendido rápidamente a reconocer la voz, el modo de caminar y de cabalgar. Se había hecho amigo de ellos, dispuesto, si era necesario, a matarlos uno a uno, *protector* incluido. No había que perder de vista a Amiano Marcelino; era un combatiente hábil y tenía olfato. Victor había interpretado el papel de gandul, precisamente para no suscitar las sospechas del *protector*, pero la táctica aún no había tenido éxito. Amiano lo vigilaba como un sabueso.

A la caída del sol, después de una larguísima jornada y solo dos breves pausas, el grupo se detuvo en una *mansio* con alojamientos y cuadras. Por fin pudieron estirar las piernas, comer y reposar. Amiano ordenó a Victor y Filopatros que se ocuparan de su caballo y del general. Los quería más cansados que a los demás y los quería lejos de Ursicino.

II

Claudio Silvano

Finales de agosto del 355 d. C.

A la salida del sol, el general Ursicino reunió a sus soldados.

—Nuestro viaje a marchas forzadas está a punto de terminar —dijo—. Un par de días más y llegaremos a la colonia Agripina, donde entregaremos un mensaje del divino augusto al *magister militum* Claudio Silvano.

Magister militum. Ursicino había nombrado a Silvano con el mismo grado que le había asignado Constancio, reconociéndolo así como comandante en jefe del ejército de la Galia.

—Sé lo que estáis pensando. ¿Por qué tantos hombres para un mensaje? ¿No bastaba con un mensajero normal? —Los observó, como desafiándolos a pedir más información. Nadie abrió la boca—. El divino augusto ordena a Claudio Silvano que regrese de inmediato a Mediolanum por asuntos de la máxima importancia para la seguridad del Imperio. Durante su ausencia, yo lo sustituiré al mando del ejército, hasta nueva orden. —El general se aclaró la voz antes de continuar—. El motivo por el que hemos debido cabalgar día y noche para llegar lo antes posible a la colonia Agripina es que la semana pasada el general Claudio Silvano se proclamó a sí mismo emperador.

En aquel momento los hombres de la escolta se dieron cuenta de que quizá no se preveía que hubiera retorno de aquel viaje que habían emprendido. Amiano Marcelino, inmóvil como un busto de granito, no dejaba de observar a Victor y Filopatros para espiar hasta su más mínima reacción.

—Debíamos llegar a Germania antes de que la noticia fuera divulgada. El emperador quiere convencer al *magister militum* Silvano de que dé un paso atrás y se presente ante él, para evitar derramamientos de sangre. El motivo por el que he sido elegido como mensajero es que el comandante del ejército de la Galia sabe que puede fiarse de mí. —El general hizo una pausa—. Pero no respetaría vuestra experiencia de soldados si negara que estamos al borde de una guerra civil. Un incendio del que podríamos ser la primera chispa.

La mirada de Amiano se deslizó sobre los hombres de la escolta.

—Confío en vosotros. Ahora que sois conscientes de la importancia de esta misión, os recuerdo que habéis jurado fidelidad a Flavio Julio Constancio, vuestro verdadero y único emperador, y os pido que repitáis conmigo esas palabras.

El *protector* hizo que los hombres recitaran la fórmula del juramento, pero tener que recordar a los soldados por quién estaban combatiendo no era buena señal. ¿Cuántos estaban dispuestos a pasarse al enemigo si la situación tomaba un mal cariz?

Bajo el cielo plomizo de una húmeda mañana de finales de agosto, la columna reanudó la marcha. Silenciosos y sombríos, los hombres prosiguieron, bordeando el Rin. Trataron de mantenerse a distancia de las fortificaciones y de las torres de vigilancia diseminadas a lo largo del río, pero al día siguiente Victor percibió las nubes de humo que se alzaban, a lo lejos, desde un *burgus* que habían dejado atrás. No dijo nada y continuó cabalgando, pero estaba claro que los habían detectado.

Al día siguiente, hacia el mediodía, vislumbraron el polvo de muchos caballos al galope. Poco después, apareció el resplandor metálico de las corazas. El nutrido destacamento de caballería se dirigía directamente hacia ellos.

A simple vista, era toda una *turma* de bátavos. Que no estaban allí por casualidad quedó confirmado cuando los jinetes se dispusieron en abanico sobre la cima de una colina mientras un pequeño pelotón proseguía hacia los hombres de Ursicino. Uno de ellos sostenía sobre un asta la enseña de su vexillatio: una cabeza de dragón que emitía un silbido inquietante, a causa del aire que pasaba por las fauces abiertas. Al lado del *draconarius* iba un oficial de capa negra, el mismo color del semental que montaba.

El oficial se detuvo a pocos pasos de la columna y dirigió al general el saludo militar. Era un hombre robusto, con las mangas de la túnica remangadas sobre los poderosos antebrazos. Una cicatriz le surcaba la parte derecha del rostro, cubierta a medias por una densa barba rubia. Bajo el yelmo, los ojos claros eran saetas de hielo. Un oficial de caballería de la frontera germana, al que solo las enseñas romanas distinguían de un jefe de tribu de la otra orilla del Rin.

—Soy el *magister equitum* Ursicino, al servicio del divino augusto Flavio Julio Constancio. Soy portador de un mensaje para el *magister militum* Claudio Silvano.

—Tribuno Flavio Nevita —respondió el oficial de la capa negra—, al servicio del augusto emperador Claudio Silvano. Tengo la orden de escoltaros hasta él.

Por el familiar acento, Victor dedujo que era de origen franco.

Después de un primer momento de fría incomodidad, el tribuno les dio la bienvenida, pero inmediatamente después ordenó a sus hombres que formaran la columna. En un instante, Ursicino y los suyos se encontraron con los bátavos delante, en los lados y a la espalda. Mejor no subestimar al tribuno Nevita, que parecía tener el control absoluto de sus soldados.

Victor y Filopatros observaron a los jinetes, tratando de entender si de verdad estaban conduciéndolos donde Claudio Silvano o si, en cambio, se disponían a encerrarlos por la fuerza en las mazmorras del palacio de la colonia Agripina. El franco notó que Ursicino hablaba en voz baja con Amiano, que de vez en cuando se volvía para dar órdenes a los demás.

A la caída del sol el grupo alcanzó Castra Herculia, un campamento fortificado sobre el Rin en el que estaba instalado un destacamento de *brachiati*. Amiano Marcelino ordenó a los hombres que consumieran las raciones traídas de Mediolanum y evitar la comida de la mesa de los *castra*. Era evidente el temor a ser envenenados, pero el recurso de las raciones propias les habría permitido sobrevivir apenas un par de días porque las vituallas de la columna estaban en las últimas.

Los oficiales de las dos unidades mostraban una cordialidad forzada, mientras que entre los jinetes sobrevolaba una sombra de desconfianza. La única manera de sonsacar información era hablar con alguien del destacamento de los *brachiati*. Victor fue a pescar un pez que pudiera picar y lo encontró en las letrinas. Un soldado con un ojo amoratado y la cabeza vendada, quizá por la paliza recibida de un superior, destinado a una misión muy poco agradable.

—Dime, ¿entre cuántos te han dejado así?

El soldado miró alrededor, desconfiado, luego dejó el cubo en el suelo y preguntó:

—¿Qué sucede en Mediolanum? —Su latín era tosco, pero comprensible.

Victor advirtió sobre el brazo un *stigma*, el tatuaje con la enseña de los *brachiati*, y algunas letras de identificación reconocibles seguidas por un nombre: Kaudios. Aquella era la señal, la marca que habría permitido reconocerlo si se hubiera alejado de su unidad.

—No lo sé. ¿Por qué me lo preguntas?

—Venga, habla claro. ¿Está a punto de desencadenarse una guerra civil? Aquí estamos esperando ver aparecer de un momento a otro las legiones de Constancio y no tengo ganas de dejarme atrapar cuando lleguen.

Victor fingió reflexionar, antes de responder:

—Soy un soldado, como tú, y no sé qué tienen en mente los oficiales. Claro que la situación aquí pinta bien, entre los alamanes que están al otro lado del río y las tropas de Constancio al sur.

El *miles* bajó la voz.

—En cuanto veamos los estandartes de Constancio, tiraremos las armas.

Victor miró alrededor antes de susurrar:

—¿Los oficiales están con vosotros?

—No creo... A decir verdad, no lo sé. Quizás el *centenarius* Quinto Fabiano, que siempre habla mal del tribuno y no aguanta más estar aquí, hasta el punto de que desahoga su ira sobre nosotros, como ves por mi cabeza.

—¡Kaudios!

Los dos se volvieron hacia el hombre que había gritado. El *centenarius* del pequeño destacamento se acercaba a grandes pasos. Levantó el bastón hacia el muchacho y le gritó que fuera a limpiar las letrinas, si no quería otra tunda. Victor no intervino. Se desató los calzones e hizo lo que debía.

—No le hagas caso —le dijo el oficial al franco—; es un flojo, siempre castigado limpiando mierda. Un cagón de Senones que intenta volver a casa como sea. El tipo de soldado del que prescindiría con gusto, en tiempos como estos.

Victor esbozó una sonrisa y se ató los calzones.

—¿Cómo es la situación con los alamanes? —Señaló hacia la orilla opuesta del río—. ¿Los veis de vez en cuando?

—Por ahora no, pero falta poco. La flota fluvial ha sido desmantelada para vigilar las guarniciones del interior y la vía del río está libre.

Quinto Fabiano se acercó a Victor y bajó el tono.

—Pero para ser sincero, más que los alamanes me preocupa lo que está ocurriendo en Mediolanum.

El franco apretó los labios y asintió. Oficiales o soldados, la guarnición era un caos. El primer pensamiento de aquellos hombres era mantenerse fuera de una guerra contra Constancio.

Viendo que el jinete no respondía, el oficial insistió:

—Vamos hacia una guerra civil, ¿verdad?

La mueca de Victor se convirtió en una sonrisa burlona.

—Espero que no, pero si así fuera, me temo que no podría contártelo, porque sería uno de los primeros a los que degollarían.

—En todo caso —susurró el *centenarius*—, si tuvieras alguna información, te agradecería que me la transmitieras. —Depositó un sólido de plata en mano del *referendarius* y se alejó.

Al día siguiente los hombres se pusieron en marcha con las grises luces del alba, bajo una lluvia fina que los atormentó hasta que, a lo lejos, apareció la colonia Agripina. La ciudad se extendía junto al Rin y tuvieron que recorrer un largo trecho entre las viviendas del antiguo *vicus* surgidas extramuros, antes de llegar a la puerta meridional. Luego la columna prosiguió bordeando el río hasta el puente construido por Constantino el Grande, para alcanzar la fortaleza de Divitia, el baluarte que protegía la ciudad sobre la ribera oriental.

Los hombres de Ursicino fueron acogidos como cualquier unidad de caballería, pero los alojaron en varias estancias, de manera que los dividieron en pequeños grupos. El general fue separado de los tribunos, y Amiano, de los soldados de la escolta. Como es lógico, se sentían aislados y a merced de la voluntad de Claudio Silvano.

—¿Es así como cepillas mi caballo? —Victor abrió los ojos y se encontró la cara furiosa de Amiano. El *protector* le dio una patada al camastro del franco, que se puso en pie de inmediato—. Tú y el *graeculo*, coged vuestros harapos y seguidme.

Los dos salieron de la pequeña habitación tras el oficial, que los condujo a las cuadras. Había un gran movimiento de mozos ocupados en atender a los caballos. Siguiendo a Amiano, alcanzaron el sector en que se encontraban los caballos de la escolta de Ursicino. El oficial se inclinó, para mostrarles la pata del corcel del general.

—Yo no sé quiénes sois —musitó entre dientes—, pero mi instinto me dice que sois dos espías. El asunto es si estáis en el lado correcto. —Ninguno de los dos abrió la boca—. Claudio Silvano nos ha acogido en la corte —continuó el *protector*, en voz baja—, y hemos tenido que arrodillarnos y besar la púrpura imperial. Ese gusano se ha proclamado emperador y los hombres establecidos aquí le han jurado fidelidad. Están todos de su parte. —Amiano los miró a los ojos—. Podrían condenarnos a muerte en cualquier momento. Nosotros, de todos modos, nos hemos mostrado dóciles para no encontrarnos de repente encerrados en una celda.

—¿Dónde está el *magister equitum*? —preguntó Victor, en tono neutro.

—Es huésped en la corte de Claudio Silvano, pero en la práctica es un prisionero. Una escolta lo sigue por doquier y la puerta de su alojamiento está vigilada por guardias. Yo he aprovechado el pretexto de los caballos, pero tampoco a mí me pierden de vista. Los otros tribunos están alojados aquí, en la fortaleza, en los barrios de los altos oficiales, y la tropa está dispersa. —El *protector* miró alrededor, desconfiado—. Necesito hombres que pasen inadvertidos. Hombres como vosotros. Debéis escapar de aquí y volver a Mediolanum como el rayo para informar.

—No todos están de parte de Silvano, *protector*.

—¿Qué quieres decir? —preguntó Amiano mirando a Victor.

—He intercambiado algunas palabras con un soldado en Castra Herculia, donde hemos pasado la noche. Hay descontento en los destacamentos del Rin. Los *brachiati* establecidos allí están dispuestos a pasarse del lado de Constancio, pero no saben si los oficiales están de acuerdo.

—¿Qué? ¿Y por qué no me lo has dicho antes?

—Porque formo parte de la escolta —rebatió Victor, sereno—. Mi misión es proteger al general. El resto no es asunto mío.

El oficial se adelantó, agresivo.

—Me gustas cada vez menos, franco, pero quizá seas el único que puede sacarnos del lío. Si tan bueno eres para obtener información, afánate. Quiero saber si hay manera de mandar un mensaje a los auxiliares que están fuera de aquí. Yo te diré cómo actuar. ¿Entendido?

El franco asintió. Después de una última mirada de fuego, Amiano se levantó y se marchó.

Filopatros se rio mientras Victor se apoyaba en el cuarto posterior del caballo, observando las idas y venidas de sirvientes y soldados.

—*Milites!* —El grito resonó en la bóveda de la cuadra e hizo que se volvieran varias cabezas—. ¿Hay aquí algún hermano de Merseen?

Los hombres ignoraron la pregunta y reanudaron sus ocupaciones. Victor entendió que no había muchos compatriotas entre aquellos soldados y cogió un cepillo para almohazar el caballo del general.

—¿Quién quiere saberlo?

El franco se vio frente a un gigante de pelo rubio, que llevaba una coraza con placas y un yelmo taraceado. El gigante sujetaba por las riendas un magnífico bayo.

—Yo, Victor, hijo de Klothar de Merseen.

—Soy Dagalaifo —respondió el otro, examinando al franco con ojos de un límpido verde—. No soy de Merseen, pero vengo de la Frisia central.

—¡Por Hércules! ¡Finalmente un hombre en esta cueva de afeminados! —Victor habló en dialecto germánico—. No veía la hora de encontrar a alguien que supiera dónde beber un buen vino y encontrar mujeres dignas de ese nombre, aquí, en la colonia Agripina.

El hombretón sonrió dándole una violenta palmada en el hombro a Victor.

—Hermano, has encontrado al hombre que necesitas.

Dagalaifo se reveló de inmediato la llave con la que Victor podía entrar y salir de la fortaleza de Divitia. El coloso formaba parte de la guardia personal de Claudio Silvano, compuesta casi exclusivamente por germanos. A pesar del nombre latino, el usurpador era de origen franco y prefería que sus hombres fueran del mismo origen.

Victor llenó otra jarra a su nuevo amigo y luego lo miró con atención.

—Dagalaifo, estos días me he divertido contigo y quiero darte una prueba de mi gratitud.

El coloso se rio y de un trago se bebió media jarra; luego se limpió los labios y los densos bigotes con la mano.

—¿Somos hermanos, no?

Victor asintió y levantó la copa en un brindis.

—Sí, somos hermanos. Precisamente por eso he decidido que intentaré no hacer que te maten.

Dagalaifo se rio aún más fuerte, golpeando con el puño sobre la mesa, que se tambaleó peligrosamente. Hizo como que iba a coger la jarra, pero se quedó mirando a Victor y cambió de expresión:

—¿Qué estás diciendo, franco?

—Lo que he dicho, franco. Quisiera salvarte la vida.

—¿Estás amenazándome, hermano?

—Te pido un juramento, Dagalaifo.

—¿Un juramento? ¿Qué hay que jurar?

—Lo que estoy a punto de decirte y que deberá quedar entre nosotros.

El coloso rubio permaneció en silencio durante un momento, luego levantó la mano derecha con ademán solemne.

Victor asintió y siguió:

—A los pies de los Alpes Lepontinos se está reuniendo un poderoso ejército. Estará aquí antes del invierno. Ya hemos acordado con las guarniciones del Rin que no opondrán resistencia. ¿Cuánto pensáis que podríais resistir aquí en la colonia Agripina?

Con los ojos inyectados en sangre, Dagalaifo se adelantó con gesto amenazante.

—¿Qué? ¿Y tú cómo lo sabes? —Por un instante Victor pensó que iba a atacarlo—. Y, sobre todo, ¿quién eres de verdad?

—¿Qué importa? Tú eres un hombre práctico y yo estoy aquí para proponerte un negocio. —Victor bajó la voz y prosiguió—: Habla en dialecto, nadie debe entender lo que decimos. ¿Tienes idea de cuánto le cuesta al imperio una guerra civil?

El germano se encogió de hombros e hizo un gesto de negación.

—Yo la tengo. —Victor sonrió—. Y también tengo idea de cómo ahorrarle el gasto a nuestro divino augusto, que ya tiene muchos quebraderos de cabeza, y recibir una buena recompensa. ¿Te interesa?

—No te entiendo —dijo Dagalaifo.

—Es preciso abrir el bubón antes de que infecte todo el cuerpo.

—¡Que los dioses te maldigan! ¿Por qué no hablas claro?

—Es preciso eliminar a Claudio Silvano. —Victor lo miró a los ojos—. Y quiero que seas tú quien lo mate.

El gigante se quedó boquiabierto. En torno a ellos los parroquianos de la taberna vociferaban y reían, pero era como si no estuvieran.

—¿Yo debería... matar a Silvano?

—Sí, Dagalaifo.

—Pero, ¿por qué?

—Porque si Silvano muere, adiós guerra civil y el imperio se ahorra una fortuna. Pero debe morir por mano de uno de los suyos, de modo que no parezca un acto de guerra. Si aceptas ser tú, obtendrás un salvoconducto y te embolsarás más dinero del que puedas gastar.

A la mañana siguiente Victor y Filopatros vieron llegar a Amiano. Los tres condujeron los caballos al exterior, a los recintos del cuartel. Mientras un escudero hacía que se desentumecieran, el *protector* se acercó a Filopatros, apoyado en la valla.

—¿Entonces?

—El escudero de un *ducenarius* de los *cornuti* está dispuesto a colaborar —murmuró el griego— y he encontrado un mensajero que parte para Castra Herculia, donde está Quinto Fabiano, un *centenarius* corruptible.

Amiano frunció el ceño.

—¿Eso es todo?

—No. —Victor no lo miró sino que fingió que seguía con interés el trabajo del escudero—. He bebido algunas jarras con un franco, uno de la guardia de Silvano. Quiere quinientos sólidos y un grado en la corte de Constancio.

Amiano abrió desmesuradamente los ojos.

—¿Quinientos sólidos? ¿Y qué nos ofrece a cambio?

—Mantendrá entretenidos a los otros guardias para que podamos arrestar al general.

—¡Calma! —Amiano examinó a Victor—. Te había dicho que encontraras contactos, nada más. ¡Has infringido las órdenes!

El franco suspiró.

—*Protector*, corremos el riesgo de acabar asesinados de un momento a otro. ¿Queremos tratar de salir vivos?

Marcelino sacó pecho.

—Sé a qué nos arriesgamos, pero un movimiento como ese puede ser aún más peligroso.

—Si los *cornuti* y los *brachiati* aceptan quedarse mirando, mi hombre está dispuesto.

—¿Ya has pensado en el momento más propicio para actuar?

—Sí, *protector*. En la iglesia, durante la función.

Amiano no tenía palabras y Filopatros reaccionó airado:

—¡Es un gesto blasfemo!

—Allí se siente seguro.

—¡Pero es la casa de Dios!

Victor no parpadeó. Amiano bajó la mirada y se puso el yelmo.

—Continuad las negociaciones con los auxiliares. Yo hablaré con el *magister equitum*.

Dagalaifo salió del palacio a escondidas de Claudio Silvano, camino de una reunión de cristianos. La guardia atravesó la explanada del palacio y se encaminó hacia la basílica. A lo largo del camino, el coloso se aseguró de que sus hombres tomaban las posiciones acordadas durante la noche. Su mirada se cruzó con la de Victor, que llevaba un yelmo de la guardia. El franco y el griego, apenas detrás de él, observaban los movimientos de los soldados. Amiano y Ursicino se encontraban en el centro del cortejo.

Claudio Silvano saludó a sus súbditos con altivo distanciamiento, hasta que, a pocos pasos del portal de la iglesia, Victor dio la señal.

Dagalaifo empezó a gritar:

—¡Nos atacan! —aulló el coloso, empujando hacia delante al emperador—. ¡Quieren matar al augusto!

Algunos soldados de la guardia miraron alrededor, confusos. Otros desenvainaron las espadas. La multitud se agitó y de repente todo era un caos. Claudio Silvano fue empujado al interior de la iglesia. Victor y Filopatros entraron, seguidos por el resto de la escolta de Ursicino.

Los fieles que ya atestaban el lugar sagrado se pusieron a gritar. El pánico se extendió entre las naves de la basílica. Silvano trató de abrirse paso para llegar al altar. El obispo, con las manos tendidas hacia delante, entre el humo del incienso, les gritó a los soldados que se detuvieran. Victor y Filopatros atrancaron la puerta. En el gentío, Silvano cayó al suelo. Un cura se inclinó para ayudarlo, pero una mano poderosa lo detuvo.

Todos los presentes miraron horrorizados a Dagalaifo empuñando la espada, sin entender qué estaba sucediendo. El coloso pareció vacilar. Alzó la mirada y vio los ojos gélidos de Victor.

—*Iugula!* —Solo un susurro en los labios del franco—. ¡Mata!

El franco asintió. Un haz de luz desde la ventana del ábside iluminó la hoja que caía despiadada. La espada se hundió con fuerza en el vientre del usurpador, que miró a su verdugo a la cara. Ambos tenían los ojos desencajados. De la boca de Silvano salió un estertor ahogado. El arma homicida dejó el cuerpo, roja de sangre, e inmediatamente una nube de guardias con las espadas enhiestas cayó sobre él para completar la obra.

Dagalaifo envainó la espada en la funda, después de haberla secado, y se volvió hacia Victor.

Era el 7 de septiembre del 355. El reinado de Claudio Silvano había durado exactamente veintiocho días.

III

El césar de la Galia

Finales de octubre del 355 d. C.

Bajo la mirada seria del busto de Constantino el Grande, Victor recorrió los pasillos del palacio imperial hasta la puerta de la sala en que concedía audiencia el *praepositus sacri cubiculi*. El sirviente de la entrada lo saludó con una inclinación y le hizo acomodarse en la estancia ricamente decorada, frente a un escritorio de madera taraceada. Tuvo que aguardar, como preveía el ceremonial, y empleó la espera en mirar los Alpes desde las ventanas, bajo la espléndida luz otoñal.

Precedida por un rumor de sedas, apareció la enorme silueta del asistente personal del emperador, seguida por una fragancia de perfume de rosas. Eusebio se adelantó, con una sonrisa complacida ahogada en la papada y las enjoyadas manos tendidas en un gesto de simulado afecto. Justo detrás de él estaba el rostro sombrío de Paulo, conocido como *Catena*, cerebro del imperio y jefe de su red de espías y *agens in rebus*.

—Emérito Victor, estamos contentos de verte de nuevo. —La vocecita infantil vibraba en la garganta de Eusebio.

—El placer es mío, *illustris* —respondió el franco, inclinando la cabeza. Luego saludó a Catena con un gesto.

—Siéntate, Victor.

Los servidores salieron y cerraron las puertas. Quedó solo

uno, de pie en un rincón con una bandeja de plata. En la bandeja, vasos, una jarra y un pequeño cofre.

Alguien menos frío que Victor habría temblado al encontrarse cara a cara con las dos mentes más pérfidas del imperio. Él era solo uno de los tantos ejecutores, un oído que espiaba, una mano que golpeaba.

Eusebio era un eunuco obeso, el intermediario entre el emperador y el mundo. Las piedras preciosas que adornaban sus gordos dedos y los pendientes a los lados de la opulenta cara bovina creaban un halo de luz en torno a la segunda figura más poderosa del imperio. Eusebio supervisaba las audiencias del emperador, decidía quién podía hablar y quién no y, a menudo, también lo que debía decir. Quien quería congraciarse con el emperador, primero debía conquistar al asistente personal del emperador, y no era fácil. Si alguien irritaba al eunuco o, peor aún, si él lo consideraba peligroso para el imperio —o para su posición personal—, no tenía escrúpulos. Eran muchos los inocentes condenados a muerte por orden suya. Le resultaba fácil desacreditar a alguien ante el desconfiado emperador y enriquecerse sin freno confiscando sus propiedades. Cuando se ensañaba con alguien, la condena se extendía a sus familiares, a sus amigos y a cualquiera que tuviese relación con el acusado. Esto era lo que estaba ocurriendo en la colonia Agripina con todos aquellos que, por un motivo u otro, habían entrado en el círculo del difunto usurpador Claudio Silvano.

En cuanto al hombrecillo de rostro redondo y cabeza calva que estaba a su lado, era uno de los criminales más crueles, y que estuviera al servicio del emperador era lo único que explicaba que no colgara desde hacía tiempo de la horca. Su habilidad para hacer que personajes importantes parecieran culpables de delitos de Estado para poderlos eliminar le había procurado el mote de *Catena*. Sus métodos coercitivos para hacer confesar a los enemigos del imperio, lo fueran o no, eran despiadados. Entre sus garras habían desaparecido sin dejar rastro linajes enteros.

Eusebio nunca habría asistido a uno de aquellos interrogatorios en los que Paulo desgarraba con un hierro candente los genitales de una víctima para hacerle decir lo que quería oír. Al eunuco le interesaban los resultados; a su verdugo, los métodos. Juntos capitaneaban un peligroso sistema del terror que tenía jurisdicción desde las fuentes del Nilo hasta el Muro de Adriano. Entre el pueblo llano se murmuraba que si Constancio era emperador, lo debía a que a aquellos dos les parecía bien que lo fuera.

Indiferente tanto a las cuestiones políticas como a las religiosas, Victor evitaba plantearse preguntas sobre los encargos que los dos altos funcionarios le confiaban. Era un pez demasiado pequeño en medio de las intrigas urdidas en la corte y ejecutaba las misiones que le asignaban sin preguntarse si Claudio Silvano era de veras un usurpador o si las cartas interceptadas no eran una falsificación muy lograda. A Victor le gustaba poder estar de vez en cuando en una ciudad grande, con el dinero suficiente para entregarse al juego, al vino y a las mujeres. Luego volvía a partir, libre para hacer lo que quisiera, lejos de todo y de todos. Le pagaban bien, mucho más que a aquellos pobrecillos de Castra Herculia, en el Rin, y vivía mejor que ellos, sin duda.

—Una vez más has estado a la altura de la misión, Victor. Debías hacer que Ursicino trajera a Silvano a Mediolanum, pero le has ahorrado trabajo al verdugo —dijo el eunuco sonriendo—. El emperador ya había emitido la condena a muerte del general.

—Recuerdo que me habías hablado de ello —respondió el franco, incómodo por la mirada, tan poco natural, del eunuco.

—Has sido hábil —prosiguió Eusebio—, especialmente al hacer que fueran sus propios hombres los que derramaran su sangre. En muchas ciudades aún se está festejando la muerte del usurpador y se ha alejado la amenaza de la guerra civil. Nuestros súbditos no lo saben, pero les has hecho un gran servicio.

Aquel «nuestros» le sonó extraño a Victor, que esbozó una sonrisa de agradecimiento. Eusebio llamó con un gesto al sirviente, quien llenó las copas, que nadie tocó; mientras, la mirada del franco caía sobre el cofre cerrado.

—Tu devoción, que bien conocemos, por nuestro amadísimo augusto no podrá concederse aún el merecido reposo, querido

Victor —continuó Eusebio, melifluo—. Este molesto asunto del usurpador Silvano nos ha procurado algunos quebraderos de cabeza en la Galia. Ha habido incursiones de los alamanes y hemos perdido varias ciudades. El confín natural del Rin parece que ya no resiste a las presiones de Oriente y nuestro divino augusto debe enfrentarse cada vez a más enemigos en un territorio muy vasto. Para conjurar la posibilidad de otros casos como el de Silvano, nuestro amadísimo augusto ha decidido dar una señal enviando a aquellas pobres comarcas a un descendiente de los constantinianos, el nobilísimo Claudio Juliano.

Victor comprendió que el emperador, para evitar que surgieran otros usurpadores, quería confiar la Galia a un pariente, más fácil de controlar.

—Por desgracia, el nobilísimo Juliano está lejos de ser un gran caudillo. —Catena se rio sarcástico e hizo una mueca de desprecio—. Ha crecido en el dorado aislamiento de la finca imperial de Macellum, en la lejana Capadocia, y ha proseguido sus estudios en Constantinopla, Antioquía, Pérgamo y media docena más de ateneos del imperio. Su porvenir parecía el de un devoto sirviente de la Iglesia, pero el Señor debe de haber decidido otra cosa. —Se rio de nuevo—. Se ve que no lo quiere. Y lo entiendo, tampoco yo lo querría...

Victor señaló al camarero, que estaba detrás del asistente personal del emperador.

—Es sasánida —dijo Eusebio—. No entiende nuestra lengua y, por añadidura, es sordomudo. —Los ojos del eunuco eran charcas líquidas en el rostro de cera.

»El nobilísimo Juliano es hermanastro de Constancio Galo, decapitado por traición el año pasado. Comprenderás que nuestro amadísimo augusto necesita un guardia de confianza que vele por su querido primo, para impedirle cometer los mismos errores que su hermano.

Catena cogió el joyero y lo abrió delante de Eusebio.

—El nobilísimo Juliano vestirá la púrpura de césar dentro de pocos días y guiará al ejército que deberá restablecer el orden en las provincias septentrionales. Sabe poco del latín de las legiones y nada de la guerra, pero parece que aprende deprisa. —El eunuco cogió un anillo del cofre y se lo ofreció a Victor. La joya tenía una piedra engarzada, con una V grabada.

»Quizá demasiado deprisa —siguió Eusebio, con un suspiro lleno de malentendidos—. Esto es para sellar los mensajes con que nos informarás de cualquier movimiento del césar de la Galia. Ya conoces el sello de nuestras instrucciones.

Victor asintió.

—Desde hoy estarás al servicio del nobilísimo Juliano como *protector* y *armidoctor*, guardia de cuerpo personal y maestro de esgrima. Sabe de letras, pero no de armas, y tú deberás poner remedio a esa laguna. Así podrás vigilar al resto de sus guardias. Seréis doce para turnaros, todos hombres expertos y de confianza..., pero si alguno faltara al juramento de fidelidad a nuestro amadísimo augusto, podrías recibir la orden de solucionarlo. Si te decimos *iugula* —concluyó el eunuco—, hazlo sin vacilaciones. —Catena cerró el joyero y se lo tendió al franco—. La orden vale también para el nobilísimo Juliano, próximo nuevo césar de Occidente.

Victor se quedó inmóvil un momento; luego se puso el anillo en el dedo y preguntó:

—¿Estaré solo?

—Como siempre, *referendarius* Victor. —El franco asintió. Por las miradas de los otros dos comprendió que la conversación había terminado—. No te olvides de tu recompensa.

Victor cogió el cofre, inclinó la cabeza en señal de saludo y se encaminó a la puerta que el sordomudo abrió diligente. Recorrió a paso veloz los corredores del palacio, el lugar más peligroso de todo el imperio y al llegar a las cuadras guardó el joyero en la alforja y montó en la silla.

Vio a su izquierda un espléndido caballo bereber y se detuvo a observarlo mejor. Si no recordaba mal, lo había visto un par de meses antes en el séquito de Ursicino, en la colonia Agripina. Entonces lo montaba Filopatros.

Dejó las cuadras imperiales de Mediolanum con la cabeza repleta de pensamientos. ¿Cuántos como él habrían entrado en palacio aquel día? Sabía que algunos *agens in rebus* estaban oficialmente incorporados a las unidades militares y actuaban a la luz del día. Pero los *referendarius*, no; eran sombras solitarias, pequeñas teselas de un inmenso e intrincado mosaico del que no conocían el dibujo. Interpretaban su papel y luego los trasladaban a otra parte.

Era inútil fantasear sobre la presencia del caballo de Filopatros en los establos de palacio. Mejor aprovechar aquellas pocas horas que le quedaban antes de convertirse en el lacayo del césar de la Galia para divertirse un poco en el puerto.

Puso al trote su magnífico semental contra el viento fresco que llegaba de la llanura, cogió el decumano máximo y salió fuera de las murallas por entre el tránsito de viandantes y de carros. Después de la riña de la última vez prefirió dejar correr, de mala gana, la taberna del sabino, y por prudencia, pensando en el botín que llevaba en la alforja, evitó los callejones internos. Vio a dos soldados que salían con aire satisfecho de una posada y se detuvo. Bajó del caballo y entró con la alforja al hombro. Lo asaltó una mezcla de olores, algunos agradables y otros menos. Cogió sitio cerca del mostrador de piedra y pidió comida y vino mientras observaba a los demás parroquianos. Había poco movimiento, lo que le hizo pensar que quizá se había equivocado de sitio... Entonces vislumbró, en un rincón en penumbra, una figura femenina sentada, con el mentón apoyado en los puños, mirando al vacío. Bebió un sorbo de vino, se atusó la barba y se acercó.

—¿Estás sola?

La muchacha se volvió y lo miró. Bajo el espeso maquillaje brillaban dos ojos verdes, relucientes de tristeza. El rostro enmarcado por el pelo negro azabache parecía una escultura de Venus en mármol blanco. Tenía la nariz delgada y los carnosos labios apretados en una mueca, que transformó en una sonrisa forzada. La muchacha asintió.

—¿Quieres comer algo conmigo?

Ella negó con la cabeza. También el cabello era una maravilla.

—El patrón no quiere que pierda el tiempo comiendo con los clientes.

Victor se volvió hacia el posadero, ocupado en servir en el mostrador, luego volvió a mirarla y se inclinó hacia ella.

—¿Quieres que lo mate? —Le guiñó el ojo y añadió—: Basta con que me lo pidas, ¡y zas! —La segunda sonrisa fue más sincera, pero aún velada de melancolía—. ¿Cómo te llamas?

—Murrula.

—Ven a sentarte.

—No. Cuando te vayas, él me pegará.

Victor volvió a sentarse a la mesa y llamó al posadero.

—Quiero comer con Murrula, posadero, y luego pasar la tarde con ella.

El hombre se rio socarrón.

—No eres el primero... Murrula es la mejor puta de mi taberna, soldado. Te costará bastante.

Victor se levantó y se le acercó.

—Cuidado —susurró—. Soy un hombre que se mueve en la sombra, uno de los que combaten por el imperio, pero en la oscuridad. Cuando me llaman, alguien desaparece. —La mirada del tabernero reflejó inquietud—. Trabajo para hombres poderosos, por tanto, tengo con qué pagarte. Pero si hiciera llegar a sus oídos que aquí se conspira contra el divino augusto... —El otro estaba pálido como un muerto—. Así que ¿quieres decirle a Murrula que se siente conmigo? ¡Ah!, y trae el mejor vino. Esto parece pis.

Las últimas luces del ocaso otoñal habían abandonado el miserable cuartucho. Murrula se deslizó de la cama y desapareció más allá de la puerta para regresar luego con un pequeño candil de aceite. Victor examinó el cuerpo de ella, alumbrado por la luz amarillenta. El rostro se recortaba en la penumbra y la llama de la lámpara le danzaba en los ojos. El temblor de la llama resaltaba los perfectos senos. Luego su mirada bajó y se perdió allí donde había disfrutado durante horas.

—La tarde ha terminado, Victor.

En los ojos de la muchacha, detrás de la luz, ardía una llama oscura. El franco se levantó de la cama, poderoso y sólido, un tronco de encina junto a la delicada Murrula. Un tronco con la corteza marcada, surcada por las cicatrices de muchas guerras. Con la mano libre, la muchacha acarició la piel tensa de los anchos hombros.

—También a ti la vida te ha dejado unas cuantas cicatrices.

Victor la abrazó y sintió sus senos contra el pecho. Se llenó la nariz del perfume dulzón de su pelo y le buscó la boca, lo único que ella hasta ahora le había negado. Murrula se dejó besar sin abrir los labios, a pesar de que la lengua cálida y húmeda del varón intentó forzarlos. La boca de ella permaneció inmóvil, cerrada y gélida como un sepulcro.

Victor se retiró y se vistió deprisa, fastidiado por aquel rechazo. Al salir la miró y echó una moneda de oro sobre la cama. Valía mucho más que una tarde.

La punzante brisa de la mañana empujó a Victor hacia el patio, en el centro del claustro, donde caía el sol de pleno. Inspiró a pleno pulmón y miró alrededor, luego desenvainó la espada y lanzó un par de golpes al aire con fuerza.

Desde el soportal en sombra llegó un pesado sonido de pasos. El franco miró en aquella dirección y vio aparecer un grupo de oficiales, seguidos por un manípulo de guardias. Los rayos del sol hicieron que brillara la armadura de escamas de bronce que llevaba el alto y rubio tribuno al mando, de nombre Flavio Arinteo. El joven oficial prestaba servicio en palacio y en aquel momento estaba al frente de la escolta del futuro césar de la Galia.

—Victor, te presento al nobilísimo Flavio Claudio Juliano, primo de nuestro amadísimo emperador Flavio Julio Constancio.

Victor se inclinó y los militares se apartaron para dejar espacio a un muchacho desgarbado de espaldas estrechas. El joven dio un paso hacia delante y respondió al saludo. Luego bajó la mirada, a disgusto.

—Nobilísimo Juliano —dijo Arinteo—, permíteme confiarte a uno de nuestros más expertos hombres de armas.

El muchacho asintió. Uno de los servidores le ofreció una espada de adiestramiento despuntada, luego los hombres de la guardia se dispusieron en el perímetro del patio mientras el cortejo de sirvientes con comidas y bebidas permanecía a la espera bajo los soportales.

Arinteo le indicó por señas a Victor que podía empezar. El franco asintió; luego miró al muchacho. Alto y un poco encorvado, de rostro juvenil y pálido, no parecía tener más de veinte años. Dos ojos grandes, hambrientos de mundo, pero huidizos. Por cómo sostenía la espada, se intuía que era la primera vez que empuñaba un arma. Si aquel era el comandante del ejército de la Galia, no era para estar muy contentos.

—Para empezar, nobilísimo césar...

—No soy césar —lo interrumpió el joven—. Aún no.

—Perdóname, nobilísimo Juliano.

—No importa —dijo su nuevo discípulo tragando saliva, incómodo—. No importa.

—Para empezar —continuó Victor, muy tranquilo—, debes aprender la postura, nobilísimo Juliano. Piernas, brazos y hombros.

El maestro se puso al lado del discípulo y le mostró cómo debía mantener la guardia, pero, por más que se empeñara, los torpes movimientos de Juliano no se parecían en nada a los marciales gestos de Victor. Después de varios intentos, este se situó detrás del joven, lo cogió por los hombros y los colocó en la posición correcta. Luego repitió la maniobra con las piernas, ante las miradas de perplejidad de los oficiales.

—Nunca debes tener las piernas rígidas. La rodilla ligeramente doblada, para equilibrar el peso, y el cuello bien recto, con la cabeza alta. —Victor volvió a ponerse delante del muchacho y lo observó—. Y luego la mirada, nobilísimo Juliano. Nunca mires a un punto concreto. Nunca te detengas en un detalle:

la espada, los ojos, el adversario... Verlo todo y no detenerse en nada.

—Todo y nada... —repitió Juliano, pensativo—. ¿Cómo es posible?

—Es preciso aprender a captar todo lo que ocurre en torno a ti, percibir cada detalle sin perder nunca la concentración. —Victor bajó la voz y prosiguió—: ¿Cómo se observa un cielo estrellado? Hay que abrir bien los ojos y no fijarse solamente en una estrella. Si solo se mira una estrella, se pierde la belleza de la inmensidad de la Creación. En la batalla, si se mira un solo punto no se ve el golpe mortal que llega de otra parte.

El muchacho pareció impresionado por aquellas palabras y durante un momento se detuvo a mirar a Victor fijamente a los ojos. Luego se puso de nuevo en guardia. Victor simuló un ataque desde arriba y el muchacho alzó la espada y cerró instintivamente los ojos ante el impacto de la hoja.

—¡Los ojos abiertos! ¡La guardia alta!

Golpe. Fragor de metal. Parada a duras penas.

—¡Rodillas dobladas!

El tercer golpe fue más violento y Juliano perdió la espada.

—Es importante empuñar firmemente la espada, nobilísimo, pero no hay que tener los brazos rígidos en el momento de la parada.

El muchacho se masajeó la muñeca y recogió el arma. Cuando estuvo de nuevo en guardia, Victor volvió a atacar, rápido pero sin forzar. Continuaron durante bastante rato. Luego el franco le preguntó al joven si quería descansar. Juliano sacudió la cabeza y se puso en guardia. Tenía carácter, pero carecía de fuerza y, sobre todo, de la cualidad innata necesaria para un combatiente: la agresividad.

Cuando terminó el entrenamiento, Flavio Juliano estaba agotado. Un enjambre de sirvientes se apresuró a hacerse cargo de él. Arinteo, sonriente, se acercó a Victor mientras devolvía la espada de practicar.

—Bravo, te has ganado el primer turno de guardia en los *silentiarii*, los guardias que vigilan el sueño del futuro césar. Parece que el augusto te quiere al lado de su nobilísimo primo.

Victor no dijo nada. Se dirigió al cuerpo de guardia, donde lo esperaba Filopatros.

—*Graeculo* —preguntó sorprendido—, ¿qué haces aquí?

—¿Y tú, franco? No he vuelto a tener noticias tuyas después de los hechos de la colonia Agripina.

—Tras la muerte de Silvano me reclamaron en Mediolanum y he intentado quedarme aquí todo el tiempo posible.

Filopatros le guiñó un ojo.

—Las muchachas del puerto, ¿eh? De todos modos, si quieres saberlo, me han asignado a la guardia del futuro césar de la Galia.

Victor se rio y le preguntó:

—¿Y qué hará Amiano sin ti?

—Sin nosotros, querrás decir.

Se saludaron entre risas. Victor estaba seguro de que Filopatros era un *agens in rebus*. Y quién sabe cuántos más, disimulados entre la escolta de Juliano.

Al caer la noche, el franco y el griego atravesaron un edificio contiguo al palacio imperial y llegaron a la antecámara de Juliano para sustituir a los guardias que terminaban su turno. Un oficial les transmitió las consignas. Más que a un futuro césar, parecían que vigilaban a un prisionero.

El joven Juliano no podía salir de sus aposentos y nadie podía entrar. Solo a dos sirvientes de probada fidelidad les estaba permitido atravesar aquella puerta, pero todo lo que llevaban debía ser controlado. Cualquier carta, que llegara o que saliera, era inmediatamente requisada. Para los guardias violar las consignas era jugarse la cabeza.

Al quedarse solos en la antecámara iluminada por las lámparas de aceite, Victor y Filopatros oyeron el sonido de los pasos cansados de la guardia saliente desvaneciéndose por los corredores.

—¿Qué piensas?

Victor reflexionó. Si el griego estaba a las órdenes de Catena, una respuesta sincera podía comprometerlo.

—Pienso que es mejor no hacerse demasiadas preguntas, amigo mío.

El griego miró alrededor y fue hacia una mesita de bronce con la superficie de mármol verde, donde destacaba una bacía de plata repleta de fruta.

—¿Ya has visto al césar?

—Sí —le contestó—. Esta mañana le he dado una clase de esgrima.

—¿Y cómo es?

—Un muchacho que nunca ha empuñado una espada.

El griego se rio con ironía y cogió un enorme racimo de uva. Victor le preguntó:

—¿Estás seguro?

El griego se volvió, listo para morder la uva.

—¿No pensarás que están envenenadas, eh?

—Ya te he dicho que es mejor no hacerse preguntas. Yo no me las comería.

Filopatros separó un grano pulposo, lo hizo girar entre los dedos y se lo llevó a la boca.

—Las probé en la guardia de ayer. —Guiñó el ojo—. ¿Para qué envenenar la comida y dejarla aquí? ¿Para hacer una masacre de guardias y sirvientes? No, si quieren quitarse de en medio al cabrón basta con ponerle algo en el desayuno.

—¿El cabrón?

—Claro. ¿No sabes que lo llaman así? Ahora parece que el emperador lo ha hecho afeitar, pero a su llegada a Mediolanum tenía barba de chivo. Dicen también que tiene el labio inferior caído.

Victor se rio y dijo:

—Qué tontería. No se parece en absoluto a una cabra.

—No he dicho una cabra, he dicho un cabrón y se parece, ¡y cómo! Ayer, cuando pasó por aquí, me han dicho que tropezó y...

Pasos en el corredor. Los dos dejaron de hablar, Filopatros escupió las pepitas de la uva y se recompusieron justo cuando llegó, precedido por el halo de las lámparas, un denso grupo de eunucos y de sirvientes cargados de cosas, escoltados por un pelotón de guardias. Los *silentiarii* detuvieron al grupo a la entrada de la antecámara. Uno de los eunucos, con voz chillona, tomó la palabra.

—La emperatriz Eusebia nos ha encargado entregarle unos libros al nobilísimo Juliano.

Victor contó al menos una decena.

—Tenemos orden de revisar todo lo que quieran introducir en...

—No te preocupes, soldado —lo interrumpió el eunuco—. La emperatriz en persona se hace garante de este encargo.

—El comandante de la guardia ha sido claro: no debemos dejar entrar a nadie, no importa quién lo haya enviado —dijo el franco negando con la cabeza.

—Creo que tengo cierta autoridad sobre el comandante de los guardias.

Una voz femenina. Victor aguzó la mirada para ver quién había hablado y sintió que se le encendían las mejillas cuando reconoció a Eusebia. La emperatriz se adelantó con paso elegante y las cabezas en torno a ella se inclinaban obsequiosas. También Victor y Filopatros se inclinaron de inmediato ante la noble figura.

—Son solo unos libros, guardia. —La soberana le tendió un volumen del *De bello gallico*—. ¿Puedo entrar ahora?

—Sí, mi señora.

Victor le devolvió, respetuoso, el libro.

El eunuco llamó a la puerta. Un sirviente vino a abrir y todo el grupo cruzó la entrada. Victor y Filopatros se miraron y ninguno de los dos aludió a las gotas de sudor en la frente del otro.

—Consignas que hay que respetar y este es el resultado —farfulló el franco.

—Esperemos no acabar decapitados.

—¿Sabes, *graeculo*? Quizá sea menos peligroso escoltar a algún general por las tierras de los alamanes.

—También yo lo creo —asintió Filopatros convencido—. ¿Qué hará con todos esos libros?

Victor fingió reflexionar.

—Tal vez quiera usarlos como arma.

—¿Los libros? ¡Qué cosas se te ocurren!

—¡Sí! —insistió Victor—. Piensa qué genial distracción: ¡llega el alamán, furioso, tú le ofreces un libro y cuando el salvaje intente entender qué es, le metes la espada en la panza!

Los dos estallaron en una carcajada justo cuando desde el corredor llegaban otros sirvientes, también cargados de libros.

El 6 de noviembre del 355 era un día frío y nublado, pero Mediolanum estaba vestida de fiesta y las calles abarrotadas por la multitud de las grandes ocasiones. Un cordón de soldados con el yelmo reluciente flanqueaba la vía que llevaba del palacio imperial al foro para que pasara el cortejo. La gente que esperaba desde hacía horas acogió con aclamaciones a los jinetes provistos de armadura completa, los primeros en salir del palacio. Era insólito ver una columna de jinetes con coraza desfilando por la ciudad, tenía que ser un acontecimiento importante, como el nombramiento de un césar.

Desde lo alto de las cabalgaduras revestidas con escamas de hierro, los jinetes escrutaban a la multitud festiva. Los yelmos con sus altos cascos cubrían casi enteramente los rostros. Algunos llevaban una máscara de hierro; otros, mallas que descendían desde el yelmo por el rostro, con dos pequeños agujeros para los ojos. De las largas lanzas se agitaban, festivas, las cintas de colores que identificaban las unidades.

Detrás de ellos marchaban los infantes de las *scholae palatinae*, la brigada móvil del emperador, luego los músicos y los portaestandartes imperiales, seguidos por la guardia de los *cornuti* con su característico yelmo adornado con finos cuernos.

Luego venía el carruaje imperial, semejante a un enorme trono dorado sobre ruedas, arrastrado por cuatro caballos blancos cubiertos de gualdrapas púrpuras y cintas azules, de las que colgaban campanillas tintineantes. Dos oficiales que avanzaban a paso lento y solemne conducían el tiro. Encima del carro, recostado sobre cojines de seda azul, estaba sentado el augusto emperador de Roma, Flavio Julio Constancio. Hierático como una estatua, miraba al frente. Sostenía con la mano izquierda el globo y con la derecha la sagrada lanza, símbolos del poder imperial.

A su paso la multitud lanzaba vítores para la personificación del más vasto y poderoso imperio de todos los tiempos. Desde lo alto de su trono, que avanzaba lento, Constancio miraba la nada con sus intensos ojos oscuros e intentaba controlar el parpadeo. El pueblo necesitaba un guía más próximo al cielo que a los mortales corrientes, un papel en el que el soberano parecía perfectamente a gusto.

Detrás del carruaje cabalgaban dos imponentes *draconarii* con armadura dorada y yelmo de desfile en plata. Llevaban escudo de ceremonia de color púrpura con el monograma de Cristo en oro y picas de cuya punta descollaba un dragón dorado con la cola en seda púrpura ondulando al viento.

El cortejo llegó al foro, donde había una tribuna adornada con enseñas militares. El joven Flavio Claudio Juliano esperaba al emperador flanqueado por Victor y Filopatros, y rodeado por el resto de su escolta personal. El franco y el griego lucían yelmo y coraza brillantes como espejos, y Victor sostenía un asta con la cabeza de dragón que le había entregado a toda prisa antes de la ceremonia el ayudante de cámara del emperador, histérico, para identificar al césar.

A diferencia de su augusto primo, el futuro comandante de los ejércitos de la Galia no conseguía mantenerse quieto en el carruaje. Un incontrolable desasosiego lo empujaba a desplazar continuamente el peso del cuerpo de una pierna a otra. De vez en cuando suspiraba y escrutaba las unidades en armas alineadas delante de él y la multitud que llenaba la explanada hasta encima de las escalinatas del templo de Júpiter, Juno y Minerva.

Con su paso solemne la columna de los catafractos encendió el entusiasmo del pueblo agolpado en la plaza y el emperador se vio rodeado de exclamaciones y pétalos de flores.

Victor observaba de reojo a Juliano, cuyo nerviosismo era

cada vez más evidente. En cuanto podía, el joven bajaba la mirada para escapar a los miles de ojos que se dirigían hacia él, como flechas. En los últimos diez días el franco había pasado todo su tiempo con el futuro césar, tratando de enseñarle lo mejor que había podido la esgrima militar, el tiro con jabalina, y el combate a caballo y a pie. Para Juliano eran los primeros pasos en el descubrimiento del arte de la guerra. Había mejorado un poco, pero los movimientos del joven seguían siendo lentos y pesados. Su mirada era aún la del tímido discípulo de un ateneo, incapaz de enfrentarse al furor en los ojos de un alamán del Rin.

Los militares de su séquito lo despreciaban y no estaban exultantes de partir para la Galia a las órdenes de un chiquillo al que nunca habían visto en la batalla. Victor había informado de inmediato al asistente personal del emperador, Eusebio, del malhumor que reinaba entre los soldados y la noticia había divertido mucho al eunuco. Eusebio había felicitado al franco por el adiestramiento de Juliano, le había recordado sus deberes de informador y no había tomado por el momento ninguna medida. El nuevo césar se encontraría pronto con su mentor.

En efecto, después de haber informado a Eusebio a mitad de la noche, Victor vio llegar a alguien. Al séquito de Juliano se habían sumado precisamente en aquellos días el hercúleo Flavio Nevita, el oficial de caballería que desde el Rin los había escoltado a la colonia Agripina y Dagalaifo, el comandante de los guardias de Claudio Silvano que había ejecutado, sin saberlo, la sentencia del emperador. Ursicino había conseguido que obtuviera el grado al que el franco aspiraba, aunque no exactamente en la corte de Constancio. Aquel mismo Constancio que acababa de subir al podio y había cogido de la mano al hombre que estaba a punto de convertirse en césar.

El emperador recorrió con la mirada las tropas, formadas y coronadas por una selva ondulante de lanzas y enseñas. Sintió un vacío en el estómago y una llamarada de calor en el pecho. La fascinación indecible y embriagadora del poder absoluto.

Junto a él, el joven Juliano, que sentía aquella fascinación por primera vez, pero estaba un poco aterrorizado por ella.

Las órdenes secas de los generales volaron sobre la ruidosa multitud y las enseñas de las unidades bajaron, una tras otra, en señal de saludo. Lentamente, sobre la enorme plaza cayó el silencio. El divino augusto empezó su discurso con tono estentóreo en el latín del ejército, para acercarse a sus súbditos como un ser humano.

—Nos presentamos ante vosotros, valerosos defensores del imperio, para pediros un juicio sobre una causa de interés común. Los bárbaros procedentes de las tierras frías han violado la paz de las fronteras y hacen incursiones en la Galia, creyendo que nuestro imperio está ahogado por las dificultades y es demasiado vasto para que podamos defenderlos. Si a este mal se opone la fuerza de mi voluntad y de la vuestra, la soberbia de esa gente se apagará deprisa y nuestros confines volverán a ser estables. Si estáis de acuerdo con esta esperanza que tengo en el ánimo, deseo, si me lo permitís, elevar a Juliano, mi primo paterno, al cargo de césar. Es un joven estimado por su modestia y por eso nos resulta grato, además de por los vínculos de parentesco...

—Es Dios quien lo quiere césar... —gritó una voz entre la multitud—, ¡no la mente humana!

Desde las tropas en formación se elevaron aclamaciones inflamadas que invocaban la voluntad divina. Sin soltar la mano de Juliano y sin dejar traslucir ninguna emoción, Constancio esperó a que los ánimos se aplacaran y volviera el silencio.

—Como tengo vuestra aprobación, que se eleve a este joven fuerte y sereno a asumir el cargo que por ventura se le ofrece. En virtud de mi poder y del favor de la divinidad celeste, yo lo revisto del manto imperial.

Subieron dos oficiales al podio con el manto púrpura y la corona de laurel. Depositaron la púrpura sobre los hombros de Juliano y el emperador se la abrochó entre el alborozo general. El muchacho observó con temor reverencial al hombre que, después de haber hecho que mataran a su padre y a su hermano, ahora lo hacía entrar en la estirpe de los césares, junto a los grandes de la historia. El encuentro de las dos miradas no duró más que un instante fugaz: era demasiado difícil para ambos soportar las verdaderas y recíprocas emociones que brotaban de ellas. Entre las ininterrumpidas exclamaciones de la multitud, Constancio ciñó la cabeza del joven con la corona de laurel, para luego dirigirse de nuevo a la plaza.

—En la juventud, queridísimo primo, has recibido la espléndida flor de tus orígenes. Reconozco que mi gloria se ha acrecentado, porque concediendo un poder casi igual al mío a un noble pariente demuestro mi grandeza en el ejercicio de mi poder. Sé, pues, partícipe de mis fatigas y de mis peligros y asume el encargo de defender la Galia para sacar de la ruina a esas regiones duramente castigadas. Si es necesario entrar en batalla con los enemigos, ponte firme entre las enseñas y guía tú mismo con audacia y coraje, a estos valientes.

Los soldados lanzaron gritos de aprobación.

—Estaremos cerca el uno del otro con firme y constante afecto —continuó Constancio—, juntos combatiremos para mantener unidos, con igual equilibrio y amor, el mundo devuelto a la paz. Ve, pues, y apresúrate, seguido por el augurio de todos nosotros, a defender el puesto de combate que el Estado te ha asignado.

Los soldados comenzaron a batir los escudos sobre las rodillas en señal de entusiasmo. El ejército saludaba al nuevo césar y el césar respondió levantando la mano en un gesto no previsto por la etiqueta imperial que desencadenó el delirio de la plaza. Era inútil proseguir con otros discursos; con aquel clamor nadie los habría oído. El emperador abandonó el podio y dejó que Juliano recibiera el abrazo de la ciudad. Con todo el peso de la corona de laurel sobre la cabeza, el joven levantó otra vez la mano hacia los legionarios, que empezaron a aullar su nombre a voz en grito.

Al poco, la expresión preocupada del gran maestro de ceremonias, que le suplicaba con amplios gestos que descendiera del palco, convenció al césar de Occidente de que era hora de volver entre los mortales. Cuando bajó del podio, lo engulló la formación de sirvientes, soldados y organizadores amontonados detrás del palco. El maestro de ceremonias le acomodó el manto y cogiéndolo del brazo lo condujo de inmediato a donde estaba Constancio, que esperaba rodeado de sus jinetes. En la multitud Juliano chocó contra Victor, que aún sostenía el dragón, y el joven sonrió a su *protector*, para luego dejarse arrastrar por el cada vez más agitado maestro de ceremonias hasta el carro del emperador.

Victor ya no consiguió verlo, pero pudo oír los vítores de los soldados siguiendo el carro, que volvía al palacio imperial, con el fragor de una ola del Oceanus.

IV

Draco, la sombra del césar

Fines de noviembre del 355 d. C.

Victor arrojó el dinero sobre el mostrador y miró al posadero directamente a la cara.

—La cojo para todo el día.

Luego se volvió hacia Murrula.

—Ponte una capa. Fuera hace frío.

Poco después el caballo del franco galopaba hacia el sur y dejaba atrás los torreones de Mediolanum. Victor espoleaba al animal y Murrula se apretaba con fuerza a él. Cuando estuvieron fuera de la ciudad, el germano abandonó el camino empedrado y atajó por campos sin cultivar a lo largo de un río. De golpe soltó las riendas y extendió los brazos. Sus gritos se enredaron con los chillidos divertidos de la muchacha, como su pelo se enredaba con el viento. Después de un momento, dejó de espolear al caballo, que aflojó la marcha.

—¿A dónde me llevas, soldado?

—No lo sé, es mi caballo el que nos lleva. Nunca he estado aquí.

Llegaron al borde de un bosque y Victor tiró las riendas. Bajó del caballo y ayudó a Murrula a hacerlo, luego cogió un hacha de la alforja, cortó algunas ramas y las limpió. Puso una manta sobre el suelo y con las ramas limpias encendió el fuego. Luego, bajo la mirada asombrada de ella, dispuso sobre la manta la carne, las hogazas, el pan de especias, los huevos, los higos secos y las pasas.

—¿De dónde has sacado todas estas maravillas?

—De las cocinas del palacio imperial.

—¿Las has robado?

—No —contestó Victor—. Trabajo para el dueño de la casa.

Murrula rio, oyendo llamar así al divino augusto, luego le dio un mordisco a un higo seco. Cerró los ojos y saboreó aquel gusto desconocido.

—Nunca había comido algo así.

Él le hizo señas de que se sentara y le ofreció un trozo de queso bañado en miel.

—¿Por qué todo esto, Victor?

—¿Y por qué no?

Ella pareció reflexionar, luego mordió con gracia el bocado y se pasó la lengua por los labios, observándolo.

—Me quieres así todo el día, ¿eh, soldado? —Se le acercó a gatas, como un felino—. Debes de tener mucha hambre... —le susurró, mordiéndole despacio el lóbulo de una oreja. El hombre le sonrió y la atrajo hacia sí. Murrula se puso a horcajadas sobre él, apoyando las manos sobre los antebrazos duros como la madera—. Adelante, soldado —lo incitó—, cómeme.

Le buscó los labios entre la barba rubia y los lamió. Victor le pasó la mano entre el pelo negro y la besó con fuerza. Murrula tuvo un estremecimiento y su cuerpo tembló, algo desconocido, como el gusto de aquel fruto. Obligada a venderse para beneficio de otro, había sido poseída por muchos hombres, pero siempre como un objeto, nunca como una mujer. Solo recordaba escasos besos y todos con una vaga sensación de disgusto. ¿Por qué aquel hombre le parecía distinto? No era solo atracción física por aquel cuerpo tan viril. Nadie le había dado aquella sensación que le calentaba el corazón, aquel deseo de dejarse llevar por la pasión.

Se estrecharon envueltos por el mantel, junto al calor del fuego. Victor la acarició, le besó la frente, el pelo y los ojos, saboreando cada precioso instante. Murrula sonrió, invadida por un placer nuevo. Entre sus brazos se sentía distinta de aquello que estaba obligada a hacer cada día. Lo besó una y otra vez, y deseó que aquel momento no acabara nunca.

Victor condujo el caballo fuera de las cuadras, en la fría calígine del alba del primer día de diciembre. Controló los arreos y las alforjas, enlazó el barboquejo del yelmo, montó en la silla y se envolvió en la capa. Cerró los ojos un momento y sintió el calor de Murrula. El día anterior habían permanecido juntos hasta que los vencieron la oscuridad y el frío. Se amaron, rieron, comieron y bebieron. Instantes de pura felicidad. Luego llegó el momento de devolverla a la taberna. En el camino de regreso el rostro de Murrula, la morena, había vuelto a ser melancólico, como el primer día que se vieron.

Un sirviente le pasó el estandarte del dragón. Victor enganchó el asta a la silla y fue a formar con los otros jinetes en la explanada. Una voz le decía que se marchara, que volviera donde ella y la sacara de aquel figón asqueroso y, por qué no, la hiciera libre, para tenerla solo para sí. Solo que ya no tenía un sueldo; y esa era una de las razones de haber aceptado una nueva misión.

Cruzó la mirada con la de Dagalaifo, que iba a la cabeza de un pelotón de caballería. El germano llevaba un yelmo y una armadura flamantes, y los ojos claros brillaban de impaciencia.

—¡De nuevo listos para la guerra, amigo franco!

—Así parece, germano. Me pregunto si los enemigos están solo enfrente.

Dagalaifo se echó a reír, luego tragó un largo sorbo de hidromiel de la cantimplora.

Victor miró a los hombres alineados en el patio, una sesentena de jinetes y unos trescientos infantes. Pensó que debía de ser la vanguardia del ejército.

Poco después, Juliano descendió la escalinata del palacio. Cubierto con una armadura, lo seguían de cerca Filopatros y otro *protector*. Junto al joven césar estaban el rubio Flavio Arinteo y Nevita, el oficial de caballería desfigurado, ambos con la mano en la empuñadura de la espada. Detrás, el séquito, con el médico Oribasio y una sarta de asistentes, mayordomos y servidores, cada uno más sofocado que el otro.

Juliano estaba furioso, una furia que se veía en sus ojos enrojecidos. Acababa de descubrir que los hombres que formaban en el patio no eran la vanguardia, sino todo el ejército destinado a liberar la Galia. Las legiones que le habían sido asignadas estaban, de momento, desplazadas en otros puntos del tablero imperial y tenía que esperar para tenerlas. O quizá no las tendría nunca.

En las últimas tres semanas, Flavio Claudio Juliano había perdido la mayoría de los poderes adquiridos al ascender al cargo de césar. Más de uno de los componentes de su numeroso séquito experimentó un cierto placer malévolo al verlo deslizarse de inmediato cuesta abajo.

Pocos días después del nombramiento, el emperador Constancio le había dado a Juliano a su hermana Helena como esposa. Victor asistió a la ceremonia en la *basilica vetus* y constató que los rumores sobre el aspecto de Helena eran ciertos. La hermana preferida del emperador tenía los mismos rasgos que su ilustre padre, Constantino el Grande: ojos enormes, labios delgados y cuello de toro. Para sus adentros, Victor se alegró de su situación y de la libertad de la que disfrutaba. Podía ir donde quisiera y, quizás, encontrar una mujer como Murrula. Nunca habría soportado tener cerca o, aún peor, en la cama, una matrona con la cara de Constantino el Grande.

La ceremonia había sido lujosa, larga y extenuante. Después de la boda, los contactos entre Juliano y la emperatriz Eusebia se hicieron más frecuentes. A menudo la soberana iba a visitarlos en sus apartamentos, ya que a él, en la práctica, se le negaba el acceso a todo el resto del palacio. En efecto, inmediatamente después del nombramiento, el ala reservada al joven césar se había restringido, convertida en una especie de recinto invisible; pero la prohibición no valía para la emperatriz, que podía ir donde deseara.

Victor seguía informando de todos los movimientos a Eusebio, que parecía siempre al corriente de todo. El *referendarius* estaba cada vez más convencido de que la mayor parte de la escolta de Juliano estaba compuesta por espías y potenciales sicarios, y que cada uno a espaldas de los otros pasaba constantemente información a los dos verdaderos soberanos indisputados: Eusebio y Paulo Catena. También él habría actuado así, si hubiera sido el jefe del espionaje imperial.

Después de la boda, habían empezado los preparativos para la partida del césar para la Galia. Juliano le confió oficialmente a Victor el dragón, símbolo de la autoridad imperial, y siguió adiestrándose para el combate con más determinación a medida que se redefinía su papel poco a poco. Nunca lo invitaron a las cotidianas reuniones del consejo de Estado que se celebraron en aquellos días. Pidió varias veces un informe sobre la situación general de la Galia, pero la solicitud cayó en el vacío. Luego fueron nombrados un cuestor y un prefecto para la Galia, y Juliano no tenía ninguna autoridad sobre ellos porque respondían solo ante Constancio. Para rematarlo, a Ursicino lo reemplazó al mando de la armada septentrional Marcelo, un general notoriamente fiel al emperador.

Y para evitar que el césar pudiera conceder regalos a fin de atraerse el favor de los soldados, se le vetó acceder a los fondos del tesoro y le impusieron límites estrictos del gasto, incluso en las provisiones para las comidas cotidianas. Flavio Claudio Juliano era solo un estandarte que agitar en la Galia, a la cabeza de un séquito de soldados, para mostrar a aquella gente que el emperador se interesaba por su suerte. Así, con las más negras expectativas, Victor y los otros se pusieron al paso detrás del césar, para salir del patio del palacio.

El emperador Constancio y su escolta a caballo, tres veces más numerosa que todo el «ejército de la Galia», esperaron a los hombres de Juliano en el foro y tras una breve ceremonia los escoltaron un buen trecho a lo largo de la vía que conducía hacia el oeste, en dirección a Augusta Taurinorum.

El emperador y el césar recorrieron juntos la vía que atravesaba la monótona llanura. A mediodía hicieron una parada en las inmediaciones de una pequeña capilla votiva surgida en torno a una vieja ara en un cruce de caminos, donde los viandantes podían hacer un alto y dedicar un pensamiento a los lares. Constancio y Juliano entraron en ella solos; poco después los siguieron los hombres del séquito. Poniendo al mal tiempo buena cara, también Victor los siguió.

El viaje continuó hasta una estación de postas después de Ticinum, donde los dos caudillos se separaron sin saludarse. Constancio declaró que los gobernadores le habían proporcionado a la columna todo lo necesario y que el ejército para la contraofensiva de primavera se había reunido en Vienne, elegida como base para la gran revancha de Roma sobre los invasores germanos. Concluyó diciendo que el Estado agradecía a Juliano el compromiso que había asumido y al que ahora debía mantener fidelidad y, por tanto, liberar la Galia. Luego el emperador tiró de las riendas para hacer girar el caballo e iniciar el camino de regreso a Mediolanum con su séquito. Juliano se quedó mirándolo alejarse un instante, esforzándose por mantenerse impasible.

No volverían a verse.

El joven césar miró de frente a sus sesenta jinetes y dio la señal de partida. En torno a él, formando un escudo de protección, los oficiales Dagalaifo y Flavio Nevita, seguidos por Victor y Filopatros, que estaban haciéndose inseparables.

Cuando un rayo del frío sol otoñal, que comenzaba a caer, arrancó un resplandor del yelmo de Nevita, habló el césar:

—Quizá no lo sepáis, amigos míos, pero podríamos tener problemas con las autoridades. Un extraño que nos viera en silencio observando el sol desde hace un par de horas podría pensar que somos seguidores de Helios.

Nevita dejó escapar una risita escéptica.

—Aristóteles —continuó el césar, dirigiéndose a Victor— afirma que cada hombre nace de un hombre y del sol. Pero el sol es solo el dios visible, una especie de ser que hace de mediador entre la inmensidad del dios invisible y nosotros. ¿Entendéis qué quiero decir?

Victor sonrió y sacudió la cabeza. No había entendido ni una palabra.

Juliano se quedó observándolo hasta que el franco lo miró a su vez.

—*Draconarius*, tú que hablas de la inmensidad de la Creación para enseñarme esgrima, ¿conoces esta teoría?

—No, césar.

Juliano sonrió.

—¿Acaso eres seguidor de Mitra, Victor? Esta mañana parecía que no te importaba entrar en aquella capilla.

El *protector* negó, incómodo, pero el césar insistió.

—No tendría nada malo, eres un soldado y los seguidores de Mitra practican virtudes típicas del soldado, como el valor y la fuerza; alientan las buenas acciones, más que la contemplación.

Juliano volvió a mirar el sol.

—Para ellos la purificación de los pecados exige mucho más que algunas plegarias en honor de los muertos.

Que el joven césar admitiera la posibilidad de practicar otros cultos religiosos sonaba extraño e inquietante. Nevita no reaccionó, como si no hubiera oído, mientras que Filopatros, Dagalaifo y el mismo Victor lo miraron como si hubiera enloquecido. Si semejantes razonamientos los hubiera hecho en presencia de Constancio le habrían costado la cabeza. El emperador era profundamente cristiano y seguidor del arrianismo, hasta el punto de haberlo proclamado religión oficial del imperio. Había promulgado leyes que prohibían los sacrificios a los antiguos dioses y ordenaban la clausura de los templos. No obstante, todavía había mucha gente que profesaba los antiguos cultos a escondidas. Se habían respetado los templos situados extramuros de las ciudades, aunque, abandonados, estaban destinados a la decadencia.

El emperador hacía como que no veía la intolerancia hacia quien no era cristiano, pero, al mismo tiempo, aplazaba medidas más drásticas como las persecuciones, que se decía que tenían lugar, contra los fieles de los antiguos cultos. En cualquier caso, todos daban por descontado que, al menos en la corte de Constancio, era necesario ser no solo cristianos, sino también seguidores de Arrio, para sobrevivir. Nevita aprovechó un momento de silencio.

—Nobilísimo, a propósito del sol, es hora de montar el campamento para la noche.

—Cierto —dijo el joven césar—. Da las disposiciones. —Luego se volvió a Victor—. No olvidemos la clase de esgrima, *draconarius*. Vamos.

Acto seguido espoleó el caballo, lo que cogió por sorpresa a los hombres del séquito. Victor fue el primero en pisarle los talones, seguido un instante después por Filopatros, mientras que los demás se miraban, inseguros.

Juliano aumentó la velocidad, lanzó el caballo al galope y dejó el camino principal para adentrarse en un bosquecillo de álamos. Victor lo seguía con la vista y Filopatros seguía a Victor. Llegaron a los restos de una granja abandonada y poco más allá vieron a Juliano, que estaba esperándolos en medio de un campo de rastrojos. Victor aflojó la carrera del caballo y se detuvo a pocos pasos del césar.

—Tú puedes marcharte, Filopatros.

El griego, que acababa de alcanzarlos, tuvo un momento de vacilación.

—Me han ordenado que estuviera siempre a tu...

—¿De veras? —lo interrumpió Juliano—. ¿Quién?

—Como miembro de tu guardia, nobilísimo césar, he recibido la consigna de no dejarte nunca solo.

—Eso lo he entendido, griego, lo que quiero saber es quién te ha dado la consigna.

—Flavio Arinteo, nobilísimo.

—¿Y quién manda este ridículo ejército? ¿Él o yo?

—Tú, cierto, pero...

—Puedes marcharte, Filopatros —dijo Juliano mirándolo directamente a los ojos. Luego espoleó el caballo y partió, siguiendo una hilera de árboles que subía suavemente a lo largo de la colina.

—Haz lo que te ha dicho, griego —dijo Victor—. Yo me quedo con él.

Aunque de mala gana, Filopatros tomó la vía de regreso. Por su parte, el *protector* siguió a Juliano.

Al llegar a la altura, el joven desenfundó la espada y se volvió hacia Victor.

—¡En guardia! —Sin dejar el estandarte con el dragón, el franco desenvainó a su vez y saludó con la espada—. Tengo que aprender a combatir, así que no quiero tener ventaja. Deja el estandarte.

—Y yo debo aprender a combatir sosteniendo tu dragón, césar. Y no quiero tener desventaja cuando me encuentre en la batalla.

Juliano encabritó el caballo y Victor adivinó su sonrisa bajo el yelmo. Luego el joven cargó, decidido, sobre su instructor y asestó un primer mandoble. Hierro contra hierro, las largas espadas vibraban. Victor giró el caballo y tuvo que parar otro ataque fulminante, y luego otro. Por primera vez vio encenderse en los ojos de aquel que hasta poco antes era solo un estudiante de teología una rabia nueva, que se convertía en la fuerza con que golpeaba. Victor respondió con un par de mandobles, que fueron parados de inmediato, pero sus golpes no iban a fondo como los de Juliano. Otra vez el ruido del hierro, otro mandoble y una parada. Continuaron hasta sentir que el sudor corría bajo la coraza, a pesar del viento punzante.

Juliano se detuvo para coger aliento y examinó la hoja de su espada, que tenía el filo mellado en varios puntos.

—Al menos esta vez me han dado una de verdad —dijo en tono resentido. Luego la lanzó al suelo, donde se clavó y se quedó vibrando.

El franco envainó su arma y se quitó el yelmo para que el aire frío le secara el sudor. Juliano lo imitó; luego desmontó del caballo y apoyó el yelmo sobre el mango de la espada. Examinó a Victor desde abajo.

—Visto que proteges el sagrado emblema del césar —le dijo sonriendo—, de ahora en adelante este será tu nombre: Draco.

—Es un gran honor para mí, nobilísimo.

—Espera a decirlo. He crecido sabiendo que todos los que

están a mi alrededor quieren verme muerto. —Juliano le pasó a Victor las riendas del caballo y se encaminaron a la cima de la loma—. Y aún debo descubrir si tú eres de verdad distinto de los otros.

—No es prudente que te alejes solo, césar. —Victor saltó al suelo.

—Que te den, Draco. Los germanos más peligrosos de aquí al Rin sois tú, Dagalaifo y Nevita. Y, si no me engaño, deberíais estar de mi parte, ¿correcto? —El franco se rio, confundido y embarazado—. Y si no estás conmigo, sino contra mí, ¿qué esperáis? ¡Ejecutad la misión, enterradme y acabemos con esta farsa del césar de la Galia!

La sonrisa se congeló en los labios de Victor. Se quedó donde estaba, mirando al hombre que debía proteger, que desaparecía al otro lado de la loma. Ató los caballos a un tronco caído y cogió de la alforja un trozo de pan negro. Mientras se lo comía, daba vueltas en torno a la espada clavada en el terreno, que sostenía el yelmo de un descendiente de los emperadores de Roma. Miró el yelmo cubierto de gemas sin atreverse a tocarlo.

De tanto en tanto el franco prestaba atención, pero no oía nada. Un soplo de viento susurró entre las ramas ya despojadas de los álamos que se recortaban negros contra el cielo violeta. Estaba oscureciendo y no veía al césar.

Dejó pasar aún unos momentos y cada vez más inquieto a medida que las sombras del ocaso engullían el paisaje, decidió buscar a su discípulo. El sudor congelado dentro de la armadura le produjo un escalofrío.

El saludo deslumbrante del sol moribundo se perdía en el horizonte encendido de llamas rojizas detrás de las colinas. El césar estaba poco más abajo, de rodillas. Rezaba, con la mirada fija a lo lejos, como para absorber los últimos rayos de luz. Así que el muchacho era seguidor de Deus Sol Invictus; seguía la antigua religión de los adoradores del Sol. Resulta que el emperador Constancio, que tanto se había empeñado en unificar la Iglesia, tenía un primo pagano y acababa de elevarlo al rango de césar. En la mente de Victor se abrió paso un pensamiento cruel:

si hubiera vuelto a la carrera a Mediolanum, para revelar aquel secreto a Eusebio, o al propio emperador, sin duda se habría llenado los bolsillos, quizás habría podido cambiar de vida. ¿Por qué pasar el invierno arriesgando la vida y congelándose las posaderas por toda la Galia? Seguro que Juliano habría sido destituido y, muy probablemente, condenado a muerte. ¿No era eso lo que quería?

Tragando, tembloroso, y no solo por el frío, el *protector* volvió sobre sus pasos. Se sentó junto a los caballos y esperó.

Al poco vio reaparecer la silueta de Juliano. El joven pasó la cima y alcanzó a Victor, que evitó su mirada. El césar se puso el yelmo y se ató el barboquejo. Sacó la espada del suelo y limpió la hoja sobre el musgo que cubría un tronco tumbado. Luego observó la punta de la que colgaban raíces arrancadas de la tierra.

—¡Mira, Draco! —dijo señalando la punta de la espada—. Entre las raíces muertas ha nacido una planta, que está echando raíces nuevas. Vive. —Victor miró. Era verdad, había una plantita escuálida. ¿Y qué?—. ¿No crees en los signos premonitorios?

—Creo solo en lo que veo, césar.

Juliano observó el tronco abandonado en el suelo. Lo veía como un signo del destino enviado por Helios, que así le indicaba que había escuchado su fervorosa plegaria.

—Un árbol grande y poderoso puede morir, cae y de sus mismas raíces nace un brote, que crecerá sano y fuerte. —El joven montó en la silla—. Cuidado, mi pobre amigo sin fe. Verás que tu vida se desvanece en la nada como la niebla bajo el sol si no consigues comprender la esencia de los dioses. El ente abstracto, la sustancia suma, la clave del fundamento primero del universo, la matriz, el principio primigenio, Dios. Todos nosotros formamos parte del designio de Dios, incluso tú. —El *protector*, pensativo, recuperó el dragón que había clavado en el suelo.

»¿Lo ves? Estás aquí, hoy, conmigo y con este dragón —prosiguió Juliano—, y eso significará algo, ¿no? Porque todo en la vida forma parte de un designio: nuestro cuerpo y nuestra mente son el medio que los dioses nos ofrecen para llevar a término su designio.

Victor lo miró, extrañado. Pensó que quizá las reflexiones de las personas de alto linaje eran demasiado complicadas para entenderlas.

El caballo de Juliano se estremeció, como impaciente por partir al galope.

—Dime la verdad, Draco.

—Habla, césar.

—Eres un espía de Eusebio, ¿verdad?

El franco sintió un nudo en el estómago. Se esforzó por mirar al otro a los ojos.

—Yo estoy aquí para proteger al césar y su símbolo. Y estoy listo para batirme por eso.

—Sí. Claro que si trabajaras para Eusebio y esa gentuza que infesta la corte, nunca me lo dirías. Pero, cuidado, podría arrancarte la verdad si encuentro algún indicio de que mis sospechas son ciertas. Los crueles métodos que han hecho célebre a Paulo Catena pueden perfectamente ser emulados por otros. —Juliano miró por un momento a Victor, con el rostro serio. Luego se echó a reír.

»Para tu suerte, aunque tengo la fundada sospecha de que tú trabajas para esa panda de asesinos, mi naturaleza no es sanguinaria y perversa como la suya. —El césar estalló en una carcajada—. Y, además, ¡ahora está demasiado oscuro para verte en la cara si estás mintiendo como un eunuco de la corte!

Los dos echaron a andar con los caballos al paso. Juliano levantó la mirada hacia el dragón que había empezado a ondear en el aire.

—Esa bestia acabará matándome, algún día. Pero no puedo abandonarla y no solo porque lo prevé el protocolo, o alguna estúpida regla militar. —Calló para dar ocasión a Victor de intervenir, pero el franco no dijo nada—. Por casualidad, por una broma del destino, un maestro de ceremonias te confió a ti precisamente este estandarte el día que me proclamaron césar. Quizás ese signo sea irrelevante para muchos, pero no para mí. Nada ocurre por casualidad, todo entra en el cuadro de un sistema cósmico desconocido para nosotros. El destino ha establecido que nosotros dos hagamos un recorrido común, Victor. No sé si el camino será breve o largo, fácil o difícil, pero siento que tú estarás a mi lado.

—Será un honor, césar.

—En las últimas semanas mucha gente me ha dicho que es un honor estar a mi lado. La vida es extraña. Los que te ponen una corona en la cabeza y te sonríen son los mismos que antes te querían muerto.

—Mientras yo esté a tu lado, nadie te hará daño, nobilísimo. —El joven detuvo el caballo.

—¡Júramelo!

—No tengo nada que darte como prenda de mi juramento, solo mi palabra.

—A mí me basta tu palabra.

El *protector* desenvainó lentamente la espada, mirando a Juliano, luego llevó la mano que la empuñaba a la altura del corazón.

—Juro que mientras estés a mi lado nadie te hará daño.

—Algo dentro de mí me dice que uno de nosotros verá morir al otro; pero esa sensación y tu juramento deberán ser un secreto entre nosotros, Draco —dijo Juliano, solemne.

—Puedes contar conmigo, césar —afirmó el franco, envainando la espada.

Juliano lo miró.

—¿También respecto a lo que has visto en la otra ladera de la colina? —Victor no supo qué decir—. Sí, te he visto y sé que me has visto —prosiguió Juliano—. He desarrollado una gran intuición para los peligros; los siento sobre mí antes de que se presenten; teniendo en cuenta mi vida, es lógico que sea así. —En su voz afloró un estremecimiento—. Durante años me he preguntado de qué modo me haría asesinar mi primo Constancio y qué rostro tendría el hombre que mandaran a quitarme la vida; y aún ahora me cuesta no pensar que la muerte podría ser una liberación para mí.

—Perdóname, nobilísimo, pero no te entiendo. ¿Por qué dices que el divino augusto te quiere muerto?

Al joven se le escapó una risita carente de alegría y preguntó:

—¿Sabes quién soy yo de verdad?

—Eres un descendiente del nobilísimo Constantino el Grande, y primo del emperador Constancio.

—¿Sabes que soy el último de la dinastía?

—No.

—Pues así es. —Señaló los álamos que estaban bordeando—. ¿Ves estos árboles? Tienen muchas ramas, ¿verdad? El árbol de los constantinianos tiene solo dos ramas. Mi primo Constancio y yo. ¿Y sabes por qué tiene solo dos? —Victor negó con la cabeza—. Porque el divino augusto Flavio Julio Constancio, nuestro emperador, las ha podado todas. Quedo solo yo.

—No entiendo, césar.

—Poder aspirar al trono es para nosotros, los constantinianos, una verdadera condena. Todo empezó con mi abuelo, Flavio Valerio Constancio, llamado «el pálido» o Constancio Cloro, que tuvo hijos de varias mujeres. La primera era una posadera, concubina suya, llamada Helena, que dio a luz a la estirpe de mi tío Constantino, luego célebre como «el Grande». La segunda era la noble Flavia Teodora, con quien se casó por intereses políticos y de la que tuvo seis hijos, entre otros, mi padre, Julio Constancio. Cuando Constancio Cloro murió, durante una campaña militar en Britania, Constantino, que estaba con él, fue proclamado emperador por el ejército y lo fue durante treinta años: Constantino el Grande, que trasladó la capital del imperio a Bizancio, a la que cambió el nombre por el de Constantinopla, o sea, su ciudad. —Juliano se ajustó la capa y dejó que el caballo decidiera su marcha—. Puso fin a las persecuciones de los galileos y proclamó la libertad de culto, pero creo que para él, tan ambicioso, la religión era solo un *instrumentum regni*. Así que favoreció a la religión que tenía más fieles, pero no condenó a las demás y dijo que era el «predilecto del cielo» sin precisar nunca a qué dios pertenecía ese cielo. Los enemigos religiosos son los más tenaces y fanáticos, y mi tío lo había entendido: ¿para qué crearse enemigos inútilmente? Por eso unificó las festividades religiosas; desplazó el nacimiento del Nazareno al 25 de diciembre para hacerlo coincidir con el día del nacimiento del Sol y del dios Mitra, e introdujo la semana de siete días, dedicando al dios Sol el día de reposo. Hizo construir iglesias por doquier, pero en su Constantinopla dedicó dos templos a Cibeles y a la Fortuna. —Juliano se rio—. ¿Sabías que no se bautizó hasta que no estuvo a punto de morir? Entonces hizo que acudiera un obispo arriano.

—No, césar, no lo sabía, pero ¿quién soy yo para juzgar los actos de un gran emperador como él?

—Bravo, franco, también diplomático, además de hombre de armas. Y tú, ya que estamos, ¿estás bautizado?

—No que yo sepa, nobilísimo.

—Condenado franco. Volvamos a mi historia, que exige un poco más de atención por tu parte porque es complicada. Constantino se casó en primeras nupcias con Minervina, de la cual tuvo un hijo, Crispo, al que elevó al rango de césar. Luego Minervina murió, mi tío desposó en segundas nupcias a Fausta Máxima Flavia, que le dio cinco hijos: Constantino II, Constancio II, Constante, Constantina y Helena, mi esposa. Parece ser que la tía Fausta acusó a Crispo, el primogénito, de haber abusado de ella. No se sabe nada sobre el final de Crispo, de su mujer y de sus hijos: vista la sórdida naturaleza de la culpa, sobre toda la familia cayó la *damnatio memoriae*, así que el nombre de Crispo desapareció de cualquier inscripción, como si nunca hubiera nacido; pero parece que la acusación era una maquinación de la tía Fausta para favorecer el ascenso al trono de sus hijos en detrimento del primogénito del emperador. —Juliano suspiró. Victor no osaba abrir la boca.

»Cuando mi tío Constantino se dio cuenta de que había condenado a muerte a su hijo, inocente, por un engaño urdido por Fausta... hizo que la encerraran en unas termas, donde murió a causa del vapor, y también ella quedó condenada a la *damnatio memoriae*.

—El campamento, césar. Estamos cerca —dijo Victor señalando algunos resplandores más allá del bosque.

Como si no lo hubiera oído, Juliano prosiguió:

—Cuando mi tío murió, diez años después, quedaban sus tres hijos varones y un primo suyo elegido césar, Flavio Dalmacio, hermano de mi padre, para disputarse la corona. Soy sobrino de tres emperadores y primo de cuatro césares, ¿suena bien, verdad? La complicación fue el testamento de mi tío, en el que se aludía, parece, a un intento de envenenamiento por parte de los hijos de Constancio Cloro y Teodora. Un buen pretexto para barrer a la otra rama de la familia y dejar espacio a la progenie del difunto emperador. ¿Sabes qué ha significado eso? —Victor, aterrado, negó con la cabeza.

»Tenía seis años —siguió Juliano con la voz sutil y frágil como el vidrio—. He visto matar ante mí a mi padre, a uno de mis tíos, a mi hermanastro mayor y a mis seis primos. —¿Era llanto lo que le quebraba la voz?—. Recuerdo el ruido de los cascos de los caballos como si fuera ayer. Los soldados, muchos, que desmontaban empuñando las espadas, el tribuno de yelmo plateado con un pergamino en la mano... Nuestros sirvientes, pobres ovejas acosadas por lobos, las mujeres que estrechaban los niños contra su pecho. Mi padre, pálido, que intentaba aplacar a los soldados... «¿Cuál es tu nombre?», le preguntó el oficial; mi padre se lo dijo y el tribuno hizo que lo llevaran fuera. Luego eligieron a un esclavo y lo degollaron delante de todos. Aquella sangre oscura, sobre el mármol blanco del atrio... El tribuno eligió otro esclavo y le mostró al muerto. «Ahora te diré los nombres y si no me dices quiénes son, tendrás el mismo fin», lo amenazó. Luego desplegó el pergamino y comenzó a leer los nombres; y el esclavo lloraba y señalaba, con el dedo tembloroso... Uno a uno, fueron sacando a mis familiares. Yo salí llorando y de inmediato mi preceptor, Mardonio, me cogió por el brazo, tratando de apartarme. El tribuno lo vio: «¿Cómo se llama ese niño?» Mardonio balbuceó mi nombre, aterrorizado: «Flavio Claudio Juliano.» El tribuno releyó la lista al menos dos veces, luego me miró, indeciso. Aquella era una lista de condenados a muerte; y mi nombre no estaba.

El joven respiró hondo. Victor imaginó las mejillas bañadas de lágrimas y agradeció la semioscuridad del ocaso.

»Enumerados los nombres, el tribuno leyó la acusación. Traición. A veces lo oigo aún, en sueños: traición. La condena era inevitable. Los pusieron a todos en fila y los degollaron como corderos, uno a uno. Mardonio me impidió ver, pero lo oí todo. Gritos, súplicas, gemidos... Todos los bienes de mi familia pasaron a estar controlados por el augusto Constancio, que había hipotecado el reino porque era el único que había participado en los funerales de su padre, Constantino. A mí me perdonaron porque tenía seis años, y a mi hermano Galo porque era débil y enfermizo; pensaban que no viviríamos mucho. A los otros los mataron porque eran descendientes de Constancio Cloro y, por tanto, posibles pretendientes al trono.

Victor tenía una pregunta en la cabeza y Juliano la respondió sin necesidad de oírla:

—Las condenas llevaban la firma del hombre que me ha nombrado césar. —De nuevo el silencio—. ¡Constantino el Grande! ¡Es grande solo en libertinaje y arrogancia, y en la sed de poder de sus descendientes! Todos ellos querían ser grandes, pero no había sitio para todos. Constantino II, Constancio y Constante han combatido entre ellos, hasta que ha quedado solo uno, el hombre que ahora guía el imperio haciendo como que es un cristiano pío; después de exterminar a su propia familia. Un soberano tan amado e iluminado que tiene que contratar un ejército de espías para controlarlo todo y a todos. Cada año que pasa alguno de sus generales se autoproclama emperador; a base de depuraciones se ha encontrado solo. El destino no le ha concedido descendientes y quizás eso sea bueno. La dinastía constantiniana se ha matado con sus propias manos y a la muerte de Constancio II la corona pasará a otra dinastía. Por miedo a tener que afrontar a otros usurpadores, y para demostrarles a la Galia y al imperio que su trono es muy firme, mi adorado primo ha pensado en rehabilitar al niño al que hace muchos años no degolló; un niño asustado, que ha vivido encerrado y aislado en residencias lejanas y lujosas, rodeado de guardias y sirvientes que lo controlaban y espiaban. —El joven césar cogió al franco por un brazo.

»Todas las mañana, al despertar, me preguntaba si aquel era mi último día; frente a cada plato me preguntaba si en la comida no habría veneno; y cada vez que había un cambio de guardia, me preguntaba si en ella estaba el sicario que habían mandado para matarme.

Los dos jinetes se miraron. El fuego del campamento brillaba en la oscuridad, que ya había caído sobre la llanura.

—Me lo he preguntado también respecto a ti, Victor. Si estás aquí para matarme, solo te pido que tu mano sea rápida y precisa.

Los hombres habían preparado las tiendas y habían encendido los fuegos. Victor se unió a la guardia, que estaba a punto de disfrutar de un poco de comida caliente después de una fría jornada a caballo. A todo el que le preguntaba qué había sucedido con el joven césar, el franco respondía que se habían adiestrado con la espada hasta el agotamiento. Llovieron todo tipo de comentarios sarcásticos sobre el muchacho, hasta que su silueta apareció junto al fuego. Los soldados se levantaron.

—Sentaos y comed —dijo Juliano incorporándose al corro de hombres agachados en torno a la hoguera principal. Con su plato aún lleno se sentó entre Victor y Filopatros. Los dos le hicieron espacio, mirándolo como si fuera un espectro. Nevita observaba la escena, atónito. No era normal que un césar se sentara a comer entre los soldados. No lo hacían ni siquiera los tribunos y era impensable que lo hiciera un miembro de la familia imperial.

—Mis sirvientes —empezó Juliano— me han preparado faisán en salsa. —Los hombres lo miraban en silencio, confusos—. ¿Alguno de vosotros quiere?

Nadie respondió y el césar se quedó con la bandeja de plata a media altura. Entonces se dirigió a Nevita:

—Recuérdame que despida a los sirvientes en cuanto lleguemos a Augusta Taurinorum. Esto no les gusta ni a los soldados. —Los hombres estallaron en una fragorosa carcajada—. ¿O será —siguió Juliano— que teméis que la comida esté envenenada?

Las carcajadas se apagaron y dejaron paso a miradas embarazosas.

—Lo probaré con gusto, nobilísimo —dijo Victor.

—Si quieres, te cambio el plato. Pero también quiero probar lo que estáis bebiendo.

Los sirvientes acudieron con una copa y una botella. Juliano cogió la copa y les ordenó que distribuyeran el vino entre la tropa.

—Venga, venga, acabemos las reservas, así viajaremos más ligeros. Primero llegaremos y después os licenciaré.

De nuevo los hombres se rieron y trasegaron el preciado vino sin saborearlo.

—En tu opinión, Filopatros, vendiendo a estos tres desgraciados tan bien vestidos que parecen embajadores, ¿cuántos soldados compraría?

—No sabría decir, nobilísimo. Quizá cuatro o cinco infantes galos, bien armados.

Del otro lado de la hoguera un soldado de Bélgica hizo una mueca.

—Cuidado con lo que dices, *graeculo*. Los galos no están en venta como el ganado, y en cualquier caso, con esos tres afeminados no comprarías ni uno.

—Entonces quizá convendría armar directamente a los tres afeminados, aunque ya no tengan pelotas —rebatió Filopatros, cortante—. Teniendo en cuenta la facilidad con que los germanos van y vienen por la Galia a su gusto, no creo que lo hicieran peor que los defensores actuales.

—Tienes la lengua demasiado larga para ser el único griego entre nosotros —dijo el soldado de Bélgica—. ¡Un griego que desprecia a los galos! Me recuerda la historia del ciego que la toma con el tuerto.

Juliano depositó su plato.

—La situación en la Galia no es culpa de los galos, sino de la mala administración. Estamos llamados a ayudar a esas tierras a levantarse y a liberarse del flagelo de los alamanes. Nos hacen falta todos los hombres; por tanto, os ruego que estéis unidos en un espíritu de fraternidad, como los legionarios de Julio César en estos mismos lugares hace cuatrocientos años. Habrá tiempo y ocasión para demostrar el valor de cada cual en el campo de batalla, pero antes hay algo que quiero dejar bien claro a todos vosotros.

El césar se levantó para que todos pudieran verlo bien a la luz de la hoguera. Algunos soldados dejaron los vivaques de alrededor para escuchar sus palabras.

—Todos nosotros hablamos latín y tenemos más o menos los mismos principios e ideales. Estoy seguro de que nuestro Filopatros siente la nostalgia de su tierra, tal como yo siento la de Constantinopla y vosotros vuestros lugares natales. Sin embargo, el mismo espíritu de Constantinopla está presente en Mediolanum, en Roma y en la colonia Agripina. Nuestra manera de vivir es similar desde el Muro de Adriano hasta el Éufrates, un territorio inmenso que comprende personas distintas y, sin embargo, iguales, que se reconocen en el interior de un gran plan. Hayamos nacido en Antioquía o en Vienne, somos, de todos modos, romanos. Los constructores de los palacios de Lutecia no vienen de Roma, sino de Parisi, no obstante, desafío a cualquiera a distinguir uno de esos edificios de los de Augusta Taurinorum. Porque todos somos romanos. Hemos heredado un vasto imperio nacido por la fuerza, grande gracias a las leyes y a la moral comunes, habitado por una hermandad cosmopolita de gente unida por un nombre: Roma. Es una idea, un sueño, tan real que puede hacer sentir a quien participe de él la conciencia de esa unicidad y esa unidad. Somos la mejor parte de la humanidad. Vosotros, yo, todos. Nuestra razón nunca podrá sucumbir frente a la brutalidad de aquellos que nos presionan en nuestras fronteras. Quizás hayamos perdido una batalla, pero ganaremos la guerra. Reconquistaremos por la fuerza lo que nos han quitado por la fuerza. Saldremos victoriosos de ese enfrentamiento porque estamos unidos, conscientes de ser hijos de una civilización extraordinaria, destinada a durar eternamente.

V

El paso de los Alpes

Diciembre del 355 d. C.

La ciudad de Augusta Taurinorum, antiguo campamento militar y a la sazón avanzadilla romana de la Galia, acogió al joven Juliano con entusiasmo. Para asistir a la llegada del césar y de su ejército, la gente se había agolpado a lo largo del cardo máximo, una de las arterias que se dirigían al foro. A pesar de los esfuerzos de Nevita y Dagalaifo para hacer parecer la columna más larga y fastuosa de lo que era, no se había necesitado mucho tiempo para que pasaran los trescientos ochenta liberadores de la Galia por la *porta principalis*.

Los pocos días pasados en Augusta Taurinorum fueron frenéticos. Todos querían ver al césar y entrevistarse con él. Juliano pasaba su tiempo entre documentos y funcionarios más que con sus soldados. Aquella tarde, a la luz de las antorchas, el césar aún estaba trabajando. Victor velaba por él junto a Filopatros mientras Nevita y Arinteo se ocupaban de filtrar el trasiego de funcionarios a los que Juliano intentaba mantener lo más alejados posible de su persona.

De pronto, Dagalaifo irrumpió en la sala de audiencias. Se acercó a Juliano y le susurró algo al oído. Juliano asintió. Poco después se presentó un hombre de mediana edad envuelto en una elegante capa, que tras la ritual inclinación le entregó una carta al césar. El funcionario habló en griego, por lo que Victor no entendió una palabra, pero intuyó, por la palidez del rostro del césar, que no traía buenas noticias. Después de otro par de inclinaciones el hombre salió y la estancia cayó en el silencio a medida que los pasos del funcionario se perdían por el corredor. Juliano se detuvo a mirar la misiva, como si fuera una serpiente venenosa.

—Viene del prefecto de la Galia —dijo el joven, después de un momento— y me informa de que ha caído la colonia Agripina.

—¿Caído? —dijo Nevita.

—Los alamanes del rey Chodomario se han adueñado de la ciudad después de un largo asedio.

—¡No es posible! —gritó Nevita atónito—. ¡La fortaleza sobre el río era inexpugnable!

—Parece que los germanos ahora son dueños también de buena parte de los territorios de alrededor. —Juliano releyó la carta—. El frente a lo largo del Rin ha cedido en varios puntos y muchas fortalezas han quedado aisladas.

Le pasó la misiva a Nevita, que seguía murmurando y ni la miró. Era improbable que supiera leer el griego y quizás era analfabeto.

—Debemos pasar los Alpes, césar —dijo Arinteo con brusquedad—, ¡y de inmediato!

—¿Por qué? —preguntó Juliano extrañamente sosegado.

—¿Por qué? Para retomar el control de la...

—La colonia Agripina ya había caído cuando estábamos en Mediolanum, Flavio. La misiva lleva la fecha de hace un mes. En Mediolanum lo sabían y no me lo han dicho. Al decírmelo ahora con esta carta quieren hacerme entender que ha sido un gesto premeditado y que yo no cuento para nada. ¡Recuperar el control! ¿El control de qué?

Arinteo no respondió. Sobre los presentes volvió a caer el silencio. Con un gesto de rabia repentino, Juliano se volvió hacia el escritorio y arrojó todos los mapas al suelo.

—Me han dado la corona de césar para que muera lentamente. Con una puñalada o con un frasco de veneno habría sido demasiado sencillo.

Con la mirada perdida en el vacío, el césar se atormentaba bajo los ojos impotentes de Victor y Filopatros. Dagalaifo era una estatua, Nevita caminaba arriba y abajo maldiciendo. La expedición se anunciaba como una catástrofe aun antes de empezar.

—Y lo más grotesco —continuó el césar, cada vez más alterado— es que mis generales me empujan a marchar contra los alamanes con menos de cuatrocientos hombres, un puñado de seguidores del Nazareno, inútiles, capaces solo de lamentarse, rezar y pintar cristogramas en los escudos. Apuesto a que Constancio quería liberarse de ellos. ¿Acaso os parecen un ejército? A mí me parecen una procesión de mujeres beatas que se dirigen a un santuario.

—Es preciso motivarlos, nobilísimo —aventuró Arinteo— y luego reclutaremos más soldados por el camino...

—¿De verdad, Arinteo? ¿Crees que soy sordo y ciego? Veo cómo me miran, los oigo murmurar a mis espaldas. Se ríen de mí, en vez de mirarse en el espejo. Si lo hicieran, no verían ni la sombra de los hombres que han hecho de Roma un imperio, los legionarios de Escipión, de Julio César, de Marco Aurelio. —Juliano se dejó caer, desconsolado, en su sillón. Tampoco él estaba a la altura de los grandes caudillos que acababa de nombrar—. Los únicos de verdad capaces serán sin duda espías de Eusebio. Gente que les cuenta cada palabra que digo y cada paso que doy a los eunucos de Constancio. —El joven levantó la cabeza, dirigiendo a los presentes una mirada de desafío—. Venga, decidlo. ¿Quién de vosotros es un *agens in rebus*?

—¡Te hemos jurado fidelidad, césar!

—La fidelidad está ligada a la posición, Arinteo. Cuanto más se sube y más juramentos se demandan, menos dispuesto se está a prestarlos —dijo el joven césar con tono irónico—; por no hablar de mantenerlos. —Juliano miró a Victor un segundo—. Y ahora, si me perdonáis, estoy cansado.

Los comandantes se despidieron y Juliano se dirigió también a Victor y Filopatros.

—Id vosotros también a descansar. Habéis hecho vuestra parte.

Los dos *protectores* vacilaron.

—Haré venir el relevo —dijo Victor.

—¡No! —aulló Juliano—. ¡No quiero espías en mi puerta! ¡No quiero a nadie! ¡Fuera!

Filopatros y Victor se marcharon en silencio. El césar de la Galia alcanzó la silla y se dejó caer en ella. Después de algún tiempo levantó la mirada hacia el cielo, más allá de la ventana.

—Ayúdame tú, Helios, tú, que todo lo creas. Hazme desaparecer de aquí, disuélveme en el universo infinito, libérame de esta mísera condición que no he pedido ni deseado. —Con los ojos brillantes, Juliano abrió la ventana. Un soplo gélido le acarició el rostro—. No me abandones entre estos desconocidos, extraños que solo quieren mi ruina. Te lo ruego, te lo suplico, no me dejes solo. Dame tu gracia, hazme partícipe de tu sabiduría, dame una mente inspirada. Guíame y concédeme abandonar esta vida, cuando llegue el momento, en la certeza de la alegría de unirme de nuevo contigo, fundamento primero del cosmos.

Con un estremecimiento en los labios y los ojos húmedos, escrutó las miles de estrellas que salpicaban la noche.

—¿Dónde estás, padre?

Victor y Filopatros llegaron al cuerpo de guardia y se liberaron de armas y corazas.

—Muévete, franco, ¡o no encontraremos ni una!

—Cálmate, *graeculo*, no se escaparán.

—¡Eso dices tú! Augusta Taurinorum es un antro y trescientos de los nuestros ya están a la caza de las mismas presas que nos interesan a nosotros. Mañana o pasado mañana partiremos para la Galia. No hay tiempo que perder.

—¿Sabes a dónde ir?

—Sí, le he preguntado a un militar del palacio. Las mujeres están todas en torno al anfiteatro. —El griego miró de reojo al franco, que no parecía demasiado ansioso de entregarse a los placeres—. Amigo franco, te veo inseguro. ¿Acaso estás pensando en tu puta de Mediolanum? ¿No habrás perdido la cabeza entre sus muslos?

El franco sacudió la cabeza irritado.

—Ya sabes, las flechas de Cupido... —siguió Filopatros riéndose burlón—. Valor, resiste. Nuestro joven césar no aguantará mucho. Dentro de poco volveremos a holgazanear en la corte de Constancio y entonces...

—¿Qué quieres decir?

—Tú también lo ves. Está claro que no lo conseguirá, es demasiado joven y no tiene cojones. Ese no llega a la colonia Agripina, y, por otra parte, ¿quién quiere seguirlo? —respondió el griego en voz baja.

—Me parece que te equivocas. Yo digo que puede conseguirlo.

—Y además corre la voz de que es seguidor de los antiguos dioses helénicos... —susurró Filopatros.

—¿Y qué? Es asunto suyo, ¿no? —le replicó Victor sin parpadear.

—¿Asunto suyo? Los seguidores de los antiguos dioses deben convertirse; o afrontar las consecuencias. Su mundo ha terminado. ¡Un idólatra no puede comandar soldados cristianos!

—He visto muy pocos cristianos entre los galos y los alamanes, Filopatros.

—Por eso nos dirigimos a combatirlos. Si el principito resiste, naturalmente... ¿Has visto qué cara ha puesto cuando ha leído la carta? —Filopatros se rio con desprecio—. Quiero verlo cuando se encuentre ante los hombres de Gigas. Yo digo que se cagará en sus inmaculados e imperiales calzones y luego pondrá pies en polvorosa como una liebre. A menos que su augusto primo lo haga matar antes, por el buen nombre de la familia.

—¿Quién es Gigas?

—Gigas, el gigante. Es Chodomario, el rey de los alamanes. Dicen que es enorme.

—Apuesto a que no escapa ante tu Gigas —dijo Victor sacando una moneda de oro del bolsillo del cinturón.

—Amigo Victor, no te hacía tan ingenuo. —También el griego pescó una moneda—. Acepto. Será como robarle a un niño.

Victor observó las dos monedas una junto a la otra. Nuevas, relucientes e idénticas.

—Nos hemos ganado el dinero en el mismo sitio, ¿eh, Filopatros?

—¿Quieres decir que tú también has encontrado una bolsa en un callejón del puerto, como yo? —dijo el griego con expresión inocente.

Aún se reían cuando apareció Flavio Nevita.

—¿Qué hacéis aquí vosotros dos?

—El césar nos ha dejado libres, tribuno.

—¿Estáis locos? —El comandante de la caballería echaba fuego por los ojos—. Volved de inmediato a vigilar sus aposentos u os hago desollar vivos. El representante del emperador debe estar siempre protegido.

Filopatros estaba a punto de contestarle, pero ya Nevita había levantado el brazo para golpearlo con el *scutis*, el látigo de piel que llevaba siempre consigo. Los dos recogieron las armas y volvieron refunfuñando hacia los alojamientos del césar.

—Las mujeres de Augusta Taurinorum no saben qué se han perdido, amigo mío —dijo Filopatros, apoyándose en una estatua de mármol de Hércules delante de los apartamentos de Juliano.

Victor no dijo nada.

—Pero ¿dónde tienes la cabeza, maldito franco? Esa Murrula te ha embrujado. ¿Sabes cuántas mujeres encontraremos como ella de aquí a la colonia Agripina?

Victor no estaba pensando en Murrula, sino en el césar. Desde el día en que lo había visto adorar al Sol y se había confiado a él, pensaba en él de otra manera. No entendía por qué, pero cada vez más a menudo se encontraba, en su interior, tomando silenciosamente partido por él; saberlo cada vez más solo y con problemas le hacía sentir cierta simpatía por el joven.

Todo parecía conjurarse en su contra. Su poderoso primo lo manipulaba como a un muñeco. Nombrándolo césar con poderes tan limitados lo había encerrado en una jaula de oro, que a la larga lo habría destrozado. Juliano no deseaba el poder y no había nacido con la guerra en la sangre, pero iba a tener que enfrentarse a los guerreros más feroces del mundo con un puñado de hombres y sin recursos. También el tiempo estaba en su contra, porque a los dioses en que él creía se les había negado la voz y había una retahíla de obispos, listos para acusarlo de herejía, que vigilaban para que permanecieran encerrados en los antiguos templos en ruinas.

Pero Victor, como simple soldado, había captado en él algo que los demás no percibían. Una inteligencia superior y un notable ascendiente sobre los soldados. Juliano comía con los soldados y hablaba con ellos. Los respetaba y llevaba la misma incómoda vida que ellos en el campamento, sin las comodidades y la molicie de los nobles.

—Esta noche tenía ganas de pasármelo bien. Una posada calentita, un poco de buen vino y una puta... —Victor se rio, aunque seguía preocupado—. Oye —insistió el griego—, como ganaré la apuesta, he decidido que daré una gran fiesta, en Mediolanum. Comida, vino y muchas mujeres.

—¿Por qué en Mediolanum?

—Porque es allí donde regresaremos, dentro de poco, en cuanto el cabrón vuelva a estudiar para obispo.

—Bien, Filopatros. En cambio, si gano yo, la fiesta la daré en la colonia Agripina, en cuanto hayamos rechazado a los alamanes.

El griego suspiró.

—He dicho Mediolanum, pero si pudiera elegir daría la fiesta en Antioquía. Si supieras cuánto echo de menos mi ciudad... Aquí siempre hace frío, allí hace sol... —Guiñó el ojo y añadió—: Y si supieras cuántas Murrulas te esperan con las piernas abiertas...

«Sí, pero ninguna es como ella, ¡ninguna!», pensó Victor, pero no lo dijo.

Dejaron Augusta Taurinorum en un día frío y oscuro. Tenían que atravesar los Alpes Cocios, que se elevaban ante ellos. La columna se movía lenta: los jinetes al paso, seguidos por los infantes y los avituallamientos en la retaguardia. El equipaje se había reducido al mínimo para aligerar la carga que iban a llevar al cruzar las montañas, que en aquel período estaban cubiertas de nieve. El camino practicable atravesaba Segusio y proseguía varias millas por un altiplano, para luego enfilarse por empinadas pendientes. Los hombres marchaban cuesta arriba entre los acantilados, suspendidos entre el paisaje blanco y el cielo azul. La columna alcanzó el paso de Matrona con el buen tiempo. Hacía mucho calor para la estación en la que estaban.

Juliano lanzó el caballo al galope sobre la nieve, seguido por su guardia y por los omnipresentes Nevita y Dagalaifo. El césar parecía feliz. Varias veces durante el trayecto se había mostrado contento por aquel cielo terso y aquella inesperada temperatura primaveral. Cuando llegaron al desfiladero, el grupo se detuvo para mirar el camino que descendía con una pendiente suave a través del paisaje soleado hasta la primera ciudad de la Galia: Brigantio.

—Los dioses nos son propicios —dijo Juliano. Inspiró el aire mirando hacia el deslumbrante sol, que se reflejaba por doquier en la nieve. Abrió los brazos y gritó—: ¡Gracias, Helios!

Nevita y Dagalaifo sonrieron. Juliano los miró con ojos nuevos, llenos de calor.

—Ahora sé de qué lado estáis.

—Mira allá abajo, césar.

Juliano levantó la mirada, siguiendo la indicación de Victor.

—¡Mirad!

También los otros observaron la gran rapaz con las alas desplegadas. Parecía suspendida en el aire límpido encima de ellos. Sobre la corona del césar.

—¡Poderoso Zeus! —exclamó Juliano—, las dudas se disipan como el invierno entre estas cumbres. Los dioses están de nuestra parte, seremos protagonistas y testigos de grandes empresas. ¡No estamos solos, hombres, no lo dudéis!

Algunos hombres de la escolta se quedaron de piedra, otros reaccionaron con entusiasmo. Era la primera vez que el césar honraba abiertamente a los antiguos dioses y los hombres con el símbolo de Cristo en el escudo estaban ofendidos e indignados. Victor permaneció impasible y Filopatros apretó los labios para esconder su disgusto, pero en el momento en que Juliano partió al galope hacia la Galia, levantando salpicaduras de nieve, todos lo siguieron.

Cuando el ejército del liberador de la Galia entró en Brigantio, los habitantes acogieron a los soldados con júbilo y lanzando pétalos de flores secas a su paso. Juliano era el primer césar de la estirpe imperial que acudía a la Galia después de mucho tiempo. Antes que él, se habían sucedido tres usurpadores que, con impuestos y rebeliones, habían empobrecido y disgregado aún más el país. Los súbditos vieron la llegada de Juliano casi como una salvación, ya que se habían sentido abandonados por el Gobierno imperial.

Dentro ya de los muros de la población se había reunido una pequeña multitud, entre otros, aldeanos que bajaron de las montañas para tener el privilegio de ver en persona a un descendiente de Constantino. Bajo la puerta de la torre que daba acceso a Brigantio los habitantes habían colgado algunas coronas de ramas de abeto, a falta de laurel, como homenaje al símbolo del poder imperial. Al pasar bajo el arco, con el dragón bien expuesto, Victor ensartó sin querer la punta del asta en una guirnalda. Para liberar el estandarte pegó un tirón; la corona se separó y fue a parar sobre la cabeza de Juliano, que cabalgaba delante del *draconarius*.

De inmediato la multitud empezó a aclamarlo. La corona sobre la cabeza del César era una señal fausta que anunciaba honores y victorias. El césar de Occidente sonrió y saludó con la mano a los súbditos festivos. Fue la primera demostración de apoyo popular al nuevo soberano y le siguieron otras a medida que el pequeño ejército pasaba de ciudad en ciudad. Una vez que dejaron atrás el sol y las nieves de los Alpes, el paisaje se volvió desolado y sombrío.

Juliano había leído varios libros para informarse sobre las tierras que estaban atravesando, pero estaba descubriendo a cada milla una realidad distinta y desconcertante. La Galia descrita en aquellos volúmenes, y tantas veces imaginada en sus pensamientos, ya no existía. En la campiña, las villas de los grandes terratenientes se habían convertido en tétricas fortalezas rodeadas por macizos muros. Los campos abandonados, los manantiales de agua para el riego ya no estaban canalizados, muchas granjas destruidas o en ruinas: las incursiones de los germanos habían sembrado miedo y desolación.

Después de tres semanas de viaje, el ejército de liberación de la Galia llegó a Vienne y entró en ella triunfal. La gente estaba de fiesta como si la salvación hubiera caído del cielo, cuando todo parecía perdido, y se hubiera encarnado en el joven césar.

Al abrigo de los muros de Vienne, los hombres del príncipe Juliano, como lo llamaban los galos, pudieron concederse reposo y tiempo para hibernar a la espera de la primavera y de la gran contraofensiva que se avecinaba.

Victor y Filopatros fueron hábiles y esquivaron los turnos de guardia para regalarse, por fin, la alegre velada que esperaban en Augusta Taurinorum. Salieron de los alojamientos frescos y perfumados, bajo una llovizna de aguanieve. Filopatros levantó la nariz al cielo e hizo una mueca, luego se levantó la capucha.

—Maldito invierno.

—Por suerte para ti, griego, llegaremos al Rin en primavera, de otro modo... ¡Allí sí que se te helarían las asentaderas!

—¡Maldito hielo! ¿Habrá alguna posada con un buen fuego y alguna muchacha digna de ese nombre por estas tierras?

Los dos hombres se aventuraron por una vía poco iluminada y cogieron una travesía que parecía llevar a una plaza. Sin embargo, se encontraron con una cantera a cielo abierto, donde una columnata hacía de guardia para un montón de escombros.

—¿Cómo se habrá derrumbado esto?

Filopatros aguzó la mirada y dijo:

—Más que derrumbado, me parece que lo están desmontando pieza a pieza y amontonan las piedras sobre aquel lado.

—¿Quiénes sois?

Los dos se sobresaltaron y Victor puso la mano en el *scramasax*, la daga típica de los germanos.

—¿Sois los soldados del príncipe?

Filopatros escrutó en la oscuridad, entre los escombros, para entender de dónde venía aquella voz trémula. De la oscuridad salió una sombra. Una figura menuda, vestida con harapos, que avanzaba encorvada apoyándose en un bastón. También el griego desenfundó la daga.

—Vámonos, franco. Esta es bruja o una leprosa.

Victor se estremeció.

—Detente, vieja. No te acerques o estás muerta.

—Llegas tarde, soldado —dijo la mujer, con voz sepulcral—. Hace tiempo que estoy muerta. Lo que fui está sepultado bajo esos escombros.

El franco echó un vistazo a las ruinas y retrocedió junto a su compañero.

La vieja se aproximaba, a paso lento y vacilante, rodeando los bloques más macizos.

—¿Qué son estas ruinas? —La voz del griego traslucía malestar.

—Hace falta piedra para defenderse, soldado.

—¿De quién?

—De los hombres y de Dios. Las columnatas acabarán en la nueva basílica de los cristianos. Las piedras más grandes irán a reforzar los muros de la ciudad, para defendernos de los germanos. Se han demolido muchas viejas construcciones para alzar esos muros. Termas, teatros, todo abajo... muchas casas ya no ven la luz del sol debido a la muralla, mucha gente ha dejado la ciudad y se han vendido los monumentos, salvo los de los antiguos dioses, abatidos para llenar los cimientos del muro de defensa.

El suelo resbaladizo por la nieve y el caminar incierto hicieron patinar a la mujer, que cayó al suelo entre las piedras. Victor guardó el *scramasax* en la funda.

—Quieto, Victor. ¡No la toques!

Pero el franco, superada la instintiva repulsión, se acercó a ella y la ayudó a levantarse.

—Bendito seas por la Magna Mater, soldado del gran príncipe.

La frágil criatura se agarró a los brazos del coloso que la levantó sin esfuerzo.

—¿Qué había aquí? —preguntó Victor.

—El templo de la diosa Cibeles, madre de todos los dioses. Aquella que se sienta al lado de Zeus junto a Atis, su divinidad menor y servidor.

Filopatros frunció la frente.

—¿Su qué?

—Divinidad menor, soldado. Es un dios asociado a otro más poderoso y de sexo opuesto.

—Basta de cuentos, bruja. Esos dioses son viejos y decrépitos como tú. Su culto se disolverá como esta nieve y los hombres podrán creer finalmente en el único verdadero Dios.

En el rostro surcado por mil arrugas apareció una vaga sonrisa. La mujer volvió hacia Filopatros las pupilas veladas de blanco. Era ciega.

—Nadie posee la verdad, soldado. Cada uno de nosotros puede reivindicar su credo, y estar dispuesto a dar y quitar la vida para defenderlo, pero la verdad no siempre está del lado del que gana. La verdadera fe está dentro de nosotros y nosotros somos parte de un ciclo vital, de un incesante devenir. La verdad que creemos poseer sobrevivirá eternamente, incluso cuando nosotros ya no estemos. —La vieja buscó a Victor con aquellos ojos prisioneros de la oscuridad—. El verdadero estrago es este —continuó, tendiendo la mano nudosa hacia las ruinas—: querer borrar lo que hemos sido, anular nuestro pasado, nuestra memoria, los vestigios de un tiempo glorioso. Esta no es la voluntad de vuestro dios, esta es la necedad de los hombres. ¡Estáis ciegos!

Victor se sintió incómodo. Aquellos bulbos blancos parecían asaetearlo. Se arrepintió de haber ayudado a la bruja y se frotó las manos en la capa, como para borrar aquel breve contacto.

—No estamos aquí para filosofar, vieja. Hemos hecho un largo viaje y buscamos un poco de diversión. ¿Sabes decirnos dónde podemos encontrar una posada?

—Tú eres franco, lo oigo por tu voz. Uno de esos hombres venidos de lejos para protegernos de su misma gente. Tú, que acompañas al joven príncipe, estás muy cerca de Atis, aunque no lo sepas.

—Vamos, Victor —dijo Filopatros—, ya tengo bastante de esta loca.

—No sé quién es tu Atis —dijo Victor, amenazante, retrocediendo otra vez—. ¡Y no quiero saberlo!

—En todo caso, pronto lo sabrás, Victor —susurró la vieja, helando la sangre del *referendarius*—. Lo quieras o no.

—¡Basta, vieja! —Filopatros se adelantó empuñando la daga—. O te callas o...

—Escuchad mis palabras. Vosotros combatís por el salvador, aquel que reconstruirá los templos antiguos y dará nueva fuerza vital a un tiempo que aún no ha llegado a su ocaso.

Victor sujetó la mano del griego antes de que arremetiese contra la vieja.

—Tienes razón, Filopatros, vámonos.

El griego guardó la daga en la funda y se alejó unos pasos. Victor parecía embrujado por aquellos ojos que lo miraban sin verlo.

—Que la Magna Mater te proteja siempre, franco, incluso en Frigia, donde el símbolo del príncipe se partirá.

Victor se quedó boquiabierto.

—Pero ¿qué estás...?

—En sueños he recibido de Cibeles la visión del príncipe en la lejana Frigia; allí acabará vuestro viaje.

—¡Vámonos, Victor!

—Porque allí morirá el noble príncipe y allí acabaremos todos.

—Pero ¿quién eres? ¿Cómo puedes decir esas cosas?

—Soy Sarapias, sacerdotisa de la Virgen sin madre, diosa de la vida, reveladora y creadora de nuestras almas. Aquella que sabe.

Victor se tambaleó. Quería huir de la vieja y, sin embargo, sentía una extraña y sombría atracción que lo mantenía clavado escuchando sus palabras.

—¿También yo moriré, Sarapias?

—Es el destino de todos.

—Quería decir allá, en Frigia.

—No querías saber nada, Victor, y ahora quieres saberlo todo. A ti no te importan los dioses, ¿verdad? Solo te importas tú mismo.

—Los dioses están demasiado arriba, para mí.

—No, soldado. Los dioses están dentro de ti, como la respuesta a aquello que me has preguntado. —La mujer se le acercó, posándole la mano huesuda sobre el brazo. El franco se sintió paralizado—. Estás aquí porque los dioses creen en ti, Victor. Eres un elegido. Sigue al príncipe, Victor. Síguelo y protégelo, y vivirás para la eternidad.

—Nadie vive eternamente.

—Al contrario, sí, en el corazón de la gente.

—¡Victor! —Filopatros estaba furioso—. ¡Vámonos, y que reviente!

El *referendarius* lo retuvo con un gesto imperioso.

—Dime, mujer, tú que ves incluso sin ojos. Lejos de aquí, en Mediolanum, vive una muchacha, una prostituta llamada Murrula. ¿Sabes decirme si volveré a verla?

Entre la telaraña de arrugas se abrió paso una sonrisa.

—En otro lugar y en otro tiempo, Victor.

—¿Quieres decir que sí?

—Quiero decir que tengas fe. Donde hay fe, todo es posible.

—Palabras vacías.

—No soy vidente, Victor. Solo soy una vieja ciega que ha tenido un sueño. Tú quieres de mí más de lo que puedo darte. Las respuestas a tus preguntas las encontrarás dentro de ti. Ahora vete, tu amigo está impaciente. Al final de la vía encontraréis algunas posadas, pero no esperéis gran cosa. Si tenéis cuartos, encontraréis de comer... y también lo demás que buscáis.

Victor cogió una moneda de la bolsa.

—Una ofrenda para Cibeles.

La vieja negó con la cabeza y tendió las manos hacia él.

—No quiero tu dinero. Pero quisiera poder recordar tu rostro.

El franco se quedó quieto. Durante un instante que le pareció largo, los dedos huesudos de la mujer descendieron por su rostro, desde la amplia frente a la densa barba húmeda por el aguanieve.

—Oh, madre de los dioses y de los hombres que te sientas en el trono del gran Zeus, origen de los dioses, diosa de la vida y creadora de nuestras almas, concede a este soldado del príncipe, tu protegido, la fuerza para superar las grandes empresas a las que está destinado y dale la serenidad que aún no ha encontrado.

—Yo llevo el dragón del príncipe. Dime qué debo hacer.

—Ízalo en alto, Victor, muéstralo a todos. Él te protegerá.

Nevita hizo formar a los hombres en la explanada de entrenamiento, bajo la mirada de Juliano. El césar pasó revista, desmontó de la silla y confió las riendas del semental a un sirviente.

—Dadme un escudo —dijo bajo la mirada curiosa de los oficiales. Luego se dirigió a Victor—: Ven, Draco, ocupemos nuestro puesto en la formación.

Dagalaifo y Arinteo intercambiaron una mirada incrédula. Nevita se rio socarronamente bajo los bigotes. Con el dragón bien expuesto, Victor tomó posición en medio de los soldados armados con lanzas situados detrás de Juliano, que estaba en primera fila.

—¡Adelante!

Victor cogió por el talabarte al príncipe y lo mantuvo alineado en la formación mientras la unidad avanzaba protegida por los escudos hacia el adversario. El choque fue controlado, como correspondía a un entrenamiento, pero la presencia del césar entre sus filas empujó a los hombres a poner todo su empeño aunque el combate fuera simulado.

—¡Adelante —gritó Juliano, controlando la alineación de los hombres—, adelante, mis legionarios!

Las dos formaciones aumentaron la presión, porque ambas querían demostrarle su valor al príncipe. Todos comenzaron a asestar golpes cada vez más decididos con las armas de adiestramiento y los bastones. En el fragor sordo de los embates sobre los escudos, los dientes de los soldados chirriaban por el esfuerzo. Nevita apareció entre sus hombres para animarlos. Por su parte, Arinteo exhortaba al grupo de los defensores a frenar el ímpetu de los atacantes. El centro osciló, luego Juliano irrumpió entre las filas adversarias asestando mandobles, seguido por los suyos. La formación se disgregó entre gritos de alegría y alaridos de rabia, y el césar, guiando hábilmente el avance hacia el fondo, llegó al final del patio y alzó el bastón al cielo, con un aullido triunfante.

Hubo un alboroto sin precedentes. Los soldados, vencedores y vencidos, empezaron a corear su nombre batiendo las lanzas sobre los escudos. Juliano pidió silencio y concentración. Acto seguido reconstituyó las dos formaciones y tomó posición en la que acababa de ser derrotada.

Siguieron el entrenamiento durante buena parte de la jornada. Juliano ponía a prueba a sus hombres sin darse tregua. Un golpe mal medido le partió el labio y cuando los hombres vieron que la sangre le corría por el mentón, interrumpieron el ejercicio y pidieron que lo curaran. Se concedió un alto y el médico de Juliano, Oribasio, acudió a ver la herida.

—No deberías participar en la contienda, nobilísimo —dijo Nevita, jadeante, con el rostro morado y empapado—. Tu puesto está al mando de tus hombres, controlando toda la formación.

—Julio César combatía con los suyos, Flavio. ¿Por qué no debería hacerlo yo?

—La manera de combatir ha cambiado, desde entonces.

—Así será, pero aquellos hombres superaban a todos en valor. El sabor de la sangre, el coraje y el miedo no han cambiado, y yo debo saber qué sucede en medio de la batalla para poder dar una orden a mis soldados.

—Tu autoridad corre el riesgo de verse disminuida si estás en el campo.

—La presencia en el campo de un comandante puede cambiar la suerte de una batalla. Así ha sido siempre para los grandes caudillos. Soy un hombre, no una estatua. Ya tienen una estatua: su emperador.

Oribasio acabó de taponar la sangre y cogió las tijeras.

—No es nada grave, nobilísimo.

—¿Para qué son las tijeras, entonces?

—Hay que cortar la barba bajo el labio.

—No, Oribasio, no veo la hora de que vuelva a crecerme la barba. Me he sentido desnudo durante todo el viaje. —Juliano miró a Nevita, Dagalaifo y Victor, como siempre a su lado—. Quiero ser tan barbudo como mis germanos. —Sonrió y despidió al médico.

»¿Cómo he estado, Draco?

—Muy bien, césar, pero tendías a salirte de las filas. Es un grave error.

—Es preciso avanzar.

—Sí, pero no sin cobertura.

—Para eso estás tú, ¿no? —El joven se levantó, con una mueca de dolor—. ¡Maldita armadura! Me siento como un mulo al que le acaban de duplicar la carga. Aún no tengo los hombros bastante fuertes.

Victor se acercó a Juliano.

—Los hombres parecen entusiasmados, césar.

El muchacho se secó un reguero de sudor. En los ojos tenía un velo de excitación.

—Sí, también a mí me lo parece. He adquirido cierta seguridad con la espada, así que he decidido entrar en la contienda. —Se volvió para mirar a los hombres en la explanada—. No sé si su entusiasmo nace de que me siento fuerte o de que se sienten débiles.

Victor sonrió.

—Les gusta tu actitud. Comienzan a verte como uno de ellos.

—De todos modos, parte de esa seguridad se la debo, sin duda, a mi *armidoctor* —dijo Juliano, dándole una palmada en el hombro.

—Solo he cumplido con mi deber, nobilísimo. —El franco vaciló, luego se armó de valor y se decidió a decir lo que debía. Era un peso demasiado gravoso, para no liberarse de él—. ¿Puedo preguntarte algo, noble césar?

—Claro, Draco.

—Se trata de una curiosidad personal y...

Juliano lo miró intrigado y asintió.

—Oigamos.

—¿Quién es Atis?

El príncipe esbozó una sonrisa.

—¿Por qué quieres saberlo? ¿Y por qué me lo preguntas a mí?

—Pues... una... una vieja me ha dicho que, sin saberlo, estaba muy cerca de ese tal Atis. Te lo pregunto a ti porque eres instruido; y porque no sabría a quién más preguntárselo.

—¿Quién era la vieja?

—No lo sé, césar. Una vieja ciega, a la que encontramos una noche...

Juliano pareció reflexionar.

—El culto a Atis se originó en la antigua Frigia, que...

Victor se sobresaltó.

—¿Dónde has dicho?

—La antigua Frigia, una región ya desaparecida de los mapas. Se encontraba donde ahora está Galacia.

—¿Está en la Galia?

Juliano sonrió, preguntándose por qué el *draconarius* estaba tan tenso.

—No, no. Es más, está muy lejos de la Galia. Está en los confines del imperio, cerca de Capadocia y Siria.

Victor se sintió aliviado. «En sueños he recibido de Cibeles la visión del príncipe en la lejana Frigia; allí acabará vuestro viaje.» Era importante que Frigia estuviera tan lejos... «Allí morirá el noble príncipe y allí acabaremos todos.»

—Atis encarna la cadena de la eterna generación de todas las cosas. Su figura está asociada a la de la Magna Mater Cibeles, custodia de todo lo que está sujeto a nacimiento y muerte. El culto dice que Cibeles quería que Atis, su servidor y auriga en el carro de la diosa, permaneciera puro y no se uniera nunca a ningún otro ser. Pero Atis cedió a su naturaleza fogosa y se rebajó para amar con pasión, en secreto, a una ninfa. Helios, que comparte el trono con la madre de los dioses, lo descubrió y lo denunció a Cibeles. Entonces, a fin de permanecer junto a la Magna Mater, el auriga divino se emasculó y se convirtió en símbolo de purificación, de expiación, de redención y de regeneración. En efecto, al nombre de Atis, hoy, está asociado al ciclo vegetativo del despertar y al nacimiento de la primavera.

Victor asintió, sin haber entendido una palabra.

—Espero que no estés a punto de emascularte, Draco, pero si es así —dijo Juliano, riendo—, primero desahoga tu pasión con alguna ninfa.

A última hora de la tarde, Victor devolvió el caballo a los establos. Quitó la silla y los arreos perdido en sus pensamientos. Pensaba en Murrula, en Frigia, en la muerte de Juliano y en la suya. Demasiadas cosas que nunca le habían pasado por la cabeza hasta entonces y que no conseguía asumir.

Al cabo de un rato se percató de que a poca distancia de él un soldado estaba observándolo. Lo miró mejor. La corta barba oscura, el pelo salpicado de gris... Era Apodemio, espía y sicario a sueldo de Eusebio. Era el hombre que había organizado la ejecución del hermano de Juliano, con la enésima acusación de traición, además de llevar a cabo muchas otras misiones, siempre por cuenta del emperador.

Apoyado en el lomo de un caballo, Apodemio jugueteaba con una hebra de heno con aire inocente. Victor tensó los músculos. Tan inocente como una morena feroz. El otro fingió que no lo había visto hasta aquel momento y dejó caer la ramita para saludarlo.

—Dios proteja a nuestro césar.

Era la consigna de los hombres al servicio de Paulo Catena.

—Y también a nuestro divino augusto emperador —respondió Victor.

—Hace tiempo que no tenemos noticias tuyas, Draco.

El franco ató las bridas del caballo a un gancho y respondió seco:

—Señal de que todo va bien.

El hombre miró alrededor. Aparte de los caballos no había nadie.

—Comenzábamos a estar preocupados. Ya sabes de quiénes recibimos las órdenes y cuánto les interesa estar siempre al corriente de todo.

Victor sonrió.

—Teniendo en cuenta que me has encontrado y que conoces mi apodo, está claro que ya estabas al corriente de todo. Lleva, por tanto, mis más respetuosos saludos a quienes tú sabes. Informa también de que por el momento no hay novedades relevantes.

—¿De veras? A mí me consta que no es así. —Hizo una señal con la cabeza—. Ven conmigo.

Victor lo siguió a un ala vacía del edificio; un espacio con el suelo cubierto de paja que solía reservarse para las yeguas a punto de parir. En cuanto entraron, en el umbral aparecieron tres o cuatro hombres envueltos en capas oscuras; sicarios del espionaje imperial, que vigilaban el acceso con la mano sobre la daga.

—Se dice que eres un privilegiado, Draco —empezó Apodemio, con tono amenazante—. Según parece, estás muy cerca del césar. —El franco se apoyó en el muro de piedra con los brazos cruzados, para controlar el nerviosismo.

»Naturalmente, esa cercanía te hace muy valioso, por toda la información de primera mano que puedes proporcionarnos. Pero es también una posición crítica; para nosotros, no solo para el príncipe Juliano. ¿Entiendes qué quiero decir?

—No.

Apodemio sonrió.

—No te hagas el tonto conmigo, Victor. En el fondo, nada te impide pasarte al otro lado.

—Nada, salvo que no quiero que me corten el cuello mientras duermo.

Apodemio dibujó una sonrisa fría como la hoja de un puñal.

—Me alegra oírte decirlo.

—Creo que ya he demostrado muchas veces mi fidelidad al emperador, Apodemio. ¿Por qué deberías dudar precisamente ahora?

El sicario se acercó a él. Sin perderlo de vista, Victor lanzó una rápida mirada a los hombres de negro. No se habían movido.

—Dudar está en la naturaleza de nuestro oficio, *referendarius*. Queremos saber cómo se comporta Juliano, qué dice, qué piensa. Si come y bebe, queremos saber qué come y qué bebe. ¿Parece interesado en el poder? ¿Es, de verdad, tan popular entre los soldados? En la duda, queremos saber. Debemos saber.

—A primera vista, parece que la expedición es un éxito. La gente lo aclama y está contenta cuando llega. Pero él es consciente de que no puede hacer mucho. Sabe que debe someterse a la voluntad imperial, aunque nunca lo he oído lamentarse de ello. Por lo que puedo intuir, se comporta exactamente como habíais previsto, teniendo en cuenta que es tan joven e inexperto.

—¿Qué dicen los soldados?

—Apuestan sobre él como en el circo. Y casi todos se juegan la paga a que no llegará al Rin. Están convencidos, aun teniéndole simpatía, que en el primer encuentro con los germanos se lo hará encima; por eso no les entusiasma seguirlo en la batalla.

Apodemio asintió, escrutándolo.

—¿Y tú, Draco? ¿Qué piensas de él?

—Yo no pienso. Yo informo.

—Se dice que nuestro césar practica cultos prohibidos —murmuró el hombre de Eusebio.

—Si descubriera algo, os lo haría saber.

—Es muy importante. El divino augusto elevando a un idólatra al rango de césar... ¿Lo entiendes, verdad, portador del dragón?

—Claro que lo entiendo —le contestó el franco mirándolo impasible. El otro pareció estudiarlo.

—Usa los correos y dirige las cartas como sabes. Tus mensajes llegarán a Mediolanum en un santiamén.

—No es necesario que me lo digas.

—¿De verdad? Sin embargo, desde que has partido no hemos recibido nada.

—Porque no hay nada que señalar.

El espía pareció sopesar la sinceridad de Victor un segundo más. Se encaminaba ya hacia la puerta, rascándose pensativo la barba, cuando pareció recordar algo.

—A propósito, ahora que vuelvo a Mediolanum, ¿quieres que lleve un mensaje tuyo a alguien?

—No sabría a quién mandárselo. No conozco a nadie allí.

—¿De veras? En cambio, me dicen que has hecho una bonita excursión con una muchacha del puerto. Una de esas que por unas monedas se van a la cama con cualquiera. —Victor sintió que el corazón se le salía del pecho—. Una tal... Murrula, ¿correcto?

El franco se encogió de hombros y esforzándose por parecer natural dijo:

—Sí, me parece... ¿sabes?, solo era una puta cualquiera.

—¿Y me aconsejas que la pruebe? —Apodemio sonrió como una hiena lasciva—. Ya te lo contaré cuando volvamos a vernos.

Victor se obligó a sonreír. Si hubiera podido habría estrangulado con sus propias manos a aquel apestoso hijo de perra.

—No veo la hora.

—Dios proteja a nuestro amadísimo emperador. —Acabó el otro esbozando un saludo.

El *agens in rebus* desapareció en la oscuridad, escoltado por sus silenciosos esbirros de negro. Victor permaneció inmóvil hasta que ya no oyó sus pasos, luego cayó de rodillas, apretando la mandíbula, y le dio un puñetazo al suelo, de pura impotencia. Pensó qué hacer, pero lo invadió una rabia ciega. Era un lobo sin rebaño, solo en el mundo. Cada vez más parecido al joven al que debía proteger y, al mismo tiempo, espiar.

Salió a grandes zancadas de los establos y se llenó los pulmones del frío aire nocturno. Atravesó la explanada, dejando atrás una estela de vapor condensado y entró en el portal de los alojamientos de la caballería. Avanzaba decidido, ignorando los saludos de los pocos soldados aún despiertos.

Se detuvo delante de la puerta de su habitación y la abrió de par en par y la mandó contra la pared. Filopatros se volvió de golpe. Estaba en túnica y calzones, echando trozos de carbón en el brasero, para reavivar el calor. Una llamarada le iluminó el rostro. Las dos miradas se cruzaron. Violenta la de Victor, sorprendida la de Filopatros.

El puño del franco llegó al blanco antes de que Filopatros pudiera decir una palabra. El griego retrocedió, medio mareado, tropezó en la cama y se cayó al suelo. El coloso rubio cayó sobre él como un halcón; lo agarró por el cuello de la túnica, lo levantó y le asestó un brutal derechazo en el rostro que le rompió la nariz.

El griego gimió, pero Victor no se apiadó. Golpeó de nuevo y de nuevo salpicó por doquier la sangre. En el suelo, aturdido, Filopatros intentó apartarse, arrastrándose, incapaz de oponerse a aquella furia incontenible. Victor se frotó los nudillos doloridos. A su espalda resonó un coro de gritos y carcajadas. Algunos legionarios, en el umbral, los incitaban a continuar la lucha para disfrutar del espectáculo. Aún furioso, los ignoró, aferró al griego por el cuello y lo empujó contra la pared. Con la otra mano desenvainó el *scramasax* y apoyó la afilada punta sobre el ojo izquierdo de su compañero. El derecho estaba cerrado e hinchado, inundado de sangre que descendía desde la ceja partida.

—Traidor asqueroso...

Luego Victor se quedó paralizado. El hielo que sentía en la garganta era la hoja de una espada.

—Quieto, Victor —ordenó fríamente la voz de Nevita— o te mato aquí mismo y para no cometer una injusticia después lo mato también a él.

Durante un instante Victor siguió vomitando rabia con el aliento, la hoja apretada sobre la mejilla de Filopatros. Luego, lentamente, dejó la presa.

Arrojaron a Victor a la oscuridad de una celda fétida. El

referendarius cayó al suelo y se deslizó sobre el jergón que apestaba a excrementos. Se puso en pie, furioso, e intentó limpiarse como pudo contra las paredes húmedas. A tientas alcanzó un rincón alejado de las rejas y se apoyó en el muro, jadeando. Vio la luz de la antorcha alejándose por el corredor y apenas un momento después los barrotes de la celda desaparecieron en las sombras. Cerró los ojos hasta que la respiración se hizo regular.

En la oscuridad se oían los sonidos de las celdas cercanas. El lamento débil de un herido y un llanto ahogado, casi de niño, ambos superados por los sonoros ronquidos de un borracho. Hombres que sufrían, el eco de su desesperada impotencia.

¿Quién más podía haberle dado a Apodemio el nombre de Murrula? Solo Filopatros conocía aquella relación, por tanto... Nadie allí en la Galia, tan lejos de Mediolanum, podía saber quién era, dónde vivía y qué hacía la muchacha.

En las tinieblas de aquella celda nauseabunda, como en un relámpago, vio a un *referendarius* como él presentándose en la posada donde Murrula se prostituía. Lo vio poseerla brutalmente y, en el momento de vestirse, degollarla en la cama, sin piedad, sin ningún sentimiento, en aquella misma cama donde Victor había pasado horas de amor con ella... Vio, con los ojos de la mente, al *referendarius* salir, pagar la cuenta y volver donde estaba Catena con la prueba de la misión ejecutada. Una oreja, un dedo, un mechón de pelo ensangrentado... una inocente, víctima de un castigo ejemplar destinado a golpearlo a él, Victor, para recordarle que no era más que un instrumento en manos del emperador y de sus dignatarios. Un instrumento de muerte, que no tenía derecho a experimentar un sentimiento puro.

Y así reflexionó sobre los homicidios cometidos por orden de Eusebio, el asistente personal del emperador. Nunca se había preguntado qué había detrás de aquellas órdenes. Nunca había pensado que tras un nombre susurrado, o escrito en un pergamino, había un ser vivo.

¿A cuánta gente había matado Victor, sin piedad ni sentimiento? ¿A cuánta gente había matado, sin preguntarse por qué?

Y ahora que esa realidad le caía encima, pesada como una roca, ¿había manera de liberarse del yugo de Eusebio? ¿Revelando su papel de *referendarius* a alguien? Podía confiarse a Nevita o al fuerte Dagalaifo..., pero el primero era el hombre que no había intervenido con la caballería para defender al usurpador Claudio Silvano; y el segundo, el que rápidamente había aceptado formar parte del plan para matar a Silvano, en la iglesia de la colonia Agripina. Claudio Silvano... ¿solo un avieso traidor o un rival peligroso porque podía revelarse un soberano mejor que Constancio?

Victor sacudió la cabeza en la oscuridad, como para quitarse de encima todas aquellas preguntas sin respuesta.

No. Había alguien que aún era puro; quizás el único: el joven príncipe Juliano. Sí, pero ¿estaba en condiciones de resolver asuntos tan intrincados? ¿De desenredar nudos tan complejos y llenos de trampas?

Sintió el latido en las sienes y un sabor acerbo en la boca; y la fuerza, que parecía abandonarlo en aquellos muros fríos. Un lobo sin manada y, encima, enjaulado. Pequeño ladrillo de un glorioso edificio llamado Imperio romano, ahora reducido a sostenerse sobre espías, sicarios y verdugos, un juego cruel de complots y contracomplots en el que quedaba muy poco de la antigua gloria.

El franco no tenía fuerzas para oponerse a aquel juego. Solo quería salir de allí. Y quería a Murrula. A toda costa. Si hubiera sido necesario matar por ella, lo habría hecho. Habría hecho lo que le pidieran, con tal de volver a tenerla.

Había una vía para salir de aquella pútrida prisión y volver con ella: usar los correos, mandar mensajes a Eusebio y Catena, saltándose el grupo de Apodemio. Decirlo todo, darles lo que querían. Su simpatía hacia el joven debía tener un límite y ese límite era la vida de Murrula. Ella valía mucho más que los buenos propósitos de un descendiente de Constantino el Grande. Si querían la ruina de Juliano, él podía dársela.

Ninguna piedad, ningún sentimiento. La vida de Murrula a cambio de la de Juliano. Y acaso también un poco de oro; suficiente para volver lo antes posible a Mediolanum, coger a la muchacha y desaparecer juntos en una cálida isla perdida del Mare Nostrum.

Golpes de pasos decididos. Alguien estaba bajando las escaleras; eran varios. Victor se quedó donde estaba, aún atrapado en sus confusos pensamientos.

Los pasos se hicieron más cercanos y el halo de las antorchas descendió sobre las viejas piedras cubiertas de moho. Victor guiñó los ojos, heridos por la luz. Sobre el suelo húmedo se recortó la sombra de la reja de hierro.

Al otro lado de la reja estaba el césar de la Galia. Había ido en persona a liberar a su *draconarius*.

Estaban sentados el uno frente al otro, en el alojamiento del príncipe del palacio de Vienne. Filopatros y Victor. Juliano, conocido por su sensibilidad al frío, había hecho encender los braseros para caldear la estancia. Aún intactas, las copas de vino caliente humeaban.

—Lo que sucede entre nosotros solo nos concierne a nosotros —empezó el césar—. Nadie puede tocar a mis hombres sin mi permiso. Sois mis *protectores* y en este momento considero justo ejercer mi autoridad para quitaros de las garras del prefecto de esta ciudad. Es lo menos que puedo hacer por quien ha jurado dar la vida para defenderme.

Los dos hombres lo miraban atentos, en silencio.

—Hemos partido juntos de Mediolanum —dijo Juliano, mirando el brasero— y juntos llegaremos al Rin. Entre nosotros hay un vínculo de hermandad, un compromiso de permanecer unidos. Yo estoy dispuesto a acudir en vuestra ayuda como vosotros lo estáis a acudir en la mía, en cualquier momento, en cualquier batalla. Este es el espíritu que debe reinar entre los hombres de armas. Eso es lo que os pido. Si queréis seguir conmigo, debéis ateneros a esa regla. —Los dos asintieron.

»Seré sincero con vosotros. Si no fuera trágica, la situación sería grotesca. Hoy Nevita me ha dicho que el comandante debe mantener cierta distancia con la tropa, para no perder autoridad frente a los hombres. Un césar debería ocuparse de grandes estrategias y no de tácticas de combate. —Juliano suspiró, exasperado—. La realidad, por desgracia, es que nadie me informa de los movimientos del ejército de la Galia. No me invitan a los consejos de guerra y solo recibo los despachos que les parece oportuno. Por lo que entiendo, la situación no es alentadora; ya han llegado muchas unidades, pero el general Marcelo, que está al mando, está disponiéndolas en posición defensiva. Casi todos los hombres establecidos en la Galia están divididos y encerrados en alguna fortaleza, como si estuviéramos aquí para mantener posiciones ya conquistadas. ¿De verdad no se dan cuenta de que estamos perdiendo terreno y que deberíamos pasar lo antes posible a la ofensiva para echar a los germanos más allá del Rin? —La mirada del joven pareció ahogarse en la copa de vino.

»Por encima de Marcelo está el prefecto de la Galia, Florencio. Es él quien tiene en sus manos las riendas del poder y mantiene los contactos con las guarniciones, porque el servicio de mensajeros y de correo solo responde ante él. Es un inútil y, encima, codicioso, y no nos caemos bien, por decirlo suavemente. Se ha construido un notable poder personal, aprovechando la situación, pero lo usa de la peor manera. Vive en un palacio mucho más grande que este, a poca distancia de aquí, y no pierde ocasión de ejercer sobre mí su autoridad. Como si no bastase, desde que hemos partido no he recibido un sólido de mi asignación y me veo obligado a vivir de préstamos. No me asombra que se rumoree que he caído en desgracia. —Los ojos del césar se encendieron, con una leve sonrisa en los labios.

»Sin embargo, cuando miro a la multitud que me aclama y oigo que los soldados gritan mi nombre, es como si... como si una fuerza interior me dijera que resista, que no me detenga. —Miró a los dos hombres, que lo seguían con atención—. Creo que en la vida llega siempre un momento en el que es preciso demostrar cuánto se vale de verdad. Y cuando llega ese momento, debemos estar listos para asumirlo. Bien, estoy convencido de que nosotros estaremos listos, que ya estamos listos. Porque nosotros estamos aquí para ayudar a esta gente, que es nuestra gente. Estamos intentando hacer algo y lo haremos. Es nuestro destino. —El césar se puso de pie, solemne.

»Ahora os daréis la mano, jurándoos a vosotros mismos y a mí eterna fidelidad. O salid de aquí y no volváis nunca más. Vosotros decidís.

Tras un momento de vacilación, Victor se adelantó. El único ojo sano de Filopatros no prometía nada bueno. Luego el griego miró a Juliano, que lo observaba impasible, y asintió lentamente. Aceptó el brazo tendido del franco y lo estrechó. El príncipe selló esa unión con su mano.

—Brindemos por esta sagrada hermandad —concluyó Juliano— y que nadie se atreva a quebrantar este juramento.

Los *protectores* alzaron la copa y bebieron junto al césar. A causa de los labios tumefactos, Filopatros se derramó encima un poco de vino y, a su pesar, se le escapó la risa.

Juliano sacudió la cabeza y volvió a sentarse.

—Y ahora, contadme qué ha sucedido.

Ninguno de los dos respondió.

Victor no podía decir la verdad. No podía contarle a Juliano que era un espía al servicio de Paulo Catena con la misión de vigilarlo estrechamente. Y no se le ocurría una excusa plausible en aquel momento, porque Filopatros habría podido fácilmente desmentirlo. El silencio, interrumpido solo por el chisporroteo del fuego, cayó sobre la estancia. Se sintió perdido. Había terminado.

—Es... por una mujer —refunfuñó de pronto, Filopatros.

El *draconarius* lo observó de reojo, receloso, preguntándose a dónde quería ir a parar.

El césar estalló en una carcajada.

—Menos mal. Por un momento he pensado que se trataba de una cuestión religiosa.

—He dicho una palabra de más sobre una mujer —continuó el griego, con los ojos hinchados fijos en Victor.

—¿Y quién es esa dama?

—Eh... —balbuceó el *draconarius*, cogido por sorpresa—. Una... mujer, nobilísimo.

Juliano se rio divertido, quizá contento de olvidar, por unos instantes, la tormenta que estaba formándose.

—Eso me queda claro, he entendido que no se trata de una oveja o de un mulo, ¿pero quién es? ¿Es la mujer que amas?

—Sí —respondió inmediatamente Victor de manera espontánea.

—¡Vaya!, mi *draconarius* y valiente *armidoctor* tiene un corazón bajo el acero. Uno nunca acaba de sorprenderse. ¿Y qué es eso tan grave que dijo nuestro Filopatros?

De nuevo silencio. Luego, de mala gana, el griego respondió.

—Dije que era una puta.

El césar se recompuso y bebió un sorbo.

—No apruebo la prostitución y por eso que has dicho te mereces que Victor te dejara la cara negra como un cuervo. Si queréis saberlo, habría hecho lo mismo para defender el honor de mi mujer. Quizá podamos encontrarle un alojamiento y organizar una fiesta aquí en palacio, con la señora.

—No es posible, césar, Murrula... —dijo Victor titubeante—. Ella está... en Mediolanum.

—¿Y qué? Si te parece, podemos hacer que venga aquí tu Murrula en el séquito de mi esposa Helena, la próxima primavera.

A Victor se le iluminó el rostro.

—¿De veras, césar?

—No es difícil, bastará con incluirla entre las damas y doncellas que se ocupan de Helena. Escribiré yo mismo a su padre, para...

—No tiene familia.

—¿Nadie?

—No.

—Le escribiré a ella, entonces.

—No creo que sepa leer.

El césar suspiró.

—Entonces mandaré a alguien a buscarla. Sabrás al menos dónde vive, ¿no?

—No exactamente, pero... —el franco se aclaró la garganta—, ella se... se prostituye en uno de esos burdeles de más allá del decumano...

Silencio. El príncipe se volvió hacia Victor y se quedó mirándolo, embarazado. Luego observó la cara desolada de Filopatros y fue a servirse otra copa de vino.

—Fuera, los dos. Esfumaos.

Las dos sombras encapuchadas se encaminaron hacia los alojamientos militares, a lo largo del paseo que salía del palacio. Anduvieron largamente en silencio, en la oscuridad, bajo la persistente y casi imperceptible llovizna.

—¿Por qué lo has hecho? —gruñó de pronto, Victor—. ¿Por qué espías a Murrula y luego me defiendes delante del césar?

Filopatros se volvió para mirarlo.

—Pero ¿qué demonios dices? ¿Yo? ¿A quién he espiado yo?

El franco resopló para sus adentros, mordiéndose la lengua. ¿Quién era, en realidad, Filopatros? En aquel ambiente en el que todos espiaban a todos, podía ocurrir que el griego informara precisamente a Apodemio. Ante la duda, no era oportuno exponerse.

—¿Para quién habría hecho de espía? ¡Responde, maldito franco! —El *protector* tuvo un gesto de ira.

—Para ellos.

—Nunca he hablado con nadie de Murrula. Para mí es solo un nombre, un bonito cuerpo del que tú me has hablado, ¿recuerdas? Y no sé ni entiendo quiénes son ellos. ¿Se puede saber qué te ha dado para dejarme así? ¿Tengo que pensar que has perdido el juicio? —Victor no respondió—. ¿Estás implicado en alguna porquería de espías, alguna conjura palaciega? ¿O eres tú un espía al servicio de alguien muy elevado? ¿Eh, *draconarius*?

—Son asuntos míos, Filopatros —replicó Victor, tajante—. No te entrometas.

—No pido demasiado... —El griego se adelantó hacia él—. ¿Ves cómo me has dejado la jeta? Estabas a punto de matarme, hace algunas horas, y si alguien me quiere muerto y se ha dirigido a ti, querría saberlo.

—¿Así que hay alguien que te quiere muerto? Interesante... Quizá seas tú quien me esconde algo, *graeculo*. Por ejemplo, quién eres de verdad.

El griego resopló y escupió. Luego le contestó entre dientes:

—Cualquier cosa que te diga, no me creerás, así que ¿para qué gastar saliva? El asunto, en mi opinión, es que te has metido en un lío más grande que tú, no sabes cómo controlar la situación y me echas a mí la culpa. Muy cómodo, pero estás en el camino equivocado.

—Encontraré la verdad —dijo Victor inseguro apretándose la capa—. La encontraré. —Filopatros no dijo nada—. ¿Por qué has entrado en el juego, cuando le he mentido al muchacho?

—Eres el único amigo que tengo entre aquí y Antioquía, por el momento. Un camarada con problemas delante de un superior, ¿qué podía hacer? Por eso te he defendido, aunque tenía ganas de saltarte al cuello. —Se rio, satisfecho—. He sido un buen cristiano. El Señor me ha concedido fe, esperanza y caridad en abundancia, y yo he hecho buen uso de ellas. Claro que si ahora hiciera que se me pasara el dolor de la nariz... Me hace un daño de mil demonios con solo rozarla.

—Me temo que esté rota.

—Dime una cosa, Victor. Cuando me pusiste el cuchillo en el ojo... no iba en serio, ¿verdad?

—Vamos a beber algo. Hace mucho frío.

—Te he hecho una pregunta.

—Estaba furioso.

—¿Querías sacarme un ojo?

—No, no creo. Como mucho te habría matado.

—¿Matarías a un amigo, franco? —dijo Filopatros haciendo una mueca.

—En aquel momento no eras un amigo, griego. Eras un traidor.

—¿Y ahora?

Victor lo miró y le dio una palmada en el hombro.

—Ahora quiero creerte. Por tanto, quisiera no haber hecho lo que he hecho. Perdóname.

—El perdón —dijo Filopatros, con una media sonrisa— va unido a la penitencia.

—¿Penitencia?

En la mirada y en el tono del griego se insinuó una nota de reproche.

—Es algo que nace de la conciencia de haber pecado y por lo que el penitente hace el propósito de no volver a pecar.

—Pareces un obispo, ¿sabes? Quizá deberías cambiar de oficio. Por ahora mi penitencia consistirá en invitarte a beber, si es que a estas horas nuestros compañeros no han bebido ya todo el vino de Vienne.

Filopatros se echó a reír y le salió una mueca de dolor.

—Y luego soy yo el que debe fiarse. Cuando te conocí, en Mediolanum, me dijiste que eras arriano, pero ni siquiera conoces los principios de la fe cristiana. ¡Recuerda que los mentirosos arderán eternamente!

Victor sonrió, pero con una sombra de inquietud.

VI

El sabor de la batalla

Abril del 356 d. C.

Los jinetes catafractos avanzaban bajo el peso de las armaduras en un silencio frío, como el aire de aquella tarde de primavera. Llovía sin pausa desde hacía tres días y todo lo que los hombres llevaban bajo las corazas estaba empapado. Los charcos dispersos por el paisaje desolado parecían fragmentos caídos del cielo. La lluvia había cesado y los primeros rayos de sol rasgaban las nubes y proporcionaban un poco de calor.

Juliano cabalgaba con fiebre, como buena parte de los soldados, con el rostro enmarcado por la barba descuidada y el largo pelo sobresaliendo del yelmo. Las salpicaduras de fango sobre el rostro y el cansancio eran los mismos que en sus hombres. La figura cubierta de hierro que cabalgaba hacia Augustodunum ya no recordaba al joven incapaz que había partido meses antes de Mediolanum, sino a un hombre, a un provecto general a la cabeza de sus veteranos. Entonó con voz ronca el canto de los héroes, compuesto por pocas estrofas escritas por él mismo, que los hombres repetían hasta el infinito durante las marchas.

Desde siete colinas cercanas a un río que trae riqueza...

A la derecha del príncipe cabalgaba Victor, al que ahora todos llamaban Draco. El franco izó bien alto el dragón imperial, cuya cola de seda roja ondulaba al viento, y se unió al canto a voz en cuello.

Desde primaveras lejanas, que nos han hecho a todos hijos de lo sagrado...

Durante el invierno Victor había pensado muchas veces en la vieja sacerdotisa de Cibeles y había vuelto, solo, en varias ocasiones a las ruinas del templo, pero ya no la había visto. Así que se había convencido de que llevando el símbolo de Juliano sobreviviría hasta llegar a Frigia, lugar que todos decían que estaba tan lejos.

Filopatros, que desde la noche de la pelea había recibido el apodo de Corax, «el cuervo», cabalgaba a la izquierda de Juliano. También él se puso a cantar a coro con el resto de la columna.

... y de la lucha con mil personas que nos han hecho cada vez mejores, al final hemos llegado a dominar un mundo que ahora resplandece bajo el nombre de Roma.

El griego tenía un aspecto inquietante. Su nuevo yelmo estaba provisto de una protección nasal con anillos de hierro que cubría todo el rostro, lo cual le quitaba toda apariencia humana. Sostenía una larga pica, listo para mantener a distancia del césar a eventuales agresores.

El invierno en Vienne había sido frío y largo para el príncipe. Su esposa Helena se había reunido con él y la pareja había desarrollado todas las funciones establecidas por la etiqueta de la corte, incluida la de asegurar una continuidad a la familia imperial. Helena estaba encinta y voces expertas estaban dispuestas a jurar que se trataba del varón tan esperado por los constantinianos.

Los hombres del pequeño ejército del príncipe habían pasado el tiempo adiestrándose y reponiéndose en cómodos cuarteles, al abrigo de la intemperie. El general Marcelo no se había dejado ver y Florencio, el prefecto de la Galia, se había mantenido a mucha distancia del césar. Este había quedado en la Galia, desconectado de la cúpula del Gobierno romano, elegido por Constancio, hasta la llegada de Flavio Salustio, un anciano consejero que el propio emperador le mandó a Juliano.

Como guardia del príncipe, Victor había asistido a su primer encuentro y había captado de inmediato la simpatía que sentían el uno por el otro. Por lo que Victor sabía, Salustio podía ser un espía de Constancio y tener, en consecuencia, mucho interés en mantener buenas relaciones con el muchacho. Sin embargo, le parecía sincero y, además, emanaba una indudable autoridad moral, tanto en el porte como en el habla. Parecía provenir de otra época, similar en aspecto a aquellos togados funcionarios imperiales representados en los bustos de las termas de Hércules, que Victor había admirado en Mediolanum.

Gracias al buen entendimiento que se había creado, el joven Juliano había podido repartir el invierno entre el adiestramiento en el campo con Victor y el estudio de la estrategia militar con su nuevo consejero. El príncipe y el consejero, siempre seguidos de cerca por el atento *protector*, visitaron la ciudad de un extremo a otro.

Un día, cuando recorrían las mazmorras del palacio del gobernador, antaño sede del principado en la antigua guarnición, encontraron un arsenal de armas viejas. El césar aprovechó la ocasión para distribuir las armas y reclutar el mayor número de hombres posible. La ciudad no estaba asediada y el enemigo se encontraba a muchas millas de distancia. ¿Los hombres de Vienne querían, de verdad, defender a sus familias y su ciudad? En vez de esperar a la llegada de los germanos, debían seguirlo a él, Juliano, y ayudarlo a combatirlos, a mantenerlos alejados de cuanto tenían de más precioso.

Su discurso fue acogido favorablemente y la noticia se propagó también por los alrededores, hasta el punto de que en poco tiempo todas las armas se habían distribuido entre voluntarios llegados de toda la provincia.

Juliano y Salustio estaban siempre muy ocupados preparando la ofensiva de primavera, pero de vez en cuando hacían excursiones sin escolta extramuros de la ciudad. Con ellos solo iba Draco, que tenía la orden categórica de mantenerse a cierta distancia. El *protector* tenía la sospecha de que Salustio adoraba a los mismos dioses que Juliano, pero se cuidó mucho de referirlo en los breves y tranquilizadores mensajes que había mandado por el correo a Eusebio. No le importaba delante de qué dios se arrodillaba Juliano y había visto con sus ojos con cuánta pena refrendaba algunos edictos emitidos por el emperador, que con una mano concedía privilegios a los cristianos y con la otra perseguía a los adoradores de los antiguos cultos. El césar se vio obligado a avalar la condena a muerte de dos sacerdotes y a mandar al exilio a algunas personalidades relevantes de la Galia que, formalmente, caía bajo su jurisdicción. Después de firmar aquellos documentos se encerró durante días en sus habitaciones y dio orden de que no lo molestaran; con la única excepción de Salustio.

En primavera Juliano recibió de Constancio los planes estratégicos para la campaña de verano y los estudió con su consejero. Eran solo banales instrucciones de reunir hombres de guarniciones y ciudades cercanas para luego alcanzar en el norte al general Marcelo, que teóricamente estaba bajo sus órdenes. Los verdaderos planes de guerra ya se decidían en otra parte, entre el emperador y sus generales, a fin de que el césar de la Galia no tuviera ninguna posibilidad de iniciativa. Durante los preparativos Juliano había tenido noticia de que la ciudad de Augustodunum estaba bajo el asedio de los alamanes y había decidido, contra la opinión general, ir inmediatamente en su ayuda.

Al día siguiente, cuando entre los hombres se difundía el rumor de la inminente partida del tranquilo paraíso de Vienne, llegó de visita el prefecto Florencio.

El objetivo de la visita era «sugerirle» a Juliano que no se precipitara. El general Marcelo tenía la situación bajo control y el césar no debía poner en peligro su noble vida para resolver una cuestión de poca monta. Juliano sonrió y agradeció la intención, para luego recordarle al prefecto la exhortación que su primo, el augusto emperador Flavio Julio Constancio, le había dirigido en el día de su investidura: «Ve, pues, y apresúrate, seguido por el augurio de todos nosotros, a defender el puesto de combate que el Estado te ha asignado.»

—Comprendo, pero debo insistir —había respondido el prefecto, irritado— y te sugiero, por tu bien, que no cometas imprudencias. El general Marcelo sabe cómo afrontar la situación y no necesita más preocupaciones.

—Ya sé cómo afronta la situación Marcelo: quedándose quieto y manteniendo quietos a los suyos mientras los alamanes van y vienen libremente, saqueando las cosechas y asaltando las villas y granjas aisladas. Los caminos ya no son seguros y aún menos las conexiones de los correos y las estaciones de postas, que a menudo son las primeras que sufren la rapiña y el fuego. He oído de campesinos que se han pasado al lado de los saqueadores, prefecto, y eso ocurre porque creen que tienen más esperanza de sobrevivir con ellos. ¿Sabes qué significa eso? Que estamos perdiendo la fe de esa gente. ¿No has visto con qué entusiasmo han acudido a alistarse cuando les hemos dado espadas viejas y un poco de esperanza? La moral de los habitantes de estas tierras se ha derrumbado. No podemos traicionar aún más su confianza quedándonos quietos mientras Augustodunum es conquistada.

—Los disgustos de esos aldeanos no forman parte de mis preocupaciones.

—Eso es evidente. En efecto, tu Administración te ha enriquecido, pero al mismo tiempo ha empobrecido al país.

El prefecto se puso en pie, rojo de la rabia.

—No te permito que...

Juliano también se levantó y su voz resonó en la sala con una agresividad que dejó a todos de piedra.

—¡Quizás hayas olvidado cómo hay que comportarse ante un césar!

—No, desde luego, nobilísimo, yo quería...

—¡He entendido perfectamente lo que querías! Ahora puedes marcharte. Estoy seguro de que nuestro amadísimo augusto sabrá reconocer tu celo.

El rostro de Florencio estaba deformado por la furia. Al menos oficialmente, no podía actuar contra aquel que continuaba siendo un enviado del emperador Constancio. Retrocedió, esbozando una brusca inclinación a modo de despedida.

La voz del césar lo reclamó:

—Observo, prefecto, que todas tus tareas te vuelven distraído. Debo recordarte que más allá de los derechos adquiridos también tienes deberes ante tu emperador.

Florencio se puso rígido y miró al príncipe, tratando de esconder su cólera tras un amago de reverencia cuando Juliano le tendió la mano con el anillo de la familia imperial.

—¿No quieres rendir homenaje a la púrpura antes de partir?

El prefecto se arrodilló y besó el anillo, con el rostro lívido, bajo las miradas maliciosas de los presentes.

Muy pronto empezaron a correr por toda Vienne prolijos informes de la escena; luego por la Galia y después por todos los rincones del imperio. Después de aquel invierno que pasó tragándose sapos y culebras, Juliano levantaba la cabeza y ejercitaba la autoridad que correspondía a su cargo. Había que ver cuál sería la respuesta de Constancio.

Toda Vienne saludó la partida del césar y de su ejército. Helena se mostró por primera vez en público en estado de buena esperanza, saludando a su marido con la austera dignidad de una dama de otros tiempos. Ver salir aquellos diez mil hombres por la puerta principal de la ciudad entre el homenaje de la multitud fue un espectáculo grandioso.

Después de haber recorrido sin obstáculos las campiñas desoladas de la Galia, el 24 de junio el príncipe avistó los antiguos muros de Augustodunum, donde lo acogieron con gran regocijo. Los alamanes, sabiendo que se acercaba el césar, habían retirado el asedio para reunirse con el grueso de sus fuerzas más al este, sin ni siquiera pensar en la posibilidad de enfrentarse al ejército de Juliano. El suyo, en realidad, no había sido un asedio propiamente dicho, porque no era costumbre de los germanos atacar una fortaleza y aún menos atrincherarse entre los muros después de haberla ocupado. Preferían, con mucho, devastar los alrededores para que la población se viera condenada al hambre y, así, obligada a rendirse. Luego ya pasaban a saquear y destruirlo todo.

Durante el viaje desde Vienne algunos grupos incontrolados, ocultos entre los matorrales, habían alcanzado a las tropas del príncipe y habían engrosado sus filas. Se trataba de pocos individuos mal armados, pero muy motivados. Muchos de ellos habían perdido familia y haberes durante las incursiones de los germanos y habían decidido vengarse de todo cuanto habían sufrido.

En la ciudad, los supervivientes y los veteranos que habían organizado la defensa contra los alamanes prestaron solemne juramento de fidelidad a Juliano. El príncipe había acudido en su ayuda, y había salvado a mujeres y niños de un horrible destino de esclavitud, y los hombres, en señal de gratitud, estaban dispuestos a seguirlo en su campaña de liberación de la Galia.

—Estoy muy emocionado —dijo el joven caudillo desde el palco, levantado para rendirle homenaje—, por cuanto he visto aquí. Una tierra sin vida, aldeas y granjas devastadas, muertos sin sepultura. He visto madres llorando a sus hijos y esposas vertiendo lágrimas por sus maridos. Y he decidido que no me detendré aquí. Esto no es una victoria. ¿Cómo puedo cantar victoria y luego mirar a los ojos a alguien cuyos familiares son esclavos de los germanos? No puedo. No me basta que hayan huido, debo perseguir a esos cobardes hasta sus madrigueras para liberar a vuestros y nuestros seres queridos y devolverlos a casa, ¡y extirpar de una buena vez este azote!

Un estruendo se elevó de la multitud. Las mujeres alzaron sus pequeños hacia el cielo, para mostrarlos al hombre que los había liberado.

—Volveré con vuestros seres queridos o no volveré —gritó el césar—. No puedo juraros que lo consiga, pero os juro que no me rendiré. Si el destino quiere que no lo logre, al menos podréis decir de mí que he muerto por la Galia.

La ovación de miles de personas provocó un fragor ensordecedor. Los soldados juraron fidelidad empuñando las armas y los funcionarios se postraron ante la púrpura imperial. Los *protectores* debieron abrirse paso para sacar a Juliano del palco, porque la multitud quería tocarlo, abrazarlo, besar el anillo imperial. Augustodunum era libre, pero otras ciudades estaban en manos de los germanos y el joven príncipe, que había estudiado con detalle la táctica y las estrategias de los grandes caudillos que lo habían precedido, sabía perfectamente que la velocidad y la sorpresa eran las mejores armas.

Draco y Corax llegaron al galope delante del palacio y entregaron los caballos a los escuderos. Luego subieron las escaleras a la carrera; todo el que se encontraba en su camino se apartaba para dejarlos pasar. Al igual que Nevita, Dagalaifo y Arinteo, todos conocían la confianza que el césar depositaba en ellos y el respeto que se habían ganado entre los hombres del séquito.

El rostro de Juliano se iluminó cuando los vio entrar en la sala de recepciones. Dejó algunos asuntos burocráticos que estaba resolviendo con los funcionarios locales y fue a su encuentro, seguido por el inseparable Salustio.

—¿Y bien?

Victor desplegó un pergamino ajado sobre la mesa de trabajo del príncipe. Nevita, Dagalaifo y Arinteo se acercaron y siguieron con atención el dedo del *draconarius*, que señalaba el mapa.

—Hay tres caminos posibles para llegar a Autosodorum y continuar hacia Tricasae. Uno es hacia el norte, bordeando los bosques y siguiendo por el camino de Sedelaucum y Cora. O bien se puede tomar una vía más transitada, pero mucho más larga, que luego cruza la que desde Divio* lleva a Autosodorum y prosigue hacia el oeste.

—¿Y la tercera? —preguntó Juliano.

—Cruzar del norte al oeste —dijo Victor tras vacilar señalando con el dedo una mancha oscura—, a través del bosque.

—Perdóname, nobilísimo —dijo uno de los funcionarios locales—. La vía del bosque es, sin duda, la más corta, pero también la más peligrosa.

El príncipe miró a Salustio.

—¿Qué piensas?

* Respectivamente, Auxerre, Troyes, Saulieu, una aldea en las inmediaciones de Autun y Dijon.

El consejero se mesó la barba y respondió:

—Si llegamos vivos, caeremos sobre la ciudad por sorpresa, antes de que nos vean. Si decidimos seguir el camino más transitado, el riesgo de que nos vean es mucho mayor.

—Nobilísimo, es peligroso —insistió el funcionario—. Solo el general Silvano se ha arriesgado a pasar por allí, pero llevaba ocho mil soldados.

—¿Silvano? ¿Claudio Silvano?

El funcionario asintió. Victor dirigió la vista a Filopatros, que apartó la mirada. Le volvieron a la mente las imágenes de Silvano, masacrado por Dagalaifo y por sus hombres en la basílica de la colonia Agripina.

—Silvano fue un buen general —afirmó Juliano—; quizá la situación no sería tan desesperada hoy si hubiera permanecido en su puesto. Quién sabe qué lo impulsó a querer usurpar el trono. —También Dagalaifo había bajado los ojos, para evitar las miradas de los demás—. Tú estabas a sus órdenes, Flavio, ¿no es así?

Nevita se aclaró la voz antes de responder, esforzándose por permanecer impasible.

—Era oficial en su caballería, cierto, pero no estaba en la colonia Agripina cuando... cuando se produjo el...

—No debes justificarte por nada. Lo que quiero saber es si conoces el camino —dijo Juliano poniéndole una mano sobre el hombro.

—Ha pasado mucho tiempo —respondió, incómodo, el franco, ruborizándose—, pero sí, estaba allí. Durante un trecho largo no se ve el sol. Es una opción arriesgada con los pocos hombres que tenemos.

—Y tú, Arinteo, ¿cuál es tu opinión?

—Significa desafiar a la suerte, césar. Es verdad que cada día llegan nuevos voluntarios, pero son inexpertos y están mal armados. Los infantes, junto con los carros, deben pasar por caminos más seguros.

—Entonces llevemos solo los catafractos y los ballesteros. Tenemos un buen número de jinetes. El resto de los hombres nos alcanzarán cuando hayamos establecido una avanzada segura.

Nevita sacudió enérgicamente la cabeza.

—Los ballesteros y los jinetes con coraza van bien como fuerza de choque, pero son poco adecuados para la vigilancia y la defensa, en caso de peligro.

—Para eso están los itálicos de la guardia. —Juliano solo tuvo el silencio por respuesta.

»¿Entonces, tú, Arinteo? —El oficial no respondió.

»¿Nevita? —Silencio. Tampoco respondió.

»¿Salustio? —Este sonrió y sacudió la cabeza—. ¿Lo tomo como un sí?

—Es una locura, césar.

—Entonces puede funcionar. —Juliano puso un dedo sobre el mapa—. Pasaremos por el bosque siguiendo el rastro del valeroso general Silvano.

La columna partió al día siguiente. A pocas millas de la ciudad, se encontraron delante del bosque. A la cabeza de los jinetes, Nevita se adentró en la oscuridad de la vegetación y enseguida empezó a manifestarse en los rostros de los hombres una creciente tensión, casi palpable.

Para un guerrero, pensar una posible vía de escape al ver al enemigo era un paso hacia la supervivencia, mientras que los bosques, desde la noche de los tiempos, comunicaban un secreto e impalpable sentimiento de misterio que se unía al ancestral miedo a las emboscadas, las trampas mortales y los ritos mágicos. Lo suficiente para turbar incluso al más convencido caballero cristiano.

Llegaron a Autosodorum sin dificultades en cuatro días de marcha, para gran alivio de los hombres. Después de comer, los soldados del césar partieron hacia Tricasae, bajo una lluvia torrencial que duró tres días. El cuarto, por la mañana, el tiempo pareció conceder una tregua y entre las pesadas nubes aún hinchadas de agua aparecieron franjas azules.

Guiados por Nevita, los hombres, encorvados sobre su cabalgadura, atravesaron campos anegados por la lluvia, hasta que entre las hileras de álamos apareció la silueta de Dagalaifo, que llegaba al galope.

—¡Hombres a caballo!, allá abajo, delante de aquellos árboles después del claro.

Nevita, Juliano y Salustio se apartaron de la columna y avanzaron. Las patas de los caballos se hundían en el fango.

—¿Qué crees que son, Nevita?

—Creo que son alamanes, césar. Quizás un pequeño grupo de exploradores.

—Nos han visto —dijo Salustio, señalando con la mano— y llegan otros desde el bosque.

—¡Mirad! —Nevita señaló a la izquierda—. Allá hay más. No es un grupo pequeño, césar. Son muchos.

Juliano vio varios jinetes en movimiento, medio escondidos entre la vegetación.

—¿Cuántos serán?

—Teniendo en cuenta que no estarán todos aquí, diría que casi el doble que nosotros. Son demasiados, propongo replegarnos hacia el bosque y prepararnos para defendernos.

—¡No! —dijo el césar tajante.

Nevita se volvió sobre la silla y miró, asombrado y alarmado, a su comandante.

—No nos replegaremos —añadió Juliano—. ¡Los atacaremos!

—No es prudente. Aprovechemos la sorpresa y replegúémonos mientras deciden qué hacer.

—He dicho que no. Aprovechemos la sorpresa, sí, pero para atacar, antes de que decidan qué hacer —replicó el príncipe, ajustándose el barboquejo del yelmo—. Prepara a los ballesteros.

—¡Es peligroso, césar! —dijo Nevita elevando el tono—. Son más ligeros que nosotros, se dispersarán y nos rodearán. Alcancemos una posición defendible.

Juliano desenvainó la espada y miró a los ojos al franco.

—No estoy aquí para defender lo que queda de nuestras tierras. Estoy aquí para recuperar las perdidas; ¡y para echar a los germanos más allá del Rin! —El oficial lo miró, aún dubitativo—. Estamos aquí para eso, Flavio —continuó Juliano—. Estamos aquí para arriesgar y vencer. Si los dioses están de nuestra parte, venceremos; de otro modo, moriremos. Pero lo haremos empuñando las armas, a diferencia de ineptos como Florencio y Marcelo, que elevan muros solo para encerrarse dentro.

Nevita vio la mirada febril del joven, escupió al suelo y desenfundó la espada. Con la hoja señaló una zona delimitada por matorrales.

—Dirijámonos hacia los germanos como si quisiéramos cargar contra ellos. En cuanto se dispersen, repleguémonos como si quisiéramos retroceder. Nos perseguirán para cogernos por la espalda y cuando estemos en la parte baja daremos marcha atrás y cargaremos contra ellos, esta vez en serio. Si los atraemos allá no podrán dispersarse. No les quedará más remedio que habérselas con nuestros catafractos o correr el riesgo de darnos la espalda.

Juliano asintió vigorosamente.

—Estoy de acuerdo, Flavio, me parece una excelente táctica. No tendrán ninguna posibilidad. —Desenvainó la espada y continuó—: Ellos no pueden vencer, no tienen un Nevita.

Los ojos del franco brillaron y los labios dibujaron una sonrisa complacida.

—Me haré merecedor de tu gratitud, césar. Vivo o muerto.

—Cuidado —exclamó Dagalaifo—, ¡se disponen a atacarnos!

Nevita dio de espuelas en dirección a los catafractos y comenzó a ladrar órdenes para el contraataque. Dagalaifo llamó a la guardia para que se reuniera con él de inmediato en torno a Juliano. Victor estaba tan cerca del príncipe que los caballos se tocaban. Las bestias estaban inquietas y percibían el nerviosismo de los jinetes, concentrados en escrutar la densa formación de adversarios que se acercaba al galope, abriéndose en semicírculo. Draco se pasó la lengua por los labios resecos. Luego le lanzó a Filopatros una silenciosa mirada de ánimo.

—Estamos listos, Helios —murmuró el príncipe.

Los catafractos avanzaron a los *protectores* y se dispusieron en línea, una veintena de pasos delante de ellos, con las lanzas en ristre. Los grandes caballos avanzaban pesadamente en la tierra empantanada. Nevita parecía un mastín que se afanaba en mantener unido el rebaño.

—¿Listos, Flavio? —gritó el césar.

Nevita asintió, levantando la espada, mientras su caballo se encabritaba.

Juliano dirigió la mirada al sol, que por fin se había abierto paso entre las nubes.

—Poderoso Helios, estoy en tus manos. Guíame a la victoria o acógeme a tu lado. —Luego inspiró hondo y rugió—: ¡Adelante!

Nevita hizo que los jinetes avanzaran al paso. Los *protectores* los siguieron; mientras tanto, los ballesteros se dispersaban sobre los flancos. Juliano miró a Victor y el franco respondió con una sonrisa cruel, antes de alzar el dragón e incitar al caballo.

Los catafractos pusieron sus bestias al trote, levantando salpicaduras de agua que reverberaban al sol como centellas de hojas resplandecientes. El silbido del dragón se elevó por encima del estrépito metálico de las armaduras y el ruido sordo de los cascos en el fango. Juliano miró hacia los enemigos. Demonios vomitados por la tierra oscura. El corazón le latía tan fuerte que parecía querer atravesar la coraza desde el interior. «Nunca mires a un punto concreto... Verlo todo y no detenerse en nada... Captar todo lo que ocurre a tu alrededor, percibir cada detalle... sin perder nunca la concentración.»

En aquel momento, cuando los catafractos aceleraron la marcha, el príncipe sintió que, por fin, había comprendido las enseñanzas de su *armidoctor*.

Flavio Claudio Juliano espoleó su corcel tendiendo la mirada hacia el infinito y el corazón hacia la inmortalidad. A cada zancada el caballo lo llevaba más adelante, hacia su destino, entre gritos de guerra y salpicaduras de fango que lo golpeaban. Percibió por los movimientos de los suyos la posición de cada hombre. La punta de lanza que sobresalía a su izquierda era la de

Corax, al que sentía a su lado. Poco más adelante Dagalaifo, que trazaba seguro la dirección del ataque. Y aunque no lo veía, sabía que Victor, su *draconarius*, cabalgaba a su derecha. Más allá, en el extremo izquierdo de la alineación, Nevita controlaba la formación de los suyos. Encima de sus cabezas, una lengua de seda roja en el cielo azul parecía retar a los germanos a detener al césar, que llegaba para recuperar por la fuerza lo que le pertenecía.

El trayecto fue breve, pero pareció infinito, como si el tiempo se hubiera vuelto más lento de lo habitual. Las figuras oscuras de los germanos aparecieron entre las salpicaduras de agua, como la temida consumación de una horrenda pesadilla. Avanzaban aullando y su masa brutal hacía temblar el terreno. Rostros feroces e inhumanos, que parecían salidos de las puertas abiertas de par en par del averno, donde Dite en persona los esperaba en los infiernos.

Como Nevita había previsto, los alamanes evitaron el choque frontal con los catafractos y se dispersaron sobre los flancos. El general lanzó una orden y los ballesteros descargaron las armas, para luego replegarse detrás de los catafractos, que ahora tenían la vía abierta hacia la zona indicada por Nevita.

El primer contacto había sido tan rápido y confuso que nadie había tenido tiempo de ver si algún dardo había alcanzado el blanco, pero no era importante. Lo importante era que los germanos cayeran en la trampa y sin reflexionar decidieran perseguir a los romanos.

Nevita hizo aflojar la marcha para dar ocasión a que los caballos recuperaran el aliento. El terreno se hizo más compacto y los hombres entraron en la zona de matorral delimitado por zanjas inundadas.

—¡Nos atacan! —aulló Dagalaifo.

Nevita dio la orden de alto, primero, y de marcha atrás, inmediatamente después. Hizo pasar a los *protectores* detrás de los catafractos y evaluó en un santiamén la formación enemiga. Con un grito poderoso, ordenó la carga. Enseguida la hilera de caballos saltó hacia delante, entre los gritos de los hombres. Los jinetes lanzaron sus fieles bestias al galope.

El aire tembló y enseguida se produjo el choque, acompañado por el fragor como del oleaje de un mar tempestuoso golpeando contra las rocas del acantilado. La formación se disgregó entre salpicaduras de agua, alaridos y relinchos de caballos. Los catafractos se abalanzaron sobre los germanos y los *protectores* chocaron contra sus propios jinetes. Los hombres más adelantados cayeron del caballo. Un alamán apareció entre los catafractos blandiendo una larga espada. Filopatros lanzó su caballo contra él para impedirle acercarse a Juliano. La lanza del griego penetró en el estómago del agresor hasta tres cuartos. El guerrero puso los ojos en blanco y lanzó un estertor ahogado, luego se dobló sobre la silla agarrándose al asta. Filopatros tiró de ella con fuerza para liberarla, pero sin conseguirlo. El caballo del griego se desvió y Corax paró con el escudo un mandoble de otro enemigo, a su izquierda. El alamán alanceado en el vientre se deslizó de la silla, exánime, arrastrando consigo al *protector*. La lanza se partió. Los dos cayeron en el fango, entre las patas de los caballos, y Filopatros se desplomó sobre su propio escudo, despedazándolo. Trató de levantarse de inmediato, pero estaba en el suelo sin protección y con el segundo enemigo encima, listo para bajar la espada y matarlo. Un instante y de la nada apareció Victor, que paró el mandoble con el asta del dragón para luego clavar la punta en el cuello del alamán.

—¡Arriba, soldado!

Ante el alarido de Victor, el griego aferró las bridas de su caballo, que pateaba espantado, y trató de mantenerlo firme para montar. Un movimiento sobre la derecha, pero el *draconarius* fue rápido en descabalgar al agresor, que antes de levantarse se encontró la hoja de Filopatros en el vientre.

—Monta, *graeculo* —aulló de nuevo Draco, con el rostro retorcido por una mueca cruel.

Con un salto ágil Corax se aupó a la grupa de su caballo, cuando Dagalaifo llegaba para ayudarlos, aullando como un loco. Su espada desgarró el rostro de un guerrero que los apuntaba. El grito del herido se apagó al atravesarlo Victor y rematarlo. Otro alamán se añadió a la reyerta lanzándose hacia la capa purpúra del césar, que descollaba en medio de los otros. Dagalaifo lanzó un mandoble tan violento que partió el yelmo y el cráneo del enemigo con un solo golpe. Un cálido chorro de sangre dio en el rostro de Juliano.

—¡Replegaos! ¡Replegaos!

Nevita se desgañitaba indicando la nueva dirección para alejarse y formar nuevamente las filas. Rodeado por Victor, Filopatros y Dagalaifo, que le hacían de escudo, Juliano a duras penas conseguía ver delante de sí.

A los catafractos, que habían perdido el ímpetu, les costaba más moverse en el enfrentamiento y los *protectores* armados con espada tuvieron que despejar el camino entre los germanos. Filopatros y Dagalaifo derribaron a otro jinete de largo pelo oscuro y se abrieron paso entre la multitud, seguidos por el resto de la guardia.

El grupo cayó al galope sobre un alamán herido que estaba levantándose del suelo. Victor le atravesó la espalda con la contera del estandarte; luego levantó alto el dragón lanzando un alarido salvaje. Los caballos aflojaron, los catafractos recompusieron las filas y Nevita, con la espada roja y una sonrisa complacida, miró a Juliano, con la cabeza alta.

—¡Se retiran, césar!

En aquel momento, el príncipe comprendió que la batalla había terminado. Miró a Salustio con el rostro morado y la espada desenvainada y vio hombres en el suelo en la zona del choque. Más atrás los jinetes germanos se alejaban al galope, dejando sobre el terreno al menos a una veintena de caídos. Algunos inmóviles, otros moribundos, que se debatían inútilmente entre el fango y la hierba alta.

—¡Carguemos!

En el aullido del príncipe estaba toda la rabia que el fin de un peligro puede desencadenar en un hombre.

Nevita no tuvo tiempo de detenerlo. Juliano ya estaba lanzando su cabalgadura hacia los enemigos en fuga. Victor lo siguió, junto a Filopatros y a Dagalaifo. Detrás de ellos, el viejo

Salustio y todos los demás. Filopatros era el más ligero, y fue el primero en alcanzar a Juliano y ponerse de guardia a su izquierda. Victor, mientras, se ponía a la derecha del joven, controlando dónde estaban todos los demás, y vio que los germanos aceleraban la marcha al ver que los perseguían.

Se sintió invadido por una sensación de omnipotencia y, a la vez, de absoluta libertad. Espoleó el caballo y alcanzó al príncipe, aullando y alzando el dragón. Inmediatamente detrás de él estaba Dagalaifo, que desafiaba a los alamanes, a voz en cuello y en su lengua germana, a detenerse y combatir.

Se fijaron en un guerrero de gran corpulencia, cuyo caballo perdía cada vez más terreno en medio de los aguazales. Privado de yelmo y de coraza, el germano aún empuñaba un hacha. Se volvía nerviosamente para controlar la distancia de los perseguidores con sus ojos azules asustados, obsesionado por aquel silbido acosador que provocaba el dragón. Poco más adelante, otro alamán provisto de lanza y con una armadura con anillos de hierro había aflojado la marcha para no abandonar a su compañero. Estaba gritando, quizá con la esperanza de que otros guerreros volvieran atrás a ayudarlos.

Juliano señaló al germano con la lanza.

—¡Una moneda de plata por su cabeza!

Filopatros picó las espuelas del caballo saltando hacia delante; mientras, Victor y Dagalaifo seguían la estela de salpicaduras del jinete del hacha. Ya desesperado, el germano la lanzó contra los perseguidores y se clavó en el caballo de Dagalaifo. El animal se desplomó pateando al aire.

Un instante después Victor hirió al alamán en el hombro con la contera del dragón. El guerrero gritó y se volvió. El franco, que ya estaba encima de él, lo golpeó con el asta en la mandíbula. Aturdido, el germano se tambaleó y perdió terreno. Victor maniobró hábilmente a fin de dejar que se adelantara Juliano. El maestro le había procurado al alumno una presa a la que rematar. Para que su consagración fuera plena, en aquella primera batalla, era necesario que el príncipe derramara la sangre de un enemigo.

Juliano se puso al costado del germano y soltó un mandoble poco decidido, pero suficiente para golpear al adversario y desequilibrarlo. Caballo y jinete cayeron de mala manera, pero el guerrero consiguió, de algún modo, rodar hacia el pantano.

El césar sujetó su corcel, con la mirada hacia al germano que estaba en el suelo, herido, pero no vencido. Tocando apenas los flancos de las cabalgaduras, los otros *protectores* hicieron un corro en torno a ellos. Apretando los dientes, con la respiración agitada y sonora, el joven miró al coloso rubio cubierto de fango levantarse y desenfundar la espada. El germano escupió un chorro rojo y le gruñó algo a Juliano.

—¿Qué ha dicho, Victor? —Draco lo miró, impasible—. ¿Qué ha dicho? —repitió Juliano.

—Más o menos «Baja y bátete como un hombre si tienes huevos».

El príncipe cogió con fuerza la espada y bajó del caballo. Inmediatamente el germano se le fue encima tambaleándose.

—¡Quédate donde estás, Draco, y mira!

Victor sujetó el caballo y observó a su discípulo ponerse en guardia. Juliano le lanzó una mirada y el franco asintió. El césar respiró hondo y luego saltó hacia delante. Simuló un golpe en el hombro herido del adversario. El germano intentó pararlo, pero la hoja cambió en un santiamén de trayectoria y le cayó sobre los nudillos. El coloso aulló de dolor y dejó caer la espada. Se inclinó rápido a recogerla, pero el príncipe fue igualmente rápido. El filo de su hoja golpeó entre el hombro y el cuello, partiendo la clavícula. El coloso cayó sobre las rodillas, como un toro golpeado mortalmente durante un sacrificio; y como un toro lanzó un mugido de dolor con los ojos desencajados cuando el príncipe lo remataba con un nuevo golpe de espada, jadeando por el esfuerzo, hasta que el germano tuvo el rostro en el fango oscurecido por la sangre.

Juliano se quedó atónito, invadido por un estremecimiento de exaltación que le impedía volver a enfundar la espada. Con el corazón latiendo con fuerza, el joven recuperó el aliento. Sus fieles compañeros estaban en torno a él. Victor, que sonreía, cómplice, se quitaba el yelmo y plantaba en el suelo el asta del dragón ondulante; Dagalaifo, que llegaba a pie cubierto de fango, cojeando, imprecaba en su dialecto; Salustio, el gran estratega, que aunque anciano y no habituado a la contienda también había puesto el alma; Nevita, con los ojos aún más azules en el rostro cuajado de salpicaduras rojas, que sujetaba por las bridas un semental negro con el cuerpo sin vida de un jefe de tribu de preciosa coraza. Y Filopatros, que sostenía en la mano sucia de sangre la cabeza del germano con la lanza. El griego la tiró hacia el césar, que la vio rodar delante suyo.

El sabor de la batalla fue una revelación para el joven césar, que hasta aquel momento había sentido un secreto horror hacia ella. A la vista del centenar de cadáveres ensangrentados dispersos entre los campos sin cultivar se sentía terriblemente excitado. En su recuerdo no estaban los cadáveres, sino solo los lejanos gritos de los suyos, asesinados por los soldados de Constancio. Traición.

Ya había descubierto cómo era dar muerte.

Inspiró a pleno pulmón. El sol resplandecía, el enfrentamiento había terminado y se sentía confuso, pero no turbado. No sentía ni disgusto ni repulsión al mirar aquella cabeza inmóvil a sus pies. Era tensión. Era vida. Vida como nunca antes había sentido. Vida que corría como un río por las venas.

En sus estudios filosóficos siempre había buscado un sentido a la existencia humana y lo había encontrado en el furor de la batalla. En la mente y en el corazón siempre había pensado en la guerra como una barbarie inhumana, pero aquel día había entendido que combatir y vencer a un enemigo que quiere tu vida era el triunfo del ser humano. El triunfo de la vida.

Pensó que aquel fuego en la boca del estómago era el mismo de Alejandro el Grande en Gaugamela, el de Escipión en Zama, el de César en Alesia. Alzó la espada ensangrentada al sol y aulló al cielo su descubrimiento mientras sus hombres lo aclamaban en voz alta. Todos querían saludarlo, porque sentían que el hado amaba al joven césar. Lo llevaron triunfante sobre el escudo de un germano muerto.

Cerca de él, la roja cola del dragón imperial ondulaba osada y poderosa en el cielo de aquel rincón de la Galia.

VII

La colonia Agripina

Junio del 356 d. C.

Una ligera brisa agitó las copas de los árboles y les proporcionó un ligero alivio a los hombres que formaban bajo el sol, dentro de las pesadas armaduras. Estaban sucios, cansados y eufóricos. El césar iba a lomos del caballo negro capturado el día del enfrentamiento y Dagalaifo montaba el semental del príncipe, que se lo había regalado por su actuación sobresaliente en el combate.

El resto del botín se dividió entre todos los soldados que habían participado en la batalla.

—Me has salvado la vida, asqueroso franco.

Victor se rio.

—Sí, Filopatros, al menos dos veces. Tres, si contamos cuando no te maté en Vienne.

—No hagas trampas, con esa estamos empatados, porque luego te salvé el culo con el césar.

Draco hizo una mueca y se aflojó el barboquejo, luego se dirigió a Dagalaifo, que iba delante.

—¿Qué es de nuestro guía? ¿Se ha perdido? —Aludía a Nevita que guiaba la columna.

—No se ha perdido. Está en la Galia.

Los hombres estallaron en una carcajada. Poco después, los muros de Tricasae se dibujaron a lo lejos, todavía un poco confusos y borrosos.

—¿Cuánto quieres por esa bestia, Dagalaifo?

Desde su espléndido semental blanco, el franco miró irónicamente a Filopatros.

—No solo no está en venta, sino que tengo la intención de quedarme también con el caballo de Nevita.

Los hombres rieron de nuevo, salvo Nevita que esta vez lo había oído y les echó una mirada amenazante.

—Bromeaba —dijo Dagalaifo, contento—. Y tú, *graeculo*, cuida de no caerte otra vez del caballo, porque podría decidir dejarte en el suelo y coger también el tuyo. Cuéntame, ¿cómo lo has conseguido?

—Directamente de su dueño, en Persia. A él ya no le servía, que descanse en paz.

De nuevo una carcajada.

—Dicen que los cadáveres de los persas no se pudren, ¿es verdad?

Filopatros asintió.

—Es verdad. Se secan como la madera de encina. Será por lo que comen.

—¡Desgraciados! Pero tú pareces persa, Corax.

—Puede ser —dijo Filopatros, irritado—, pero no lo soy.

—No he dicho que los seas, *graeculo* —rio Dagalaifo—; he dicho que lo pareces. Eres seco como un junco y quizá por eso no consigues sacar una lanza de las tripas de un alamán.

La imprecación de Filopatros provocó más carcajadas.

Juliano se volvió a hablar con Salustio, que cabalgaba cerca de él.

—Es una cuestión que debemos resolver —dijo el príncipe, que trataba de estar siempre al corriente de los problemas de la tropa.

—Es verdad —respondió el viejo estratega—. Las lanzas son útiles en manos de los catafractos, pero entran demasiado hondo y se corre el riesgo de no poder usarlas otra vez.

—Nuestro Corax se batió con ímpetu, pero en la reyerta tenía el arma equivocada —dijo el césar mirando a Filopatros.

Salustio asintió y respondió:

—Mejor que los catafractos lleven las lanzas solo para las ofensivas y luego retirarnos para cargar de nuevo después de haber reordenado las filas. Y es preciso pensar en una solución para que las puntas no penetren demasiado.

—Aumentar el grosor de la punta o poner un seguro las haría más pesadas, y ahora ya dificultan el equilibrio y la posición del jinete —intervino Nevita.

Victor alzó la mirada a la cola del dragón, que ondulaba perezosa en el aire caliente y dijo:

—Una bandera. —Los otros lo miraron—. Podríamos poner un paño al final de la espiga de hierro. Quizá frenaría la lanza.

Juliano asintió.

—Y usando paños de distintos colores, podríamos reconocer a los diversos escuadrones. ¿Qué dices, Flavio?

Nevita asintió, poco convencido, más que nada porque la idea no se le había ocurrido a él.

—Y ese trozo de paño resolvería también el problema de la sangre —añadió Salustio—. Cuando los jinetes vuelven a ponerse en formación después de una carga mantienen las lanzas en ristre, para no herirse entre ellos. Si en el enfrentamiento han golpeado a un enemigo, la sangre se escurre por el asta, y al llegar a la mano el agarre se hace resbaladizo.

—Es verdad. Es una de las principales causas de que se pierda la lanza —confirmó Nevita—. Bravo, Draco, ¡de vez en cuando dice algo con sentido!

Dagalaifo dio una fuerte palmada sobre el hombro de Victor.

—Bonita coraza, debe haberte costado un ojo.

—No me ha costado un sueldo —le contestó Victor mirándolo de lado—. No la he devuelto desde el día de la investidura del césar. Y he hecho lo mismo con el dragón.

—Mirad dónde he acabado —dijo Juliano—, en medio de una manada de ladrones y asesinos, de itálicos cristianos y holgazanes, y de galos camorristas y pendencieros, encima con un degollador griego arriano que tiene cara de espía. —Victor no parpadeó y se rio con todos los otros—. Cuando partí de Mediolanum esta soldadesca me parecía poco agradable y, en cambio, me siento a gusto.

Nevita levantó la mano.

—¿Qué sucede, Flavio?

—Comienzo a pensar que hay algo que no marcha. ¿Cómo es que aún no ha llegado una delegación de la ciudad para rendirte homenaje, césar?

Los muros de la ciudad ya no estaban lejos. En torno a ellos, en los campos, no se veía a nadie. Parecía una tierra deshabitada, detenida en una quietud innatural e inmóvil. Avanzaron al paso, precavidos, empuñando firmemente las armas. Filopatros cerró la protección de anillos delante del yelmo y desenvainó la espada. Victor alzó el dragón. Nevita deshizo la columna y dispuso a los catafractos en dos líneas, con el frente hacia la ciudad. Aguzó la vista y soltó una maldición.

—Si no me engaño, están sobre los muros listos para defenderse, césar.

—¿Crees que tienen la intención de combatir?

—Me gustaría saberlo.

Juliano miró alrededor con inquietud. Nadie a la vista. ¿Había alguna banda de germanos al acecho? ¿Acaso habían conquistado la ciudad?

Los hombres siguieron con cautela, al paso, hasta que Nevita alzó de nuevo la mano.

—Más allá de ese foso estaremos a tiro de las máquinas, nobilísimo.

La formación se detuvo. Los jinetes se alinearon mirando hacia los muros, donde eran bien visibles los hombres en fila.

—Está claro que nos han tomado por germanos; o los germanos son ellos —dijo Juliano.

—Voy a preguntárselo —dijo Dagalaifo, decidido.

—¿Tú? ¿Con ese acento y esa cara?

—Vamos nosotros, entonces —intervino Victor—, Filopatros y yo, con el dragón.

—La idea del estandarte para hacernos reconocer es buena, pero si son germanos corro el riesgo de perder a mi *dracona-*

rius. Puede ser una trampa. Confía el estandarte a uno de los galos.

—¡No, césar! —Victor pensó en la sacerdotisa de Vienne—. Yo soy el *draconarius*.

—Eso no te da derecho a contradecirme. ¡No vuelvas a hacerlo! —le reconvino Juliano mirándolo a los ojos. Luego se dirigió a Nevita tajante—. Prepara a los ballesteros. Irán a parlamentar tres hombres. —Hizo una pausa—. Corax, Draco y yo mismo.

—Pero, nobilísimo, no puedes...

—¡Silencio! —El tono del césar era definitivo—. Yo mando y yo decido quién va y quién se queda.

La tensión que a duras penas se había controlado, saltó. Algunos de los soldados murmuraron entre sí y varios oficiales gritaron que habrían muerto antes de dejar solo al césar ante el enemigo bajo los muros.

—Perdóname, nobilísimo —dijo Salustio, sosegado—. Bastará con que alguien en las gradas alce una lanza, quizá por error, para que los nuestros salten al ataque. Ya sabes que están entregados a ti.

Juliano miró hacia los muros.

—No esperan nuestra llegada, puede ser que nos hayan tomado por enemigos. Sería trágico, un enfrentamiento entre hermanos.

Los soldados comenzaron a gritar el nombre del césar batiendo las lanzas contra las corazas y Juliano los miró.

—No te dejaremos ir solo.

Los ojos del joven brillaron cuando su nombre se elevó al cielo. Envainó la espada, miró a Victor y asintió.

—Así sea, pero presta atención a cualquier mínimo movimiento, a cualquier señal.

—Lo haré, nobilísimo.

—Haz que formen los ballesteros, Nevita.

Los hombres expresaron su contento. El príncipe pidió silencio con un gesto. Durante un momento se oyó el ininterrumpido zumbido de los insectos en la hierba.

—Aprecio tu coraje, Draco.
—Y yo tu sabiduría, mi césar.
Juliano sonrió.
—Cuando estéis listos, marchad.
Victor y Filopatros se movieron al paso hacia los muros, sin volverse. Ante ellos, un tramo de terreno sin cultivar de más de trescientos pasos de longitud, completamente al descubierto.
—¿Nos matarán, franco?
—Mejor que creamos que sí; de ese modo ya no pensaremos en ello.
El griego escupió al suelo.
—Esperemos que apunten primero al del dragón.
—No lo harán.
—¿De veras? ¿Por qué?
—¿Te acuerdas de la sacerdotisa de Vienne?
—¿La bruja? Claro.
—Me dijo que mientras mantuviera alto el dragón, no me ocurriría nada. Y, como ves, lo mantengo alto. —«Además, estoy destinado a morir en Frigia», pensó Victor.
—¿Y por qué me has sugerido que venga yo, entonces? ¿Por qué no Dagalaifo, por ejemplo? —dijo Filopatros mirando a Victor.
—Dagalaifo se habría puesto a insultarlos bajo los muros y habría hecho que nos mataran a los dos. Tú tienes más sangre fría; no perderás la calma. —El franco sonrió—. Además, si no me equivoco, tú crees en la resurrección, ¿no? Si mueres, estarás mejor.
—Entonces déjame rezar en estos momentos que me quedan, jodido bárbaro.
Cuando llegaron cerca del muro, se detuvieron y se pusieron a escrutar la larga fila de defensores dispuestos a lanzar sobre ellos una lluvia de jabalinas, flechas y virotes.
—Traigo el símbolo del nobilísimo césar de la Galia, Claudio Flavio Juliano —gritó Victor a voz en cuello y en latín—, primo del augusto emperador Flavio Julio Constancio. El césar quiere entrevistarse con el comandante de la guarnición.

Durante un momento solo se oyó un murmullo. Respondió una voz tronante en un latín dubitativo.

—¿Quién nos asegura que no sois alamanes?

Victor tuvo un instante de incertidumbre, luego hizo flamear el dragón imperial.

—Tengo el dragón imperial.

—¿Y qué? También nosotros tenemos de esos.

—¡Pero este es el verdadero!

El hombre que hablaba tradujo a los otros y algunos estallaron en risas.

—Filopatros, ve a llamar a uno de esos galos; quizás entre ellos se entiendan.

El ejército de la Galia entró en Tricasae seis horas después, agotado por una extenuante negociación bajo el sol de junio. Los habitantes se inclinaron ante el césar de Occidente, al que por error habían tomado por Chodomario, rey de los alamanes. Juliano hizo su entrada triunfal tratando de disimular el cansancio. A Nevita, que aconsejaba un castigo ejemplar para algunos funcionarios, le dijo que se sentía clemente.

Tres días después eran muchos más gracias a los numerosos voluntarios que acudieron a servir al príncipe. Los hombres retomaron el camino hacia Remi, donde se estaban reuniendo las legiones para la gran ofensiva de verano a las órdenes del general Marcelo.

La extensión multicolor coronada por pináculos de humo que habían visto desde lejos no era, en realidad, la ciudad de Remi, sino los campamentos militares dispuestos en torno a ella. Ni Juliano ni los suyos habían visto nunca semejante despliegue de fuerzas. Era un espectáculo que les quitaba el poco aliento que les quedaba.

—¡Compostura, soldados! —ordenó Nevita con brusquedad—. Yelmos y lanza en ristre. Draco, entona la canción.

Después de un centenar de pasos, Juliano dio la orden de detenerse alzando la mano derecha y la columna se paró. Cuando el polvo en torno a la formación de hombres y animales se disipó en el aire sofocante, el silencio y el sudor envolvieron al ejército de la Galia. Nevita, Draco, Filopatros y luego Dagalaifo, todos, miraban al césar, a la expectativa. Los hombres se cocían en las armaduras candentes bajo el sol de primera hora de la tarde.

Los jinetes con el pendón de los *scutari* al viento y el cristograma en los escudos que Juliano había visto llegar se detuvieron a poca distancia de la columna. Un oficial de ojos oscuros con un yelmo de forma oriental saltó del caballo y se postró delante del césar para rendirle homenaje.

—Nobilísimo Flavio Claudio Juliano, césar de Occidente, estoy aquí para brindarte la más calurosa bienvenida y escoltarte ante el general Marcelo, que te espera en el alojamiento imperial destinado a ti.

El césar no respondió. Tras unos instantes embarazosos, el oficial levantó la mirada, desconcertado por la inmovilidad de Juliano.

—¿Cómo te llamas?

—Soy Flavio Victorio, nobilísimo, comandante de la guardia del general Marcelo.

—Bien, Flavio Victorio, vuela con tu comandante y dile que venga en persona a rendirme el homenaje que corresponde a un césar.

La espera se prolongó, por lo que los hombres pagaron la violación del protocolo de la corte. Pasaron horas encerrados dentro de las corazas antes de que el general Marcelo se dignara presentarse, seguido por su propia escolta. Montaba un caballo gris y sobre la túnica llevaba una almilla de cuero, sin coraza. Con la cabeza descubierta, el cráneo reluciente estaba empapado de sudor.

El general tiró bruscamente de las riendas justo antes de acabar encima de Juliano. En el rostro enmarcado por una barba rala se leía el malestar por tener que someterse a aquel ritual de cortesía. Su mirada se posó en Juliano.

—Mi homenaje al nobilísimo césar de Occidente, Flavio Claudio Juliano. —El tono carecía de cualquier rastro de calor.

—El homenaje ya me ha llegado por boca de tu oficial, Flavio Victorio. Ahora quisiera tus excusas, Marcelo.

El general hizo que caracoleara su espantadizo corcel y dirigió una mirada rencorosa al césar.

—Estaba celebrando un importante consejo de guerra, nobilísimo. Esa es la única razón de que no haya venido a tu encuentro.

El príncipe lo miró, inmóvil como una estatua de bronce.

—La costumbre quiere que sea el oficial de más alto grado quien rinda el homenaje. Espero tus excusas por esa inobservancia.

Siguió un instante de silencio, cargado de tensión.

—Perdona mi informalidad, césar. Como bien sabes, los alamanes están cerca y hay decisiones que tomar.

—Estoy aquí por eso, Marcelo. Como ves, he traído refuerzos, a los que se sumarán dentro de un par de días los hombres guiados por Arinteo, que han cogido un camino más largo, pero más seguro. Se pueden tomar decisiones más ponderadas con algunos miles de lanzas más.

—Estarás cansado, césar. Deja que me ocupe yo de... —El general parecía descolocado.

—No estoy en absoluto cansado y deseo participar en el consejo.

El príncipe llegó al palacio imperial de Remi y, deliberadamente, remontó la escalinata a caballo, seguido por sus *protectores* y los oficiales germanos. Los guardias acudieron empuñando las lanzas, pero a la vista del dragón imperial y de la capa de púrpura se arrodillaron de inmediato, con gran estrépito de armaduras.

El césar y su séquito desmontaron en el vestíbulo del palacio, a pocos pasos de la puerta de la sala del consejo. Sin esperar a nada, césar entró, escoltado por Victor, Filopatros, Salustio, Nevita y Dagalaifo. Detrás de ellos, furioso por la humillación, venía Marcelo.

Sorprendidos por la entrada de Juliano, los oficiales esbozaron un incómodo saludo. El césar se quitó el yelmo y lo posó sobre la amplia mesa de los mapas. Notó cómo lo miraban. Esperaban un filósofo afeminado y se encontraban ante un hombre alto, de espalda robusta, cuello de toro y la cabeza maciza de constantinianos; con el pelo largo, una densa barba, y el sudor y el polvo incrustados sobre el rostro. Y la mirada de un césar, que les pasó revista severo e implacable.

Juliano ocupó su puesto en la silla reservada a Marcelo.

—Se da inicio al consejo.

Marcelo tomó la palabra, tratando de no mostrar su disgusto. Luego los generales abrieron los mapas y le informaron. Le indicaron las posiciones de las unidades romanas y de las enemigas e ilustraron la situación del abastecimiento y los pertrechos, para proseguir con la capacidad de resistencia a un posible ataque.

—¿Cuándo está prevista la ofensiva?

La pregunta de Juliano puso fin a las explicaciones. Los generales se miraron; luego le dirigieron una súplica muda a su comandante.

—Aún no estamos listos para una ofensiva a gran escala —respondió Marcelo, seco—. El consejo es de la opinión de reforzar nuestras posiciones junto al Rin para contener un probable avance de los germanos. Quizá dentro de algunos meses podamos...

Juliano se puso de pie de golpe, cogió el yelmo y lo tiró.

—¿De qué sirve este consejo? ¿Horas de cháchara para decirme que sois de la opinión de no hacer nada? —El príncipe dio un puñetazo en la mesa—. La amenaza crece día a día, pero vosotros ya habéis establecido que no nos moveremos porque esperáis el momento en que ya no haya peligro. Bien, sabed que ese momento no llegará nunca.

Durante un momento, solo se oyó la respiración de los presentes, y el leve sonido metálico del yelmo que se balanceaba sobre el pavimento.

—Te aseguro que la situación está bajo control, césar.

—A mí no me lo parece, Marcelo. He visto campos sin cultivar y aldeas saqueadas. He visto a un pueblo guerrero reducido a vivir en el miedo. Basta decir que llegan los germanos para poner en fuga a la gente. Vengo de Vienne, una ciudad fortificada como si estuviera en la frontera. Sin embargo, se encuentra en territorio romano... La Administración está a la deriva y los oficiales se preguntan por qué no llega dinero a las arcas del erario, sin darse cuenta de que ordeñan vacas ya hambrientas. Los comerciantes no tienen nada que vender y los campesinos apenas producen lo necesario para saciar a sus familias. Corrupción y violencia están al orden del día y ¿qué hacen los gobernadores? Suben los impuestos. —Pasó revista a los oficiales, que no se atrevían a replicar—. Y vosotros, que deberíais defender estas tierras, ¿qué hacéis, además de llevar espléndidas corazas? Tenéis encima tanto oro que podríamos comprar a los alamanes y a los frisones del primero al último, y enrolarlos como mercenarios.

—Mis comandantes han conquistado su grado en el campo, nobilísimo.

—Bien, general, porque necesito hombres dispuestos a volver al campo, a ponerse a la cabeza de los legionarios, a batirse y a morir. ¡No sé qué hacer con unos cortesanos cuyas espadas se adornan con piedras preciosas!

—César, hemos heredado esta situación de los comandantes anteriores, de unos ineptos que no valían nada. —Marcelo parecía profundamente indignado.

—¿Y tú quieres seguir su ejemplo?

—Te repito que la situación está bajo control. —El general señaló con el dedo sobre el mapa—. El avance de los germanos está contenido.

Juliano cogió el mapa con las manos y lo levantó para que lo vieran todos.

—¡Este avance ya es una invasión! Toda la izquierda del Rin, ciudades, fortificaciones, torres, líneas de comunicación, está en manos de los enemigos. La muralla erigida en tiempos de Julio César para defender la frontera de nuestra civilización ha sido barrida por la horda bárbara; y junto a ella ha caído también la convicción de que la frontera del Rin era impenetrable. Los alamanes no han venido hasta aquí para asaltar unas presas fáciles y luego huir, confiando en no ser perseguidos. Los bárbaros han desplazado una linde y ahora están apuntando al corazón mismo de nuestra fuerza. —Juliano arrojó el mapa sobre la mesa.

»Mirad cuántas ciudades hay, más allá de la línea que habéis trazado. Sus habitantes se preguntan por qué los hemos abandonado, y por qué miramos impotentes y asustados mientras los alamanes destruyen siglos de esencia romana. Pues bien, es el momento de volver a levantar la cabeza. He venido desde Augusta Taurinorum para liberar la Galia y lo haré, comenzando por la colonia Agripina.

—Entiendo tu noble intento, césar, pero el momento no es aún propicio.

—El momento propicio llega cuando nosotros queramos que llegue, general Marcelo. Mientras tú esperas el momento propicio, los súbditos del imperio tiemblan y mueren, y se preguntan si el imperio aún existe.

—No quiero cometer imprudencias y hacer perder otros territorios a nuestro amadísimo augusto —replicó el general—. La prisa es mala consejera.

—Confíame tus soldados, entonces, y deja que sea yo quien cometa una imprudencia. Debemos detenerlos o pronto avanzarán hasta Lutecia. ¿Por qué va a detenerse Chodomario? Yo no lo haría si todos huyeran a mi llegada. Pronto arribará Arinteo con los hombres enrolados en Vienne. Están mal armados y necesitan adiestramiento. —Juliano miró de nuevo a los oficiales de Marcelo y posó la mano sobre la empuñadura de la espada—. Pero tienen ganas de usar la espada, ¿y vosotros?

Marcelo contuvo la rabia, luego se calmó y, por primera vez, le sostuvo la mirada a Juliano. El retoño del gran linaje ansiaba combatir. No tenía ninguna experiencia militar y ya se las daba de estratega. Marcelo habría perdido muchos hombres y el augusto Constancio otro pedazo de la Galia. Pero el consejo de guerra era testigo del atropello y de la ofensa al comandante militar de la Galia elegido por el mismo emperador. Si aquel muchacho arrogante quería destruirse solo, que lo hiciera.

—Tendrás los hombres que pides. Espero que Dios quiera perdonarme.

—Si fracaso, intercederé por ti en persona. Estoy seguro de que Dios será magnánimo.

Nevita y Salustio se limitaron a una sonrisa diplomática. Dagalaifo se echó a reír sin disimulo, mientras que Victor se esforzaba por no imitarlo.

Juliano declaró disuelto el consejo y se quedó en la sala junto a Marcelo y los respectivos séquitos.

—Corax, alcanza a Arinteo y dile que acampe. Los *protectores* se alojarán aquí en palacio, junto a nosotros.

Marcelo se sobresaltó.

—Nobilísimo, en el palacio ya resido yo. He hecho disponer una residencia mejor para ti y tu séquito.

El césar le lanzó una mirada de ironía, luego se quitó el talabarte y lo posó sobre la mesa con la espada.

—Te lo agradezco, general, y como agradecimiento te dejo a ti, gustoso, la mejor residencia.

—Pero se necesitará tiempo para... para trasladarlo todo y...

Juliano extendió los brazos y Victor empezó a quitarle la coraza.

—Tienes razón, quizá sea mejor que te quedes aquí conmigo. Estaré contento de tu presencia y podremos trabajar codo con codo para estudiar la inminente ofensiva. —Marcelo apretó los labios sin saber por dónde salir—. En otras palabras, general, si quieres recuperar tu hermoso palacio solo para ti, afánate en darme los hombres que necesito.

El general se tragó la humillación. La ira que lo sacudía se reflejaba en su mirada. Esbozó una rígida inclinación. Al salir con su séquito, se cruzó con uno de los *protectores* del césar.

—Nobilísimo, ha llegado un correo con un mensaje urgente.

—Hazlo entrar.

Un jinete del servicio postal entró en la sala a grandes pasos. Después de los saludos rituales, tendió un mensaje a Juliano.

—De parte del prefecto de la Galia, nobilísimo.

El príncipe abrió la carta sellada y la leyó, impasible, luego la cerró y miró a los suyos.

—¿Debo esperar un mensaje de respuesta, nobilísimo? —preguntó el jinete.

Juliano negó con la cabeza, lo despidió y se concentró en sus pensamientos.

—¿Son buenas noticias, césar? —preguntó Salustio.

El príncipe cerró los ojos y asintió.

—Mi esposa, Helena, ha dado a luz a mi primogénito. Un varón.

Nevita y Dagalaifo dejaron escapar un grito de alegría. Cuando Juliano abrió los ojos de nuevo, en su mirada solo había tristeza.

—El niño murió inmediatamente después del parto.

Hielo. Después de un segundo, el viejo Salustio se armó de valor y preguntó:

—¿Y... la nobilísima Helena?

—Helena está bien. Ahora quisiera estar solo un rato; y vosotros tenéis que descansar.

Todos sus fieles a la vez lo saludaron y salieron. Victor se inclinó a recoger el yelmo del príncipe y lo posó sobre el mapa, donde recibió un rayo de sol. Las gemas brillaron, pero Juliano, sentado a un extremo de la mesa, parecía perdido en otra parte.

—Si necesitas algo estaré aquí fuera, nobilísimo —dijo el franco.

—Gracias, Draco. Vete tranquilo.

El ejército de Juliano dejó Remi en una jornada bochornosa y gris. Marcelo le había concedido tres legiones de veteranos, pero el príncipe confiaba sobre todo en sus galos. Marcelo quiso poner al mando de las tres legiones a un hombre de su confianza, un arrogante oficial llamado Barbacion, con el que el príncipe chocó de inmediato. En su lugar, el césar pidió a Flavio Victorio, el sármata que lo había acogido en la vía hacia Remi. Era un fervoroso cristiano, pero el instinto de Juliano le decía que era leal y transparente. Sentía que Victorio no lo apuñalaría por la espalda. No se podía decir lo mismo del resto de los comandantes que se habían quedado en Remi y solo esperaban verlo regresar humillado y derrotado de aquella campaña.

El mando del denso ejército que avanzaba hacia la colonia se subdividió entre Nevita, Dagalaifo, Arinteo y el recién llegado

Victorio. Con el aumento del número de carros, la marcha de la columna era más lenta, lo que obligaba a la caballería a mantener el paso de los infantes.

Los campesinos acudían para ver a los soldados del césar en marcha hacia la frontera oriental al son de las danzas pírricas; esa música, junto al canto de miles de hombres, había obligado poco a poco a los germanos a retroceder. El joven césar pronunciaba enardecidas arengas por todas partes, convocando a todos aquellos que querían liberar su tierra del invasor. La noticia corrió hasta más allá del Rin, y en el corazón del pueblo y de los soldados, Juliano se había convertido ya, sin haber combatido una sola batalla, en el liberador de la Galia.

Solo hubo dos enfrentamientos a lo largo del camino. El primero, una emboscada nocturna en la retaguardia de la columna, que se resolvió gracias a la pronta intervención de la caballería. El segundo podía haber sido una verdadera batalla, pero al final no pasó de ser una demostración de fuerza entre las dos formaciones. Juliano posicionó los hombres con habilidad y la batalla acabó antes de comenzar, tras un breve contacto entre las vanguardias, con la retirada desordenada de los germanos hasta el Rin. El príncipe prefirió no dar la orden de perseguir a los alamanes y se conformó con una victoria más formal que real. Solo él y pocos más habían entendido que los germanos querían probar la fuerza del ejército del césar antes de llegar a un enfrentamiento de verdad. No era importante, en aquel momento, que el daño causado al enemigo fuera mínimo. Era más importante que los hombres se sintieran seguros de poder sostener una confrontación con los germanos y que estuvieran dispuestos a confiar en él. El resto vendría solo.

Nevita señaló un matorral gris a lo lejos:

—¡La colonia Agripina!

Juliano partió al galope, seguido por sus *protectores*. Victor levantó el estandarte y los catafractos bátavos lo siguieron, como una masa de hierro centelleante en la dorada tarde de septiembre. El aire era tibio y el Rin, majestuoso, tenía un azul profundo. Todo el resto era negro.

Los caballos pisotearon los campos reducidos a cenizas, entre granjas y casas aún humeantes. Torres militares arrasadas, carcasas de animales, hombres sin sepultura a los bordes del camino.

Avanzando por aquel paisaje desolado, no vieron más que muerte y destrucción. Victor observó la fortaleza de Divitia, más allá del río, que protegía el acceso a la ciudad desde el este. Un año antes había conocido allí a Dagalaifo y había organizado el asesinato de Claudio Silvano. Ahora eran solo construcciones ennegrecidas por el humo, además de imposibles de alcanzar, porque el puente sobre el Rin levantado por Constantino el Grande había sido abatido en varios puntos.

El ejército se detuvo en la ciudad y durante un mes se dedicó únicamente a poner en pie muros y casas, y a restaurar puentes y caminos. Entre tanto, como espectros, reaparecían, poco a poco, los habitantes que habían sobrevivido y se habían escondido en los alrededores hasta que se enteraron de que había llegado el liberador.

Los relatos eran horripilantes. Los germanos habían asediado la colonia Agripina hasta asaltarla. Luego masacraron a los soldados y a los varones adultos; deportaron como esclavos a los que no pudieron huir y lo saquearon todo. Permanecieron acampados en los suburbios, pero en cuanto supieron que el ejército romano estaba avanzando desmontaron las tiendas, no sin antes completar su obra de devastación con el puente sobre el río, joya de la cultura romana, cuyo valor iba mucho más allá de la utilidad práctica.

Una mañana, hacia el final del mes, Dagalaifo se presentó ante Juliano, que estaba estudiando un mapa junto a Salustio.

—Un grupo de francos quiere hablar contigo, césar. Traen una embajada de parte de su soberano, el rey Vestralpo.

—¿Ese nombre te dice algo? —le preguntó Juliano a su consejero.

—Es uno de los reyes que han combatido bajo el mando de Chodomario. Sus tierras se extienden más allá del río, hacia septentrión, unas cincuenta millas.

—Bien, oigamos qué tienen que decirnos —dijo el príncipe, poniéndose el yelmo—. Escucha bien, Dagalaifo. Hazles dar una vuelta por la ciudad, hasta la obra del puente. Quiero que vean con qué rapidez lo estamos poniendo todo en orden; que comprendan que su destrucción pronto será solo un mal recuerdo para la colonia Agripina. Yo os esperaré en la obra.

—Así se hará, nobilísimo.

Cuando se dirigían hacia el puente, escoltados por Draco y por Corax, Juliano le pidió consejo a Salustio:

—¿Crees que puedo amenazarlos?

—Hemos llegado hasta aquí a la velocidad del rayo, pero los germanos son todavía un peligro —reflexionó el anciano estratega en voz alta—. Es verdad que han tenido que retroceder ante nuestro avance, pero no los hemos derrotado en batalla. Son como un león herido en una pata, furioso y listo para el contraataque. Y no te olvides que nuestras fuerzas no nos alcanzan para llevar la ofensiva más allá de este río, al menos por ahora. Sopesa las palabras, Juliano, concédeles algo.

—Según nos informan los correos, hacia el sur también Constancio se está enfrentando a ellos con fuerza.

—Así parece, pero está demasiado lejos para sernos útil aquí y ahora. Tenemos cerca otro león herido: Marcelo, con el que no podemos contar. Te lo ruego, concede algo. El año que viene los aplastaremos, pero ahora no estamos listos.

—¿Y si es una trampa?

—Pide rehenes y haz que te entreguen los prisioneros. Veremos cómo reaccionan.

Juliano miró el río y suspiró.

—Cincuenta millas. Con un ataque decidido de la caballería, podríamos hacerlos pedazos.

—Es verdad, ¿pero qué mensaje mandarías a las otras tribus? Que nosotros no negociamos, que no tienen más remedio que unirse a Chodomario. Ten en cuenta que Vestralpo es el primero que se separa de él para ponerse de nuestra parte. Mostrémonos asequibles y generosos, y no será el último. Habrá otros que se sientan tentados de seguir su ejemplo. Es la ocasión de resquebrajar sus alianzas, ya de por sí efímeras. Prometamos hoy; siempre podremos cambiar de idea, en cuanto nos haga falta.

Juliano asintió.

—Sabias palabras, Salustio. Haré como dices.

La paz con Vestralpo se acordó a la semana siguiente. Se pidieron rehenes y la liberación de todos los prisioneros romanos en manos de los francos. Victor y Dagalaifo hicieron de intérpretes con el rey.

Diez días después llegaron otras dos delegaciones de tribus fieles a Chodomario que querían tomar partido por Roma. Juliano estaba eufórico y no perdió el buen humor ni cuando por las disposiciones de Constancio para el acuartelamiento invernal le llegó la orden de hacer regresar las legiones de Marcelo a Remi al mando de Victorio.

A pesar del avance de Juliano, el país aún sufría las incursiones de los alamanes. Se había establecido una provisional línea de frontera solo en el norte y en los alrededores de la colonia Agripina. Había que proteger a la población y había que continuar la reconstrucción de la ciudad; por tanto, era necesaria una guarnición de legionarios galos, que quedó bajo las órdenes de Arinteo. Los escuadrones de catafractos fueron desplazados a las diversas guarniciones, bajo el mando de Marcelo, para poder intervenir en caso de nuevas correrías incluso durante el invierno, y Nevita fue con ellos. A Dagalaifo y a la guardia personal del césar los enviaron a reforzar las fortificaciones de importancia estratégica. Y Juliano se quedó sin ejército, aparte de una pequeña escolta compuesta, básicamente, por galos recién enrolados bajo la guía de Salustio, y con los inseparables Victor y Filopatros.

Al fin, el emperador Constancio ordenó a su primo que volviera a la lejana Vienne, la ciudadela que lo había alojado el año anterior. Eso era demasiado para Juliano. Significaba alejarse de todo lo que había conquistado y que le daba fuerza: ciudades, territorios, hombres... alejarse del sabor de la victoria.

No; si esta era, de verdad, la disposición del augusto, el césar podía perfectamente fingir no haberla recibido. Estableció, pues, su cuartel general en Senones, ciudad de notable importancia estratégica situada entre Lutecia, Tricasae y Remi. Un lugar no demasiado alejado de la frontera; y a la necesaria distancia de Marcelo y, sobre todo, del prefecto Florencio y de su venenosa corte.

VIII

Las murallas de Senones

Octubre del 356 d. C.

La imagen de Murrula casi se había desleído en la mente de Victor. Había pasado un año desde la última vez que estuvo con él, y no había tenido noticias suyas. La esperanza de verla de nuevo se debilitaba un poco más cada día y la nostalgia reemplazaba a la visión empalidecida grabada en su recuerdo.

—Esta ciudad es un antro asqueroso.

El *draconarius* volvía de patrullar junto a Filopatros. El griego se encogió de hombros.

—Sí, pero dormimos en palacio y pasaremos el invierno a resguardo, amigo mío.

—Te conformas con poco, *graeculo*.

—Dime una cosa, franco, ¿has bebido veneno estos días? ¿Tanto te molesta tener un techo sobre la cabeza?

Draco murmuró algo para sus adentros, luego miró el cielo cargado de nubes.

—Volvamos a la ciudad antes de que empiece a llover.

—Sí, mejor, porque como todos los días hay unas cuantas deserciones, nuestro césar estará buscándonos. Pensará que nos hemos pasado a los germanos. Y teniendo en cuenta tu origen...

—Soy franco, no germano.

—¡Bah!, todos bárbaros.

—¡Que te den, griego sodomita!

—Ah, hablando de eso, quizá nuestro príncipe esté ocupado. Ayer llegó la nobilísima Helena, así que... —Para no dejar dudas, Filopatros hizo un gesto obsceno.

—¿Tú crees?

—¿Es su mujer, no? —dijo Corax, que se echó a reír—. Es cierto que es fea con ganas, parece un hombre. Hay que tener muchas ganas para...

A su pesar, Victor dejó escapar media sonrisa.

—Quién sabe si en la cola de matronas que se ha traído se puede conseguir algo bueno. No basta la leña para calentarse en invierno...

El franco resopló.

—No te hagas ilusiones, esas son todas damas. No se dignarían ni a mirarte.

—Se ve que vienes de una aldea de bárbaros rústicos... En una refinada ciudad como Antioquía, las jóvenes y bellas aristócratas eran mejores que las rameras. Elegían a los guerreros más fuertes y viriles, para que las poseyeran.

—¿De veras? Entonces tú te habrás quedado con un palmo de narices.

Victor soltó una carcajada mientras el otro lo cubría de insultos irrepetibles.

—De todos modos, aquí no estamos en Antioquía, estamos en un antro llamado Senones, en medio de la Galia.

—Al menos, de beber no falta.

—¿Qué esperamos, entonces?

Aflojaron el paso frente al cuerpo de guardia, a la puerta de la ciudad. Uno de los oficiales, un regordete que se daba aires de general, alzó el bastón señalando a Victor.

—Tú eres el *draconarius* del césar, ¿verdad?

—¿Quién quiere saberlo?

—Quiere saberlo la lechuza, para venir esta noche a beberse tu sangre.

Los centinelas se echaron a reír. Victor los miró y llevó la mano a la empuñadura de la espada.

—Si es sangre lo que queréis beber, puedo contentaros de inmediato. ¿Qué me decís?

—¡Eh!, que era una broma. Quería decirte que el césar te busca.

—Gracias. Vuelve a apoltronarte.

—Ya sabía yo que teníamos que volver antes —dijo Filopatros sacudiendo la cabeza.

Los dos *protectores* espolearon los caballos y llegaron rápidamente al palacio. Subieron la escalinata de acceso y enseguida los llamó un servidor.

—El nobilísimo Juliano os espera en su estudio.

Victor se preguntó el motivo de tanta agitación.

Los guardias en la puerta les hicieron señas de que se apresuraran.

—Moveos, hace rato que os busca.

Entraron en la sala. Juliano estaba concentrado en dictar cartas a algunos secretarios. Salustio controlaba la correspondencia y un hombre canoso, ya no joven, estaba medio recostado sobre un triclinio cubierto de cojines.

—¡Por fin! ¿Dónde estabais?

—Patrullando en las murallas, césar.

—¿Habéis notado algo extraño?

Los dos se miraron, sorprendidos.

—No, nobilísimo.

Juliano hizo salir a los secretarios. Luego desplegó un pequeño pergamino bajo sus ojos.

—Acabo de recibir este mensaje. ¿Os dice algo el nombre de Apodemio?

Victor se mordió los labios y no dijo nada. Recordaba perfectamente el encuentro en las caballerizas de Vienne y las amenazas respecto a Murrula.

—Es un espía de la red comandada por ese asesino sanguinario que es Paulo Catena —continuó el césar—; un grandísimo hijo de puta, como todos los espías, por otra parte.

—Así habla un césar —dijo solemne el hombre del triclinio.

—Mis fieles, os presento a Prisco, mi gran amigo y filósofo

perspicaz, recién llegado de Oriente. Alegrará un poco nuestro invierno aquí en Senones con el calor de sus razonamientos. Prisco, estos son Draco y Corax, los más valientes de mis *protectores*.

Prisco los saludó con un gesto cortés.

—¿El nombre Corax se refiere a su grado de iniciación en el culto mitraico?

—Cuidado con lo que dices —le advirtió el césar, sonriendo—. Filopatros es seguidor del Nazareno. Corax viene de los ojos negros y de la nariz hinchada que le dejó Victor el pasado invierno, por una historia de mujeres.

Todos rieron. Prisco miró a Filopatros.

—Puede ser una señal del destino. La vida es bastante larga y nos da tiempo para cambiar de ideas. Mejor el fin de un error que un error sin fin.

—Filopatros está convencido de su elección —dijo Juliano— y es libre de profesar la fe que quiera.

—Gracias, nobilísimo.

—No me lo agradezcas. ¡Ya verás cuando te encuentres junto al Sol Invictus!

También el griego se unió a la carcajada.

—¿Y Draco? ¿También él es galileo?

Juliano puso una mano sobre el hombro de Victor.

—Nuestro Draco no consigue encontrar su camino, pero una vieja lo ha comparado con Atis y yo estoy seguro de que Cibeles, antes o después, le mostrará la justa vía, ¿verdad, Draco?

—¿Y si forzáramos un poco la mano de la *mater dei*? —sugirió Prisco. El tono era serio, pero en sus ojos había algo risueño.

—Correcto. —Juliano asintió convencido—. Adelante, Draco, pídele a Cibeles un favor, uno importante. Si se realiza, significará que quizá sea oportuno que rindas homenaje a la madre de los dioses.

—Yo solo creo en lo que veo, césar.

—Es una lástima —dijo Juliano encogiéndose de hombros—. Al mirar una sola estrella, se pierde la belleza de la inmensidad de la Creación. Me lo dijiste tú, ¿recuerdas? —Sonrió, luego desplegó el pergamino y la sonrisa desapareció.

»Pero volvamos a la nuestro. Os hablaba de Apodemio. El espía será nuestro huésped durante algunos días, con la tarea de valorar la situación. Significa que meterá la nariz por todas partes para informar a Florencio, a Marcelo, a Paulo Catena y aún más arriba. En su presencia, bocas cerradas y ojos bien abiertos. Por cuanto sé podría tener espías aquí en palacio, aunque mi olfato me dice que no. —Juliano los miró fijamente—. Vosotros seréis mis espías. ¿Apodemio viene a espiarnos? Pues vosotros lo espiaréis a él. —Los dos *protectores* asintieron—. Estad listos para ejecutar cualquier orden mía.

—Sí, nobilísimo.

—Y ahora, Salustio y yo llevaremos a nuestro huésped a visitar esta entretenida población. Filopatros, da la orden de que ensillen los caballos.

El griego se inclinó y salió del estudio. Cuando se alejaron sus pasos, Juliano se acercó a Victor.

—Debo saber si puedo fiarme de ti, Victor. Debo saber si estás dispuesto a todo con tal de ejecutar cualquier orden mía.

—Puedes fiarte, césar: estoy listo para lo que sea.

—Apodemio es un asqueroso sinvergüenza, pero en este momento puede causarnos problemas. Trátalo bien e infórmame de todo. —Victor asintió—. Mañana por la tarde, en el banquete de celebración de la llegada de mi esposa, Helena, lo tendrás al lado. Intenta hacerlo beber para que hable. Dentro de algunos días se marchará, pero quiero descubrir quiénes son sus informantes aquí dentro. Tú deberás seguirlo, observar cómo se comporta, dónde va, con quién tiene contactos. Y ten siempre contigo tu *scramasax*.

—Sí.

—A tu derecha, en la mesa, habrá un puesto libre. Trae a quien quieras.

Juliano le cogió la mano derecha y depositó en ella un trozo de pergamino plegado.

—Sé que te pido mucho, pero también puedo darte mucho.

El césar se encaminó hacia la puerta, junto a Prisco y Salustio. Antes de salir, se volvió.

—Y aprovecha la tarde para reflexionar sobre el deseo que quieras pedir.

Cuando se quedó solo, Victor miró el billete doblado. Pensó en las palabras de Juliano. Pensó en Apodemio, en Cibeles, Atis... y en Murrula. Aquel era su deseo, ¿qué otra cosa si no?

El ruido de cascos sobre el empedrado lo devolvió a la realidad. De la ventana al presente. Draco echó un vistazo al patio, y vio al césar y a sus consejeros dirigiéndose hacia el portón de entrada, con Filopatros de escolta. Luego abrió el mensaje: «Como sé que puedo contar contigo, he hecho trasladar tus efectos personales al ala reservada a los altos oficiales. Tu puesto está entre mis seguidores más cercanos. Estoy seguro de que estarás más cómodo. Hazte acompañar por el paje.»

Victor lo releyó, dubitativo, y fue hacia la puerta. Fuera, más allá de los guardias, había un joven paje que le dijo que lo siguiera. A través de los corredores del palacio, entraron en una antecámara y el joven se detuvo delante de la puerta.

—Tu alojamiento, *draconarius*.

Victor lo despidió y abrió la puerta. Al verlo entrar, Murrula sofocó un grito.

Permanecieron inmóviles el uno frente a la otra, atónitos. Victor, que tanto la había deseado, ahora estaba como anulado. Era bellísima. Llevaba un traje ajustado a la cintura y una capa sujeta con dos hebillas en forma de águila. El cabello estaba recogido en trenzas unidas en un complejo peinado, con un luminoso broche de marfil.

—¿Murrula?

Antes de la respuesta ya estaban unidos en un abrazo que les cortaba el aliento.

—Victor, he pasado tanto miedo...

—¡Cómo te he echado de menos!

—Y ahora estamos juntos...

—Has conseguido encontrarme.

—Sí.

—¡Entonces, te han llegado mis cartas!

La alegría se interrumpió por un momento.

—¿Qué cartas? —dijo ella, extrañada.

Victor la miró.

—Las mías. Te he mandado varios mensajes desde que estoy aquí en la Galia, pero nunca me has respondido.

Murrula dijo que no con la cabeza.

—No he recibido ninguna carta. Además —añadió inclinando la cabeza, incómoda—, no sé leer...

Victor la estrechó y suspiró. Ahora lo entendía. No había sido Filopatros quien había mencionado el nombre de Murrula. En alguna ocasión, cuando mandaba mensajes edulcorados a la atención de Paulo Catena, les confió a los correos del servicio de espionaje las cartas para su amada, pidiéndoles como favor que las llevaran a su destino. Y los muy bastardos se las habían entregado a Catena y a Eusebio, el maldito asistente personal del emperador. Victor había creído que gozaba de un privilegio, pero resultaba que, por el contrario, estaba aún más vigilado que los otros. Un error que habría podido costarle caro a Murrula.

—Pero, entonces... ¿cómo has llegado aquí?

—Hace meses llegó a la posada un oficial con algunos soldados. Me hizo llamar y dijo que venía de parte del césar de la Galia. Me preguntó si mi nombre era Murrula y si había frecuentado a un franco llamado Victor, que había partido para la Galia. Me dijo que no le mintiera porque era importante y porque si le mentía, perdería la ocasión de cambiar de vida.

—¿Y qué le dijiste?

—¿Qué podía decirle? Le dije que era Murrula y que te había visto dos veces, claro, pero que ya no sabía nada de ti.

—¡Bien hecho! Y ahora estás aquí conmigo, eso es lo que cuenta.

—El oficial me dijo que cogiera mis cosas y le dio dinero al patrón... para comprarme. —La voz de la muchacha se quebró—. El posadero quería más, pero cerró el pico cuando los soldados desenvainaron las espadas. Me hicieron subir a un carro cubierto y partimos de inmediato hacia Augusta Taurinorum.

El franco le sirvió una copa de agua de la jarra que estaba sobre la mesa.

—Durante todo el viaje he tenido encima los ojos de esos hombres. Imaginaba qué tenían en mente, pero, por suerte, el oficial los ha mantenido a raya. En Augusta Taurinorum me han confiado a un diácono que me ha alojado durante algunos días.

—¿Te ha tratado con respeto?

—¿Quieres decir aparte de decirme que rezara a todas horas y hacerme vestir con lana basta?

Victor suspiró. Y aquel era un hombre de Dios...

—Por suerte, a los pocos días había un convoy que partía hacia Vienne. Esa vez no estaba sola, pero no conocía a nadie y me miraban con desconfianza. Tenía que ser la ayudante de una comadrona que iba a Vienne para el parto de la nobilísima Helena, la mujer del césar de Occidente y hermana del augusto emperador. —Murrula hizo rechinar los dientes—. Era una mujer odiosa, pérfida. No hizo otra cosa que humillarme durante todo el viaje. —Victor le secó las lágrimas—. Paramos en varias ciudades de la Galia. Miraba alrededor y le iba preguntando a aquella arpía qué decía la gente. No hablaban de otra cosa que de guerra y otras desventuras, asustados, aunque estuvieran protegidos por las murallas. En el viaje los soldados de la escolta estaban siempre en tensión. Creo que si nos hubieran atacado habrían escapado y nos habrían abandonado a nuestra suerte.

Draco no dijo nada, pero sabía que a veces ocurría. En los convoyes con una escolta exigua, a menudo los soldados desertaban con tal de no arriesgar la vida. Por eso a los reclutas se les tatuaba el nombre de la unidad a la que pertenecían, para castigarlos si huían y luego los encontraban.

—Llegamos a Vienne en pleno verano, unos tres meses después de partir de Mediolanum. Me alojaba en el palacio y asistí como ayudante de la comadrona al parto de Helena. —Murrula estalló en un llanto convulso.

—Venga, valor —dijo Victor acariciándola.

—Fue una desgracia, pero contra el destino...

—No fue una desgracia. —El franco la estrechó con fuerza contra su pecho—. Habla despacio, mi dulce amiga —le susurró al oído—, aquí hasta los muros tienen oídos. El niño nació muerto, ¿no es así?

Murrula se aferró a él, que sintió la desesperación en la voz de ella, un hilo pronto a partirse.

—No, Victor. El niño estaba vivo. —Un sollozo—. Pero ella lo mató.

—¿Qué? —le preguntó él mirándola con los ojos desencajados.

—La comadrona mató al hijo del césar.

—¿Estás segura de ello? —Draco sacudió la cabeza, incrédulo.

La muchacha asintió.

—El niño respiraba. Ella vio... vio que era un varón y... y lo ahogó. —Murrula estalló de nuevo en llanto—. No conseguí detenerla, Victor, ¡no pude!

—Calma, te lo ruego, calma.

—Ya durante el viaje me había amenazado, diciendo que debía obedecerle y mantener la boca cerrada o sería peor para mí. Tuve mucho miedo, porque vi que tenía contacto con los correos, y también los soldados la temían. Ten en cuenta que la vi entretenerse incluso con un alto funcionario, del que me dijeron que era el prefecto de Vienne. Una simple comadrona... ¿cómo es posible?

—¿El prefecto? ¿Un hombre llamado Florencio?

—Sí, Florencio, un hombre odioso, que después de hablar con ella me miraba como si fuera un trozo de carne que poner sobre la parrilla...

Una *agens in rebus*, una espía, nada de simple comadrona. Catena necesitaba llegar a todas partes y no habría podido poner a uno de sus sicarios al lado de Helena durante el parto. ¿Pero quién podía sospechar de una comadrona? El divino Constancio aún no había conseguido tener hijos y habida cuenta las simpatías que el joven césar estaba conquistando, su heredero varón podría convertirse en el futuro emperador de Roma. Era motivo suficiente para cometer un crimen tan monstruoso.

—La vi ahogar al pequeño como te veo a ti ahora. No sé si se percató de que la vi, porque bajé la mirada de inmediato.

—¿Estabais solas?

—Las otras ayudantes se ocupaban de la madre y no vieron nada.

Draco se estremeció. Quién sabe si había sido Cibeles la que había evitado que Murrula tuviera el mismo fin que el desventurado hijo de Juliano. Ella siguió contándole lo que había pasado.

—A la semana siguiente, poco antes de volver a partir hacia Mediolanum, me convocó un amable eunuco llamado Euterio. Me dijo que debía permanecer en Vienne, escondida, pero que no tuviera miedo porque estaba bajo la protección de Flavio Claudio Juliano. En cuanto el ejército se fuera en expedición a la colonia Agripina yo iría a encontrarme contigo.

—¿Un eunuco amable y bueno? Sería el primero...

—Los germanos lo capturaron cuando aún era un niño, lo emascularon y lo vendieron a los romanos. Creció en la corte de Constancio, donde trabaja, y fue él quien me dio los trajes y las joyas adecuados para presentarme ante el césar de Occidente. —Victor le secó con delicadeza una última lágrima.

»Después de algún tiempo, llegó a Vienne un griego, un hombre cortés y muy instruido, y Euterio me confió a él. Llegué aquí gracias al griego y a su escolta, una vez más escondida durante todo el trayecto. Y esta mañana, finalmente, hemos llegado aquí, a Senones.

El franco la estrechó de nuevo entre sus brazos, como si quisiera asegurarse de que no era un sueño. Luego la miró a los ojos.

—Escúchame bien, Murrula. De lo que me has dicho, sobre todo acerca del hijo del césar, no debes decirle nada a nadie. ¿Has entendido bien?

—He entendido, Victor. ¿Así que tampoco aquí estamos seguros?

—Por desgracia, no, Murrula, o al menos no del todo —dijo Draco negando con la cabeza—. Hay un manto de sospecha que nos cubre un poco a todos, y hay espías e informantes por doquier: espías del emperador, espías de Catena, gente dispuesta a acusar a quien sea, si es preciso, aunque sea inocente. Cada vez que me encuentro con alguien, lo miro a la cara y me pregunto si es un amigo o un enemigo.

Ella lo abrazó y Victor se inclinó para besarla con dulzura.

—¿Qué tenemos que ver nosotros con todas esas intrigas?

—Quizá nada.

—Entonces marchémonos, escapemos.

—No puedo, Murrula.

—¿Por qué no?

Victor se apartó de ella y fue hacia la ventana, por la que entraba un rayo de sol. El franco extendió la mano, como para tocarlo.

—Porque en medio de tanta podredumbre, me ha parecido ver... una luz. Alguien en quien vale la pena tener fe.

—¿Hablas de un dios?

—Los dioses tienen otras cosas que hacer que ocuparse de mí —dijo Victor esbozando una sonrisa triste.

—Nunca hay que perder la esperanza.

El franco se volvió. Su belleza lo hechizaba. Le rozó el rostro con la punta de los dedos. En el fondo, ¿no habría debido dudar también de Murrula? ¿No habría podido ser también ella una *agens in rebus* de Catena y la historia del niño una trampa para ponerlo a prueba? ¿Aquellos ojos verdes en los que estaba dispuesto a perderse eran la puerta de la felicidad o la vía de la condenación?

No tenía respuesta. Pero sabía que la amaba y por eso estaba dispuesto a afrontar cualquier peligro.

—He pedido verte de nuevo y he sido atendido. Hoy esta ciudad gris parece un jardín imperial.

—Así que los dioses se ocupan de ti.

—Si es así, estoy agradecido —afirmó Victor pensando en Juliano.

La lluvia otoñal había empezado a caer con fuerza, y el césar y su pequeño séquito volvieron al palacio empapados. Juliano entró en su estudio, seguido por una hilera de servidores que querían secarlo, y se encontró frente a Victor.

—¿Qué haces aún aquí, *protector*? Por más valeroso que seas, no puedes defenderme de los infortunios de la lluvia y la humedad.

El franco se arrodilló delante de él y le besó el anillo.

—Ha ocurrido un milagro, césar.

Juliano sonrió.

—Lo sé. Agradécelo a Cibeles, que tiene semejante poder sobre los acontecimientos.

—Prefiero agradecérselo al hombre que lo ha hecho posible.

—Nosotros no somos nada sin los dioses, Draco. —Despidió a los sirvientes—. Levántate y ayúdame a ponerme una túnica seca, luego te mostraré algo.

Victor desató la almilla de cuero del césar, empapada de agua, y lo ayudó a quitársela.

—¿Es tan bella como cuando la dejaste?

—Mucho más, nobilísimo.

—Bien. Aún no he tenido el placer de verla, pero espero ponerle remedio pronto.

—¿Cómo puedo mostrarte toda mi gratitud, césar?

—No te faltarán ocasiones —dijo Juliano, con una sonrisa ingenua.

—Permíteme al menos reembolsarte lo que hayas gastado.

—Estoy cargado de deudas, Draco, algunos sólidos más o menos no tienen importancia. Esa mujer es tuya, es mi regalo. Solo te pido que no le hagas llevar la vida que ha llevado hasta ahora. No tolero que se practique la prostitución en mi corte.

—Sobre eso tienes mi palabra.

—Bien. Por lo demás, decide tú si quieres hacerla tu esclava o tu esposa. En cualquier caso será bien recibida como huésped aquí en palacio, pero creo que debería olvidarse de ese sobrenombre de Suburra. Encuéntrale un nombre latino o griego... o mejor aún, de su tierra. ¿De dónde es?

—De Aquincum, en Panonia.

—Hummm, las tierras del Danubio —dijo el César, con una expresión de aprecio—. Cuados, sármatas, yázigos... gente orgullosa y fuerte que siempre nos han hecho sudar sangre. Un poco como vosotros, los francos, en resumen. —Draco amagó una sonrisa, pero se contuvo. No era el momento.

»Bien, ahora que me lo has agradecido, ¿por qué no vas a hacer compañía a tu bella amiga? No querrás que se sienta sola, con tantos intrépidos soldados por aquí...

—Hay otra razón por la que he venido a verte, nobilísimo.

—¿De qué se trata?

—Se trata... de tu hijo, césar.

Concentrado en secarse con un paño, Juliano se quedó paralizado. Luego volvió a frotarse, lentamente, como si estuviera reflexionando.

—Sabes que es un tema doloroso para mí. ¿Por qué quieres hablar de él? ¿Qué más hay que decir?

—Murrula me ha dicho que... que asistió al parto de la nobilísima Helena, tu esposa, como ayudante de una comadrona con la que había viajado de Mediolanum a Vienne.

—La emperatriz Eusebia insistió en que a su hermana la asistiera una comadrona del palacio imperial —confirmó Juliano.

—Entiendo. Mira, césar, Murrula piensa que la comadrona no... no cumplió con su deber, con tu hijo.

—También Helena lo piensa. Incluso está convencida de que esa mujer lo asesinó. —Victor se quedó de piedra. No se esperaba aquello. El joven había terminado de cambiarse y estaba secándose el pelo—. No tiene pruebas, pero lo siente como madre.

—La nobilísima Helena tiene razón, césar. Tu hijo fue asesinado.

Juliano lo miró como si fuera un fantasma. Fue a la ventana y permaneció un momento absorto, como si escuchara el estruendo de la lluvia.

—Todos los días me pregunto por qué Helios me eligió, precisamente a mí, para semejante prueba. ¿Por qué piensa que puedo superar cualquier obstáculo? Es como si a los dioses les agradara jugar con nuestros destinos, Victor. Todos nosotros, pequeños o grandes hombres, entramos en su designio. ¿Estaríamos aquí ahora si no hubieran existido Julio César, Octaviano Augusto y Marco Aurelio? ¿Y dónde estaríamos, sin Constantino el Grande y su maldito sueño? —El franco inclinó la cabeza, en silencio.

»Pero los grandes tienen el poder de cambiar el destino de los pequeños; y los fuertes pueden cambiar el destino de los débiles. —Juliano se dirigía a su *protector*, pero era como si hablara consigo mismo—. Pero los débiles pueden volverse fuertes y hacer temblar a quienes se creían más fuertes que ellos. Quizá porque así está escrito en el designio de los dioses... ¿Qué habría sucedido si ese niño hubiera crecido? Quizá se habría convertido en emperador. Constancio no ha matado a un niño. Ha eliminado un potencial peligro futuro; se ha deshecho de un hipotético pretendiente al trono. Desde su punto de vista, tiene sentido, ya ha eliminado a muchos otros. Lástima que fuera mi hijo... —Draco sacudió la cabeza, como para expulsar el disgusto que le subía por la garganta, como un agrio reflujo.

»Helena lloraba al decírmelo. ¿Sabes?, cada vez que la miro recuerdo que es la hermana del hombre que ha exterminado a mi familia. La miro y me pregunto si los ojos que me miran son los de mi esposa o si son los de Constancio, que me controlan, escarban dentro de mí, en mis carnes, en mi espíritu. —Juliano sonrió, pero era una sonrisa amarga—. Quizá por eso se ha resignado a seguirme aquí, a esta Senones de cielo gris, ella que ama tanto Roma y su villa en la Nomentana, besada por el cielo azul. Porque lo ha ordenado su hermano, que quiere tenerme constantemente bajo control...

—Estoy seguro de que te es devota, césar —dijo Victor, incómodo.

—¿Tú crees? Un sacerdote debe ser devoto, cualquiera que sea el dios al que rece. Una esposa debería amarte, darte amor, ¿entiendes? ¿Pero cómo puede darme amor si yo mismo no sé qué es el amor por una mujer? Un día de estos, deberías explicarme exactamente qué se siente.

—¿Yo? —preguntó el franco haciendo una mueca.

—Sí, Draco. ¿Recuerdas la noche en la que te saqué de la cárcel? Cuando pronunciaste el nombre de Murrula, vi una luz en tus ojos. Eso es amor: un faro en un desierto. El sentimiento más puro que jamás haya sido creado. —El príncipe se puso de pie y apretó los puños—. Ese faro debe ser defendido y custodiado, porque es la luz que puedes transmitirles a tus hijos. No sé si habría sido un buen padre, pero a mi hijo le habría enseñado que con amor y confianza la vida puede ser maravillosa. Habría cabalgado con él después de liberar estas tierras y me habría sentido parte del universo. Un hijo es el futuro, es el tiempo que te extiende los brazos y hace de la existencia misma un círculo sin fin. Es la inmortalidad. —Había lágrimas en los ojos del césar—. Él era débil. Y yo no estaba allí para protegerlo.

El *draconarius* estaba petrificado ante aquel dolor. Habría querido encontrar las palabras adecuadas para semejante momento.

—Helios me ha negado la inmortalidad; por tanto, mi vida es una prisión con una sola vía de escape: la muerte violenta.

—Pero antes de morir podemos luchar... —dijo el franco.

—¿Por qué, *protector*? ¿Para ensanchar un poco más las posesiones de Constancio?

—No, césar. Para hacer que ocurran otros prodigios.

Juliano sintió un nudo en la garganta cuando Victor le tendió la mano.

—¿Así que tú crees en los prodigios, Draco?

—Desde hoy, sí, mi césar.

—Quiero hacerte ver algo —dijo Juliano mirando a su *protector*—. Pero debes jurarme solemnemente que no hablarás de ello con nadie.

Draco repitió la fórmula que Juliano le hizo recitar, hecha de palabras desconocidas y gestos místicos.

—Sígueme —dijo el joven.

Descendieron a la planta baja y el césar cogió una lámpara de aceite. Cruzaron una puerta y bajaron otros tramos de escaleras angostas, hasta penetrar en las vísceras del palacio. Recorrieron un pasillo que acababa delante de una puertecilla cerrada. El joven la abrió con una llave que llevaba escondida.

En aquel ambiente silencioso, la débil luz de la lámpara iluminó una minúscula cripta de arcos rebajados. Juliano encendió algunas antorchas y en la oscuridad apareció un altar ornado con un bajorrelieve, que representaba a un muchacho en el acto de matar a un toro. Estaban en un mitreo, uno de esos lugares secretos donde se honraba al dios Mitra.

—Siéntate, Victor.

El *protector* tomó asiento en un triclinio junto al altar. Miraba alrededor, extrañado. En aquel pequeño espacio sobrevolaba una fuerza que lo asustaba. Había oído hablar de cultos mistéricos, pero nunca había visto un mitreo.

—¿Qué sabes de Mitra?

—Sé que lo veneran los soldados de las legiones, nobilísimo.

—¿Sabes por qué?

—No.

—En Oriente su culto se pierde en la noche de los tiempos. El dios nace cuatro días después del solsticio de invierno, el veinticinco de diciembre, de una piedra. Nace con una daga en una mano, una tea en la otra y un gorro frigio en la cabeza. Nace para derrotar el mal cósmico y salvar a la humanidad. La suya es una vida heroica. Sojuzga al Sol, se pone de acuerdo con él y recibe una corona luminosa, y siempre se le representa en el acto de matar al toro sagrado. La victoria del orden sobre el caos, de los justos sobre los malvados. Esa es la razón de que lo adoren los soldados.

—¿El gorro frigio? ¿Crees que se usaba allí?

—Sí, lo llevaban los sacerdotes adoradores del Sol en la antigua Frigia. Se hacía con una única piel de cabrito. Las patas posteriores se ataban al mentón y las anteriores caían sobre la frente. A continuación se perdió la costumbre de usar la piel, pero la forma siguió siendo la misma.

—Entiendo.

«Otra vez la maldita Frigia», pensó Victor.

—En Roma lo llamaban *pilleus* y se lo entregaban los amos a los esclavos liberados para que fueran reconocidos como tales; por eso es el símbolo de la libertad.

Victor asintió, esperando que la escasa luz ocultase su turbación. Antes de encontrarse con la sacerdotisa de Vienne no había oído hablar de Frigia y ahora volvía a encontrársela. Y de nuevo se estremecía de miedo.

—Para acceder al culto de Mitra se necesita una iniciación en la que se entra grado a grado. Verás, será como despertarse de un largo sueño en el que has estado toda la vida, y entrar en una nueva y profunda experiencia. Dejarás tu cuerpo mortal para convertirte en un guerrero de luz.

Juliano, lleno de místico arrebato, lo había cogido por el brazo, pero en los ojos de Victor había una mezcla de desconcierto y de rechazo.

—¿Qué te sucede, franco? ¿No tienes miedo de combatir y temes la luz? ¿Quieres volar libre de todo o permanecer anclado a las cosas terrenas? ¿No quieres sentirte parte del universo? —Victor sacudió la cabeza. Demasiadas preguntas que no sabía responder—. ¿Pero cómo puedes vivir sin Dios?

—Hasta ahora lo he conseguido.

El césar aflojó la presión sobre los músculos rígidos por la tensión del franco.

—Es como perderse la belleza de la Creación.

—Yo la acepto tal como es, césar, sin preguntarme nada más.

—¿Y no piensas que todo esto no puede ser solo fruto de la casualidad?

—Ni lo sé ni me importa. ¿Por qué debería pasarme la vida haciéndome preguntas que no sé responder? ¿De qué me sirve saber si mi camino lo han elegido los dioses o solo depende del azar? Las cosas son así y basta. A los dioses su vida, a mí, la mía.

—¿De verdad te sientes tan fuerte? No eres más que un granito de arena en el universo.

—Es verdad, soy un granito de arena, confundido con la tierra a los pies de un gran árbol. ¿De qué me sirve saber qué ocurre allá arriba, en la copa?

Juliano le soltó el brazo airado.

—Creía que eras un puro, un iluminado.

—No necesito un dios para ser puro.

—¡Al contrario, sí!

—¡No! Yo no otorgo dones a los dioses para obtener favores y no pido perdón después de haber matado. Yo soy Victor, hijo de Klothar de Merseen, y soy yo, ¡con dios o sin él!

Se dio cuenta de que había alzado la voz, pero Juliano no parecía ofendido. El césar señaló el altar.

—Esto habría podido reforzar la confianza que nos tenemos mutuamente, *protector*.

—¿Es necesario creer en el mismo dios para fiarnos los unos de los otros?

—Para mí sí, Draco.

—Entonces espero que este dios sea capaz de acercarnos en vez de alejarnos.

—Mitra protege solo a los justos.

—Trataré de ser un justo, nobilísimo. Y si debo dar mi vida para demostrarlo, lo haré.

El césar asintió, pero ya no dijo nada.

La guarnición estaba concentrada en la plaza principal de Senones, en la antigua plaza del Foro. Unos soportales delimitaban el viejo *macellum*, el mercado. El imponente edificio que estaba en el lado más corto de la plaza era el antiguo pretorio, ahora transformado en basílica.

En el centro de la plaza se había montado una amplia tienda abierta por un lado y a su abrigo, una larga mesa. Sentado a ella estaba Juliano junto con algunos funcionarios. Era día de paga y la costumbre quería que el comandante en jefe distribuyera el dinero.

Un *centenarius* leía en un pergamino los nombres de los soldados. Se presentaban de uno en uno ante la mesa, donde un funcionario cogía las monedas de una caja fuerte y las contaba frente al militar. Un contable anotaba la cifra en un registro y el propio Juliano empujaba las monedas hacia el soldado. Este le daba las gracias, trazaba una señal a modo de firma sobre el pergamino y se marchaba contento.

Además de la tropa de la guarnición había que pagar a cualquiera que se hubiera incorporado a ella, aunque fuese temporalmente.

Aquel día ese era el caso de Apodemio, el *agens in rebus* de Catena, y de sus esbirros. Su presencia había creado nerviosismo entre los soldados. Era común que los *agens in rebus* del grado de Apodemio se dieran a conocer para que todo el mundo supiera que estaba controlando la situación para el emperador. Una especie de ojo vigilante que no se escondía y al que nada escapaba, gracias también a los *referendarius* que obraban en la sombra, en secreto e ignorados por todos salvo por las cúpulas. Hombres como Victor.

Apodemio se presentó ante la mesa con una sonrisa hipócrita. Juliano echó una mirada al pergamino del funcionario a su izquierda. El hombre releyó dos veces el importe, antes de sacar el dinero de la caja. Las monedas eran tantas que no se podían apilar. Juliano esbozó una mueca de desprecio, que no escapó al ojo agudo del *agens*.

—Es una buena cantidad, césar, pero me la he ganado —dijo Apodemio apresurándose a hacer desaparecer el dinero en la bolsa.

—La costumbre es que yo te la entregue.

Apodemio acentuó la sonrisa, atento a ocultar el sarcasmo.

—Te he ahorrado el esfuerzo, nobilísimo.

—Sé que aquellos que son como tú no tienen escrúpulos en coger sin pedir. Se trate de monedas... o de vidas humanas —replicó Juliano mirándolo con dureza.

—Hacemos lo que requiere nuestra misión. Tenemos autoridad para ello, ya lo sabes —contestó el otro, ya sin sonreír.

—Lo sé. ¿Te quedarás mucho tiempo aquí en Senones?

—El necesario para asegurarme de que tu integridad está garantizada, nobilísimo. El emperador te habría preferido en Remi.

—En Remi está el inútil de Marcelo, que ocupa el palacio más hermoso de la ciudad. No hay sitio para ambos.

—Por la simpatía y el respeto que te tengo, nobilísimo, no informaré de ese comentario. Pero es peligroso hablar mal de quien ocupa ciertos cargos. En especial si ha sido elegido por el divino augusto en persona.

—Tienes razón. El consejo vale también para ti —afirmó Juliano ignorando la amenaza.

—Yo nunca he... —empezó el *agens in rebus* ofuscado.

El césar lo interrumpió:

—Esta tarde habrá un banquete en tu honor. Una cena frugal, por desgracia, dados mis medios. Pero me doy cuenta de que el emperador no puede pensar en menudencias como mi renta, con todo el dinero que debe gastar en vuestros costosos... servicios. —Apodemio inclinó apenas la cabeza—. Si necesitas algo, mi *protector* está a tu disposición.

Victor emergió de la sombra de la tienda, donde había permanecido vigilante y silencioso. Apodemio esbozó un saludo al que el franco apenas respondió, impasible. Ambos recordaban perfectamente su último encuentro.

Juliano percibió la hostilidad entre ambos, pero no era el momento de indagar y le dijo al oficial que pasaba lista:

—El próximo.

Victor condujo a Murrula al banquete. Al atravesar los pasillos del palacio, la pareja no pasó inadvertida.

La muchacha lucía uno de los vestidos que le había procurado el eunuco Euterio: una larga túnica ajustada a la cintura por una cadena de oro; encima de ella, una capa de lana roja cerrada por dos hebillas de plata sobre el pecho. Tenía el pelo recogido en un moño del que descendían dos rizos y llevaba unos pendientes de oro.

Detrás del aspecto de dama, ocultaba el miedo de estar totalmente fuera de lugar. Victor le cogió con dulzura la mano para darle ánimos.

En la sala de banquetes, las otras mujeres de la corte los miraron, curiosas, listas para cotillear sobre el nuevo franco que subía de rango en el séquito de Juliano.

—Al fin. —Victor se volvió—. Creía que tú debías velar sobre mí, valiente *protector* —dijo Apodemio, mordaz. Llevaba una elegante túnica y tenía en la mano una copa de vino.

—No temas, siempre hay alguien vigilándote, tanto aquí como fuera —rebatió Draco—. Lo cierto es que no queremos que te ocurra nada malo.

Apodemio estaba a punto de replicar, pero se quedó observando a la mujer que estaba al lado del franco. Asombrado, esbozó una sonrisa a modo de saludo.

Victor notó la mueca del *agens in rebus*. Luego vio que Murrula, pálida, había bajado la mirada.

—Sácame de aquí, Victor, te lo ruego. —Su voz era un tenue susurro.

Mientras el *draconarius* trataba de entender qué pasaba, apareció Salustio.

—¿Qué oscuras intrigas te traen aquí, Apodemio?

El espía exhibió su habitual sonrisa hipócrita.

—Solo mis deberes hacia el emperador, general. Me dicen que desde que te has dedicado al césar, en la corte se siente tu falta.

—Estoy contento de poder ayudarlo.

—Claro, claro, siempre que recuerdes a quién debes fidelidad antes que a cualquier otro, ilustre Salustio.

El viejo estratega ignoró la amenaza y se dirigió a Murrula:

—Había oído decir que había brotado una flor, aquí en palacio, una flor llamada...

La muchacha esbozó una sonrisa tímida y le contestó:

—Mi nombre es Suana.

—Qué sonido más armonioso —dijo el general guiñándole el ojo a Victor.

—En la lengua de los sármatas significa «cisne» —añadió Victor.

—Un animal de carnes exquisitas —dijo Apodemio asintiendo—. Parece que en Mediolanum les resulta muy apetitoso.

Un servidor anunció la llegada del césar y la interrupción disipó, por el momento, la tensión.

El banquete no tenía el lujo de aquellos que se celebraban en Mediolanum, ni siquiera en Remi. Juliano era ya famoso por su austeridad. Vivía en el frío, comía con los soldados y no le agradaban las recepciones. Aquella tarde, sin embargo, la sala había sido elegida y dispuesta con cuidado. El raro *stibadium*, especie de diván de mampostería, tenía en el centro un estanque y estaba cubierto de cojines de seda púrpura. El césar ocupaba el extremo derecho y con él se sentaban los notables del lugar; los demás invitados estaban ubicados en el amplio espacio de la *coenatio*, el comedor.

Todos los personajes de relieve de la pequeña Senones habían acudido al banquete, esperando ganarse la confianza del césar. Juliano había celebrado algunos procesos en los que había aplicado la ley con sentido de la justicia y rectitud, por lo que los funcionarios locales lo tenían en gran consideración.

Los servidores comenzaron a servir las viandas.

—Bravo, querido Victor —dijo Apodemio entre dientes—. ¿Cómo has hecho para hacer llegar aquí a tu... amiga?

—Quizá la confundas con otra mujer —respondió el franco, en voz baja.

El otro se rio sarcástico.

—No lo creo, amigo mío —murmuró el *agens in rebus*—. La bella Murrula es bastante conocida en Mediolanum. Trabaja de puta en una sucia taberna en las inmediaciones del puerto.

—Te repito que te equivocas, Apodemio —replicó Victor sintiendo que la sangre le subía a la cabeza.

—No, Victor. Mi trabajo no admite errores. Por eso cuando comprendí que te interesaba, quise comprobar en persona que estaba bien. —Apodemio se volvió y le guiñó el ojo—. Tenías razón: merecía la pena. Tanto que he vuelto... varias veces.

Empezaron las danzas pírricas. Draco notó que Suana, cada vez más pálida, no había probado bocado.

—¿No tienes hambre?

—Ese hombre es malvado, Victor. Créeme y no me hagas decir más.

—Ya no te hará daño —le dijo el franco cogiéndole la mano.

Apodemio sonrió.

—Fuiste ingenuo al entregar aquellas cartas a mis hombres;

nosotros lo controlamos todo. Pero has sido hábil y has conseguido traerla aquí, y yo aprecio a los hombres hábiles. —Se bebió de un trago una copa de vino—. Para demostrártelo, en vez de castigarte, te ofrezco un generoso acuerdo. —Acercó los labios al oído de Victor y siguió—: Prepárame un buen informe, uno de verdad, no las tonterías que me has mandado hasta ahora. ¿Crees que no me he dado cuenta? Quiero un informe sobre ciertos antiguos dioses a los que está prohibido adorar, sobre infames sacrificios a ídolos orientales; y que estén los nombres: el césar, naturalmente, y acaso también Prisco y Salustio, y ese perro de Nevita; están todos en mi lista negra... Incluso nos vendría bien tener un pergamino con la firma del jovencito, luego ya pensaremos en hacerle «decir» algo que nos sirva. Con Silvano funcionó a la perfección.

Victor volvió a ver la escena de la ejecución de Claudio Silvano, en la basílica de la colonia Agripina. El general no era un traidor. Lo inculparon los *agens in rebus* de Catena. Intentó reflexionar a toda prisa sobre lo que debía hacer.

—El informe me lo mandarás esta noche con tu querida, ¿eh? Necesito que me calienten un poco la cama, pero no temas, mañana me marcharé y te la dejaré toda para ti, junto con la habitual compensación. —Apodemio mordió el asado de cerdo—. En la primera ocasión desertas y te vas con tus ahorros. El pobre césar tendrá otras cosas en las que pensar antes de darte caza, te lo garantizo.

El *protector* se inclinó a coger un trozo de queso para esconder la mirada cargada de odio. Masticó el bocado como si fuera el corazón de Apodemio, que siguió:

—O bien puedes permanecer aquí, hacer como que no pasa nada y, en cuanto hayamos cortado algunas cabezas, tendrás un nuevo cargo. ¿Qué me dices?

Victor bebió un sorbo de vino. Había reflexionado y había decidido.

—La propuesta es interesante —dijo sosegado—, pero ahora oye la mía.

—Oigamos.

—Mañana al alba te vas a toda prisa, calladito y tranquilo.

—¿Qué? —exclamó Apodemio sobresaltado.

—Y te olvidas de ese informe. Y también de Suana.

—¿Te has vuelto loco?

—O puedes quedarte aquí y te mato. —La música tapó sus palabras, pero el *agens in rebus* las sintió deslizarse en su oído, como un veneno frío—. No estoy bromeando.

Apodemio bajó la mirada. La hoja del *scramasax* del franco había aparecido como por arte de magia.

—Te cojo por el pelo y te corto el cuello, aquí, delante de todos. —El *agens* lo miraba, pasmado, con la boca abierta llena de comida—. ¿Te imaginas? Tu sangre que salpica por doquier, los comensales que aúllan, los músicos que dejan de tocar... y tú que te vacías como un odre de vino. Luego te corto la cabeza y la pongo sobre la bandeja, en vez de la del cerdo.

—¡Estás loco, Victor!

—Silencio, sucio trozo de mierda. Silencio o lo hago, créetelo. ¡En este momento tu vida no vale una miserable moneda de cobre!

El *agens in rebus* lo miraba como un fantasma. Nunca nadie lo había amenazado. Era él quien amenazaba.

—Loco o no, eres hombre muerto, Victor. Estás solo y acabas de hacer un enemigo que vale por mil.

—Bien, querrá decir que degollándote a ti, degollaré a mil. Un poco de limpieza en las alcantarillas.

—Hijo de perra. Tú no entiendes que...

La hoja apenas se movió.

—No, tú no entiendes que estás caminando por el borde de un precipicio, al que puedo empujarte dentro de un momento. Ahora, para empezar, dame los sueldos que has cogido hoy y con los que has ofendido al césar.

—¿Es eso lo que quieres? ¿Los sueldos, eh?

—No son para mí, canalla. Son para Suana, para que pueda resarcir un poco a su amiga Murrula de lo que ha debido de sufrir por culpa de una serpiente asquerosa.

—Pagarás también estas ofensas. —gruñó Apodemio, pero se quitó del cinturón la bolsa repleta y se la pasó a Victor.

El franco le hizo un gesto a Juliano, que asintió.

—Muévete —le dijo Victor al *agens in rebus.*

El franco tranquilizó con señas a Suana, luego se levantó y empujó delante suyo a Apodemio. Salieron de la sala y alcanzaron un pequeño estudio al final del pasillo.

Pocos instantes después, la puerta se abrió para que entrara el césar, seguido por Salustio y Prisco.

Victor le dio los sueldos y Juliano fulminó a Apodemio con una mirada. Luego le lanzó la bolsa.

—Vuelve a coger tu compensación, espía.

—Confío, nobilísimo, en que castigarás a tu *protector* como merece, por este robo.

—Quisiera castigar a alguien, pero no a un ladrón. Preferiría a un espía, un asesino.

Apodemio, inquieto, escrutó al césar, que parecía presidir un tribunal.

—Espero que no creerás en sus mentiras.

—¿Por qué no debería creer que has tratado de corromperlo para que te proporcionara pruebas falsas en mi contra?

—¿Yo, nobilísimo? Nunca jamás, lo juro.

Juliano se rio.

—¡Qué mal suena la palabra «juro» en tu boca, Apodemio!

—César, yo debo velar por tu seguridad. ¿Cómo puedes pensar que...?

—No, tú debes velar por que algún posible rival de nuestro amado emperador no actúe por su cuenta, por ejemplo, reconquistando con un puñado de hombres las tierras perdidas por una manada de inútiles engalanados.

—Una gran empresa que ha recibido grandes alabanzas en la corte...

—No lo dudo —susurró Juliano—. Si un día las cosas cambian, será el fin de los que son como tú.

—Nosotros solo ejecutamos las órdenes del emperador.

Juliano fue hacia él y lo empujó bruscamente.

—¡No! ¡Vosotros tenéis tanta necesidad de descubrir siempre nuevos complots que os los inventáis y construís mentiras que se transforman en patíbulos para vuestras víctimas! ¡Tú, Apodemio, y todos aquellos que son como tú sois el cáncer del imperio!

—Deberé referir estas graves afirmaciones al divino augusto, nobilísimo.

—Y yo haré que le cuenten lo que he sabido esta noche.

—¿Mi palabra contra la de un franco renegado? Ridículo.

—Quizás, Apodemio, pero atentar contra la vida de un césar significa una acusación de alta traición. Podría hacer que te arresten de inmediato.

—¿Qué?

—Y que te condenen a muerte. ¿También eso te parece ridículo?

Apodemio vaciló, luego se echó a reír.

—En todo caso, mi palabra tiene más peso que la suya... Y también que la tuya, mi césar —concluyó, insolente.

Juliano cogió a Apodemio por el cuello y lo tiró al suelo. El espía trató de levantarse, pero Draco fue rápido y le puso un pie sobre el pecho.

—Quizás en Mediolanum —dijo el césar—, pero aquí estamos lejos de Mediolanum.

Apodemio miró al césar y al *draconarius*, y lo que leyó en sus ojos no le gustó. Se dirigió a Prisco y Salustio, que observaban en silencio.

—Vosotros sois testigos —gritó—. Me han agredido.

Victor cargó aún más peso sobre Apodemio, que emitió un grito ronco.

—Verdaderamente —dijo Salustio—, yo me he quedado sin aliento, después de haber sabido que un enviado del emperador, acogido con todos los honores, estaba tramando matar al césar de la Galia. Espero que sea castigado como merece.

Apodemio abrió desmesuradamente los ojos.

—Por lo que a mí respecta —balbuceó Prisco—, no he visto bien, pero si mi césar, un general de probada confianza y un *draconarius* me dicen que han desbaratado un peligroso complot, no tengo motivo para dudarlo, ni para pedir clemencia por el culpable.

Del rostro del espía desapareció cualquier rastro de arrogancia.

—Esto es una trampa —farfulló, con el pie de Victor sobre el pecho—. Vosotros... no podéis...

—Sí que podemos —susurró Juliano—. Habéis hecho lo mismo con mi hermano, ¿no es así? Decapitado antes de que llegara la condena a muerte oficial. —El césar se inclinó sobre el *agens in rebus*—. Tú estabas presente, lo sé. Le has dado la orden al verdugo y luego has llevado la noticia a la corte de Mediolanum.

—¡Solo ejecutaba órdenes, lo juro! —le dijo Apodemio jadeando.

—Deja de jurar en falso. No fue un acto de justicia, fue un homicidio.

—Pero la condena...

—La condena aún no se había dictado.

Juliano lo observó con frialdad. El rostro de Apodemio estaba morado. El césar se levantó y le hizo señas a Victor de que se desplazara.

—Coge a todos tus esbirros y vete de inmediato, Apodemio. Vete y que no vuelva a verte. La próxima vez no seré tan magnánimo.

El espía se puso de pie, se acomodó la túnica y salió dejando atrás el olor de su miedo; y de su odio.

—Bien —dijo Prisco—, nos espera el patíbulo. Antes o después debía suceder.

Juliano se dejó caer sobre una silla.

—He perdido el control —dijo poco después—. Es como haberle declarado la guerra a Constancio.

—Mandemos un mensaje urgente al emperador —dijo Salustio—, para que conozca nuestra versión de los hechos.

—Es inútil —dijo Victor—. Todo el correo es interceptado por los espías de Eusebio.

—¿Estás seguro?

—Todos los mensajes que he escrito a... a Suana, el año pasado, han caído en manos de Apodemio. La ha amenazado a ella, para chantajearme a mí.

—¿No podías haberlo matado cuando has tenido la oportunidad? Un problema menos.

—Quería hacerlo, pero había gente. Dame la orden y te prometo que no sale vivo de aquí.

—Bromeaba, Draco. No somos asesinos —le dijo Juliano mirándolo atónito.

—Pero no es mala idea la del *draconarius*.

—¡Prisco! Nosotros no recurrimos a sus métodos. Y, además, no puedo creer que abran cartas cerradas con el sello imperial.

—Perdóname, césar, pero hace poco Apodemio me ha dicho que lo hicieron con Silvano.

Victor refirió las palabras del espía en los documentos falsificados. El césar se llevó las manos a la cabeza.

—¿Cómo es posible que mi primo, tan desconfiado como es, se fíe de leer cartas no selladas?

—Eso no es una novedad —dijo Prisco—. Son los eunucos de la corte los que se ocupan de todo.

—Pero las cartas de los generales van directamente al emperador.

—Si fuera yo quien abriera la correspondencia —dijo Salustio—, y te hiciera llegar solo aquella que requiere tu atención, ¿te fiarías de mi palabra?

—Sí —respondió Juliano sin vacilar.

—¿Lo ves? Cualquiera puede ser engañado. Y nosotros debemos hacer como ellos si no queremos acabar en el patíbulo del que hablaba Prisco.

—¿Pero cómo?

—Necesitamos a alguien de confianza que consiga hacer llegar los mensajes directamente al emperador. Alguien que tenga crédito en la corte y sepa moverse con destreza entre los eunucos.

Victor, mientras hablaban, se debatía. Quería decirle al césar la verdad, pero ¡cómo iba a quitarse la máscara en aquel momento! ¿Qué habría hecho el césar, al descubrir que su leal *draconarius* era, en realidad, un *referendarius*? Los días pasados junto a Juliano le habían iluminado la mente. Ahora sabía de qué lado estaba.

Ya no era *agens in rebus* de Apodemio, Catena y Eusebio. Era el *protector*, era Draco. Era la sombra del césar. Un césar demasiado magnánimo, hasta el punto de dejar libre a una serpiente que, de inmediato, habría tratado de morderle. Ahora estaban en peligro. Había que perseguir a Apodemio y quitarlo de en medio antes de que contactara con los demás espías de la red...

—Quizá tenga a la persona justa —dijo Juliano—. Se llama Euterio; un eunuco que ya había estado a mi servicio cuando era un chiquillo. Era mi única evasión de las tediosas clases del obispo de Capadocia, que durante años intentó inculcarme la religión arriana y consiguió exactamente lo contrario.

—Euterio es quien me ha confiado a Suana —dijo Prisco—. ¿Aún se encuentra en Vienne?

El césar asintió.

—Se necesita un correo de confianza, que lo conduzca aquí.

—Deja que vaya yo —le pidió Draco.

Juliano vaciló.

—Filopatros y tú sois los dos únicos *protectores* que me han quedado.

—Con un buen caballo, me bastarán pocos días para estar aquí con Euterio.

—No tenemos elección —dijo Salustio—. Estamos seguros de que él no desertará y de que no nos traicionará. Deja aquí una persona a la que quiere mucho y sabe que cuidaremos de ella.

—Así sea, *draconarius* —asintió Juliano tras pensarlo un instante—. Mañana por la mañana partirás para Vienne con mi caballo.

Un pataleo de cascos subió desde el empedrado del patio.

—Apodemio y su séquito nos dejan, césar —comentó Salustio, mirando por la ventana—. Según parece, tienen prisa.

—Quizá debería partir de inmediato yo también, nobilísimo.

—Viajar de noche no es seguro, Draco —le advirtió Juliano—, sobre todo con esas hienas por ahí. Vete a descansar y saluda a tu mujer. Te espero al alba.

Al oír el ruido de los caballos de Apodemio y de los suyos que se perdía a lo lejos, Victor se sintió atrapado.

IX

El asedio

Noviembre del 356 d. C.

Aún adormecida, Murrula se ajustó la capa de lana y luego ayudó a Victor a ponerse la *lorica* a la luz de la lámpara de aceite. Le apretó las correas sobre los costados y le pasó el talabarte con la espada. Luego acarició la correa de cuero que cruzaba el pecho del *protector*.

Victor percibió el toque dulce de la mano, a pesar de la coraza. Captó su mirada melancólica y le sonrió.

—Casi no te conozco, Victor, pero cuando no estás conmigo me siento perdida.

—En Mediolanum éramos dos desconocidos, luego el destino te ha impuesto un largo viaje para venir conmigo. Quizá porque quería que nos conociéramos mejor, Suana.

Suana. La mujer cerró un instante los ojos y saboreó la dulzura de aquel nuevo nombre. Suana...

—Victor, ¿recuerdas aquel día, cuando me llevaste a caballo? Entonces comencé a entender qué significa sentirse libre. Ser libre, pasar una jornada lejos de la taberna, de... aquella cama. —El franco la acarició, incapaz de apartarse de su calor—. Durante algunas horas me sentí... limpia. Estaba junto a un hombre del que no tenía miedo... He soñado contigo, ¿sabes?, y no una sola noche, sino muchas. Tantas veces que en algunos momentos pensé que era solo un sueño. El sueño de libertad de una esclava del burdel.

Victor le hizo levantar el mentón.

—Aquella era Murrula. Aquí conmigo está Suana, que no es una esclava y es libre de hacer lo que quiera; de comenzar una nueva vida, acaso, porque el sueño se ha realizado.

Suana se arrojó entre sus brazos y lo estrechó con fuerza.

—No me dejes aquí sola, Victor. En Mediolanum nadie me miraba, aquí me siento controlada a cada paso y cuando hablan no los entiendo.

—No te controlan, te protegen. Es distinto. No debes tener miedo, en esta ala del palacio estamos cerca del césar y los corredores están llenos de guardias.

—Pero es que sí me dan miedo sus miradas.

—El destino te ha querido hermosa, Suana —dijo Victor sonriendo—. Si te parecieras a una cabra, no te mirarían.

—Tonto. —Había conseguido hacerla sonreír.

—Verás, cuidarán de ti. Pasará a verte Filopatros y también aquel otro griego, Prisco. En ellos podemos confiar.

«De ti puedo fiarme, ¿verdad?», se preguntó Victor, golpeado por un pensamiento repentino y doloroso como una cuchillada. ¿Y si también ella hubiera sido una *agens in rebus* de Apodemio, que estaba lentamente construyendo un castillo de mentiras donde encerrarlo?

—¿En qué piensas?

Apodemio no la necesitaba a ella para hacer que lo eliminaran y, además, si la mujer con la que quería pasar el resto de la vida era una traidora, tanto daba morir.

—Es que no veo la hora de volver contigo, Suana.

—Te quiero cuanto antes a mi lado, franco descreído.

—Lo estaré muy pronto, césar.

Llegó Filopatros, sujetando por las bridas el semental negro que Nevita había dado a Juliano tras el primer enfrentamiento con los alamanes.

—Te confío el mejor caballo del imperio. Hazlo correr un poco, se ve que sufre aquí encerrado.

—Como nosotros, nobilísimo.

El césar asintió y le dio una palmada en el hombro al *draconarius* al decirle:

—Haré que a Suana no le falte nada, durante tu ausencia.

Filopatros abrió la boca para decir una de las suyas, pero Juliano lo detuvo.

—Cuidado con lo que dices, *protector*. Recuerda cómo te has ganado el apodo de Corax.

Rieron, para enmascarar el nerviosismo.

—Te saludo, Flavio Claudio Juliano, césar de la Galia.

—Que Cibeles te proteja y Helios ilumine tu camino, Draco.

—Estoy seguro de que te escucharán, nobilísimo —le respondió Victor esbozando una sonrisa.

Luego picó las espuelas del poderoso animal y tomó la vía que iba hacia el sur. Tras él, los guardias cerraron las macizas puertas de la ciudad.

El resplandor cobrizo del sol naciente lo acompañó durante un largo trecho de camino, luego puso el caballo al galope en el aire frío de la mañana.

Después de algunas millas empezó a subir por la colina, siempre siguiendo el camino principal. Al llegar a una zona casi llana, el *protector* distinguió una pluma de humo en el cielo y aflojó la marcha. Subía desde detrás de una elevación que estaba a su izquierda, quizás a un par de millas de distancia. Mientras pensaba en cuál podía ser el origen de aquel humo, llegó al cruce que llevaba a Vienne y se detuvo. Miró de nuevo hacia el este. La nube grisácea en el cielo parecía alimentada por varias fuentes.

Decidió ir a ver. Vienne podía esperar. Cruzó una pradera de hierbas altas y remontó una pendiente, con los ojos dirigidos hacia el humo. De pronto le pareció percibir un movimiento a la derecha, entre la vegetación. Tiró de las riendas y miró alrededor. Un soplo de brisa agitó la hierba. Algo, o alguien, se había movido, estaba seguro. ¡Allí estaba!

Victor espoleó el caballo y se dirigió hacia un matorral. Guiando al semental con las piernas empuñó el arco que Filopatros había asegurado a la silla y montó la flecha. De nuevo algo se movió entre las plantas en sombras y el semental saltó entre las matas, lo que hizo que un grupo de gorriones emprendieran el vuelo. Victor tensó el arco, apretó las piernas y tiró el busto hacia atrás, para detener al animal.

Delante de él había una mujer, acurrucada para proteger a dos niños que lloraban quedamente. En sus rostros, sucios y bañados en lágrimas, se leía el terror que los atenazaba.

El franco bajó el arco.

—¿Quiénes sois?

La mujer no respondió y continuó mirándolo, tratando de esconder a los niños detrás de ella. Luego los tres se echaron a correr hacia el bosque. Victor les gritó que se detuvieran, pero no hicieron caso. Espoleó el caballo y los alcanzó en un instante. La mujer les gritó algo a los niños; luego se lanzó sobre el jinete y se aferró a su pierna con la fuerza de la desesperación.

Victor sintió que las uñas de la mujer le arañaban la pierna y soltó una patada para alejarla. Uno de los niños lo miró, sollozando y farfullando algo. Victor no entendía la lengua de los galos, pero imaginó que el pequeño llamaba a su madre. Levantó las manos lentamente, para mostrarles que no empuñaba ninguna arma.

—Para, mujer, no quiero hacerte daño.

Con la velocidad de una gata la mujer alcanzó a su pequeño y lo abrazó, sin dejar de mirar al jinete.

Victor mantuvo las manos a la vista y, sin acercarse más, habló, en el latín de los soldados.

—Vengo de Senones y soy un correo. No debéis tener miedo de mí.

También el segundo niño se aferró a la madre: tres débiles cuerpos, unidos por el terror.

—¿Me entiendes?

La mujer permaneció mirándolo durante un momento, insegura, luego señaló el humo que se alzaba más allá de las ramas del bosque y dijo:

—Alamán.

—¿Quieres decir que son alamanes?, ¿por aquí?

—Alamanes, alamanes —repitió la mujer asintiendo y señalando el fuego.

El franco se encaminó hacia la colina. No era posible que los alamanes se encontraran allí, estaban demasiado lejos de las posiciones establecidas después de la toma de la colonia. Si eran de verdad germanos, se trataba, probablemente, de una pequeña banda que vagaba por el campo.

Recorrió una cuesta manteniéndose entre la vegetación. De repente tiró de las riendas. A una veintena de pasos, delante de él, había tres guerreros. Uno iba de vientre, otro orinaba, riendo, y el tercero sujetaba los caballos. Alamanes.

—¿Y ese quién es? —dijo el guerrero de los caballos señalando a Victor.

El segundo germano se ató los calzones y se volvió. Miró a Victor y se echó a reír. Se adelantó, tambaleándose, borracho, al igual que los otros.

—¿Quién eres, hermano? No te conozco, o eso creo...

El tercero se rio al tiempo que los tres animales relinchaban, nerviosos.

—Soy Victor, hijo de Klothar de Merseen —respondió el *protector* en su dialecto.

—¿Y qué hace una mujercita de Merseen por aquí? —le preguntó el germano tras avanzar hacia Draco con mirada recelosa.

—Quiero unirme a vosotros con mi banda. Tengo que hablar con tu jefe —contestó el *draconarius* sin hacer caso de la ofensa.

El alamán se rio de nuevo. La panza le temblaba.

—No creo que a Vestralpo le interese tener a cuatro harapientos de Merseen que ni siquiera saben qué es una espada. Además ya somos muchos y cada vez es más difícil encontrar bebida para todos.

A la mente de Victor volvieron los enviados de Vestralpo que fueron a mendigar un acuerdo de paz con Juliano en la colonia Agripina. Mientras tanto no apartaba la vista de los movimientos de los tres, en especial del que se acercaba, que parecía el más anciano.

—Habría pensado cualquier cosa, menos ver aquí al rey Vestralpo. Del otro lado del Rin se dice que ahora es amigo de los romanos. Creía que erais una banda como la mía, en busca de algún botín.

El germano hizo una mueca y eructó.

—Precisamente para acabar con vuestras tonterías de mujercitas —dijo, mascando las palabras— ha venido a buscar la cabeza del césar de los romanos, para atarla a su silla y llevarla por la Galia.

El de los caballos se rio otra vez. El otro acababa de vomitar y trataba de ponerse en pie. Pero el primero, el más anciano, había llegado junto al semental y lo observaba con una mirada extraña. El *protector* comprendió que algo no marchaba bien, pero permaneció impasible.

—¿Quién rechazaría algunas decenas de guerreros bien armados más? Dejemos decidir a Vestralpo.

El germano no respondió. Pasó una mano sobre la manta del animal y luego dijo:

—Yo he visto antes este caballo. Estoy seguro. —Alzó una mirada acusadora sobre Draco—. ¡Sí, era el caballo de Mederico!

—Estás borracho, hermano. Ni siquiera sé quién es ese Mederico.

—Te lo explicará Vestralpo, entonces —gruñó el germano—. En cuanto vea el caballo de su hermano Mederico, muerto el año pasado en batalla con los romanos. Sí, te lo explicará él ¡antes de descuartizarte!

El germano estalló en una carcajada cruel y asió firmemente las bridas.

Victor sacudió la cabeza, con aire ingenuo.

—A mí me ha dicho otro nombre... Pero, entonces, vuestro Mederico no ha muerto... y no está lejos de aquí.

El guerrero se acercó, sujetando las bridas.

—¿Qué estás diciendo? ¡No te creo!

—Pregúntaselo a él —dijo Draco. Se inclinó sobre el germano, como para decirle algo en voz baja y le clavó el *scramasax* en la garganta, rápido como un relámpago. Sacó la hoja y un chorro de sangre caliente le bañó la mano.

El joven que sujetaba los caballos lanzó un grito y se tambaleó. Las bestias pateaban y él intentó montar.

Victor ya había armado una flecha. Tensó el arco y apuntó. Mientras, el muchacho conseguía subir a la grupa de un caballo jaspeado, que caracoleaba nervioso. El franco estaba a punto de tirar cuando percibió un movimiento. El germano que un momento antes vomitaba, ahora se dirigía hacia él empuñando un hacha. Victor giró un poco el torso y cambió de blanco. Un silbido mortal. El germano dio aún dos o tres pasos, luego se desplomó con una flecha clavada en la frente como una rama de árbol.

Gritando de terror, el más joven puso el caballo al galope. Victor montó otra flecha y, también al galope, lo persiguió. El superviviente parecía haberse recuperado de la borrachera. Victor tiró, pero la flecha rozó el hombro del germano y se perdió entre los árboles.

Draco soltó unas cuantas maldiciones y cogió otra flecha del carcaj. Salió al galope de la maleza y se lanzó tras el fugitivo, que estaba desapareciendo por la otra ladera de un pequeño promontorio. Draco no tardó en llegar, miró hacia abajo y de inmediato detuvo el caballo. En el fondo del valle, la granja cercana al río estaba aún ardiendo. A su alrededor, toda una horda de alamanes. Victor no podía creerlo, pero no era una ilusión. Vestralpo llevaba un ejército.

Los gritos de alarma del muchacho le recordaron que no era el momento de vacilar. Dentro de poco tendría encima una decena, o quizás un centenar, de ellos. Espoleó el caballo y regresó rápidamente por donde había llegado. Pasó junto a los dos enemigos muertos, pero los caballos ya no estaban. Ojalá que la mujer y sus niños hubieran encontrado un refugio...

En cuanto salió del bosque volvió a verlos. Trotaban hacia la vía principal, a plena vista. Victor aflojó el galope al superarlos y con gestos indicó a la madre que se apartaran inmediatamente de allí, que fueran hacia el bosque.

Oyó que uno de los niños lloraba y con un gesto brusco detuvo el caballo, luego volvió atrás.

—¡Marchaos, escondeos! ¿Queréis morir? —Ella corrió a su encuentro, aullando. Los niños no conseguían mantener su paso—. Es inútil, no te entiendo —dijo el *protector*—. ¡Desapareced u os matarán!

La mujer tendió las manos hacia él gritando palabras entrecortadas. Victor miró en dirección a la colina. Los alamanes podían llegar de un momento a otro. El franco le ofreció la daga y ella lo miró sin entender nada.

—Si te cogen, mátate con esto. Puede ser que a los niños los perdonen. —O los habrían cogido como esclavos, un destino peor que la muerte—. Ahora vete, ¡lejos!

La mujer se agarró de su brazo. Victor no entendía las palabras, pero intuía el sentido. Le suplicaba. Draco se soltó, pero la mujer corrió a buscar a uno de sus hijos, que se había dejado caer al suelo, y se lo ofreció, como una ofrenda al altar de un dios. El franco miró al niño y a la madre entre lágrimas y al otro niño, inclinado en silencio sobre el polvo. Sobre la cima de la colina, aún se veían solo árboles.

—Dámelo. —Victor tendió los brazos—. A uno puedo llevarlo conmigo.

La mujer sonrió y corrió a buscar también al otro. Draco estaba acomodando al primero en la silla y sentía que aquel cuerpecito temblaba de miedo.

—No puedo llevarlos a los dos. ¡No puedo! —Se apartó e hizo el gesto de espolear el caballo. No había tiempo que perder.

»Adiós —dijo Victor y la miró, de pie con el otro hijo cogido de la mano. Ella lo miró, muda, y Victor entendió: «Al menos haz que yo no muera inútilmente.»

Luego resonaron unos alaridos y en un instante la colina se llenó de alamanes a caballo.

Victor soltó una maldición y volvió la mirada en dirección a Senones. El camino aún estaba despejado. Puso el caballo en movimiento, se acercó a la mujer y al vuelo recogió el niño que ella había alzado por instinto, quizá con las últimas fuerzas. Comenzó a dar vueltas en torno a ella, que sonrió con expresión de gratitud.

Con los alaridos de los enemigos que se acercaban, se concentró en mantener el semental al galope a lo largo del antiguo camino militar. Los dos hermanitos estaban agarrados a él con la fuerza de la desesperación.

Cuando a lo lejos aparecieron los muros de Senones, Victor atajó por los campos. Si el corazón del generoso animal aguantaba un poco más lo conseguirían.

El *protector* se volvió para mirar a su espalda y no vio a la horda germánica pisándole los talones. Quizá los alamanes se habían detenido para honrar a los dos compañeros caídos, o para divertirse un poco con el cuerpo de la mujer, en vez de perseguir al galope tendido a un solo jinete en fuga.

Eso indicaba que se sentían fuertes, tan fuertes como para no preocuparse de que alguien pudiera dar la alarma antes de su llegada.

Al ver la ciudad, el franco comenzó a lanzar gritos de alarma. Superado el pesado portal, Draco tiró de las riendas y el caballo se detuvo, resoplando, y resbaló sobre el empedrado. Inmediatamente lo rodearon los guardias.

—¡Llegan los alamanes! Cerrad las puertas y dad la alarma, debemos correr todos a las murallas. ¡Están a punto de atacarnos!

En la confusión provocada por su inesperado regreso, entre los soldados que iban y venían, inseguros, se abrió paso Juliano, seguido por Salustio.

—César, he tropezado con una numerosa horda de alamanes en armas, a una decena de millas de aquí. Son guerreros de Vestralpo.

En el rostro del príncipe se dibujó una expresión de estupor y, luego, de rabia.

—¡Hijo de perra! —Salustio se había puesto rojo—. ¡Y yo que te aconsejé que fueras diplomático e hicieras concesiones!

El césar dirigió a los dos espantados niños una mirada breve pero intensa. Victor se los confió a uno de los servidores para que se los llevase a Suana. Luego el caudillo tomó la delantera.

—Salustio, preparémonos de inmediato para una salida. Quiero barrer a esos bárbaros.

Draco se adelantó:

—Perdóname, príncipe, conozco tu valor, pero no creo que sea prudente enfrentarlos en campo abierto. Son mucho más numerosos que nosotros.

—¿Cuántos son?

—Los suficientes para asediar la ciudad, nobilísimo.

—No entiendo por qué avanzan hasta aquí solo para atacar una pequeña ciudad como esta —dijo el césar apretando los puños.

—Quieren tu cabeza, mi césar —explicó Victor tras quitarse el yelmo—; para vengar al hermano de Vestralpo.

El *draconarius* le contó su encuentro con los tres germanos al atónito Juliano. Salustio fue el primero en reaccionar y dijo:

—Es necesario que partas de inmediato de Senones, césar. Debes refugiarte en Remi, donde está Marcelo. Nosotros mantendremos a raya a esos canallas hasta la llegada de las legiones.

Desde las escarpas de las murallas los centinelas señalaron a algunos grupos de fugitivos que corrían hacia la ciudad para ponerse a seguro.

—Debemos hacer lo posible por salvarlos —dijo Juliano—. ¡Esperad, no cerréis las puertas todavía!

Salustio se dirigió a Juliano, en tono apremiante:

—Vete a Remi, te lo ruego. Aquí muy pronto quedarías aislado.

—He vivido aislado del mundo desde que tenía seis años, Salustio, estoy habituado. No puedo dejar Senones en este momento. Los habitantes deben saber que estoy aquí, combatiendo con ellos.

—Los germanos no son constantes, césar, no tienen una estrategia. Son depredadores, no soldados. Si estuvieran seguros de que no estás entre estos muros, quizá volverían por donde han venido, en vez de emprender un largo e inútil asedio.

—He venido aquí para defender estas tierras y lo haré hasta el final —dijo Juliano poniendo la mano sobre el hombro del general—. Cuento con vosotros. Preparaos. —Salustio y Draco asintieron.

»Mandemos de inmediato un par de mensajeros a Remi, para pedir refuerzos, aunque imagino que alguna guarnición ya habrá dado la alarma. Visto el número de los invasores, no pueden pasar inadvertidos.

—¿Y tú crees que Marcelo acudirá aquí a liberarnos?

Juliano sacudió la cabeza.

—No lo sé, amigo mío. Todo depende de los dioses.

Una familia de campesinos entró en la ciudad en un inestable carro, cargado con sus pocas cosas. Aterrorizados, hablaban todos a la vez en dialecto burgundio. Victor no entendía, pero tampoco era necesario. La horda de germanos estaba llegando.

Cuando Victor se dirigía con Salustio a una de las torres, vislumbró a Filopatros abriéndose camino entre la multitud en movimiento, en medio de gritos, llantos e imprecaciones.

—¿Estás sano y salvo, descreído?

El franco asintió, luego le devolvió la aljaba y el arco a su compañero de armas.

—Gracias por el préstamo, *graeculo*. Faltan algunas flechas, pero para compensar estoy todo entero.

Filopatros se puso el arco y las flechas en bandolera.

—Ánimo, vamos. No veo la hora de ensartar también yo a algunos de esos cerdos rubios.

Los dos se encaminaron, tranquilos, hacia el palacio como si la confusión en torno a ellos no les afectara. El *draconarius* se acordó de los chiquillos, se detuvo y se volvió. Los vio en un rincón, asustados, desorientados, cogidos de la mano y mirándolo. Con un gesto del brazo les indicó que lo siguieran. Ellos echaron a correr como dos pollitos hacia la gallina clueca sorteando todos los obstáculos.

—¿Y estos quiénes son?
—Las primeras víctimas de Senones. Los he encontrado por el camino. He tenido que dejar a su madre con los germanos.
—¿La han matado?
—Espero que sí.
En la puerta del palacio, una temblorosa Suana lo acogió con un grito sofocado.
—Estás sano y salvo, ¡gracias a los dioses!
El *protector* la abrazó.
—He tenido un desagradable encuentro en el camino hacia Vienne. Dentro de poco, tendremos a los alamanes encima.
—No entiendo. ¿Qué quieres decir?
—Que muy probablemente nos asediarán. Debemos atrincherarnos en la ciudad.
Ella lo miró desconcertada. Cuando vivía en la taberna de Mediolanum, por muy infeliz que fuera, nunca tuvo que afrontar situaciones como el asedio a una ciudad fortificada.
—Nos esperan días difíciles, Suana, pero si conseguimos resistir llegarán en nuestra ayuda otras legiones de Remi.
Era inútil asustarla aún más diciéndole que, de momento, esas legiones solo eran una vaga esperanza.
—¿Quiénes son? —preguntó ella, advirtiendo la presencia de los niños.
—Los he recogido por el camino, me los ha dado su madre para ponerlos a salvo.
Murrula se acercó y acarició el pelo del más pequeño, que la miraba con los ojos desencajados.
—No tengas miedo, aquí estás seguro —dijo con un tono de voz que Victor nunca había oído.
El niño no respondió. Permaneció inmóvil, pero se sintió reconfortado por aquel tono femenino.
—No creo que entiendan nuestra lengua. Hablan el dialecto local. —Suana miró al mayor y le sonrió cogiéndole la mano con delicadeza—. Pensaba que podrías atenderlos hasta que acabe esto. Luego veremos qué hacer.
Murrula miró a Victor y asintió.

—¿Qué ha sido de la madre?

El *draconarius* sacudió la cabeza. La mujer no se descompuso y les dirigió una sonrisa a los pequeños.

—¿Tenéis hambre?

—La comida estará racionada de ahora en adelante, Suana. Esperarán a esta tarde para comer. Junto con todos los demás.

Un centinela aulló desde las torres. Murrula miró a Victor.

—Vete, yo me ocupo de ellos.

Victor y Filopatros alcanzaron la torre que defendía la puerta oriental. En las escarpas, donde soplaba un viento gélido, un grupo de sirvientes se afanaba por amontonar frenéticamente piedras para dispararlas con el onagro, que ocupaba gran parte del espacio. Aquí y allá, en el tramo llano frente a los muros, corrían hacia Senones grupos dispersos de campesinos con sus familias en busca de un refugio para el furor de los germanos.

Indiferente al viento, Juliano escrutaba el horizonte. Los resplandores metálicos de la masa de jinetes ya eran bien visibles en la rala neblina invernal, como también el sordo eco de su avance era perceptible al oído.

—Los mensajeros para Remi han partido, césar —dijo Salustio, despidiendo al soldado que había llevado el mensaje.

—Esperemos que lleguen —dijo césar, tajante— y, sobre todo, que Marcelo los escuche.

La ola oscura de los enemigos avanzaba veloz en la llanura gris. Muchos caballos al galope y sobre ellos alamanes sedientos de sangre con yelmos, escudos, lanzas, hachas... Para sus adentros, Juliano rogó a Helios que le diera la fuerza necesaria.

—¿Cómo pueden haber llegado aquí tan deprisa?

—Así es la caballería —respondió Salustio—. Una vez rodeada la ciudad, pueden esperar tranquilamente a que lleguen los guerreros a pie para apoyarlos.

Señaló la nube de polvo.

—Están cerca, césar, da la orden de cerrar las puertas.

—Aún hay fugitivos en busca de protección, esperemos.

—Así sea, aunque me temo que será inútil.

El césar se dirigió a los encargados del onagro:

—¡Adelante, hombres! ¿Estáis preparados con esa máquina?

Un oficial animó a los hombres que habían puesto el arma en posición de ser cargada. El ruido metálico de los engranajes se perdía en el viento, entre los gritos. Juliano volvió a dirigir la atención sobre la llanura, donde los campesinos estaban abandonando sus pobres hatillos, confiando en salvar al menos la vida. Desde las escarpas los defensores hacían señales con los brazos, animando a los fugitivos a alcanzar las puertas de acceso. Entre tanto también los ballesteros habían tomado posición y estaban cargando sus armas.

En el confuso ajetreo, Victor tuvo de golpe una dolorosa sensación de impotencia, de estar encerrado en una trampa. Algunas ciudades resistían los asedios, otras no. Los mecanismos de torsión del onagro estaban tensados al máximo y la máquina estaba lista para disparar. ¿Podrían aquellas antiguas murallas, de siglos de antigüedad, resistir? ¿Y estaban los corazones de los defensores dispuestos a afrontar la prueba de fuerza? ¿Y a resistir el hambre, el miedo y la muerte?

—¡El enemigo, césar!

La vanguardia de los germanos era una nutrida patrulla vociferante, excitada por la batida de caza. Una caza del hombre.

Juliano les indicó a Filopatros y a los ballesteros que un grupito de fugitivos empezaban a correr desesperadamente.

—Tirad a cualquiera que se aproxime a esos pobrecillos.

—Estamos preparados, nobilísimo.

El joven caudillo asintió, con el largo cabello al viento, sin apartar la mirada del camino. El oficial le había señalado el árbol que hacía de punto de referencia para la distancia de tiro y poco después los jinetes lo habrían superado.

—¡Ahora!

El oficial les gritó a todos que se alejaran de la máquina y soltó el mecanismo de disparo. La masa de cáñamo regresó bruscamente a su sitio y el palo se abatió sobre el seguro con un golpe violentísimo. La máquina se estremeció como un asno que coceara y la honda azotó el aire, lanzando la piedra al cielo.

Esperaron conteniendo el aliento mientras los encargados se

apresuraban a devolver el onagro a la posición de tiro. El proyectil dio en un grupo de jinetes y los defensores gritaron de alegría.

La pequeña familia de campesinos ya estaba cerca, pero varios jinetes estaban aún montados y se habían lanzado al galope. Coger a aquellos fugitivos se había convertido en un desafío, una prueba de coraje que valía mucho más que sus propias vidas.

—Es inútil, césar —dijo de nuevo Salustio—, no lo conseguirán. Haz cerrar las puertas.

Juliano incitó a los sirvientes a voz en cuello:

—¡Tirad, con esa maldita máquina, tirad!

Cargaron el segundo proyectil mientras Filopatros y los ballesteros apuntaban. El oficial soltó otra vez el mecanismo y la piedra partió de los muros, seguida por una salva de dardos.

La piedra destrozó a dos alamanes con sus animales, otros se desplomaron sobre el suelo, atravesados.

Luego, un jinete germano alcanzó a uno de los campesinos y de un mandoble le separó la cabeza del cuello. Se detuvo a recogerla y partió al galope, agitándola triunfante y dejando una estela de gotas de sangre.

La mujer que estaba junto a él, quizá su esposa, se dejó caer al lado del cuerpo mutilado, implorando piedad, y otro germano la ensartó con la lanza.

—¡Malditos! —gritó Juliano.

Quedaban los hijos, dos muchachos y una muchacha, con la energía de la juventud. Una decena de germanos se abalanzó sobre ellos. Al muchacho más pequeño le clavaron una espada y cayó boca abajo al suelo. Un musculoso guerrero, con el torso desnudo a pesar del frío, levantó a la muchacha y lanzó un alarido, luego giró el caballo. Otros cinco o seis hombres lo siguieron. Se detuvieron no muy lejos. Los defensores vislumbraron la blancura de un cuerpo desnudo, cubierto de inmediato por los germanos, en un coro de aullidos obscenos.

—¡Corre, muchacho, corre!

—¡Las puertas, césar!

El último superviviente había dejado de gritar, para ahorrar aliento. Tres germanos estaban encima de él y para los ballesteros era difícil dispararles a ellos sin correr el riesgo de darle también al muchacho.

El griego se puso en pie, con la flecha armada. Un silbido, y uno de los germanos atravesado y abatido de la silla. Filopatros tiró de nuevo, sin dudar. Mientras otro germano caía con una flecha en el pecho, el último perseguidor bajó la espada sobre el muchacho con violencia y lo abrió desde el cuello hasta la espalda. Un gran chorro de sangre marcó el fin de la carrera.

El germano levantó la espada enrojecida y aulló un insulto contra los muros; luego se alejó al galope. El arco de Corax cantó de nuevo, pero la prisa lo traicionó. Los ballesteros volvieron a cargar y tiraron, pero el destino era que el guerrero pudiera celebrar su prueba de valor.

El césar inclinó la cabeza, en silencio, luego bajó de las escarpas, acompañado por Salustio.

—¡Cerrad!

Victor permaneció allí todavía un momento. Los cuerpos solo eran manchas inmóviles en la hierba rala y helada. Y la muchacha había dejado de aullar.

Junto a Victor, el griego escupió al suelo.

—Es mejor que nos preparemos, franco. Esto no es nada en comparación con lo que nos espera.

El asedio de Senones había comenzado.

Salustio desplegó el mapa de la ciudad sobre la mesa y explicó:

—Están acampados a lo largo del río, al este y al norte de la ciudad. Se han concentrado en ese lado de la muralla, aunque sus jinetes patrullan todo el perímetro. —Juliano se restregó los ojos cansados y volvió a concentrarse en el mapa—. Por suerte —continuó el general—, esos salvajes no tienen ni la más mínima idea de cómo asediar una ciudad y además están casi siempre borrachos. Si no fueran chusma ignorante, quizá ya se habrían percatado de que la muralla occidental está en mal estado. De todos modos, no tienen máquinas de asedio, aparte de algunas escaleras y trinquetes.

—Puede que tengas razón, pero mientras tanto nos tienen clavados aquí. —El césar de la Galia se pasó una mano sobre el rostro. Hacía dos días que no dormía.

—Es verdad, pero antes o después llegarán los refuerzos.

—¿Cuánto podemos resistir?

—Los víveres están en buen estado y tenemos reservas en los graneros que podrían bastar para seis semanas, quizás ocho, si reducimos las raciones. En cuanto a los habitantes, saben, incluso demasiado bien, qué les espera, si Senones cae: perderlo todo y acabar masacrados o reducidos a la esclavitud, como ha sucedido en la colonia Agripina y en otras ciudades. Aguantarán mientras tengan qué comer. Si, mientras tanto, como espero, llegara alguien a socorrernos... —Juliano suspiró con cansancio—. ¿Es así como sucede, verdad? Tú eres un militar de gran experiencia, puedes decírmelo. —Salustio no respondió.

»Llega el momento en que se acaban los víveres, y pasan los días y los refuerzos no llegan. La gente comienza a enloquecer, se comen las ratas y hierbajos, luego matan por un mendrugo... y además de la fuerza física disminuye la voluntad de resistir. Luego, viene el derrumbe. ¿Y así se corre el riesgo de que se acabe el Imperio romano, no?

—Ya he vivido este momento hace años, nobilísimo. —El viejo general no levantó la mirada del mapa, pero asentía—. Sé que es durísimo. Pero si no perdemos la sangre fría, podemos conseguirlo.

—¿Cómo?

—Toda la ciudad, y digo toda, deberá colaborar en la defensa. Los hombres estarán sobre las murallas, combatiendo. Las mujeres, los viejos y los niños fabricarán lanzas y flechas, y excavarán para encontrar piedras que lanzar; con ellas abastecerán durante los asaltos a los defensores. Nos dividiremos en dos grupos: un grupo trabaja seis horas, luego va a descansar y lo sustituye el segundo; y así sucesivamente, cada seis horas.

—De ese modo, la vigilancia no se interrumpe nunca.

—Sí, césar. El momento más propicio para los asaltos es la caída de la noche, mientras que de día también los germanos reposan. Por desgracia, estamos casi en invierno y esos bárbaros pueden aprovechar varias horas de oscuridad. Por tanto siempre debe haber alguien en vela.

—Yo mismo pediré que todos ayuden —dijo Juliano.

—Preparemos la división de las fuerzas y montemos una tarima en la plaza central para explicarle a la población lo que debemos hacer.

—El emperador me ha pedido que defendiera la Galia de la invasión de los germanos. Esos germanos que ahora están aquí y creen que podrán entrar vencedores en Senones. Senones está en la Galia. Senones «es» la Galia. —Solo, sobre una tarima improvisada en la plaza de la ciudad, Juliano le hablaba a la gente. Y la gente lo escuchaba en silencio.

»Senones hoy es el imperio. Un escollo contra el cual se estrellan las olas de un mar borrascoso.

Juliano miró a los habitantes de Senones, reunidos en torno a él. En sus rostros se leía angustia, duda y temor. Luego vio a una mujer, ya no tan joven, que sujetaba de la mano a una niña. Los reconoció, estaban entre los pocos que habían conseguido atravesar las puertas justo antes de que los germanos masacraran bajo la muralla a aquella familia de campesinos.

El césar bajó de la tarima y pasó entre la gente. Se detuvo delante de la mujer que temblaba, cubierta solo por una pobre túnica, y se quitó la capa púrpura forrada de armiño. Bastaba para cubrirlas a ambas, madre e hija. Hombres, mujeres y niños lo miraron atónitos. La capa imperial simbolizaba la protección del emperador. Quien la recibía se convertía en intocable, pero por lo general era un gesto simbólico. Nadie de la familia imperial se habría quitado nunca la capa delante del pueblo.

—Yo os protejo —dijo el césar, poniendo la mano sobre la cabeza de la niña— y con vosotras protejo a Senones. Protejo mi ciudad. —Pasó la mano por los hombros de un hombre a su izquierda y lo miró—. Yo te protejo —le dijo—. Yo te protejo —repitió dirigiéndose a un viejo a su derecha.

Se mezcló entre la gente abrazando a los habitantes de Senones.

—Yo te protejo.

»Yo te protejo.

»Yo te protejo.

Todos los que consiguieron tocarlo tuvieron derecho a la fórmula ritual y sintieron que no eran palabras vacías.

Juliano volvió a la tarima y pidió silencio.

—Sé que sois un pueblo valeroso. Por eso sé que puedo pediros sacrificios. Quisiera no tener que hacerlo, pero la situación lo impone. Y sabed que toda mi corte y yo seremos los primeros en hacerlo. A fin de derrotar a los bárbaros, porque los derrotaremos, deberemos racionar la comida y el agua. Todos tendremos que trabajar. Quien esté en condiciones de combatir subirá a la muralla, los otros construirán lanzas, llevarán flechas a los arqueros, apagarán los incendios, aliviarán los sufrimientos de los heridos. Apretaremos juntos los dientes..., pero Senones no caerá. Lo juro por mi vida. ¡Senones no caerá!

Nunca nadie en aquella pequeña ciudad había sido tan aclamado.

Draco entró sin hacer ruido en la habitación. Suana dormía, abrazada a los niños. El *protector* estaba cansado, después de días de dormir poco o nada, pero aquella imagen lo impresionó: un rincón de paz en un mundo despiadado. Tres seres indefensos, que no podían contar con nadie, salvo consigo mismos... y con él.

Volvió a verse niño y por un instante sintió el intenso placer de sentirse envuelto, como en un capullo, por el calor de una familia serena, que nunca dejaría que se sintiera solo.

Luego el calor se atemperó y se apagó, y le entró una fría sensación de malestar, de extrañeza. Habría querido formar parte de aquel cuadro, pero había visto y vertido demasiada sangre, había tejido demasiadas intrigas y se había ensuciado por causas que no tenían nada de noble. Ya no podía ser como ellos. Echó un vistazo lleno de afecto a los tres durmientes; luego extendió la capa en un rincón y se durmió.

Se despertó sobresaltado. Alguien golpeaba las puertas y se oían gritos en los pasillos. El franco se levantó de un salto y miró afuera. El cielo nocturno estaba iluminado por resplandores rojos.

—¿Qué sucede, Victor?

Suana lo miraba a la luz de una lámpara, estrechando los dos pequeños contra sí.

—No lo sé, quizás estén atacando. Debe de haber un incendio.

—¿Entrarán en la ciudad?

El franco le dispensó la más tranquilizadora de las sonrisas.

—No. Claro que no.

—¿Y si sucediera?

—No sucederá.

Suana corrió hacia él y lo abrazó.

—¿Y si sucediera? ¿Qué harían con nosotros?

«Tú eres bella, tal vez un jefe te coja como esclava, o concubina... O ambas cosas. Y los dos pequeños serán esclavos, o castrados y vendidos como eunucos. Los eunucos valen unas buenas monedas...» Victor le acarició una mejilla, le besó el pelo y dijo:

—Solo debes pensar que no sucederá, nada más.

Sentados en la cama, los niños los miraban en silencio. Victor les hizo señas de que se acercaran. Cogió de la alforja un gran trozo de pan negro y queso, hizo tres partes y las distribuyó.

—¿Tú no comes? —le preguntó Suana.

—Ya he comido antes —dijo el franco. No era verdad, pero picaría algo más tarde. —Los niños mordieron el pan como lobos—. Vete a saber cómo se llaman...

—El mayor se llama Clodio y el pequeño, Ario. Pero aún no lo saben, porque no entienden una palabra de lo que te digo.

—Sin duda, han entendido que contigo están seguros y cuidados, por el momento es suficiente.

Pensó en el azar que había hecho que se encontraran y que consiguiera salvarlos. No podía resignarse a la idea de haberlos sustraído de un destino trágico para mandarlos al encuentro de una suerte aún peor. Draco podía aceptar la muerte, era un soldado, y los soldados morían todos los días. Pero el destino de aquellos niños debía ser distinto y más benévolo.

—Ahora tenemos que irnos —les dijo—. Ayudadme a prepararme.

Suana le puso la coraza y Clodio le pasó el talabarte con la espada. El pequeño Ario trató de levantar el yelmo, pero se le escapó de la mano y cayó al suelo. El niño lo miró, atemorizado, y Victor le sonrió.

—Muy bien. La próxima vez lo harás mejor. —Se levantó y les acarició la cabeza—. Os confío una tarea importante. Tú, Clodio, deberás cuidar de tu hermano, que es más pequeño. Y juntos —los miró a los ojos, como si ya fueran mayores— tenéis que cuidar de Suana como si fuera vuestra madre, ¿entendido?

Naturalmente, no habían entendido nada, pero el mayor sonrió y, acto seguido, lo hizo también el pequeño.

—¡Bravo! —exclamó el franco—. Os nombro ayudantes del *protector*.

Se encaminaron a paso rápido por las calles de Senones hacia la muralla. De vez en cuando levantaban la mirada al cielo y veían las trayectorias de las flechas incendiarias que abrían grietas en la oscuridad.

A la carrera llegó un oficial seguido por un grupo de mujeres y niños.

—Venid conmigo —gritó hacia Suana y los hermanitos—. Tenemos que ir a coger agua a la fuente, delante de la basílica.

Ella miró a Victor. Él asintió, le besó la mano en los nudillos y le desordenó el pelo al mayor.

—Nos veremos después.

Las calles estaban llenas de gente como si fuera pleno día. Corrían atareados, con cubos de agua y cestas llenas de piedras. Dos casuchas de madera estaban ardiendo y unas cuantas personas se afanaban en contener el incendio. Victor vio a una mujer que aullaba desesperada el nombre de alguien. En aquel momento la estructura cedió y una de las casas se derrumbó provocando gran estruendo. Con un último grito, la mujer se lanzó a la hoguera bajo la mirada impotente de los que intentaban ayudar.

Alcanzada la torre desde la que Juliano solía comandar las operaciones, Victor vio a dos chiquillos que llevaban un gran cesto lleno de flechas y no conseguían subir las escaleras. Cargó el fardo sobre el hombro y los mandó a buscar otro. Sobre la escalera iluminada por las antorchas resonaban pasos de hombres a la carrera y la voz de algún oficial que les gritaba órdenes a los centinelas.

Draco llegó a la plataforma barrida por el viento. Un ruido seco acogió su entrada: era el onagro, que lanzaba piedras sobre los atacantes con cadencia regular. El *protector* dio una vuelta alrededor de la máquina.

Juliano lanzaba órdenes hacia el interior de la muralla. Victor se acercó al parapeto y vio que los soldados tomaban posiciones. Desde las tinieblas, allá fuera, se derramaba sobre la ciudad una lluvia susurrante de estelas luminosas: centenares de flechas encendidas, que de vez en cuando le acertaban a un hombre sobre las escarpas, aunque su objetivo era desencadenar el mayor número posible de incendios. Para sofocarlos se requería mucha gente, que, de esa manera, no podía estar en la defensa de la muralla.

El enemigo estaba atacando la puerta oriental de la ciudad. Algunas voces confusas decían que también asaltaban intensamente la septentrional. Los germanos habían construido tinglados de madera cubiertos de pieles mojadas con los que avanzaban hasta las puertas para tratar de desfondarlas a hachazos, protegidos de la lluvia de piedras, flechas y material incendiario que les arrojaban desde las escarpas. Allí arriba los arqueros y los ballesteros tiraban lo mejor que podían, pero en la oscuridad que cubría buena parte del campo de batalla muchas flechas fallaban el blanco. A la mañana siguiente los germanos las habrían recogido para usarlas como flechas incendiarias a la noche siguiente.

Pero había un tipo de proyectil eficaz también en la oscuridad, un pequeño dardo lanzado a mano desde la muralla. La *plumbata tribolata* tenía en un extremo un peso de hierro, provisto de otras tres puntas afiladas. Si daba en el blanco era devastadora y si no daba, se clavaba en el terreno, siempre con una punta hacia arriba, a la espera, en la oscuridad de la noche, de una víctima.

—¡Draco! Ve a la puerta norte, donde está Salustio. Quiero un informe de la situación. Y asegúrate de que también estamos vigilando la puerta occidental. No he oído ataques por esa parte, pero hay que estar en guardia.

Una flecha silbó cerca de Juliano y dejó una estela luminosa.

—¡Voy corriendo, césar!

El franco se precipitó escaleras abajo. Fuera de la torre le golpeó el calor de un incendio que se propagaba. El camino más corto estaba bloqueado por las llamas, así que resiguió la muralla de la ciudad, corriendo tanto como le permitían la espada y la coraza. En torno a él caían dardos de fuego con un ritmo impresionante.

Cuando llegó a su destino, vio a algunos hombres ocupados en arrojar cubos de agua sobre la puerta, que vibraba aterradoramente bajo los golpes cadenciosos de un ariete. Preguntó por Salustio a un oficial de *limitanei* que se hallaba ocupado impartiendo órdenes para levantar una barricada delante de la puerta.

El *protector* entró en la torre y subió a duras penas entre las idas y venidas de los soldados. Dos de ellos que llevaban un herido resbalaron, acabaron encima de los otros y el paso quedó bloqueado. El *protector* se abrió camino a empujones. No quería acabar ahogado y aplastado por una muchedumbre. Mejor el campo de batalla, mejor el viento...

Gritó que debía transmitir con urgencia a Salustio un mensaje del césar. Un guardia le dijo que el general estaba en las escarpas, a la izquierda de la torre. Lanzando maldiciones Draco volvió a bajar. Fuera, respiró. Luego arriba a la carrera, otra escalera, con el aliento ya escaso. En el camino de ronda, entre los resplandores de las llamas, reconoció la silueta de un yelmo.

—¿Estás vivo, griego?

Filopatros lanzó una flecha y luego se volvió. Tenía medio rostro manchado de sangre y un ojo tumefacto.

—¡Maldita sea! ¿Te dejo solo y dejas que casi te maten?

—¡Pero qué dices! No es nada —le replicó el griego haciendo una mueca—. Una flecha encendida directa a la cara. Por suerte, solo me ha rozado. Se necesita mucho más para matar a Filopatros.

Victor se rio burlón, lo empujó a un rincón protegido y lo examinó bajo el resplandor intermitente de los incendios.

—Esa flecha te ha abierto el pómulo, *graeculo*, y te ha quemado la cara. ¿Aún ves con ese ojo? —Filopatros negó con la cabeza—. ¿Qué estabas esperando? Es preciso lavar la herida y cerrarla. En cuanto al ojo, podrías ir rezando a tu dios.

—¿Desde cuándo eres médico?

—Matando gente algo he aprendido.

Draco bajó para coger un cubo de agua de los hombres que estaban mojando la puerta. Arrancó un borde de la capa, lo mojó y lo puso sobre el rostro de Filopatros.

—¡Pero esto es pis, que Dios te maldiga! —El griego tiró el trozo de tela y Victor olió el cubo. Se echaron a reír.

—Mejor. Desinfecta las heridas.

—Por suerte no te he pedido de comer, ¡no quiero imaginarme qué me habrías traído!

—Dentro de poco incluso eso te parecerá bien.

Se miraron. Pero no era momento de demasiadas reflexiones. Draco preguntó:

—¿Dónde está el viejo?

—¿Salustio? Sigue corriendo de un sitio a otro —respondió Filopatros—. De momento, aguantamos. Esta noche hemos enviado a muchos a los infiernos. Primero han intentado prenderle fuego al portón y ahora, como puedes oír, están usando un ariete. De momento hay pocos daños, pero es solo el primer ataque.

—Precisamente por eso es conveniente que descanses un poco, *graeculo*. Encuentra agua para esa herida, si puedes. Yo debo terminar la ronda de control de las puertas.

Filopatros asintió y Victor salió corriendo. Halló a Salustio y le transmitió las órdenes de Juliano. Luego se dirigió a la puerta occidental. Por aquel lado la situación estaba más tranquila, pero los defensores habían visto las llamas y estaban ansiosos por saber qué estaba sucediendo en las otras puertas. Victor se lo resumió y los exhortó a vigilar, según las órdenes de Juliano. Luego se marchó.

Al subir a la torre que había dejado algunas horas antes, se cruzó con la triste procesión que retiraba de las escarpas los cuerpos de los caídos en la defensa de Senones. Fuera, el onagro callaba. Los hombres que quedaban, sucios, con heridas y exhaustos, estaban amontonados en el suelo entre las cestas vacías, con los ojos perdidos en la nada. Solo Juliano estaba aún de pie, con la mirada en la llanura.

—Nobilísimo, la puerta vigilada por Salustio...

Juliano se volvió.

—Diría que ha resistido, porque están retirándose.

Victor miró más allá del parapeto. Grupitos de germanos exhaustos arrastraban, bajo el manto de niebla, los últimos heridos para ponerlos fuera del alcance de los defensores.

—En una noche han rellenado el foso, han llegado a las puertas y han intentado desfondarlas con el ariete. Aunque salvajes y borrachos, son muy peligrosos, nobilísimo.

Juliano miró el mapa de Senones. Parecía haber envejecido diez años en una noche.

—Los incendios están controlados.

Salustio, con el rostro como un antiguo pergamino, se frotó los párpados.

—Sí, césar, pero hemos usado demasiada agua. No sabemos cuánto durará el asedio y debemos racionarla.

—Pero el agua hirviendo es un arma excelente. Un herido a menudo sigue batiéndose, pero una quemadura grave detiene al instante al guerrero más fuerte. Esta noche hemos inutilizado a muchos gracias al agua hirviendo y necesitarán tiempo para curarse.

—Es verdad, nobilísimo, pero si bien podemos resistir incluso una semana sin comida, con el agua es muy distinto. No estamos seguros de que el pozo pueda darnos toda esa agua de más. Y los alamanes nos bloquean el acceso al río.

—¿Pero cómo podemos apagar los incendios sin agua?

Salustio hizo correr un dedo sobre el mapa.

—Lo siento, pero tendremos que abatir todas las casas próximas a las puertas. Al menos las de madera.

Juliano lo miró, atónito.

—¡Pero casi todas son de madera!

—Para mantenerlos alejados de los muros —intervino Victor—, podríamos intentar una contraofensiva.

A Juliano se le ocurrió algo.

—Victor tiene razón. Debemos tomar la iniciativa y obligarlos a mantener hombres de reserva porque teman nuestros ataques por sorpresa. Así serán menos los que asalten las murallas.

—¿Y cómo romperemos el cerco?

—Usaremos la estrategia de defensa del imperio, amigo mío. Es inútil vigilar las fronteras, se necesitan demasiados soldados. —El césar se levantó y comenzó a trazar líneas invisibles en el mapa—. Los hombres que defienden las murallas serán nuestros *limitanei*, mientras que en el centro de la ciudad, en el patio del palacio, tomará posición una fuerza móvil. La mitad irán a pie y deberán acudir donde necesiten apoyo los *limitanei* en la muralla. La otra mitad de la unidad irá a caballo y deberá realizar contraofensivas.

—Con tu permiso, nobilísimo, podríamos comenzar de inmediato.

—¿Cómo?

—Con una incursión en su campamento. Esta misma noche.

Salustio y Juliano se miraron, luego asintieron.

—Oigamos.

—Esta noche, en cuanto empiece el asalto, saldré por la puerta occidental con una pequeña escuadra. Daremos un largo rodeo, de modo que los hombres que se hayan quedado en el campamento nos vean llegar del este. Fingiremos ser una banda de salteadores que quieren unirse al banquete. Al menos al principio no deberían sospechar. Hablo su lengua y sé cómo reaccionan. Dame tu permiso y un puñado de hombres adecuados y te mostraré que las tiendas de los alamanes arden mejor que las casas de Senones.

—No creo que haya aquí nadie más que hable su lengua.

—No necesito oradores. Necesito degolladores. —Juliano volvió a mirar el mapa pensativo—. Cuando vean arder su campamento —continuó Draco—, volverán atrás y los infantes de la fuerza móvil saldrán por las puertas y los atacarán por la espalda.

—Así —dijo Salustio, con una sonrisa cruel—, prenderemos fuego a los arietes, recuperaremos unas cuantas flechas y montaremos algunas trampas.

Juliano dio una palmada sobre los hombros de los dos.

—*Fortuna iuvat audaces.*

Un oficial los interrumpió, para pedirle al césar que se dirigiera a las escarpas. Juliano se encaminó hacia allí con el estratega y el *protector* justo detrás de él.

La fina llovizna helada era casi un alivio contra el cansancio y el sueño. De las ruinas de las viviendas quemadas aún subían densos hilos de humo negro.

Juliano subió a la plataforma de la torre oriental, donde lo recibió un lejano estruendo, cargado de hostilidad. Como si lo hubieran reconocido, los germanos alineados en una larga fila alzaron las armas al cielo.

—Están a tiro del onagro, nobilísimo.

El césar hizo señal de que no lo dispararan. Miró a los enemigos sin temblar. Sus gritos componían una especie de cantinela de tonos crueles.

—¿Qué dicen, Draco?

Victor puso atención hacia la llanura.

—Dicen... que se harán con tu cabeza, nobilísimo.

—¿Es mi nombre lo que gritan?

El *protector* asintió.

—¡Mirad!

Salustio señaló a un hombre que se había apartado de la fila. A pie y sin armas, se puso a correr hacia la ciudad. Los arqueros montaron las flechas, pero el general los detuvo. El hombre, jadeante, continuó su carrera y al poco empezó a agitar los brazos gritando.

Salustio lanzó una maldición al reconocerlo.

—Es uno de los mensajeros enviados a Remi.

En aquel momento, de las filas de los alamanes se elevó una nube de flechas. Arrastrado por su impulso desesperado, el hombre que corría cayó hacia delante y quedó con la espalda cuajada de dardos y el rostro hundido en el fango.

De las filas salió un guerrero a caballo. Recorrió un pequeño espacio al galope, lanzó la pica que empuñaba y volvió atrás. La pica vibró un poco, plantada en el suelo, gracias al peso de la cabeza ensartada en el asta.

—Y eso es lo que queda del otro mensajero —afirmó con amargura el viejo general.

—¡Tirad! —rugió Juliano, vuelto a los encargados del arma.

El onagro disparó, liberando toda su fuerza. Los germanos se desplazaron con rapidez, y la piedra solo golpeó el fango. Entre alaridos y risas de burla, el odiado nombre del césar resonó en el viento y llegó hasta la torre.

—Un trozo para ti, uno para ti y uno para ti.

—¿Y tú, Victor?

El *protector* le sonrió.

—Gracias, Suana, pero ya he comido con el césar.

—Mentiroso. Comparte este muslo conmigo.

—¡A tus órdenes, mi soberana!

Dio un bocado y le guiñó el ojo. No le gustaba mentir, pero no quería contarle la salida de la noche anterior. Había hablado con Filopatros, que se ocuparía de la mujer y los niños si Victor no volvía, ya que el griego iba a quedarse en las escarpas sin formar parte de la expedición, porque no veía con el ojo herido. De los soldados que estaban en Senones, Draco era uno de los pocos que sabía dirigir una incursión a caballo. Nunca como en aquel momento había echado de menos a Nevita, Dagalaifo y los *protectores* que cabalgaron con él hasta la colonia Agripina.

Miró a Clodio mostrándole el trozo de pan.

—Si quieres comértelo, dime cómo se llama.

—Pan.

Victor y Suana se echaron a reír, luego el franco cogió al niño, fingiendo luchar.

—¡Pequeño bribón!, lo entiendes todo.

También Ario se lanzó a la contienda y los tres rodaron por el suelo riéndose hasta que el jinete se detuvo.

—¡Piedad, feroces guerreros, sois demasiado fuertes para mí!

Los niños se echaron sobre la comida.

—Pan —repitió Clodio.

—Queso —añadió Ario.

—¿Has visto qué valientes? —dijo Suana.

—¿Y qué más habéis aprendido? —preguntó Victor.

—Draco —dijo el mayor señalándolo con el índice.

Inmediatamente el pequeño corrió a coger el yelmo y dijo:

—Draco.

—Han entendido que eres un guerrero —murmuró Suana pensativa.

«Y los guerreros mueren», pensó el franco. Los niños no lo entendían, pero ella sí. Por eso no quería contarle cómo había ido la salida de la noche. Se puso todo el armamento, ayudado por los niños, mientras Suana guardaba el saco del pan.

—Aún tenemos para algunos días.

«Si no vuelvo, al menos tendréis más pan», se dijo Victor.

—Descansad bien.

El franco se alejó deprisa, antes de que ella le leyera el corazón.

Las figuras de Cautes y Cautopates, los portadores de teas, personificación de la aurora y el ocaso acogieron a Draco a la entrada de la cripta. La difusa claridad en el interior del mitreo parecía emanar directamente de ellos. Entre el humo de los braseros, apareció la figura de Juliano.

—¿Me has hecho llamar, nobilísimo?

El joven le hizo señas a Victor de que se sentara junto a él.

—¿Qué ves cuando me miras?

El *protector* observó durante algunos instantes la móvil máscara de luces y sombras, el rostro de un hombre que había crecido deprisa.

—Veo a un hombre justo, mi césar. Veo a un comandante respetado por los soldados y un soberano amado por sus súbditos.

Juliano esbozó una sonrisa mesándose la barba.

—Viviendo en el miedo desde que tenía seis años, he intentado esconderme detrás de los estudios, como si el conocimiento pudiera protegerme. ¿Sabías que para los antiguos griegos el miedo era una divinidad? Fobos, hijo de Ares, el dios de la guerra. Los espartanos le habían dedicado un templo, donde iban a rezar antes de una batalla. El conocimiento del miedo ayudaba a dominarlo. —El joven miró a Victor.

»En los estudios he descubierto el poder del conocimiento. De los dioses he recibido el don de la espiritualidad y de la fe. Pero el miedo que tenía dentro lo llevé conmigo hasta que conocí a un maestro de espada que habla de cielos estrellados. Un maestro que me ha enseñado a hacer de los puntos débiles del enemigo mi fuerza. Desmontando el miedo en trocitos, como si desmontase una máquina de guerra, hasta hacerla inocua. Y hoy, cuando he oído a los germanos aullar con odio mi nombre, no he tenido miedo. He entendido que Chodomario ha mandado a Vestralpo y sus guerreros a por mí, no por la ciudad. Porque mi nombre comienza a infundirle miedo. Yo, que he crecido temblando, hoy puedo hacerlos temblar. Y eso te lo debo a ti.

Draco inclinó la cabeza conmovido.

—Esta noche quisiera salir a combatir contigo, pero la gente de Senones podría pensar en una fuga. Mi sitio está en las escarpas.

—Es verdad, nobilísimo. Pero haré de modo que desde esta noche los enemigos te teman aún más.

El césar le tendió la mano.

—Te quiero aquí mañana, sano y salvo.

«No es la Frigia, no es el día», pensó Victor.

—Aquí estaré, mi césar.

La luz opalescente de la luna se perdía detrás de un manto de nubes, pero había dejado de llover. Victor se ajustó bien el barboquejo y se volvió hacia los hombres en silenciosa espera: un centenar de jinetes y soldados, reunidos en el patio del palacio. No los conocía, pero esperaba que estuvieran a la altura.

—Tendremos que esperar a que los germanos asalten una de las puertas. Entonces iremos en la dirección opuesta, listos para salir rápidamente y en silencio. Rodearemos la colina encima de Senones, para alcanzar su campamento desde el este. Antes de llegar, nos dividiremos. Diez de vosotros vendrán conmigo para distraer a los centinelas; tenemos que parecer una banda de los suyos llegada del Rin. Luego entraremos en el campamento al paso, tranquilos. Saludad con gestos y dejadme hablar a mí. El resto de vosotros, entre tanto, se infiltrará entre las tiendas siguiendo el río. Todo eso a condición de que nadie nos vea salir de la ciudad, naturalmente; si no es así, nos dirigiremos de inmediato al campamento y lo tomaremos al asalto.

Victor se detuvo a mirarlos, casi uno a uno.

—No vais a batiros como héroes. Cortadle el cuello a cualquiera que os estorbe y destruidlo todo como furias. Prendedles fuego a las reservas de víveres, poned en fuga los caballos, sembrad el pánico. Eso es lo que debemos hacer, de modo que la mayoría de los atacantes se den cuenta e interrumpan el asalto. Así los nuestros podrán salir para recuperar flechas y destruir los arietes. La lluvia de hoy no nos ayudará, el terreno estará enfangado, y las tiendas y los carruajes empapados, pero si atacan ellos, debemos hacerlo también nosotros.

Los vio asentir y agradeció la penumbra que permitía que cada uno le rezara a Fobos sin mostrarlo a los demás.

—En ese momento trataremos de ponernos a salvo para volver a la puerta libre más cercana. Sed rápidos, intentad que no os golpeen y si os hieren, intentad permanecer en la silla. —Hizo una pausa, cargada de significado—. No podemos detenernos a recoger a nadie. Y eso vale también para mí. —El *protector* llamó a su lado a un veterano de mediana edad—. Si yo caigo, él toma el mando. ¿Habéis entendido?

Hubo un coro de síes murmurados, acompañados de gestos con la cabeza.

—Y ahora, no nos queda más que esperar. Quizás esta noche no ocurra nada, el terreno es difícil también para ellos.

Pasó más de una hora. Luego oyeron los primeros gritos, que venían del este, y un instante después llegó corriendo un chiquillo asustado.

—¡Los germanos! —dijo, sin respirar—. ¡Están atacando la puerta oriental!

El *protector* asintió y le puso una mano en el hombro.

—Gracias, mi pequeño soldado. —Se volvió hacia los hombres—. Montad y estad listos para moveros.

En silencio, envueltos en las capas, el rostro inclinado sobre las crines, los jinetes formaron y siguieron el recorrido preestablecido, que habían despejado previamente. De vez en cuando, un caballo resoplaba.

La lluvia volvió a caer, sutil.

Inmóvil en la silla, a pocos pasos de la puerta, Draco esperaba la señal de vía libre.

En aquel momento del callejón salieron unas sombras y el franco sintió el peso de sus miradas. Eran Suana y los pequeños, arrebujados en capas demasiado grandes para ellos. Victor desmontó y se acercó a ellos.

—¿Por qué no me lo has dicho?

—No quería preocuparte más de lo necesario.

—¿No tengo derecho a temer por tu vida?

—Claro, Suana, y mi corazón siente que la aprecias. Pero soy un soldado y en este momento debo batirme, de día y, si es preciso, de noche. Por el césar —hizo una pausa y los envolvió en un abrazo— y por vosotros. Intentaré regresar, pero si mi destino es que muera, que así sea. No me corresponde a mí decidir.

—Es inútil que te pida que renuncies, ¿verdad?

Draco señaló a sus hombres.

—¿Los ves? Muchos de ellos tienen mujer e hijos, y seguro que algunos no volverán. ¿Quieres que los deje ir a la deriva? Solo se muere una vez, dulce Suana. Guarda tus lágrimas para ese día, no para cada vez que me veas ponerme el yelmo.

—Para una mujer es difícil entenderlo.

—Lo sé. —Le acarició la mejilla, húmeda por la lluvia y, quizá, no solo por ella—. ¡Venga! ¿Qué es esa carita triste? Tengo la piel dura, ¿sabes? ¡Y no tengo la intención de dejármela agujerear por un patán germano!

Se oyeron carreras a lo largo de las murallas. El correo era un muchacho apenas mayor que Clodio.

—Un mensaje del general Salustio: han atacado también la puerta septentrional. Es el momento de salir.

El *draconarius* asintió.

—Debo marcharme. —Se inclinó rápidamente sobre los dos hermanos, mudos y ateridos, y les dijo—: Clodio, Ario. ¿Me hacéis oír mi nombre?

—Draco.

—Draco.

Los abrazó.

—¡Muy bien! Ahora id a descansar con mi nombre en los labios y mañana, cuando despertéis, yo estaré con vosotros.

Draco saltó a la silla y levantó el brazo. Los centinelas de la puerta occidental comenzaron a abrir los macizos batientes, que habían sido bien engrasados durante la tarde.

—Victor, prométeme que volverás.

—Ya se lo he prometido al césar, Suana. Ahora te lo prometo también a ti.

Desde la torre, el centinela agitó un estandarte hacia ellos. Era la señal.

—¡Adelante! —dijo Victor espoleando el caballo y seguido por todos los demás hacia la negrura amenazante de la noche.

Se alejaron de Senones galopando contra el viento, bajo una lluvia tan gélida que cortaba la cara.

Draco controló que el pelotón lo siguiera sin disgregarse. En el otro extremo de la ciudad se desarrollaba un enfrentamiento feroz, pero a ese lado de la muralla todo estaba tranquilo. Parecía increíble que los germanos hubieran dejado un agujero en la red tendida en torno al césar, sin embargo... Estaba claro que, como sostenía Salustio, aquellos bárbaros no brillaban por sus capacidades estratégicas.

Se dirigieron hacia el oeste, como habían establecido. Desde la retaguardia vislumbraron a unos hombres en movimiento detrás de ellos. Quizá fueran exploradores que iluminaban el camino con antorchas. Victor consultó con su vicecomandante. Como no sabía si aquellos jinetes los habían visto, decidió atajar en dirección al campamento, hacia el norte.

Los jinetes, abandonando el camino principal y remontando una colina, se ocultaron entre los matorrales. El franco dio el alto. Estaban escondidos tras un cerro, más allá del cual pasaba la vía que descendía a Senones desde el norte.

—Tardaríamos demasiado en llegar al camino que viene desde la colonia Agripina. Pasaremos por aquí.

El *protector* bajó del caballo y se abrió paso a través de un trecho de rocas cubiertas por una densa vegetación. Se asomó para observar el campamento enemigo, ahora cercano. Todo parecía tranquilo. Dio las últimas disposiciones al grueso de sus hombres, que se adentraron en el bosque para alcanzar el río. Se puso a la cabeza del grupo que debía desviar la atención del enemigo. Repitió las instrucciones y luego tocó apenas los flancos del caballo para adentrarse al paso por el camino embarrado.

Cuando ya estaban cerca del campamento, de la maleza salió un hombre armado al que se unieron otros dos. Se detuvieron a mirar a aquel grupo de jinetes tratando de entender quiénes eran. Victor los ignoró y prosiguió al paso. La oscuridad y las cabezas encapuchadas, para protegerse de la lluvia que ya casi era nieve, hacían difícil, si no imposible, reconocer a alguien.

«A partir de ahora debo razonar como un *referendarius* —se dijo Victor—. Alguien que miente, traiciona y ataca por la espalda.»

Desde el campamento llegaron dos germanos a caballo. Se detuvieron a una decena de pasos de distancia escrutando con recelo al *protector*, que avanzaba hacia ellos.

—¡Detente y dime quién eres! —gritó el más robusto de los dos.

El franco tiró de las bridas y el caballo aminoró la marcha.

—Soy Victor, hijo de Klothar de Merseen.

Los dos jinetes alamanes se miraron.

—No te conocemos.

—Vestralpo, en cambio, sí me conoce, creedme. Llevadme donde él, que tengo que decirle algo muy importante.

El germano fornido escupió al suelo.

—¿Quién te crees que eres, pordiosero? Nuestro jefe tiene otras cosas que hacer en vez de perder el tiempo contigo.

—Lo que tengo que decirle le hará ganar tiempo.

—Comienza diciéndomelo a mí.

Victor se volvió hacia los suyos e hizo un gesto con la cabeza. Los hombres, como si estuvieran de acuerdo, se echaron a reír.

—¿Qué os da tanta risa?

—Mira, hermano, el azar quiere que yo conozca muy bien esa ciudad. —El tono del guerrero se había endurecido—. Os hacen escupir sangre, ¿eh? Son gentuza, malos como la peste... Pero casi nadie conoce la antigua galería subterránea que llega... llega... demonios, no me acuerdo adónde llega, pero si Vestralpo me ofrece una buena jarra delante del fuego y me deja ver el color de su oro, estoy seguro de que me volverá a la memoria. ¿Verdad, hombres? —Se volvió y los suyos rieron aún más fuerte.

»Vestralpo no necesita ninguna galería, la ciudad está a punto de caer. Y te aconsejo que dejes de reírte, Victor de Merseen, porque me estás haciendo enfadar.

—Óyeme, esta mañana hemos caído sobre una granja y he

degollado en persona a tres campesinos. Por hoy no necesito más sangre, pero si quieres puedo hacer un esfuerzo. —Mientras hablaba, el *referendarius* había dejado que el caballo avanzara—. O, por el contrario, dime dónde está Vestralpo y cuando hayamos tomado la ciudad, te ofreceré de beber.

—¡Quieto, te he dicho! —le ordenó el alamán a Draco apuntándole con la lanza.

Viendo que estaban llegando otros soldados, Victor levantó las manos y adoptó un tono bonachón.

—Escucha, yo y mis lobos solo queremos oro y mujeres, y sé que allá abajo hay para todos. Una vez cogida nuestra parte, nos iremos tranquilamente. ¿Qué necesidad hay de que nos peleemos?

El otro lo escrutaba, y el *referendarius* casi podía sentir el olor de su desconfianza.

—Está bien, te llevaré con Vestralpo. Pero solo. Tus lobos permanecerán aquí, de pie, y depositarán sus colmillos allí, en el suelo. Y es mejor que no intentéis bromear...

Era una eventualidad en la que Victor no había pensado. Asintió complaciente e hizo señas a los suyos de que desmontaran.

—En cuanto a los colmillos... —Con un movimiento fulminante, Draco desenvainó la espada y la puso en el cuello del germano. El otro abrió la boca, pero el franco, con la misma rapidez, giró la espada y le ofreció la empuñadura al centinela. Luego se bajó la capucha y sonrió—: Como ves, sabemos usarlos. Te confío mi espada, en señal de lealtad, pero los otros las conservarán. Entre nosotros te diré que es más fácil que te cedan los calzones y se vayan con el culo al aire que te entreguen sus espadas y hachas.

El alamán resopló, irritado, luego se encogió de hombros y le hizo señas a Victor de que lo siguiera.

Mientras entraba en el campamento enemigo, el *referendarius* comenzó a memorizar todo lo que veía. Observó los carruajes amontonados en desorden, valoró los espacios entre las tiendas dispuestas por doquier sin ningún criterio, los refugios formados por lonas tendidas sobre bastas estacas... Algunas luces encendidas en las tiendas, aquí y allá; los fuegos del campamento, apagados, olían a humedad. El movimiento era escaso y los pocos que habían quedado en el campamento habían cedido al cansancio o al exceso de bebida. Era la situación ideal.

Con la ayuda de algunas lonas, los restos de una granja se habían convertido en cuadras improvisadas y servían de amparo a varios caballos.

—Y ahora, si quieres verlo, Vestralpo está allá abajo.

El alamán apuntó la lanza en dirección a Senones. Con un nudo en el estómago, el franco se preguntó si serían graves los incendios cuyo resplandor veía desde allí. Era hora de pasar a la acción. El *referendarius* bajó de la silla y se envolvió en la capa. Con la mano derecha empuñó el *scramasax*.

El centinela también desmontó.

—¿No vas corriendo a ver a Vestralpo?

Victor se le acercó.

—Con lo que está cayendo esta noche, me dan ganas de esperarlo al calorcito, quizás en tu tienda.

—Podría matarte por eso.

—Era una broma —dijo el franco. Apuntó con el dedo hacia una tienda y cambió el tono—: ¡Anda! ¿Ese no es el hermano de Vestralpo?

—¿Qué?

El germano se volvió por instinto y fue su último error.

Victor le clavó el *scramasax* en el cuello. La hoja pasó de lado a lado, sofocando el alarido en un gorgoteo de sangre.

Mientras el cuerpo se estremecía en los últimos espasmos antes de la muerte, Draco lo sostuvo, para impedir que se desplomara con estruendo de chatarra. Aprovechando el refugio de los caballos, dejó que el cadáver se deslizara hasta el suelo, sacó la daga y se adueñó de la espada del alamán. A continuación miró alrededor. Entre las tiendas, comenzó a entrever a algunos de sus hombres que avanzaban con cautela. Habían conseguido penetrar en el campamento mientras él distraía a los centinelas. El truco había funcionado.

—Dispersaos —susurró a los suyos—, no deben entender de dónde llega el ataque.

Subió a la cabalgadura, alcanzó el recinto de los caballos y cortó los cabestros. Luego intentó arrancar uno de los palos de apoyo. Los animales resollaban nerviosos.

—¿Quién eres? ¿Qué estás haciendo?

Una mujer de pelo hirsuto lo miraba de reojo desde debajo de un refugio. Victor la ignoró y continuó con su tarea. La mujer levantó la voz.

—¡Eh! ¿Qué estás haciendo?

El palo que sostenía la tosca valla del recinto cedió. Draco entró como una garduña en un corral y pegó algunos golpes con la espada en las ancas de los caballos más cercanos, que relincharon de dolor y salieron del recinto.

La mujer se acercó para regañar al franco pensando que estaba borracho. Al mirarlo vio que tenía un reguero de sangre sobre el rostro y empezó a gritar.

Se había acabado el efecto sorpresa. De una tienda salió un viejo tambaleante, armado con una hoz. Cojeando llegó junto a Victor y la levantó. El *referendarius* espoleó el caballo y lo arrolló bajo los cascos. La mujer, que no dejaba de aullar, se detuvo delante de dos tiendas que se habían prendido fuego. Victor la alcanzó y la traspasó con la espada. «Ninguna piedad, *referendarius*. Esta noche, todos son enemigos.»

Con la punta de la espada rasgó la lona que cubría un carro. Ensartó uno de los sacos, del que salió un reguero de granos de trigo. Llamó a dos de los suyos, que habían matado a un alamán y estaban quemando una tienda.

—Encontrad algunos caballos. Este carro nos lo llevaremos de inmediato.

Tiendas en llamas, gritos de muerte, relinchos... La incursión se convertía en una batalla.

Draco impulsó el caballo hacia una gran tienda, alzó la tela que la cubría y escrutó en la oscuridad. Oyó algunos lamentos, quizás eran guerreros heridos. Derrumbó los palos de apoyo y la tienda cayó sobre sus ocupantes, que comenzaron a debatirse como espectros. El *referendarius* recogió un tizón en llamas y lo arrojó sobre la lona. Lo mismo hicieron un par de atacantes. La tela se prendió y un instante después se oyeron alaridos. Por un lado apareció un guerrero, con el torso envuelto en vendas sucias de sangre. Victor desmontó en un santiamén y lo clavó al suelo.

Mientras sacaba la hoja apareció de la nada un enorme perro ladrando. El caballo se asustó y se dio a la fuga. Victor soltó un juramento y el perro arremetió contra él. Perdió el equilibrio, cayó hacia atrás en el fango y la espada se le resbaló de la mano. El animal intentó morderle en el cuello, pero el franco le asestó un torpe golpe con el *scramasax*, suficiente para ponerlo a la fuga. Jadeando, el *protector* se levantó y recuperó la espada. Tenía que encontrar de inmediato un caballo o no tendría salvación.

A su derecha un carro ardía con un chisporroteo siniestro, ya que las llamas devoraban a la mujer y al niño que se habían refugiado allí. Un guerrero con una flecha en el muslo se le echó encima y cerca estuvo Victor de caer de nuevo. El alamán levantó el hacha, pero Victor la esquivó y le desgarró el vientre con un mandoble.

Empapado, enfangado y jadeante, el franco avanzó, aullando. Le clavó la espada a un joven que pasó a su lado, pero solo consiguió herirlo en el costado. No perdió tiempo en perseguirlo: mejor dejar atrás una estela de heridos necesitados de curas y de alimentos, que un reguero de muertos.

Con la espada se abrió paso en otro refugio hecho de pieles de buey. Dentro había unas mujeres atadas entre ellas. Al verlo chillaron y se arrojaron al suelo implorando piedad. El franco entendió que eran las presas de los pillajes a lo largo del camino de Senones.

Razonando fríamente, pensó que eran más bocas que alimentar, tanto para los alamanes como para el césar. Sin embargo, no podía dejarlas allí. Las mujeres gritaban presas del pánico y le suplicaban piedad. Se inclinó para ver cómo estaban atadas. Una punta de la cuerda apretada en torno al tobillo y la otra enlazada en una gruesa estaca central, imposible de arrancar con las manos desnudas. Se necesitaba algo para partirlo. Buscó hurgando entre montones de trastos y volcó una pila de vasijas, que se hicieron trizas.

Algunos de sus hombres estaban prendiendo fuego a un montón de paja y arrojaban gavillas en llamas sobre las tiendas de alrededor. Se oyó un alarido y de una de las tiendas, entre el humo, surgió un germano bajo y macizo, armado con una gran hacha de dos manos. El hombre atacó por la espalda a uno de los soldados de Senones y se la clavó en el cráneo. El galo arqueó la espalda, ya muerto, antes de tocar tierra.

Mientras el germano hacía fuerza con ambas manos para liberar el hacha, Draco se le echó encima. Con un gruñido satisfecho, el macizo bárbaro sacó el hacha de la cabeza hendida. Luego aulló de dolor y se estremeció con violencia. La espada del *referendarius*, que estaba detrás de él, le salía por el pecho, roja. Victor giró la hoja en la herida y la extrajo de golpe. El bárbaro se desinfló como un saco vacío, salpicando sangre.

El franco recogió el hacha y corrió hacia las prisioneras mientras alrededor se extendía el caos. Con pocos y violentos golpes partió la estaca y cortó las cuerdas.

—Corred, ahora, escapad hacia la ciudad.

Las pobrecillas se dispersaron, gritando. Una de ellas se encontró frente a un germano, que la golpeó con la espada y la mató. Su libertad había sido breve. El asesino vagaba semidesnudo, con la piel del rostro y del torso manchada de llagas violáceas y purulentas. «He aquí los efectos del agua hirviendo de las escarpas», se dijo Victor. Luego decapitó al germano con un preciso golpe de hacha.

Algunas de las mujeres aún le rodeaban, confusas.

—¡Escapad! ¡Venga!

Una muchacha echó a correr y uno de los soldados de Senones, que estaban reuniéndose, la mató de un mandoble. La había tomado por una enemiga. La situación ya estaba fuera de control.

—Están volviendo, *draconarius*. ¡Vámonos!

Era el veterano al que había elegido como vicecomandante. El hombre encabritó al caballo girando la espada enrojecida para llamar su atención. En la confusión, casi se había olvidado de ellos, pero era evidente que los lobos dejados en la puerta del redil se habían comido a los guardias.

Victor contempló el resultado de su trabajo. Había muchas tiendas ardiendo, gritos por doquier y caballos que vagaban asustados buscando una vía de escape. Y más allá del campamento, un tropel de jinetes que llegaban al galope.

Draco alzó un brazo y el arquero que estaba al lado del veterano armó una flecha de fuego que subió directa en la noche. Era la orden de retirada para el pelotón de que había hecho la incursión y la señal de ataque para los defensores de Senones.

Draco tomó impulso y se aferró a la crin de un caballo que vagaba espantado. Apretó los dientes y con un golpe de riñones estuvo sobre la grupa. Necesitó un momento para controlarlo y hacerlo ir en la dirección correcta, luego dio de nuevo la señal.

—¡Vamos! ¡Vamos! ¡Vamos!

Orientó el caballo a través de una tienda en llamas y abatió con un mandoble a unos que intentaron detenerlo. Se dirigió hacia la oscuridad que envolvía el lado occidental de la muralla. La nevisca sobre el rostro era un alivio para la piel, ardiente por las llamas del campamento de los germanos.

Lo habían conseguido. Detrás y en torno a él las sombras de los otros jinetes se dirigían también hacia el que ahora parecía un refugio dorado. De vez en cuando un grito de mujer se elevaba de la hierba y alguien se detenía a recoger a las prisioneras liberadas por Victor.

En las inmediaciones de Senones, el franco alcanzó el carro de grano que había hecho partir. Poco después contarían los caídos y sabrían el precio que los defensores habían pagado por la incursión, pero a juzgar por las llamas que se elevaban del campamento de los alamanes, había valido la pena.

El *referendarius* había hecho lo que mejor sabía hacer: mentir, traicionar y atacar por la espalda.

Victor detuvo el caballo a poca distancia de la puerta. Las torres que la encuadraban estaban repletas de arqueros con las flechas armadas. Recuperó el aliento, antes de pronunciar la consigna.

—Soy Atis y vuelvo de Cibeles, la Magna Mater.

Los batientes se abrieron de par en par y los jinetes entraron en Senones acogidos como héroes. Los guardias los ayudaron a entrar, se hicieron cargo de los caballos y se ocuparon de los heridos.

Draco se desató el yelmo, cerró los ojos y alzó la cara para sentir la nieve sobre el rostro. Quería quitarse el olor acre de la muerte que llevaba en la nariz.

Sus pasos resonaron cansados por los pasillos del palacio. Alcanzó la sala del consejo y entró, sin ni siquiera percatarse de que ya no había guardias en el acceso. La estancia estaba vacía. El *protector* se dejó caer sobre un sillón, tal como iba, empapado y cubierto de fango. Se pasó una mano cansada sobre el rostro lleno de sangre coagulada. El alba gris que emergía por el este marcaba el fin de aquella larga noche. Se quitó el talabarte y lo apoyó en el suelo con la espada. En aquel momento se acordó de que no era la suya. La sacó de la funda sucia y miró la forma del mango y la hoja. Era un arma pobre, simple, de hierro. Con óxido por la hoja y el filo desgastado. Su dueño no la había cuidado mucho y cuando la necesitó no pudo usarla. Draco la devolvió a la funda preguntándose quién llevaría en el costado su hermosa espada. Entonces se abrió la puerta y sus pensamientos se desvanecieron.

El césar de la Galia tenía el rostro marcado por el cansancio, la capa rota y sucia, y la coraza cuajada de salpicaduras parduscas. Pero su sonrisa estaba intacta.

—*Macte virtute esto*, ¡honor a tu valor, Draco!

De pocas zancadas Juliano alcanzó al *protector* y lo abrazó, eufórico.

—He visto las llamas de su campamento. Nosotros mismos les hemos dicho que su casa estaba quemándose. Habrías tenido que verlos, Draco: no sabían qué hacer.

Salustio saludó a Victor con el brazo izquierdo. En el brazo derecho, que tenía herido, llevaba una venda. También Prisco se felicitó por la hazaña. Luego le tocó a Filopatros volver a abrazar a su amigo.

—¿Cómo va el ojo, griego?

—Muy bien, aún está donde estaba antes. —Draco y los demás rieron—. Y, si se me cae, al menos te veré solo a medias, ¡feo franco descreído!

—Corax, deberías hacer de actor de teatro —dijo Juliano sonriendo.

Entró un servidor con una bandeja cargada de copas de vino, cortezas de pan y algunos trozos de queso seco.

—Señores —dijo el césar—, os invito a consumir esta rica comida.

—Humm, ¿y el asado? —preguntó Draco.

—Está en el campamento de los alamanes —replicó el incorregible griego.

Brindaron y el cansancio fue reemplazando a la tensión. Luego el césar abrió el ya gastado mapa de la ciudad.

—Creo que podemos considerarnos satisfechos. Cuando han visto las llamas en su campamento los germanos han temido que nuestras tropas de refuerzo los atacaran por la espalda. Yo mismo he guiado la salida que los ha hecho sentir atrapados. Se han dispersado en todas direcciones. Si hubiéramos sido más, los habríamos exterminado. Hemos cogido algunos prisioneros, hemos recuperado una buena cantidad de flechas y hemos destruido sus arietes. Y para terminar... —dijo el césar dejando escapar una sonrisa maliciosa—, hemos esparcido por ahí una cantidad de abrojos de cuatro puntas.

—Por lo menos mañana aullarán con motivo —dijo Salustio.

—Ha sido una gran noche, esta victoria merece que la celebremos —añadió Juliano asintiendo.

—Tal vez haciendo calentar un poco esta estancia —propuso Prisco.

—Nada de fuegos, debemos ahorrar leña.

—A propósito del fuego —intervino Victor—, en el campamento de los alamanes he visto un ejemplo de la eficacia del agua hirviendo. Las quemaduras son una amenaza terrible. No hay yelmo o coraza que aguante, cuando un líquido candente se mete por todas partes entre las mallas metálicas.

—Usemos la orina —exclamó Filopatros—. Victor me ha curado el ojo con ella.

—Buena idea, Flavio Salustio, ¿puedes dar tú la orden de recoger la orina de humanos y animales? El divino augusto, mi primo, no aprobaría que lo hiciera yo.

Apenas Victor cruzó el umbral, Murrula se le echó encima.

—¡Si supieras cuánto he rezado por ti!

—Alguien te ha escuchado.

La mujer lo miró.

—Esta sangre...

—No es mía.

Suana se estremeció. Miró a aquella criatura que parecía salida de un pantano, una pesadilla cubierta de fango y de sangre mezclados. Las manos, la coraza, el rostro... Pero los ojos no, los ojos claros eran los de Victor.

—Ven, quítate todo eso. —Draco depositó el yelmo y la alforja.

»Ha sido terrible. Estas murallas nos protegen, pero al mismo tiempo son una prisión. Desde las escarpas los soldados gritaban que el campamento de los germanos ardía y se alegraban, pero yo lloraba porque temía que aquel fuego te tragara también a ti.

—Te dije que tengo la piel dura; ni siquiera el fuego la muerde... Verás, pronto llegarán los refuerzos y todo habrá terminado.

—¿Por qué no están aún aquí?

—Un poco de paciencia. —El franco le tendió la alforja—. Aquí hay algo para ti y los niños. Carne salada y queso, directamente de las cocinas de Vestralpo. Que Helios los ase.

—Pero... la orden es repartir la comida entre todos.

—Es verdad —dijo Victor suspirando de alivio cuando ella lo ayudó a quitarse la coraza—, pero he traído a la ciudad un carro de trigo y creo merecer un pequeño premio. ¿Cómo están los críos?

—Duermen; y de vez en cuando, en sueños, susurran tu nombre: «Draco... Draco.»

El *protector* sonrió y se detuvo a mirar a los niños sobre el camastro. Volvió a ver el campamento de los alamanes, y aquel carro que ardía, y la mujer y el niño, envueltos por las llamas... Se vio a sí mismo, el *referendarius*, el asesino despiadado. Había matado, también para salvar al pequeño Ario, y a Clodio, y a Suana.

La muchacha desató los nudos que cerraban la almilla de cuero. Sus miradas cansadas se cruzaron y Victor la acarició torpemente.

—Victor...

—Te escucho...

—Si esto acabara mal...

—No acabará mal.

—Lo sé, pero... si sucediera, moriré contigo y habrá valido la pena.

—Humm, ¿quieres ponerme de buen humor?

Ella le puso un dedo sobre los labios agrietados.

—Te lo ruego, hablo en serio. Haber vivido este poco tiempo contigo, con el miedo de acabar asesinados... Es mucho mejor eso que una vida larga si la vida es... la que vivía en Mediolanum.

—Aquella taberna está lejos, tan lejos como Murrula —le susurró el franco—. Aquí solo veo a Suana.

La mujer se dejó envolver por sus fuertes brazos.

—Me había preguntado a menudo cómo era el amor, ¿sabes, Victor? Y creo que es así, el aire que me falta cuando no estás, el miedo de perderte, la fuerza de resistir sin comida ni agua, con el enemigo a las puertas. Estoy aquí junto a ti y no sé si tendremos futuro, pero soy feliz. Si no es así, ¿qué otra cosa puede ser el amor?

Se deslizaron sobre la cama, y Victor oyó que lloraba quedamente. Se durmió así, con la respiración y las lágrimas de Suana sobre el pecho.

Hacia la medianoche Draco llegó a la carrera a las inmediaciones del cabrestante montado sobre la puerta occidental. Habían transcurrido ya tres semanas desde la noche de la incursión contra los alamanes y no había ni rastro de los tan esperados refuerzos. Como si el imperio se hubiera olvidado de la existencia de Senones.

Después de la contraofensiva los germanos se habían vuelto más cautos. Vigilaban la muralla a la debida distancia y controlaban las puertas día y noche. Juliano ya no pudo ordenar salidas a mucha distancia, solo esporádicos contraataques para retrasar la presión de los asaltos. Los víveres escaseaban, y la ausencia de lluvia y nieve redujo también las reservas de agua. Con el frío y la desnutrición, las enfermedades comenzaron a propagarse. Fiebre, disentería e infecciones se unían a los alborotos en la demanda de un homenaje para las víctimas.

De las piras funerarias que acompañaban a los hijos de Senones a un mundo mejor salía un humo acre y negro.

—Agáchate.

Las cuerdas del cabrestante se tensaron chirriando y los hombres en el árgano comenzaron a levantar la pesada olla colmada de líquido maloliente que hervía sobre el fuego.

Era uno de los cabrestante montados cerca de las puertas, que los hombres llamaban *cabras*. Servían para izar sobre los caminos de ronda los calderos llenos de líquido hirviendo que verterían sobre los asediadores. Cuando escaseaba el líquido recurrían a la arena, que también calentaban.

Los germanos, por su parte, habían construido una gran cantidad de escaleras para atacar los puntos desguarnecidos de la muralla y mantenían siempre lista una fuerza móvil para afrontar las contraofensivas.

Día a día, el precio de la sangre era cada vez más alto, tanto para los asediadores como para los asediados.

—¡Vienen!

El grito de alarma resonó sobre el camino de ronda casi encima de donde estaba Victor, que reunió fuerzas y subió a la carrera los últimos peldaños. Recorrió un pequeño trecho agachado, para protegerse de las flechas que surgían de la oscuridad. Luego vio algunas siluetas franqueando el parapeto y la lluvia de flechas se interrumpió.

El franco hundió la espada en la garganta del primer germano, la extrajo y con un gruñido de rabia decapitó a un segundo, que se había resbalado en un charco de sangre. En torno a él otras figuras luchaban, apretadas unas contra otras, entre el débil resplandor de una antorcha que apenas permitía distinguir amigos y enemigos.

De la otra punta del camino de ronda llegó un segundo grupo de defensores, guiados por el césar y por Filopatros. Pronto solo quedó en pie un germano, un guerrero de fuerza hercúlea armado con un hacha a dos manos. El germano tiró debajo de las escarpas a un soldado con el pecho destrozado. Luego trazó un remolino en el aire en dirección a Juliano. Draco se puso en medio y paró un golpe con la espada en la derecha. Con la izquierda clavó el *scramasax* bajo la axila del adversario. El coloso rugió y lo empujó para abalanzarse sobre Juliano.

El joven estaba preparado. Esquivó un mandoble letal, se inclinó y desde abajo le hundió la espada al germano en el vientre, bajo la coraza. Arrastrado por el ímpetu, metió la hoja hasta la empuñadura, cara a cara, los ojos en los ojos. El bárbaro vomitó sangre y saliva, luego murió con un estertor.

—¿Me buscabas a mí, germano?

El rostro del césar de la Galia estaba trastornado por la furia. Liberó la espada y la pasó por el cuello del cadáver. Recogió la cabeza del coloso y le dio vueltas en el aire.

—¡Ve a decirle a tu Vestralpo que me has encontrado!

Lanzó la cabeza en la oscuridad, con un rugido inhumano. Luego se abalanzó sobre los enemigos que continuaban subiendo.

Inflamados por su ejemplo, los defensores redoblaron los esfuerzos. Algunos soldados blandieron horcones largos de madera y los apoyaron en la punta de las escaleras de los germanos.

—¡Ahora!

Empujaron todos y las escaleras se derrumbaron hacia atrás,

en el vacío. Los alaridos de los asaltantes que caían al suelo se duplicaron cuando el líquido de otro caldero hirviendo cayó sobre ellos, junto con piedras y flechas.

Desde la oscuridad llegó una nueva tanda de flechas alamanas, pero los ballesteros y los arqueros estaban protegidos por tablas de madera cubierta de pieles mojadas.

—¡Estoy aquí, Vestralpo —aulló Juliano, presa de una furia ciega—, ven a traerme tu cabeza, hijo de perra!

—¡Vete de aquí, mi césar!

Una nube de flechas silbó en torno a Juliano. Filopatros alzó una de las tablas delante del príncipe y al instante la madera devolvió una serie de ruidos sordos.

Juliano miró a sus *protectores* y se tranquilizó un poco. En el escudo cubierto de pieles se clavaron más flechas.

—Te lo ruego, nobilísimo, debes ponerte a cubierto —insistió Draco—. Los hemos rechazado.

—Es verdad, césar —dijo un oficial, señalando la llanura—. ¡Se retiran!

Juliano asintió y se puso en marcha, seguido por sus guardianes. A medida que bajaba las escaleras se esforzaba en sonreír a los heridos y les daba ánimos a los soldados que ya parecían resignados a su suerte. ¿Cómo iba a pretender que fueran fuertes si él mostraba debilidad?

Como cada noche, después de la batalla llegaba el momento de celebrar un consejo para valorar la situación.

—¿Cuánto más podremos resistir?

El joven, pálido y marcado por el esfuerzo, se sujetaba la cabeza entre las manos y la voz le salía quebrada, ronca por los gritos de guerra.

En el hielo de la sala, le correspondió responder, por su experiencia, a Salustio.

—También ellos están exhaustos, nobilísimo —contestó el general, que parecía mucho más viejo de lo que era—. Los ataques son menos frecuentes y más imprecisos. En mi opinión, casi han agotado las reservas y en esta época no pueden encontrar víveres suficientes para todos los que son. Las únicas grandes reservas de comida están a buen recaudo en guarniciones o ciudades mucho más defendidas que Senones.

—Eso es, hablemos de esas guarniciones, que parecen desaparecidas en la nada.

El viejo general suspiró. No podía comprender que aún no hubiera ni rastro de la ayuda.

El césar se levantó.

—Admitamos que el único objetivo de Vestralpo sea mi cabeza. —Miró a sus leales—. Aparte de buscar el trofeo, él sabe que si este año he llegado a la colonia Agripina, el año próximo, con las fuerzas adecuadas, podría atravesar el Rin e invadir sus tierras. Puede que en su lugar yo hiciera lo mismo. Pero eso no responde a la pregunta más importante: ¿por qué no se ve ni sombra de un legionario? —Silencio y movimientos de cabeza.

»He reflexionado sobre ello —prosiguió Juliano—. Después de que recuperáramos la colonia Agripina y un buen número de territorios de este lado del Rin, se presentó Vestralpo balando como un cordero, y propuso la paz. Firmada la paz, me privaron con pretextos del grueso de mis fuerzas, que desperdigaron por doquier, y tuve que dejar la ciudad con dos *protectores* y un general, para ponerme a la cabeza de una guarnición de soldados de fronteras en una ciudadela perdida que no interesa a nadie.

—Intuyo a dónde quieres llegar —intervino Prisco, perplejo—, pero te recuerdo que tú mismo decidiste venir aquí. El augusto te quería en Remi, con Marcelo.

—Creo que sabía que habría rechazado ese acomodo humillante.

—César, estás diciendo... —empezó a decir Salustio mirándolo.

—... que Vestralpo está a sueldo de Marcelo, o de alguien aún más elevado, y por eso no hay rastro de los refuerzos. Marcelo va a hacer que este asedio ni siquiera haya empezado.

Hubo un instante de pasmado silencio.

—Perdóname, nobilísimo, pero si te quisieran muerto, sería

mucho más sencillo hacerte envenenar o apuñalar por algún sicario.

—¿Acaso no era lo que iba a hacer Apodemio hasta que descubriéramos sus planes? Inmediatamente después, han llegado los alamanes.

—Quiere decir que ya estaban en camino —objetó el filósofo—, ergo...

—Tienes razón —replicó Juliano— y he reflexionado sobre ello. Creo que los movimientos de Apodemio estaban guiados por los eunucos de la corte de Mediolanum, mientras que el acuerdo secreto con Vestralpo es harina del costal de Marcelo, una harina que podría servir también a los panaderos de la corte.

Lo observaron, perplejos, preguntándose si no estaba, quizá, demasiado cansado.

—Sin embargo, es sencillo —añadió el joven—. Si me mataran ahora, frente a gente que me ama, habría protestas y rebeliones, y todos sabrían a quién señalar. —Abrió los brazos en un gesto cortesano—. Pero si el emperador anunciara, con expresión de dolor, que el césar de la Galia ha caído —heroicamente, se entiende—, con toda su guarnición, combatiendo contra una horda avasalladora de bárbaros...

No concluyó, no era necesario.

—Sin embargo —insistió Prisco—, aquí contigo está la nobilísima Helena. ¿Estimas que el emperador dejaría matar también a su hermana por los germanos?

—¿Quieres que te haga la lista de los parientes que Constancio ha exterminado? —inquirió Juliano, tajante. El filósofo inclinó la cabeza—. Además —continuó el joven—, Vestralpo será una hiena y un traidor, pero no es idiota. Helena prisionera vale diez carros llenos de oro o, acaso, una alianza con el mejor postor, sea Constancio o Chodomario.

—Me duele admitirlo —dijo Salustio—, pero tu razonamiento suena cuanto menos fundado.

—Desde hace casi un mes Senones arde y nadie ve el humo. Desde hace casi un mes no pasa por aquí un correo, un mercader, un condenado peregrino. Nadie. ¿La ciudad ha desaparecido del mapa? ¿O nos hemos vuelto invisibles, por algún prodigio? ¿Todas las guarniciones duermen? ¡Vamos!

El franco se puso de pie.

—Has dicho bien, césar. Vamos.

Juliano lo miró.

—¿Adónde?

—Antes de que llegaran los alamanes, yo me dirigía a Remi —respondió Victor—. Recomencemos por ahí.

—Es una locura —objetó Juliano—. ¿Recuerdas la suerte de los dos correos?

—No tenemos elección, mi césar. Alguien debe llegar a Remi y dar la alarma.

—No te escucharán —dijo Juliano encogiéndose de hombros.

—No, césar —replicó Salustio—. Una cosa es fingir no ver y otra es ignorar una solicitud oficial de ayuda. Marcelo no puede hacer eso.

—Los mensajes se queman, general, y los mensajeros se hacen desaparecer.

—Les escribiremos que ya hemos advertido a las otras guarniciones. Aunque no sea verdad, no podrán saberlo. Y el único que puede llevar nuestra solicitud de ayuda es el *draconarius* Victor.

Juliano miró a Draco.

—No debéis convencerme de que es lo que hay que hacer, lo sé. Pero un hombre solo...

—Es mejor que nada —dijo Salustio.

—Déjame intentarlo, mi césar —rogó Victor—. Si tengo suerte, puede que consiga pasar también por otra guarnición, antes de Remi, y quizá mandar un mensaje a Nevita y Dagalaifo.

—Si los hombres supieran que de verdad están llegando los refuerzos —añadió Salustio—, creo que encontrarían la fuerza para resistir otras tres, quizá cuatro, semanas. De otro modo...

El césar volvió a sentarse. Todas las noches le rogaba en secreto a Mercurio que lo ayudara a tomar siempre la decisión más justa y más sabia. Era tiempo de poner a prueba al mensajero de los dioses.

—Así sea, Victor. Partirás mañana por la noche con un mensaje de ayuda. Y ahora concedámonos algunas horas de reposo, y que cada uno rece a sus dioses, para que protejan a nuestro mensajero.

Noche fría y silenciosa, el viento soplaba del este y los germanos, por primera vez desde hacía días, no venían al asalto.

—Es la noche ideal, nobilísimo. Fría y sin luna.

—Lo sé, Victor. He hecho sacrificar un lechón en el mitreo, una gran riqueza en este momento de carestía.

En la puerta oriental encontraron a Salustio y Filopatros junto a algunos soldados.

—¿Está todo listo? —preguntó Juliano.

—Sí —confirmó Salustio—. He ordenado que no encendieran fuegos a este lado de la muralla y que iluminaran, en cambio, la otra parte de los caminos de ronda para atraer la atención de los germanos, como si estuviéramos preparando una salida contra su campamento.

—Esta noche están tranquilos —observó Victor.

—Ayer sufrieron muchas pérdidas —explicó Juliano—. Quizá quieran someternos por hambre.

Filopatros controló el armamento de su compañero, luego le tendió las riendas del caballo.

—Presta atención, cuando salgas. Entre la primera y la segunda torre, a lo largo de la muralla, a la izquierda, hay un punto en que el foso se ha desmoronado. Pasa por allí, si no corres el riesgo de acabar sobre nuestros abrojos. Y vosotros, los francos, tenéis la mollera dura, pero los pies blandos.

Victor se rio y con ironía dijo:

—Pero tenemos buena vista, *graeculo*, y hoy me he estudiado el recorrido de memoria.

—Bien, entonces... —Filopatros le dio un amigable puñetazo en la coraza—. Que la suerte te acompañe, *draconarius*.

—Gracias. Y a propósito de la vista, ¿cómo tienes el ojo?

—Como siempre. Tu remedio no ha funcionado.

—Debes aplicártelo todos los días.

El griego escupió al suelo.

—Quizá prefiera quedarme ciego y ponerme a tocar la cítara en la corte.

—¿Has saludado a tu mujer, Draco?

—Sí, césar, y también a los dos niños. —El *draconarius* sonrió, incómodo—. Te comunico que el pequeño Ario quiere ser tu futuro *protector*.

—Esperemos que en vez de eso sea un gran filósofo —dijo Juliano sacudiendo la cabeza—. Se necesitan mentes que nos iluminen el camino —suspiró—, en esta oscuridad.

—Creo que son vidas muy distintas —dijo Victor, mirando a Prisco.

—Los filósofos iluminan el camino, cierto —comentó el sabio griego—, y a veces necesitan un *protector*, que los defienda con la espada de quien quiere que el camino permanezca a oscuras. —Puso una mano sobre el hombro del franco—. Buena suerte.

—Interesante discusión —dijo Salustio—, pero es tiempo de movernos. Dentro de poco ordenaré la falsa incursión y nuestro *draconarius* podrá partir.

Victor los saludó uno por uno cogiéndolos por el antebrazo. El último fue Juliano.

—Vuelve.

—Volveré. Y no solo.

La puerta se abrió lo suficiente para dejar pasar a Victor, que sujetaba el caballo por las riendas.

El *protector* buscó huecos para pasar entre los restos dispersos de una batalla sin cuartel. El caballo estaba nervioso, quizá por el hedor de los cadáveres, verdaderamente insoportable también para Victor, que se cubrió el rostro con el borde de la capa. Siguió el recorrido indicado por Filopatros, a lo largo de la muralla, atento a evitar cualquier ruido. Franqueó dos o tres cadáveres y un montón de piedras, luego oyó un susurro que lo hizo pararse.

—¡Victor!

El murmullo venía desde lo alto. La voz del griego.

—Hay movimientos, en el campamento delante de ti. Apártate de ahí.

—¿Qué sucede?

El franco aguzó la vista.

—Yo no veo nada.

—Es mejor que vuelvas atrás.

Draco calculó rápidamente el recorrido.

—Demasiado tarde. Me las apañaré.

—Ahora los veo —susurró Filopatros—. Están llegando.

Con el aliento suspendido, Victor mantuvo quieto el caballo, cada vez más nervioso. Luego los vio. Vagas sombras que se movían, cautas, justo hacia él. El *protector* se pegó a los muros. Si no hubiera ido a caballo, habría podido esconderse entre los cadáveres y quizás habría pasado inadvertido... Pero si dejaba el caballo, la misión habría terminado antes de empezar.

Las sombras avanzaban. Por cómo se movían, debían de llevar escaleras. Un ataque por sorpresa, cuando parecía que hubieran dado una tregua... Y quizá lo habrían conseguido, si no hubiera sido por la misión. Al destino le gustaban las bromas.

—Tienen escaleras, Filopatros.

—Estate listo para moverte, pronto los atacaremos. Deja el caballo donde está y corre hacia la puerta.

—No. Continuaré.

—¡Estás loco! Está lleno de alamanes, delante de ti. ¡Vuelve atrás!

El franco permaneció en silencio. El rumor que venía del campo era perceptible. Pocos pasos más y las sombras habrían estado a tiro de los arqueros.

—Oye, Victor, te levantaremos con el cabrestante.

—El loco eres tú, si crees que me subiré a eso. Mejor los alamanes —dijo el franco conteniendo a duras penas la risa.

De palabra, al menos. Draco hizo un gesto de rabia. «¡Asquerosos bastardos! —pensó—, teníais que llegar justo ahora.»

Luego todo se desarrolló rápidamente. Oyó el silbido de las

primeras flechas lanzadas desde lo alto de los muros. Las sombras se alzaron y se pusieron a correr, gritando. Algunas cayeron, atravesadas, pero otras surgían del suelo, como demonios.

El caballo relinchó. Pronto lo habrían descubierto. El *protector* tiró de las riendas.

—¡Adelante, precioso, o acabarás montado por las posaderas apestosas de un alamán!

—¡Victor! —Era Filopatros—. Procuraremos atraerlos aquí; llega al paso hasta el foso; a simple vista te faltan unos cincuenta pasos. —Los gritos de los arqueros, que estaban tomando posición, taparon su voz—. Dejadme pasar —gritó el griego—; y cuidado de no tirar justo aquí abajo, ¡hay uno de los nuestros!

Las primeras sombras estaban casi bajo la muralla. Levantaron dos, tres, cinco escaleras. Cayó la primera olla de líquido hirviendo. Alaridos desgarradores. Filopatros soltó un juramento y miró hacia abajo. Lo había perdido de vista. No, ahí estaba, el franco había alcanzado el punto donde se había desmoronado el muro. «Que Dios te proteja, descreído. Estamos en tus manos», pensó.

Mientras a su espalda arreciaba el enfrentamiento, Victor tiró el caballo en el foso, atento a no salir de aquella especie de pasarela. Estuvo a punto de tropezar y el caballo se plantó, pero el franco pudo calmarlo. Superó el desnivel hacia arriba, apoyando los pies en el fango endurecido por el hielo, y salió del foso.

Miró hacia las escarpas y dejó que se le llenaran los ojos y los oídos de aquel espectáculo triste y exaltante, hombres contra hombres. Es verdad, los filósofos iluminaban, ¿pero para qué servía un filósofo cuando había que rechazar a una horda de alamanes sanguinarios?

Se sacudió y avanzó agachado. Había elegido un caballo con la manta negra, esperando que fuera invisible.

Se los encontró delante, sin preaviso. Eran tres, y llevaban una escalera. El *referendarius* entró en acción. Un viejo y dos muchachos: estaban cortos de hombres. Una escalera basta, quién sabe si habría aguantado... El viejo germano se llevó la mano al costado e intentó sacar la espada, pero Victor fue más rápido. Desenvainó y dibujó un amplio movimiento circular que encontró la garganta del viejo y la desgarró. Saltó un chorro caliente y oscuro.

Desequilibrados por el peso de la escalera, los dos inexpertos muchachos se miraron. El más joven tenía una lanza. Vaciló un instante, soltó la escalera y cargó. Era veloz. El franco sintió que la punta le rasgaba la capa mientras esquivaba el golpe. En la oscuridad percibió el blanco de los ojos del muchacho. Había reaccionado al miedo por instinto. El franco sintió el cuerpo que le pesaba sobre el brazo cuando el guerrero de una noche exhalaba el último aliento. En el impulso, se había empalado en la espada.

Un grito estridente. El otro muchacho. El *referendarius* arrancó la espada de la carne aún caliente y se adelantó. El segundo muchacho tenía una espada, pero no trató de empuñarla. Tiró la escalera y huyó.

Victor tropezó con la escalera y se cayó. Se levantó de inmediato, soltando improperios, y sintió dolor en el tobillo. El pequeño bastardo habría dado la alarma y empezarían a perseguirlo.

Saltó al caballo, con una mueca de dolor.

El ojo herido le dolía, pero Filopatros seguía combatiendo. Cogió un puñado de flechas del cesto que una mujer temblorosa acababa de depositar junto a él y lo metió en la aljaba. Un instante después, la primera flecha ya había apagado el grito de triunfo de un alamán a horcajadas del parapeto.

Con el ojo bueno miró hacia abajo y captó un movimiento fuera del cuadro que dibujaban los atacantes. Una figura que corría, aullando. Venía de la dirección en que se había esfumado el franco... Lo vio acercarse a los otros germanos, gritar para llamar su atención. En el resplandor tembloroso de las antorchas, vio que empuñaba una espada.

Y si... No, no era posible.

Imaginó a Victor allá abajo, a poca distancia del foso, muerto en el intento de salvar Senones. Y aquel bastardo estaba jactándose... Armó la flecha, se levantó de un salto y tiró.

—Os digo que es un jin...

Un chasquido, un sollozo. El muchacho vio la flecha clavada en su pecho y no entendió lo que pasaba. Murió, sin entender nada.

Los dos o tres guerreros que se habían reunido en torno a él sacudieron la cabeza y se apresuraron hacia la muralla.

Envuelto por la oscuridad, el *referendarius* corría en la noche, inclinado sobre el cuello de su negro animal. Se sentía fuerte, listo para salvar cualquier obstáculo. Si lo hubieran perseguido unos pocos, se habría enfrentado a ellos. Si hubieran venido muchos, los habría despistado. El destino de Senones y de sus defensores estaba en sus manos. El *draconarius* debía salvar al césar de la Galia. Victor, el franco, debía salvar a Suana y los niños. Y el *referendarius*, el alma negra del espionaje imperial, habría ayudado a ambos. Picó las espuelas.

—Volveré.

X

El patíbulo

Diciembre del 356 d. C.

Quinto Fabiano había hecho mucho camino desde que era solo un *centenarius* en Castra Herculia. Después del asesinato de Claudio Silvano tomó el mando de la fortaleza y se la entregó a sus nuevos y poderosos amos. Ursicino lo recomendó al divino augusto para recibir algún tipo de honor y el emperador lo nombró comandante de una unidad de *limitanei* que aquel invierno estaba establecida junto a Remi.

A Fabiano le gustaba estar cómodamente al calor, pensando en su futura carrera, y no le agradaban las novedades. Por eso resopló cuando uno de los centinelas se presentó con una noticia urgente.

—Una patrulla ha detenido a un jinete a cinco millas de aquí, junto al río. Dice que viene de Senones y que debe hablar de inmediato con el comandante.

—¿Senones? ¿Es un correo del césar de la Galia?

—No lo sé. Ha debido de cabalgar día y noche para llegar hasta aquí, porque tanto él como el caballo están exhaustos, le cuesta estar de pie y creo que tiene fiebre. Dice que trae un mensaje urgente, cuestión de vida o muerte.

—Nada menos. —Fabiano suspiró—. Vale, ¿dónde está ahora?

—En la torre del cuerpo de guardia. ¿Quieres recibirlo?

—No. —Quinto Fabiano se arrellanó mejor en el sillón, saboreando el calor del brasero—. Antes haz llamar a nuestro huésped. Estoy seguro de que querrá estar presente también él.

Con una mueca de dolor, Victor se apartó de nuevo del banco.

—¿Cuánto tardará en venir vuestro comandante?

Uno de los guardias que estaban sentados jugando a los dados le hizo señas de que se sentara.

—El comandante está muy ocupado. Te recibirá en cuanto pueda.

—Es importante...

—Claro, pero ahora estate tranquilo.

El franco se estremeció y se arrebujó en la capa sucia. Sentía el peso del cansancio, pero no podía aflojar.

—El césar de la Galia está asediado por los alamanes en Senones —dijo tajante—, pero debe esperar a que a un miserable comandante de un destacamento de *limitanei* le vaya bien atenderme.

—El comandante hace lo que le parece, es verdad —replicó el mismo soldado—, pero lo hace porque él es el que manda.

—Y si mandase yo, te iría peor —añadió el otro.

—Por tanto, cuida lo que dices y déjanos jugar en paz.

Tras el tiempo de una carcajada, entró un oficial y los soldados se levantaron de un salto.

—Desarmadlo y cacheadlo.

Los guardias se apresuraron a obedecer. El oficial examinó a Victor y frunció la nariz.

—Estás muy maltrecho, según parece. Adelante, sígueme.

Salieron y, ya lejos del cuerpo de guardia, el oficial le preguntó en voz baja:

—¿Es verdad lo que se dice del césar de la Galia?

—¿Qué se dice?

—Que ha prometido liberar la Galia, aunque le cueste la vida.

—Es verdad. En este momento está asediado en Senones y no se rendirá, aunque le cueste la vida.

—Los hombres que han servido con él dicen que es justo, que come junto con los soldados y comparte sus fatigas.

—Es verdad.

—Yo soy de Augustodunum. Mi hermano y mi madre viven allí, y me han hablado de él. Si aún están vivos, se lo deben al césar.

—Tienes ocasión de corresponderle, entonces —le dijo Victor cogiéndolo por un brazo.

—¿Cómo?

—Debo hacer llegar un mensaje al comandante Flavio Nevita.

—No sé quién es. —El oficial bajó aún más el tono, mirando alrededor—. No quiero tener problemas ni por ti ni por el césar. Aquí hay demasiados espías. En tu lugar, no esperaría nada bueno.

—Puedo pagar por lo que te pido.

El oficial vio que llegaban unos jinetes y de repente cambió de tono.

—Camina. ¡Venga!

El franco lo siguió hasta un edificio bajo, vigilado por *limitanei* armados.

—Entra. El comandante llegará enseguida.

La puerta se cerró detrás del *protector*. Sacudido por los escalofríos, alcanzó cojeando uno de los braseros que calentaban la estancia y acercó las manos ateridas y sucias a los carbones ardientes. Había cabalgado tres días y tres noches, parando lo mínimo indispensable, y se sentía vacío. La garganta le ardía, tenía el estómago encogido y el maldito tobillo hinchado y dolorido. Si pudiera relajarse un poco y dormir... Se dejó caer junto al brasero y notó su calor. Pero no debía ceder al sueño, no debía...

—Victor. —El franco abrió los ojos de golpe—. Despiértate, Victor.

Delante de él había un oficial, envuelto en una buena capa forrada de piel; pero la voz pertenecía a otra persona. Al *agens in rebus* Apodemio, que lo miraba con una sonrisa de burla.

—Qué mal estás, Victor. La última vez que nos vimos eras fuerte y estabas lleno de arrogancia, ¿recuerdas? —El franco lo miró un instante sin entender nada—. Te miro y me pareces un muerto andante.

El *protector* cogió el pliego sellado que guardaba y se lo tendió al oficial, intentando ignorar a Apodemio.

—Vengo de Senones con una solicitud de ayuda urgente...

—Querías matarme, ¿verdad, Victor?

—... de parte del césar de la Galia y de su consorte, hermana del emperador, que están en peligro de muerte...

—Ha amenazado con degollarme, Quinto Fabiano. Es tu deber arrestarlo —dijo Apodemio arrancándole la misiva de la mano.

—... la ciudad está asediada por una horda de alamanes que...

—¡Guardias!

El oficial que había acompañado a Victor entró seguido por cuatro militares.

—¡Arrestadlo! —gritó Apodemio, que parecía haber tomado el mando.

—¡Dejadme! —Draco intentó soltarse, pero ellos eran cuatro y él estaba demasiado débil—. ¡Debéis advertir al general Marcelo! ¡Los alamanes están en Senones!

—Quitadle esos harapos y cacheadlo bien.

Victor se dirigió a los guardias que lo mantenían quieto.

—Están matando a vuestros compañeros, a vuestra gente.

Los soldados no le hicieron caso y lo tiraron al suelo sin miramientos. Rápidamente le quitaron la capa, la coraza de escamas y la almilla de cuero.

—Atadle las manos a la espalda —ordenó Apodemio— y ponedlo de rodillas.

El franco ni siquiera intentó resistirse cuando le doblaron brutalmente los brazos para atarlo.

—Tiene una bolsa, bien pesada —dijo un guardia.

—Veamos.

Al espía le caía de la boca un hilillo de baba mientras sopesaba la bolsita de cuero delante de la cara de Victor. Uno de los soldados lo cogió por el pelo para mantenerle la cabeza levantada.

—Un buen pellizco, veo. Pero es peligroso ir por ahí con tanto dinero. ¿A quién se lo has robado? ¿Eh? ¿A alguien a quien le has cortado el cuello como querías hacer conmigo? —Silencio—. ¡Controladlo todo, inútiles! ¡Mirad dentro del cinturón, arrancadlo todo! ¡Moveos!

Victor se quedó callado mientras lo zarandeaban bruscamente. Estaba claro que Apodemio les infundía temor también a ellos.

—Hay algo, aquí, en el cinturón —exclamó, triunfante, uno de los guardias. El *agens in rebus* desplegó el pequeño pliego.

—¡Mira tú, nada menos que el sello y la firma del césar de la Galia!

El *protector* renegó para sus adentros. La idea de Juliano era que llevara misivas en blanco con su firma para escribir en ellas lo que necesitara en cualquier momento. El césar era consciente del riesgo de que cayeran en malas manos, pero confiaba en él.

Victor se dirigió a Quinto Fabiano, que hasta ahora se había mantenido aparte:

—¡Al menos tú escúchame, maldición! ¡Es la prueba de que te estoy diciendo la verdad! ¡Al césar de la Galia lo asedian en Senones y debes ayudarle!

Apodemio le soltó una violenta bofetada.

—¡No, esta es la prueba de que eres un criminal peligroso! Has amenazado de muerte a un funcionario del imperio y le has robado al césar de la Galia dinero y misivas firmadas en blanco. Es un acto gravísimo, y para encubrirlo inventas mentiras. Si Senones estuviera asediada, ya lo habríamos sabido.

—Eres tú quien miente, cabrón.

El otro le pegó una patada en el estómago. Victor se dobló hacia delante, sacudido por una arcada.

—No te atrevas a insultarme. —Apodemio empezó a darle patadas mientras estaba en el suelo—. Me acuerdo de tu pie, *referendarius*. ¡Ahora prueba el mío!

El franco escupió sangre y bilis. Sentía que le faltaba la respiración. Apodemio señaló a Victor.

—Es una víbora, Quinto Fabiano. Tenía un puesto al servicio del emperador como *referendarius*. Después de matar al usurpador Claudio Silvano, se volvió codicioso y por lo visto se ha vendido a los enemigos del divino augusto, por el vil metal. ¡Ya has visto cuánto dinero llevaba encima! Ahora tendrá que confesar, antes de recibir el justo castigo. —Se inclinó sobre su víctima, con gesto teatral—. ¿Quieres confesar de inmediato, y acaso pedir clemencia por tus delitos?

Victor no respondió.

—Levantadlo.

Los hombres lo pusieron de rodillas, pero Victor no abrió la boca. Apodemio le asestó una patada en la cara.

—¡Confiesa tus culpas, confiesa que eres un ladrón, un asesino, un traidor!

Silencio, seguido por otra patada.

Lo pusieron otra vez de rodillas y Victor escupió un grumo denso de baba rojiza.

—Mi nombre es Draco, *draconarius* de Flavio Claudio Juliano, césar de la Galia. El césar está en peligro en Senones y debéis auxiliarlo. Si no lo hacéis, todos seréis juzgados y castigados por ello.

Apodemio se abalanzó sobre él y lo golpeó repetidamente.

—¿Cómo te atreves, canalla? ¡Serás juzgado y castigado!

Después de otra descarga de puñetazos y patadas, Victor ya no se movió. El espía le escupió. Luego se recompuso.

—Si aún está vivo, metedlo en una celda. Yo tengo que hablar de inmediato con el general Marcelo, pero estaré de vuelta cuanto antes para interrogar al prisionero. Preparad todo lo necesario y que os vea hacerlo desde su celda.

Antes de salir Apodemio miró a Quinto Fabiano.

—Haz montar también el patíbulo para quemarlo vivo. El juicio ya está concluido y la condena es la muerte.

—Me faltan solo dos días en la celda antes de salir ¿y queréis que los pase con este? ¡Apesta a cadáver!

—Cállate, Kaudios, y agradece al cielo que estás en compañía de un pez gordo: el *draconarius* del césar de Occidente en persona.

Los guardias se reían sin hacer caso de las protestas del detenido. Tenían prisa por jugarse lo que habían conseguido sacarle a Victor. El yelmo, la coraza, las armas y hasta la capa.

Kaudios blasfemó y se quedó escuchando el redoble de los dados sobre la mesa de madera. Le habría gustado jugar una partida y beber una jarra de vino caliente, en vez de acabar pagando en la celda la enésima semana de castigo por indisciplina. ¿Qué podía hacer si la disciplina no era su fuerte?

Oyó un lamento a su espalda y se volvió para echarle un vistazo al tipo semidesnudo que habían tirado en el suelo junto a él. Se le acercó y después de un momento sacudió la cabeza.

—Que el Dios de los cristianos me perdone, amigo, pero estás hecho una mierda. ¿Qué es eso tan malo que has hecho?

Victor recuperó el conocimiento y se acurrucó en un rincón temblando.

—Eh, vosotros, mirad que este revienta. ¡Venga, ponedlo en otro sitio!

—Jódete, Kaudios.

Carcajadas y sonido de dados.

El soldado resopló. Cogió al herido por los pies para apartarlo del rincón en que estaba amontonada la paja que le servía de jergón. Luego se inclinó y observó la cara. Pero era él... ¿Era posible?

—Yo a este lo he visto antes.

—Sí, en Castra Herculia. —Quinto Fabiano estaba delante de la celda—. Abrid la puerta.

El comandante del destacamento entró en la celda.

—Sacadme de aquí a este gandul un rato —dijo, señalando a Kaudios—. Debo controlar al prisionero.

Quinto Fabiano se inclinó sobre el exánime *protector*. Tras un instante de duda, había reconocido a Victor. Se acordó del franco y de su encuentro en Castra Herculia. El entonces *centenarius* le dio un sólido de plata al *protector* para obtener información antes que nadie y poder decidir en el momento correcto de qué parte estar. Y antes de que Claudio Silvano fuera asesinado, Quinto Fabiano había recibido dinero, instrucciones y promesas de carrera, que luego se habían cumplido.

El franco era el artífice indirecto de su fortuna, pero si hubiera contado que Fabiano se había dejado corromper tan fácilmente, Apodemio habría sospechado. Quien se había vendido una vez, podía venderse de nuevo y quizás era preferible que no hubiera hecho tanta carrera. Por eso estaba allí Quinto Fabiano, no por Victor, sino por su propia carrera.

—¿Me oyes, *draconarius*? —Con esfuerzo, el franco volvió a abrir los ojos y asintió—. No creería a Apodemio aunque me dijera que me llamo Quinto Fabiano —dijo el oficial, en voz baja—, pero tengo las manos atadas, ¿lo entiendes? Dentro de pocos días ese bastardo volverá y si no te encuentra seré yo quien acabe en el potro de tortura. No sé qué quiere hacerte decir, pero con sus métodos confesaría hasta un mudo. Y a estas alturas puedo decírtelo: después de la tortura te espera la hoguera. —Victor se estremeció, pero no dijo nada.

»Lo único que puedo hacer por ti, a cambio de lo que tú hiciste por mí en Castra Herculia, es ahorrarte los sufrimientos. —Fabiano cogió la mano hinchada y enrojecida de Victor y depositó algo en ella—. Con esto será como dormirse. Y allí donde irás, Apodemio ya no podrá hacerte nada. Piénsalo.

—Senones... —dijo Victor musitando palpando la pequeña ampolla de vidrio—. El césar...

—Pero ¿no has entendido que a nadie le importa tu Senones? Hemos recibido la orden de estar encerrados aquí con la tropa durante todo el invierno. Pobre de mí si saco la nariz fuera del campamento. Y la orden viene directamente del general Marcelo.

—Encuentra a Nevita... por... el césar.

—¡Al diablo también el césar, no es él quien me paga!

Irritado, el oficial comprobó que no lo hubiera oído nadie; seguro que Apodemio tenía algún espía entre los guardias.

—Hazme caso, bébete eso y tus preocupaciones habrán terminado.

Victor miró a los ojos a Quinto Fabiano, luego estrelló la ampolla contra la pared.

—Peor para ti, *draconarius.* —El oficial se levantó y salió.

»Vosotros, gandules, preparad los instrumentos de tortura y haced que los vea, que sepa lo que le espera. Y tú, Kaudios, vuelve a la celda o te doy una patada en el culo.

Draco se despertó con un estremecimiento, acompañado de sudores fríos. Todo su cuerpo aullaba por el dolor. Se abrigó con la manta... y recordó dónde estaba. Su compañero de celda dormía poco más allá, acurrucado en un rincón. Había renunciado a la manta.

—Kaudios.

—¿Qué quieres? —preguntó bostezando.

—Gracias por la manta.

—Lo que sea, con tal de fastidiar a ese hijo de puta de Fabiano —dijo Kaudios desperezándose—. ¿Te acuerdas de mí, pues?

—Me acuerdo. Castra Herculia.

—Exactamente. Solo que entonces escoltabas a un general. ¿Qué has hecho para acabar así?

—Es una larga historia. Ahora soy uno de los *protectores* del césar de la Galia.

Kaudios se rio.

—¿Ves adónde te lleva, a veces, hacer carrera?

—Tú, en cambio —Victor tosió—, siempre limpiando mierda de un modo u otro.

—Aparte de su carrera, lo único que le interesa a ese bastardo de Quinto Fabiano es castigarme.

—Lo detestas, ¿verdad?

—Si quieres decir que lo quisiera muerto, entonces sí, lo detesto.

—¿Quieres joderlo?

—Si pudiera...

—Yo puedo ayudarte. —Con una mueca de sufrimiento, Victor se arrastró junto a él.

—¿Tú? ¿En esas condiciones? Venga...

—Hoy te liberarán, ¿verdad?

—Sí, pero...

—Intenta que te asignen una misión por la que tengas que salir del campamento. Cualquier cosa, basta que te permita coger un caballo. Luego parte lo más rápido que puedas. Debes llegar a Senones.

—¿Me estás pidiendo que deserte, *draconarius*? —preguntó Kaudios con los ojos como platos.

—Te estoy pidiendo que ayudes al césar de la Galia. Él te protegerá.

—¿Como está protegiéndote a ti? —Kaudios resopló—. ¿Y qué puedo hacer yo solo?

—Él no es como esta gentuza sin escrúpulos. Él defiende a los débiles; él quiere luchar por esta tierra. Necesita nuestra ayuda, la ayuda de hombres como yo... y como tú.

—¿Sabes qué quiere decir esto, verdad? Si me cogen, acabo en la hoguera —replicó Kaudios señalando el tatuaje de la unidad que tenía en el hombro.

Lentamente Victor desplazó la manta y le enseñó la cicatriz que tenía en el hombro.

—Al pasado se le puede poner remedio, Kaudios. Lo que está hecho no se puede deshacer y llevamos sus marcas. Pero podemos intentar hacerlo mejor.

—¿Eres un desertor?

—Soy Victor, hijo de Klothar de Merseen, *draconarius* del césar de la Galia.

—Lo siento por ti, Victor, hijo de Klothar, pero lo tienes mal. No quisiera estar en tu lugar en los próximos días.

—Lo soportaré, Kaudios.

—¿Por qué?

—Porque tengo un objetivo. Una razón para combatir, y también para morir si es necesario. —Kaudios permaneció en silencio—. Allí afuera los alamanes queman tu tierra y solo hay un hombre que intenta detenerlo. Se llama Flavio Claudio Juliano y desde que lo nombraron césar de la Galia está sudando sangre por esta tierra. Pero si quieres pasar el resto de tu vida dejando que Quinto Fabiano te pegue patadas, hazlo.

El soldado pareció reflexionar.

—Dices que la ciudad está asediada. Admitiendo que yo consiga acercarme, ¿cómo hago para entrar sin que me acribillen a flechazos?

Victor le susurró algo al oído y añadió:

—Es la consigna. Entenderán.

Se callaron al oír voces y pasos de los guardias. Kaudios se acercó a los barrotes. Con un ruido estruendoso los hombres depositaron delante de la celda una gran mesa donde se amontonaban ganchos, pinzas y tenazas.

—Todo eso es para ti, *draconarius*.

Victor se levantó como pudo. Ignoró a los guardias y sus burlas crueles y se acercó a su compañero de celda.

—Sal, Kaudios —dijo uno de los soldados abriendo la puerta de la celda—. Quinto Fabiano te espera para dar parte. Creo que hay que limpiar las letrinas.

Draco lo miró a los ojos. Susurró una sola palabra, cubierta por las carcajadas:

—Senones.

El guardia cerró la puerta y saludó a Victor.

—Dentro de algunos días saldrás también tú —le dijo con una mueca—; a trozos.

El suelo estaba lleno de desechos. Restos de animales, miembros putrefactos, trozos de terracota, flechas partidas, montañas de cenizas... Filopatros vagaba entre todo aquel caos, hurgando aquí y allá con la punta de la lanza y prestando atención a dónde ponía los pies. Se detuvo a escrutar las colinas boscosas a lo lejos; luego volvió la mirada a las sombrías murallas de Senones, que parecían flotar sobre una alfombra de neblina. Levantó la lanza, señal de que no había peligro.

Avanzaron otras figuras con cautela y se dispersaron por los campos que rodeaban la ciudad. A la cabeza estaba Juliano.

—Se han marchado de verdad, Filopatros.

—Sí, césar.

El griego movió la cabeza, aún incrédulo, y miró el vasto claro en el que hasta el día anterior se hallaba el campamento de los alamanes.

—El Señor ha escuchado nuestras plegarias.

—Yo creo que también debemos agradecérselo a Marte —le dijo el joven príncipe—, que ha dado fuerza a nuestras espadas.

Era un momento demasiado feliz para discutir sobre el origen de los favores celestiales. Lo que contaba era que los alamanes se habían marchado. Nadie sabía por qué, pero después de un mes de asaltos ininterrumpidos los enemigos habían desmontado el campamento y se habían puesto en camino hacia el Rin. Quizá se les habían terminado los víveres y habían perdido demasiados guerreros, mientras que aquella que debía ser una presa fácil se había convertido en un bocado demasiado grande.

Los soldados y los habitantes de Senones se habían quedado mirando, incrédulos, desde las escarpas durante un día entero, pensando que era una trampa. Al día siguiente, el príncipe había hecho salir algunas patrullas de exploradores y luego él mismo cruzó aquellas murallas, que ya no eran una prisión. A Claudio Flavio Juliano lo llevaron como triunfador y lo aclamaron como liberador de la Galia. Flavio Claudio Juliano, liberador de la Galia.

—Filopatros, coge tu infalible arco y elige una decena de cazadores. Necesitamos caza fresca. Esta noche celebraremos con un banquete en toda Senones la retirada de los enemigos.

—¡Llega alguien!

El griego se puso delante del césar, con la lanza en ristre. De la bruma salió un jinete al galope y se dirigió hacia ellos.

Una veintena de soldados se reagruparon para defender al césar, desenvainaron las espadas y tensaron los arcos.

El jinete se acercó. Estaba solo, no empuñaba armas y parecía llegar de un largo viaje.

—Soy Atis —gritó Kaudios sin aliento— y vuelvo de Cibeles, la Magna Mater.

—*Draconarius*, te lo digo a ti. No hagas que yo pierda, ¿eh? —El guardia depositó un trozo de pan seco y una jarra de agua en la celda—. He apostado que resistirás las torturas y te asarás en la hoguera; así que échale cojones.

El otro carcelero, que llevaba la coraza de Victor ganada a los dados, señaló al prisionero con la cabeza.

—Pero ¿no ves cómo ha quedado? Está demasiado débil, en cuanto le metan un gancho en las tripas, revienta. Ya los has perdido, tus sólidos.

—¡Pues le traigo más pan!

Acurrucado en un rincón, Victor trató de ignorarlos. La fiebre le iba bajando, pero estaba tan débil que le costaba incluso mantenerse de pie. La coraza de escamas que llevaba el guardia le recordó la coronación del césar en Mediolanum, la gran ciudad, la multitud, los carros en el circo... y el griego, Filopatros, y la borrachera que acabó en riña en el burdel... Murrula. Sus ojos tristes, la cabalgada en aquel frío día de invierno. Volvió a verla encima de él, estremecida... Y Suana, en Senones, cansada y hambrienta, pero capaz de hablar de amor. Y los niños, Clodio y Ario. Casi no sabía quiénes eran y, no obstante, en aquel momento habría dado cualquier cosa por abrazarlos de nuevo.

Senones. ¿Y si la ciudad hubiera caído? Otro asalto nocturno, un golpe de mano, una puerta abatida.

No, no podía ser. Porque detrás de aquellos muros estaba la férrea voluntad de Juliano. El muchacho lento y torpe que no sabía sostener una espada, pero había seguido ejercitándose, bajo la mirada despreciativa de los oficiales de Constancio. El muchacho solo, crecido en el miedo que se había convertido en el césar de la Galia que infundía miedo, sobre todo a quien habría debido estar de su parte, a quien habría debido sostenerlo y estaba tramando cómo eliminarlo por mano de los alamanes. Alamanes, galos, griegos, romanos... Victor pensó que la frontera entre los buenos y los malos no era el Rin, sino una línea mucho más sutil que corría entre los justos y los injustos.

Caballos al galope, muchos. Se acercaban. Quizá con el *agens in rebus* estaba también Marcelo con su escolta.

El momento había llegado.

—Ayúdame —murmuró para sus adentros mientras el corazón comenzaba a latir con fuerza—; ayúdame a soportar todo esto.

No se lo pedía a Dios ni a Mitra. Se lo pedía a Juliano. Juliano, el justo.

El fragor de los cascos había aumentado, como si los caballos estuvieran entrando en la prisión. Y había voces y gritos que se cruzaban, confusos, no entendía lo que pasaba. Cerró los ojos. Le había dado sentido a su vida. Había llegado el momento de dárselo también a la muerte.

—¡Adelante!

Una voz atronadora, los guardias que se preguntaban unos a otros, gritos y pasos a la carrera acercándose y aquel con la coraza de Victor que llevó la mano a la espada.

Una patada poderosa abrió la puerta, descerrajada por un soldado con el rostro cubierto por el yelmo. Se abalanzó gritando sobre el guardia que ya tenía media espada fuera de la funda y lo empujó contra el potro de tortura. El desgraciado sintió la punta en la garganta y se apresuró a pedir piedad.

Entraron diez soldados e inmovilizaron a los otros guardias, que se cuidaron mucho de oponer resistencia.

—Victor, ¿dónde estás?

—¡Aquí!

El soldado del yelmo llevaba una capa cubierta de fango, bajo la cual se vislumbraba la púrpura. Se lanzó contra los barrotes como si quisiera desgoznarlos.

—¡Las llaves!

Con la espada en el cuello, el guardia que se había quedado la coraza de escamas encontró de inmediato la llave correcta.

El soldado con el yelmo abrió la puerta. El césar de la Galia abrazó a su *draconarius*.

—Ya está, Victor, estoy contigo. ¡Morirán, morirán todos!

Juliano y su séquito se encaminaron hacia el pretorio a paso de marcha. Consumidos, andrajosos y sucios, llevaban las señales y el olor a muerte de un mes de asedio y tres días a caballo sin pausa.

Al ver el dragón del césar, los centinelas habían abierto las puertas de la fortificación. Los hombres se habían quedado atónitos cuando apareció Juliano, el hombre del que hablaba toda la Galia, al galope y empuñando la espada.

A lo largo de la avenida se agolparon dos regimientos de militares, en completo silencio. El césar estaba flanqueado por un soldado con un ojo vendado, que sostenía el estandarte imperial y lo precedía un guardia de frontera con el rostro oculto por un yelmo con máscara. Flavio Claudio Juliano caminaba en medio de los suyos, sucio como ellos, demacrado como ellos. Era uno de ellos. Algunos murmuraron su nombre, otros se arrodillaron.

El césar se presentó a los guardias del pretorio, que se apartaron y se inclinaron a su paso. El guardia del rostro cubierto abrió la puerta de una patada.

Quinto Fabiano salió a comprobar el motivo de tanto alboroto. Tal como estaban, los soldados que se encontró no habrían podido desfilar en una parada militar, pero tenían miradas de asesinos. La mirada más feroz de todas estaba en los ojos del hombre que lo cogió por el cuello y lo estrelló con violencia contra la pared.

—Responde a esta pregunta: ¿por qué mi mensajero estaba en tu prisión? —Juliano se lanzó contra el escritorio y tiró todo al suelo, documentos y objetos—. ¡Te he hecho una pregunta!

—Yo no he dado la orden, nobilísimo.

—¿No? ¿Y entonces quién manda aquí? —El césar lo cogió por la túnica—. Uno de mis hombres arriesga la vida para salvar una ciudad del imperio del ataque de los enemigos y alguien lo pone en prisión. ¿Quién ha sido?

—Yo... —Fabiano tragó saliva—, ciertamente no, nunca me habría permitido, pero Apodemio ha dicho que...

Silencio.

—¿Has dicho Apodemio? ¿Dónde está ese gusano?

—Ha ido a Remi, donde Marcelo, es él quien me ordenó arrestar a tu hombre. Dijo que era un *referendarius* del emperador que se había vendido al... al enemigo por dinero, y...

—¡Y así lo has puesto en la celda y has ignorado mi mensaje!

—César, tenía unas cartas en blanco con tu sello. Seguro que quería venderlas a...

Juliano le dio un revés.

—¡Idiota!

El joven dejó al oficial y se alejó unos pasos. Un momento más y lo habría matado. Se lio a patadas con los documentos esparcidos por el suelo.

—¡Idiotas manipulados por corruptos, a eso se ha reducido el imperio! ¡La corte es corrupta, los funcionarios son corruptos, los espías son corruptos, los generales son corruptos! Y si tú no eres corrupto... ¿cuál es tu nombre?

—Quinto Fabiano, nobilísimo, yo...

—... Y si tú no eres corrupto, Quinto *Idiota* Fabiano, es solo porque eres idiota, ¡tú y todos los que son como tú!

—Pero...

—Calla y prepárate. Te traslado. Coge todos los carros que tengas, ex comandante, llénalos de comida y toma la vía de Senones. ¡Ah!, claro, no conoces el camino. No te preocupes, mis hombres te escoltarán.

—Pero yo tengo orden de...

—Tú, ahora, tienes mi orden de hacer lo que te he dicho, ¡o te hago colgar! —Juliano estaba fuera de sí.

»Vete, hay mucho trabajo que hacer en Senones. Es preciso reconstruirla pero la guarnición y los habitantes están exhaustos. Ellos han combatido; por tanto, ahora quienes se partan la espalda serán los gandules que se han quedado aquí, al calorcito, mientras allí se combatía. ¿Me has entendido?

—Sí, nobilísimo, sí, claro.

—Bien. Le presentarás un informe a tu nuevo comandante, que está aquí, conmigo.

Juliano señaló al soldado del rostro cubierto por la máscara.

Quinto Fabiano sintió un escalofrío, que contrastaba con la sonrisa de Kaudios.

Marcelo llegó al destacamento seguido por su guardia a caballo. Junto a él cabalgaba Apodemio, seguro de su triunfo.

El cortejo recorrió la vía principal hasta el pretorio. El general dio el alto delante de un palo rodeado por una pila de leña.

Seguidos por los oficiales, Marcelo y Apodemio pasaron por delante de los centinelas del pretorio y entraron sin preocuparse de llamar a la puerta del despacho del comandante.

—Os esperaba.

El césar de la Galia, gélido, estaba sentado en el escritorio de Quinto Fabiano.

—Nobilísimo... —dijo Marcelo, después de un primer momento de embarazo—, he venido en persona para asegurarme de que todo...

Se interrumpió. Juliano no respondió, estaba observando a Apodemio, que, a su vez, escrutaba a los guardias de frontera que, armados, se habían quedado en el umbral.

—Estoy contento de encontrarte con buena salud y ver que no son ciertos los rumores...

—Sí, los rumores —rio el césar—. ¿Generales o comadres chismosas? ¿Acaso ya me dabas por muerto, general?

—Ciertamente no, nobilísimo, me refería a los rumores infundados sobre Senones.

—Senones está viva, Marcelo, y resurge donde fue construida por hombres cuyo nombre no eres digno de pronunciar. Los alamanes asediaron Senones, sus habitantes y yo la defendimos. —Juliano se detuvo a mirarlo con desprecio—. Y los generales cobardes e incapaces, o quizá peor, la abandonaron a su suerte.

—¡Eso es mentira, nobilísimo!

—¿Ah, sí? Ve a decírselo a las viudas y a los huérfanos de Senones. Estoy ansioso de ver cómo miran a quien los llama mentirosos.

—Por lo que pudiera ser, estaba preparando una columna de auxilio, por si los rumores...

—Si Escipión hubiera tenido tu misma diligencia, Aníbal habría llegado al Capitolio —ironizó Juliano.

—Las operaciones militares no se pueden improvisar, nobilísimo. Hay que planificarlo todo, y tú lo sabes perfectamente.

Juliano se levantó de golpe.

—¡Lo que yo sé es que en treinta días de asedio no he recibido ayuda de nadie!

—No sabía del asedio, pero en cuanto el valiente Apodemio me ha informado, he acudido con la máxima rapidez para hablar con tu mensajero.

—¿Quieres decir mi *draconarius*? Por desgracia, no te resultará posible hablar con él. Ha muerto a causa de los golpes. Y eso ha ocurrido porque no habéis creído en mi carta.

El general y el espía intercambiaron una rápida mirada. Juliano pensó que estaban aliviados. Marcelo sacudió la cabeza y se justificó:

—Lo siento, pero el hombre no tenía buena reputación. Había robado al *agens* Apodemio y lo había amenazado de muerte, y, de hecho, al llegar lo agredió. Yo debía verificar en persona sus intenciones.

—Es una lástima que haya muerto —añadió Apodemio.

Juliano se le acercó lentamente.

—Lástima, claro. He visto con qué instrumentos queríais aseguraros en la prisión y también he visto la hoguera montada aquí fuera. —El espía, impasible, no dijo nada. El cesar prosiguió—: Debes saber que la condena a muerte aún se puede ejecutar. El patíbulo está listo, y también el condenado.

—No entiendo, césar... —intervino Marcelo.

—Solo falta la fecha de ejecución. —Juliano ignoró al general. Sus ojos estaban fijos en el espía—. Cuando lo decida, en ese patíbulo acabarás ardiendo tú, Apodemio. Tienes mi palabra.

De golpe, les tendió el anillo para que lo besaran. Marcelo obedeció, mientras que Apodemio titubeó. El príncipe cerró el puño y empujó la gema sobre la boca del *agens in rebus*.

—Venga, espía de los eunucos, rinde homenaje. Finge que lo haces, solo será la enésima mentira de tu sucia vida.

Marcelo captó la lucha de miradas y trató de aplacar los ánimos antes de que la situación degenerara.

—Nobilísimo, estoy seguro de que se trata de un malentendido, que nuestro amadísimo augusto, sin duda, sabrá aclarar.

—Nuestro amadísimo augusto está en Mediolanum. Y yo estoy aquí.

—Pero, como sabes, el mando del ejército...

—Ha sido confiado a ti, Marcelo, lo sé. Pero exijo que se despliegue de modo que cuanto ha sucedido en Senones no vuelva a ocurrir.

—Ciertamente, nobilísimo.

—A partir de mañana, discutiremos de esto, general. Puedes alojarte aquí, en el pretorio, yo me acomodaré en el cuerpo de guardia.

—Tengo compromisos improrrogables en Remi, por desgracia, de modo que...

—¿Quieres que escriba a mi amadísimo primo y le diga que no te interesa la defensa del imperio, general Marcelo? Solo te pido algunos días, luego podrás volver a Remi.

Marcelo asintió, furioso. El mocoso tenía algo en mente, pero de momento no era prudente contrariarlo. Los hombres de Juliano eran más numerosos, y ante la más mínima orden lo habrían despedazado a él y a todo su exiguo séquito.

El césar recorrió uno de los caminos de ronda entre los barracones de los soldados y se detuvo en una puerta vigilada por dos guardias, dos de los hombres de Senones, curtidos por el asedio.

La estancia se calentaba con un brasero y la iluminaban dos lámparas de aceite. El césar despidió al médico y a su ayudante. En una cama improvisada, el *protector* esbozó una débil sonrisa.

—¿Cómo estás?

—Mejor, nobilísimo. Dentro de algunos días estaré de nuevo a tu lado.

Juliano cogió un escabel y se acomodó junto a la cama.

—Filopatros ha partido hace tres días hacia Vienne, para acompañar al eunuco Euterio a Mediolanum lo antes posible. Lleva consigo un informe detallado sobre todo lo que ha sucedido aquí, que he escrito junto con Prisco y Salustio. Euterio es la persona adecuada para presentárselo al emperador y resaltar lo que hemos obtenido entre pocos y sin apoyo. —Juliano le hizo un guiño—. Además, el inefable Euterio presentará una obra encomiástica que he compuesto en Senones, antes del asedio y durante él, dedicada al propio emperador. Nunca ha sucedido que un césar celebrara el valor del emperador en un documento oficial. Debería bastar para estimular su desmesurado egoísmo.

—Espero que no hayas sido demasiado sincero, nobilísimo.

—A mi manera. Le he atribuido virtudes que no posee, empezando por la dulzura y la moderación, y luego he escrito exactamente lo contrario de lo que pienso de él, de todo eso que desearía decirle a la cara. —El *protector* se echó a reír y la risa le hizo toser de inmediato—. Intenta curarte, Victor, te necesito.

Al llegar a la puerta, el césar se volvió.

—Aunque su presencia me revuelve el estómago, he entretenido aquí a Marcelo y Apodemio con un pretexto para que Filopatros pueda sacar la ventaja suficiente para llegar a Mediolanum antes que sus esbirros.

—Buena jugada, mi césar.

—¡Ah!, otra cosa: por lo que a ellos respecta, tú estás muerto.

—No estoy seguro de entenderte, nobilísimo.

—No pongas esa cara —le replicó Juliano—. Si Apodemio te cree muerto, ya no intentará matarte y serás libre de moverte en la sombra. Desde ahora, hasta el momento del resurgir, serás una sombra. Serás Draco, la sombra del césar.

XI

El puente sobre el Rin

Abril del 357 d. C.

—¡Quietos! ¡Quietos, me rindo! —Había intentado huir, pero los dos eran rápidos. Lo alcanzaron y saltaron sobre él—. ¡Me rindo!

—¡Draco combate, no se rinde!

Victor se dejó caer en la hierba, con Ario y Clodio agarrados a sus piernas. A poca distancia, Suana los miraba, sonriente.

El franco y los dos niños se sentaron para recuperar el aliento en la hierba primaveral, cerca de las murallas de Senones. El asedio del invierno era un recuerdo lejano.

Juliano y su séquito habían regresado a la ciudad con una legión de *brachiati*, y habían llevado víveres y madera. Todos se habían empeñado duramente en reconstruir lo que los alamanes habían destruido.

El césar había hecho todo cuanto había estado en su mano para ayudar a la población. Ahora la Galia entera lo veneraba y todos los días llegaban voluntarios de todas partes para enrolarse en su ejército.

De vez en cuando, los campos devolvían los despojos del asedio: flechas partidas, yelmos abollados, espadas oxidadas y restos de cuerpos sin nombre ni rostro.

El césar de la Galia no podía darle cargos oficiales a su *draconarius*, que para Marcelo y Apodemio, aún al mando de la

Galia, estaba muerto. Sin embargo, le correspondió con una generosa compensación, gracias a la cual el *protector* vistió con los mejores paños de la Galia a Suana y a los dos chiquillos, que ahora vivían con ellos. Dos caballos de guerra y nuevas armas acrecentaron su fortuna, junto con reservas de buena comida, para borrar el desagradable recuerdo del hambre.

Llenos de entusiasmo por su nueva vida, Ario y Clodio empezaron a hablar en latín. Volvieron con Victor a la granja de la que habían huido y vertieron algunas lágrimas delante del montón informe de escombros ennegrecidos, sobre los que despuntaban verdes manchas de vegetación primaveral.

—Es tiempo de volver a la ciudad —anunció Victor— y el que llegue el último cepilla los caballos.

Había visto la señal desde la vieja torre de observación. Llegaban visitantes por el norte.

Los tres varones corrieron, riendo, dejando a su espalda a Suana, que no conseguía mantener su paso. La mujer inspiró el aire de primavera tratando de saborear aquel momento de serenidad recuperada.

Desde que Victor había vuelto a Senones pasaban mucho tiempo juntos. Solo esperaba que durase largamente...

Miró al suelo, la mancha amarillenta de una prímula, y vislumbró la punta oxidada de un abrojo que sobresalía del terreno. Un paso, y lo habría pisado.

El peligro se ocultaba por doquier, incluso detrás de una maravillosa jornada de primavera.

—Han llegado unos correos —dijo Salustio—. Esperemos que traigan buenas noticias.

El estratega y el *protector* entraron juntos en la sala de audiencias de Senones. Juliano ya estaba esperando, en el centro, sentado en su sillón habitual.

Pasos en las escaleras. Un guardia abrió la puerta, se apartó a un lado y dejó pasar al mensajero. El soldado se arrodilló delante de Juliano y se quitó el yelmo.

—Bienvenido, Corax.
—Gracias, mi césar.
En el rostro del griego estaba impresa la fatiga del largo viaje y también el recuerdo indeleble de una noche de las del asedio: la cicatriz de una flecha incendiaria debajo del ojo con el que ya no veía.
—Me han entretenido en Mediolanum mientras Euterio defendía tu causa —dijo de un tirón Filopatros—. Hasta la semana pasada no me dieron permiso de partir para traerte resultados de la encuesta. No he podido verlo en acción, pero me consta que Euterio ha jurado por su cabeza que serás el súbdito más fiel del emperador mientras vivas, mi césar.
Filopatros le tendió al joven príncipe una misiva con el sello imperial.
—No conozco el contenido del mensaje, nobilísimo, pero he cabalgado noche y día para que lo tuvieras lo antes posible.
Juliano abrió la carta y le echó un vistazo. Cerró un instante los ojos y la releyó con atención. Los otros intentaban percibir algo en su rostro. Luego el príncipe se puso de pie.
—Marcelo ha sido destituido. El ejército de la Galia pasa a mi mando.
Los gritos de alegría hicieron temblar incluso las antiguas murallas. Conmovido, Juliano se abrazó con sus leales, comenzando por Salustio, que tenía las mejillas enrojecidas.
—¡Victor! —El griego lo miraba con el único ojo como si hubiera visto un espectro. El franco le asestó una ruda palmada sobre los hombros.
—Te encuentro bien, Filopatros.
—Pero... ¡en Mediolanum se dice que estás muerto!
Todos rieron, también el *protector*. Pero en un rincón de su mente, pensó que solo alguien con buenos contactos en el espionaje podía saber de su muerte. Si el griego los tenía era porque formaba parte de él...
—Esa es la prueba —dijo el césar, solemne— de que no todo lo que se dice en Mediolanum es verdad.

—Te echaré de menos, Victor.

En la penumbra de la estancia, después del amor, el susurro de Suana era una caricia para la piel del hombre.

—¿Qué quieres decir?

La mujer lo estrechó contra sí.

—Lo noto, ¿sabes? Te agitas como un potrillo. No ves la hora de partir.

—Yo... no estoy habituado —le dijo Victor acariciándole el pelo.

—¿A qué?

—A la quietud, a la serenidad. Necesito estar en tensión para sentirme vivo. Tengo que cabalgar en tierra enemiga, vivaquear bajo las estrellas y dormir envuelto en la capa con la espada al lado. —Se sentó y extendió los brazos—. Las murallas no hacen que me sienta protegido. Me hacen sentir preso.

—¿Tanto te pesa acostarte aquí, a mi lado?

El franco suspiró.

—No, es muy hermoso, pero hay que conquistarlo todo. Yo necesito estar alerta, listo para atacar o para defenderme. Soy un depredador, Suana. He nacido así, ese es mi destino.

Ella le rozó el pecho con los dedos. Draco era un guerrero. Era difícil hacerle entender cuánto amor sentía por él.

—Durante toda la vida he sido un objeto que usar, a disposición de quien tenía algunas monedas. También tú llegaste con algunas monedas, para comprar mi cuerpo unas horas. Luego sucedió algo y ahora me siento libre. Estoy contigo y siento que... que no usas mi cuerpo. Y creo que esto que ahora existe, vive, respira entre nosotros es... amor.

Incapaz de encontrar las palabras, el *protector* la estrechó aún con más fuerza, casi le cortaba el aliento.

—Tuve una cadena al cuello hasta el día en que te conocí —siguió Suana—, por tanto, no seré yo, desde luego, quien te ponga una a ti. Vete, Victor, ese es tu camino. Y alguna vez, al acostarte solo, con la espada al lado, piensa en Suana, a la que has hecho libre y feliz.

Encabezando a sus veteranos, Dagalaifo entró en la ciudad por la puerta norte entre la multitud dispuesta en dos filas, erguido y arrogante. Sonreía satisfecho a las muchachas más hermosas mientras la gente de Senones saludaba con entusiasmo a los jinetes cubiertos de hierro reluciente.

La columna avanzó al paso hasta el palacio, donde Draco esperaba a su amigo con los brazos cruzados.

—¡Maldición! —exclamó el rubio germano—. Había oído que estabas muerto, Victor, hijo de Klothar de Merseen, pero algo me decía que no era verdad.

—No puedo morir hasta que tenga el permiso del césar de la Galia.

Los dos soldados se abrazaron, con un orgulloso choque de corazas.

—Me habéis echado de menos, ¿verdad? ¡Eh!, si hubiera estado yo, el asedio habría terminado en siete días, no hubiera durado treinta.

—Tienes razón, Dagalaifo. Estoy seguro de que te habrías batido como un león... ¡y quizá no habrías echado toda esa barriga!

Ya en la sala de audiencias, Dagalaifo se arrodilló para besar el anillo del césar.

—Estoy aquí con gran alegría, nobilísimo, listo para servirte.

—¿Cómo puedo agradecértelo, valeroso Dagalaifo?

—Creo que una copa de vino le vendría bien —intervino Nevita—, pero dos serían mejor.

—Ah, el valiente Flavio. He aquí de dónde provenía el olor a estiércol, que el césar me perdone —gruñó Dagalaifo.

Juliano se rio con ellos. Sí, era un buen día. Sus hombres de confianza en torno a él, unidos como los dedos en un puño, y había desaparecido la sombra malévola de Marcelo. Helios, el Sol, estaba a punto de refulgir más alto que nunca. Con una señal, el nuevo comandante del ejército de la Galia los reunió en torno al mapa dispuesto sobre la mesa.

—El que me ha precedido perdió el tiempo —empezó el césar—. A nosotros nos corresponde recuperarlo. ¿Estáis de acuerdo? —Todos asintieron, convencidos.

»Como sabéis, nuestro amado emperador ha ideado un plan para detener el avance del enemigo en la Galia. Un plan igual al del año pasado, y al del anterior. Sabemos cuánto éxito han tenido.

—Lo saben los habitantes de Senones —dijo Salustio, sosegado.

—Tienes razón, Flavio Salustio. —El césar apoyó las manos sobre el mapa y comenzó a moverlas lentamente, la una hacia la otra, y explicó—: El plan prevé formar una mordaza que se cierre inexorablemente sobre las tribus germánicas, las aplaste y las obligue a rendirse. Desde el sur está llegando el valeroso general Barbacion, que partió de Italia en los primeros días de primavera con un ejército de treinta mil hombres. Ha superado los Alpes y se ha adentrado en el país de los helvecios, luego se dirigirá hacia el Rin para presionar al enemigo por el lado opuesto al nuestro. —Los miró, estaban todos atentos y concentrados.

»El punto débil del plan es, naturalmente, la desigualdad de fuerzas. Si dejamos desguarnecidas las provincias del Rin inferior, los francos y los sajones podrían aprovechar la frontera indefensa para realizar incursiones como las de los alamanes. En resumen, debemos empujar el grueso de los enemigos hacia el ejército de Barbacion, pero tenemos menos de la mitad de sus hombres. Todo ello a mayor gloria de Constancio, que obtendrá una victoria sin moverse de Roma.

Tres semanas más tarde, el césar estaba escribiendo a la luz de la lámpara de aceite cuando Nevita entró en su tienda.

—Mensajeros de Lugdunum, nobilísimo, y con pésimas noticias.

—Habla.

—La ciudad está asediada por una gran legión de lentienses.

Juliano se inclinó inmediatamente sobre el mapa que tenía abierto sobre la mesa de trabajo.

—¿Cómo es posible que hayan llegado a Lugdunum? ¿Nos hemos movido de Senones en dirección al Rin para empujar las tribus germánicas hacia el oeste y ahora se encuentran a millares detrás de nosotros, en el centro de la Galia?

—Parece que sí, mi césar. He aquí el mensaje firmado por Florencio.

El césar lo leyó deprisa.

—Da la alarma, Nevita. Quiero tres escuadrones de caballería ligera listos para partir hacia Lugdunum. Los mandarán Valentiniano y Bainobaude. Nosotros iremos hacia el sur con los infantes y tomaremos posición en las principales vías que llevan de Lugdunum al Rin para cortar cualquier vía de escape. Manda mis *protectores* adonde está el general Barbacion. También él debe hacerse fuerte delante del Rin. No es suficiente con detener a los lentienses, quiero aniquilarlos. Y pobre Barbacion si me pone palos en las ruedas.

—Habrías debido verla, Victor, una nubia de piel oscura como la noche. Ojos de gata, labios turgentes pintados de rojo... Y dos tetas, ¡ah!, que Dios me perdone, dos tetas grandes como melones, una locura...

—No te excites demasiado, *graeculo*, aquí no tenemos nubias y tendrás que solazarte solo...

—Sí, pero ¡qué sabréis vosotros, los francos!, que montáis a las ovejas de la aldea en medio del estiércol...

El franco se rio a carcajadas. Filopatros prosiguió el relato de sus visitas a los burdeles de Mediolanum.

—Me lo he gastado todo, por suerte un viejo camarada me ha prestado algo de dinero...

—¿Y cuándo piensas devolvérselo?

El griego bebió un sorbo de agua de la cantimplora colgada de la silla.

—¡Ah!, no hay prisa, la próxima vez que pase por Mediolanum...

—Podrías morir antes.

—En tal caso, saldaré la deuda en los infiernos.

—Eres un cabrón, amigo mío.

Victor escrutó los alrededores, sobre todo el bosque a lo largo de la vía. Puso atención para captar posibles ruidos sospechosos.

—Y ahora que recuerdo, me debes una bonita moneda de oro, antes de acabar en el más allá.

—¿Por qué?

—¿No te acuerdas? Apostamos una moneda de oro en Augusta Taurinorum. Tú decías que no llegaríamos a la colonia Agripina con el césar.

—Por una vez que no mientes, franco, deberías recordar también que nuestro nobilísimo debía llevarnos ante el terrible Gigas en persona —replicó Filopatros alzando las manos—. ¿Tú lo has visto, por casualidad?

—Era una manera de decirlo.

—Una moneda de oro no es una manera de decirlo. Muéstrame a Chodomario, el gigante, y pagaré.

—¡Cabrón!

Filopatros se rio. El sol estival se ponía detrás de una hilera de árboles situados a lo largo del camino que los conducía al campamento de Barbacion.

—Sea como fuere, el muchacho conseguirá batir a tu Gigas.

—Ha crecido deprisa —dijo el griego asintiendo.

—He tenido ocasión de verlo en acción, de oírlo opinar, emitir sentencias, en resumen, todas estas cosas que nosotros, la soldadesca, no conseguimos hacer bien, y siempre me ha parecido que decidía lo mejor. Y sé que muchos notables piensan lo mismo.

—Para él es fácil, tiene el poder...

—Porque lo ha conquistado. Al principio, todos creíamos que solo era un fantoche y en cambio... Y respecto a los soldados ocurre lo mismo. Ha renunciado a cualquier privilegio de su rango. Duerme al relente sobre una estera, envuelto en una manta. Come lo que comen los soldados, se adiestra del alba al ocaso y de noche estudia. ¡No puedes negarlo, Filopatros!

—También hace otras cosas, de noche —mascullió el griego.

—¿Qué quieres decir?

—Que reza a Mercurio. Y también a Mitra.

—Que rece a quien quiera.

—Eres un blasfemo. En su posición no puede renegar del ser divino superior y rebajarse a practicar ritos de idólatra. ¿Quieres que volvamos a hacer sacrificios en los altares del dios Sol y de toda esa pandilla de divinidades prohibidas?

—¿Y qué? No es asunto mío.

—¡Cómo puedes decir eso, Victor! ¿De verdad quieres vivir en la eterna condenación? ¿No te importa cómo te presentarás ante Dios el día del juicio?

Victor suspiró. Era mejor cuando el griego contaba inverosímiles historias de putas.

—Deja que viva mi vida como me parezca, Filopatros. Yo vivo, combato y amo; amo a las mujeres, el vino, el oro. He vertido sangre en nombre de un emperador al que no le importa nada de mí y, por lo que a mí respecta, el día del juicio será el día que me encuentre con una espada más veloz que la mía. Y después, luz o sombra, quién lo sabe... He viajado, y he visto hombres y mujeres que creían en algo, un dios celestial, el Sol o un árbol. He visto a los fieles de un dios degollar a los de otro, y viceversa. Siempre en nombre del dios verdadero mientras que el otro era falso. Eso es, Victor, hijo de Klothar de Merseen no cree, porque no tiene la verdad aquí en la alforja. Mi verdad soy yo. Por lo demás, que cada uno crea en la suya y bebamos juntos una copa de vino. Seguro que también Dios la saborearía con gusto. ¿No crees, griego?

El griego escupió al suelo, enfurruñado.

—Hablas como un adorador de los antiguos cultos, que creían que cualquier rayo, cualquier nube del cielo era otra divinidad. Siguieron así durante siglos, hasta que la verdadera fe nos iluminó con la gracia de Dios. Dios nos ha creado y nosotros le pertenecemos, en la Tierra y en el cielo. Solo somos sus sirvientes fieles y debemos merecernos la salvación, que, sin duda, no corresponderá a quien coquetea con la idolatría, el sacrilegio y la siniestra superstición.

—Mira a tu espalda, Filopatros. —El griego se volvió por instinto. Nada, salvo sus rastros sobre el sendero—. ¿De verdad no has visto la estela de cadáveres que tienes detrás! ¿Crees que los tuyos valen menos que los míos solo porque eres cristiano?

—Yo soy un soldado de Dios y creo en Él —respondió el griego, con dureza—. Y quien no crea en Él, no entrará en su reino.

—Yo soy un soldado del césar y creo en él mientras no me decepcione —replicó el franco—. Si solo por eso tu Dios no me quiere, paciencia. Quizá no merezca la pena conocerlo.

—No blasfemes, franco. ¡No pongas a prueba mi paciencia, que no es tan infinita como la del creador! —le increpó Filopatros tras detener el caballo.

—¿Sabes qué pienso? —Victor había aflojado el paso para hacerle frente—. Que tú y los que son como tú, en el fondo, tenéis mucho miedo a morir. Y un Dios que os promete la inmortalidad os excita más que una nubia de labios rojos.

—¡Eso es demasiado, franco!

—Jódete.

Filopatros desenfundó la espada.

—¡Quietos, bajad las armas!

La orden gritada con voz metálica venía de los árboles. Los dos *protectores* miraron alrededor. También Victor desenvainó la espada.

—¿Queréis morir, soldados?

—Salid fuera y dejaos ver —dijo el *draconarius*.

En el suelo, delante de ellos, se clavaron todas a la vez media docena de flechas con un ruido sordo.

Victor controló el caballo, que se había puesto nervioso, y se puso a pensar. Si hubieran querido atacarlos, lo habrían hecho. Por tanto, no estaban en peligro inmediato...

Del boscaje surgieron media docena de arqueros y otros tantos legionarios con los arcos y las lanzas preparadas. Se dispusieron en semicírculo en torno a los dos jinetes, a la expectativa. Un instante después apareció un oficial escoltado por su guardia. El hombre observó a los dos *protectores* y asintió.

—¿Puedo saber quiénes sois?

Era un romano de unos cincuenta años, sin coraza y en vez

del yelmo llevaba un *pilleus*, un sombrero de fieltro. Su túnica estaba ricamente bordada y la espada en el costado era dorada, con la funda cubierta de gemas. Un patricio; o un comandante.

—Somos correos, señor.

El oficial intercambió una mirada con los suyos.

—Pero los correos corren, ¿correcto? Vosotros, en cambio, vais al paso, como si tuvierais todo el tiempo del mundo. Hace rato que os estamos vigilando y no hacéis más que discutir, y vais como los caracoles. —Los soldados se echaron a reír—. ¿Cuál es vuestro destino?

—No puedo decirlo, señor.

Victor le tendió a uno de los soldados el salvoconducto con el sello imperial de Juliano.

El oficial lo leyó y luego observó a los dos jinetes, con aire burlón.

—Hombres, he aquí a los héroes al servicio del césar de la Galia. —Los arqueros y los legionarios se rieron de nuevo y bajaron las armas—. Pues como yo estaba esperando a los correos, diría que vuestro viaje ha terminado. Además, solo hay germanos. Soy el general Barbacion, a las órdenes del augusto Flavio Julio Constancio.

Victor y Filopatros envainaron las espadas, desmontaron y le entregaron al general el despacho de Juliano.

Barbacion rompió el sello y leyó, sin dejar traslucir ni la más mínima emoción. Luego se encaminó hacia el bosque.

—Bien, seguidme. Os confiaré mi respuesta para el césar. —Se volvió para mirarlos—. Pero no temáis, podéis regresar con calma, no es necesario que corráis.

Victor comenzaba a estar harto de que se burlaran de aquel modo, pero no le quedó más remedio que aguantarse.

Tendido sobre un montón de heno, cerca del recinto de los caballos, Victor mordisqueaba una pajita. Poco más allá, el griego estaba sentado, silencioso, con la mirada en el vacío.

—¡¿Quieres decirme algo, Filopatros?!

El griego se encogió de hombros.

—Siento... haber perdido los estribos así... —Resopló—. Si el césar fuera cristiano, todo sería perfecto.

El *draconarius* se rio.

—Si tú no fueras cristiano, también todo sería perfecto.

—¿Ves? Hablar contigo es inútil, ¡es perder el tiempo! —exclamó Filopatros poniéndose de pie. También el franco se levantó sacudiéndose el heno de encima.

—Ya que hablamos de tiempo, han pasado casi dos días y aún estamos esperando la respuesta de este general sin coraza para nuestro césar.

—Debe de ser una carta muy larga —dijo Filopatros encogiéndose de hombros. Draco le dio un empujón.

—¿Es posible que en medio de esta panda de griegos e itálicos no hayas conseguido un poco de información? Son casi todos cristianos como tú, ¿no? ¿Entonces?

—Nadie sabe nada. —dijo Filopatros sacudiendo la cabeza—. Si hubiera algo que no funciona habría conseguido saberlo, al menos de los griegos.

—Vosotros, los griegos, sois unos mentirosos, todo el mundo lo sabe.

—Pues yo no le daría la espalda a un franco ni aunque estuviera muerto.

—Basta de bromas. ¿Y si nos escondieran algo? Hoy he visto partir a unos correos, quién sabe adónde se dirigían.

—Si el plan es atenazar a esos jodidos germanos con una mordaza y si el césar ha puesto en movimiento todas sus fuerzas para bloquear la retirada hacia el Rin, también Barbacion deberá hacer su parte, ¿no? Tendrá que empujar a los lentienses hacia la trampa, ¿no?

—¿Has mirado a tu alrededor? —dijo Victor con tono cortante—. El ejército de este general está encerrado en su bonito campamento fortificado. —Bajó la voz para seguir—: Ayer oí a dos marineros hablando. Eran de la flota del Rin y decían que las naves están ancladas.

—Quizás es lo que el césar les ha pedido que hicieran —apuntó Filopatros.

El *draconarius* se rio.

—¡Buena idea, enfrentarse solo a los lentienses mientras treinta mil soldados están aquí sin hacer nada!

En aquel momento vieron que en la entrada occidental del campamento había un gran grupo de jinetes.

—Ven —dijo el franco—. Vamos a ver si nos enteramos de lo que sucede.

Mezclándose entre el barullo, Filopatros se dirigió a uno de los centinelas, un griego de la región de Antioquía.

—¡Qué lío, hermano! ¿Es siempre así? Yo esperaba estar un poco más tranquilo...

—Pues lo siento por ti —le contestó el centinela entre risas—. Parece que están llegando los germanos, por la vía que viene de Lugdunum. Están a una decena de millas de aquí, y son muchos.

Filopatros le agradeció la información y le guiñó el ojo a Victor.

—Aires de batalla, parece.

—Preparémonos —dijo el franco.

Se pusieron las corazas y ensillaron los caballos. La forzada inmovilidad de los últimos dos días los había puesto nerviosos y quizá lo que necesitaban era acción.

El campamento parecía desperezarse, pero las órdenes de batalla tardaban en llegar. Habían cerrado las puertas y algunas unidades estaban alineadas en formación de defensa, como si tuvieran que salir de un momento a otro. Al atardecer aún estaban a la espera.

—¿Entonces? —preguntó Victor.

—Nada.

—¿Cómo es posible? ¿Están todos dormidos?

Filopatros escupió al suelo.

—No entiendo. Barbacion ya habría debido lanzar la caballería contra los germanos, pero lo único que ha hecho es cerrar las puertas.

—Solo podemos hacer una cosa —le dijo Victor mirándolo fijamente.

—No me lo digas.

—Sí. Vámonos.

Filopatros miró alrededor y arrugó la nariz.

—Dentro de poco estará oscuro —dijo Draco—. En cuanto salga una patrulla de exploradores, los seguiremos. Nadie se dará cuenta.

—¿Has pensado que lo que está haciendo Barbacion podría responder a cierta táctica, o a algo que escapa a nuestro entendimiento?

—Óyeme, si esto responde a alguna clase de táctica, yo soy el hijo de Escipión —replicó Victor cogiéndolo por los hombros—. Eso de la tenaza es falso. El césar está moviendo un brazo, arriesgándose a un enfrentamiento frontal con los lentienses, pero el otro brazo de la tenaza está aquí dentro, y no parece tener la intención de aplastar ni siquiera a una mosca.

—Casi parece que quisieran permitir que los germanos pasen el Rin sin molestias —concluyó el griego.

—¿Ves como no eres tan estúpido, griego? ¡Tenemos que avisar al césar!

Esperaron todavía un poco, hasta que cayó la noche.

Un ruido de cascos, caballos al paso. Una patrulla de una veintena de jinetes hacia la puerta occidental del campamento. Filopatros vio que Victor saltaba a la silla. Rezongando se apresuró a atarse el yelmo.

—O por los romanos o por los germanos, pero acabaré muriendo a manos de alguien de tanto seguirte.

Victor apenas tocó los flancos del caballo.

—Al menos morirás por algo por lo que valga la pena morir.

El griego espoleó su caballo para alcanzar a su amigo, que ya se había lanzado sobre la estela de la patrulla.

Los centinelas estaban a punto de cerrar la puerta tras los exploradores cuando vieron que dos jinetes llegaban al galope.

«Nos tomarán por dos rezagados», había pensado el franco. Era un riesgo, pero al menos calculado.

—Moveos, holgazanes —los incitó un guardia.

Filopatros le dirigió una señal de saludo cuando salió al galope detrás de Draco.

Los soldados de las torres de guardia se preguntaron, perplejos, cómo era que aquellos dos habían cogido la dirección opuesta del resto de la patrulla.

—¿Estáis seguros de lo que decís?

El ruido sordo de la tormenta se apagaba a lo lejos y habían aparecido los primeros claros de azul.

—Sí, nobilísimo —respondió Filopatros—. Lo he visto con mi único ojo.

—Barbacion se ha encerrado en su campamento y finge no ver —añadió Draco—. Varias veces a lo largo del trayecto hemos debido escondernos para evitar las bandas de lentienses que se movían en dirección al Rin y, por el camino, saqueaban las granjas que se encontraban.

El césar habló con el tono de voz cortante que anunciaba un estallido de ira. Se ajustó la capa empapada y se dirigió a Nevita:

—Manda de inmediato a Valentiniano y Bainobaude con la caballería adonde está ese imbécil de Barbacion. Quiero que disponga una barrera a lo largo del río, para detener el avance del enemigo. Ningún germano debe salir vivo de la Galia.

En los días siguientes, el ejército del césar volvió a ponerse en camino sobre los pasos de la caballería, que se había lanzado en persecución de los germanos. A los contingentes dispersos al norte del territorio vigilado por Barbacion los hizo ir hacia el Rin a marchas forzadas, donde acosaron sin tregua a los lentienses, en un feroz goteo de asaltos y letales emboscadas. Ninguno de los bárbaros que habían llegado hasta Lugdunum se salvó, como era voluntad del césar. Solo el gran río interrumpió la implacable persecución por parte de las fuerzas de Juliano. El resto de los lentienses tomaron posiciones en algunos islotes a lo largo del Rin y una parte de ellos incluso consiguió pasarlo siguiendo los bajíos, que la estación estival había hecho practicables.

—Se han atrincherado en aquellos islotes, ¿lo ves, césar? —Agotado por el calor estival, Dagalaifo se quitó el yelmo y lo usó para señalar el centro del río.

—¿Cómo han llegado allí? —preguntó Juliano irritado.

—Han improvisado algunas barcas, pero rudimentarias. Más que nada, creo que han encontrado un vado.

—Por tanto, también nosotros podemos encontrarlo, ¿correcto?

Nevita se secó el sudor que le caía a chorros por la frente y dijo:

—Aunque pasemos el río, no disponemos de avituallamiento para lanzarnos a fondo a un avance. Necesitaríamos la ayuda de Barbacion y su flota fluvial.

—Si hasta ahora no se ha movido —reflexionó Juliano en voz alta—, ¿por qué debería hacerlo ahora? No creo que su actuación sea por iniciativa propia. Tengo que pensar, por tanto, que está siguiendo las órdenes del emperador. No, él no pasará el río, pero debe mandarnos las naves. —Miró a los dos *protectores*—. Espero que vosotros dos podáis resistir un poco separados. Corax, coge una escolta y ve a pedirle las malditas naves a ese astuto intrigante de Barbacion. —El griego asintió y se puso en marcha—. En cuanto a ti, Draco, debes encontrarme un vado.

—¡Te lo ruego, franco —gritó Filopatros mientras montaba a caballo—, si ves que vas a ahogarte, pide perdón por tus pecados!

Bainobaude desplegó el mapa a la luz de la lámpara de aceite. En torno a la mesa, el césar de la Galia y sus comandantes, Valentiniano, Nevita, Dagalaifo y Arinteo, tenían los ojos puestos sobre Victor, que estaba terminando de secarse. Con el torso desnudo y el pelo chorreando, el franco examinó la carta y señaló con el dedo un recodo del río.

—Aquí. —El césar se inclinó para mirar—. Hay un primer tramo profundo, luego el fondo sube y se puede avanzar a pie. Pero para llegar a la isla aún queda un trecho que hay que hacer a nado.

—¿Y los caballos?

—No sé cómo es de hondo —respondió Victor—, pero si los caballos se asustan y comienzan a relinchar, perderemos el efecto sorpresa.

—No todos los hombres saben nadar y la corriente es fuerte —intervino Bainobaude—. Y es preciso considerar el peso de las armas y las corazas.

—Usaremos los escudos para mantenernos a flote —explicó Draco—. Necesito cien hombres en forma que sepan nadar. Cogeremos por sorpresa a los lentienses y nos haremos con sus barcas.

—¿Cien hombres? —El césar sacudió la cabeza—. Tengo que llevar diez mil al otro lado.

—Confiemos en Barbacion, entonces —concluyó Nevita, poco convencido.

Tuvieron que esperar hasta bien avanzada la noche para oír a los centinelas anunciar el regreso de Filopatros. El griego corrió a informar, pero la respuesta ya se podía leer en su cara cansada y polvorienta.

—Barbacion te saluda, nobilísimo, pero el divino augusto le ha ordenado que mantenga la flota amarrada. Si las naves cayeran presas de los germanos, podrían controlar un largo tramo del río.

—¡Qué idiotez! —Juliano, que llevaba solo la túnica blanca con la que se había acostado durante pocas horas, se puso en pie—. ¡Es como si me ordenase que ya no les diera forraje a los caballos porque podrían tener una indigestión!

—Nobilísimo... —empezó Filopatros.

—Estamos a un paso de la presa —prosiguió el césar sin prestarle atención— y tenemos miedo de cogerla. Se han escondido más allá de una miserable franja de agua y se sienten seguros. ¿Es una intriga cortesana o es el enésimo caso de enorme incapacidad, puesto que mi amado primo me ha liberado de Marcelo para luego ponerme a los pies a Barbacion, que es incluso peor? ¿Tengo que ir a pedirle las naves de rodillas?

—Me temo que sea inútil, mi césar —dijo tímidamente el griego—. El general Barbacion ha dado la orden de quemar las naves.

El príncipe se dejó caer sobre el sillón y se quedó en silencio. Después de un momento dijo:

—El gran Julio César construyó un puente en diez días y atravesó este río. Llevó el águila de Roma muy adentro de las tierras de los germanos y los expulsó de sus bosques. Cuando se marchó, destruyó la mitad del puente que llegaba a la orilla oriental del Rin y dejó el resto de advertencia, como un dedo que señalara a los bárbaros. ¿Sabéis por qué? —Nadie respondió—. Porque no era digno de los romanos atravesar un río en barca; y porque quería demostrar a los germanos que el río era un límite para ellos, no para Roma. Cualquier salvaje puede atravesar un río en barca, pero para caminar por encima de él se necesita una civilización capaz de construir puentes y de mirar lejos.

La tienda volvió a llenarse de silencio.

—Con tu permiso, césar —dijo el *draconarius*, que parecía que aún no había agotado sus energías—, nosotros podemos hacer más. Atravesar el río sin naves ni puentes. Llegar al otro lado y mostrarles a los bárbaros, una vez más, que no es un límite para nosotros.

Juliano le sonrió.

—No se puede decir que te disgusten las empresas arriesgadas.

—Déjame intentarlo, te lo ruego. Si lo conseguimos, tus adversarios deberán rendirte honores.

—¿Y si no lo conseguimos?

—Roma tendrá algún otro héroe al que conmemorar, y tú aún bastantes hombres para continuar, nobilísimo.

Una ráfaga de viento hizo oscilar las copas de los árboles y un trueno se dispersó a lo lejos. Filopatros levantó la mirada en la oscuridad. El cielo tenebroso estaba manchado de nubes negras.

—Franco, ¿no podrías dejarme tranquilo de vez en cuando en vez de arrastrarme siempre a tu lado?

—Necesitaba un buen arquero. Además dicen que los tuertos ven mejor en la oscuridad, ¿no es así?

—No, no es así. Y en la oscuridad, vosotros los bárbaros, sois todos parecidos. No quisiera clavarle una flecha en el culo de alguien a quien no debo.

—Mejor que te tenga delante, entonces.

—¡Silencio, vosotros dos! ¿Dónde creéis que estáis? ¿En una taberna? —La voz del tribuno Bainobaude era cortante como el filo de una espada—. Los lentienses habrán puesto centinelas por todas partes.

—Perdóname, tribuno —susurró Victor—, pero es mejor que oigan que nos reímos en este lado del río. Demasiado silencio los pondría en alerta. —Valle abajo resonó otro trueno—. Y además no somos los únicos en montar jaleo.

—Movámonos —ordenó tajante el oficial.

Draco se habría abierto paso, pero el destacamento elegido para la incursión lo comandaba el tribuno.

El franco alzó el escudo por encima de la cabeza y se encaminó hacia la orilla del río.

—Nos vemos en la isla.

Filopatros resopló y siguió a Draco al agua, cauto. Detrás de él, descendieron los soldados de Bainobaude, en silencio. Habían dejado yelmos y corazas, y solo llevaban túnica y calzones.

Después de un largo tramo por un bajío cuyo fondo estaba lleno de guijarros, Victor se detuvo. Se inclinó y esperó a que los hombres se reunieran.

—A partir de aquí estaremos al descubierto. Tenemos que entrar en el agua en fila, de uno en uno. No atravesaremos el río en línea recta, porque más o menos a la mitad de la distancia que nos separa del islote el río es de nuevo profundo. Cuando me veáis poner el escudo debajo de la tripa, haced lo mismo. La corriente nos llevará a la meta, pero debéis oponeros a ella para llegar a la orilla.

—Y si alguien se ve arrastrado —añadió Bainobaude—, que se afane por llegar a nuestra orilla. Si no lo consigue, que se ahogue en silencio, como un soldado. Basta un solo grito para poner en peligro a todos los demás. ¿Está claro?

Cuando todos asentían frente a consignas tan despiadadas, un trueno retumbó a lo lejos.

—Que los dioses nos protejan —concluyó el tribuno.

Victor entró en el agua. Después de pocos pasos se hundió hasta el cinturón y comenzó a caminar, en contra de la corriente. En el resplandor de un rayo apareció, por un instante, la silueta de la isla que los esperaba.

—¿Estás ahí, Corax?

—¡Muérete!

Tras unos pocos pasos más, el agua les llegó al pecho. El fondo era fangoso. Victor resbaló y la corriente lo llevó río abajo. Frío, oscuridad, los pies que patalean. Sintió que lo agarraban por la túnica y emergió.

—¡No se te ocurra ahogarte hasta que estemos fuera de aquí! —La voz del griego era un gruñido sofocado.

El franco escupió el agua.

—No es mi intención. Si tengo que ahogarme, preferiría hacerlo en vino. —Le dio las gracias a su amigo con un gesto—. Hemos entrado juntos y saldremos juntos.

—Ánimo, entonces, vamos.

Detrás de ellos, el imperceptible rumor del resto del destacamento, cubiertos por el fragor del trueno y la respiración del viento, que había reaparecido impetuoso.

La corriente arrastró a un hombre de la columna. Los compañeros que estaban más cerca intentaron cogerlo, pero sin éxito. Se alejó rápidamente, debatiéndose entre los movimientos del agua; luego se lo tragó la negra superficie, en silencio, fiel a las órdenes.

—Seguid y estad atentos —susurró Bainobaude—, ¡muertos no me servís!

Victor sintió que el fondo descendía. Era el momento de comenzar a nadar. Puso el escudo en el agua y se tumbó encima de él, avanzando con la fuerza de los brazos.

—Haz como yo, Corax.

Filopatros lo imitó y recorrieron el largo tramo a contracorriente intentando controlar los movimientos. Los músculos de los hombros y los brazos se entumecían por el frío y el esfuerzo. La silueta oscura de la orilla parecía más cercana. Un relámpago imprevisto iluminó la vegetación. Victor tanteó con los pies y vio que tocaba el fondo. Bajó del escudo, se deslizó y por fin llegó a la orilla, fuera de aquel maldito río que parecía querer retenerlo. Empapado, se dejó caer en la hierba para recuperar el aliento.

Un instante después llegó también Filopatros, seguido por Bainobaude y por algunos de los suyos. Cuando salieron los últimos del agua, Bainobaude repartió el pelotón en dos grupos.

—Vosotros venid conmigo —ordenó al grupo de la izquierda—. Avancemos hacia el centro de la isla. El resto se moverá a lo largo de la orilla, siguiendo al *draconarius*.

Los hombres apretaron las lanzas y las espadas, listos para el combate.

—Tenemos que cogerlos por sorpresa, así que silencio, pero luego desahogaos, si queréis. ¡No solo hay que matarlos, también debemos hacer que estén aterrorizados!

Draco no tuvo que andar mucho para encontrarse con el primer enemigo. Había percibido un movimiento entre la vegetación y les hizo señas a los suyos de que se agazaparan entre la hierba alta. Un hombre pasó a su lado, resoplando, y se detuvo a orinar contra un árbol.

La silueta de Draco emergió de la hierba y le cortó el cuello al mismo tiempo que le hundía el *scramasax* en el corazón. El bárbaro tuvo varias convulsiones, salpicando sangre y orina, luego se derrumbó en silencio.

—Esta noche tu dios deberá juzgar muchas almas, Corax.

Victor blandió la espada y continuó adelante.

A la luz de un relámpago, Filopatros captó una imagen del germano ya sin vida. Inerte, con la boca abierta y los ojos desencajados para siempre. También los feroces bárbaros de aquella tierra se volvían inocuos con un trozo de hierro en las tripas. El griego pidió perdón por los pecados y siguió los pasos de Draco con el arco ya preparado.

Poco después, el resplandor vacilante de un fuego a cuyo alrededor se veían algunas tiendas improvisadas y refugios hechos con ramas. Junto a la hoguera estaban sentados cinco o seis guerreros adormecidos.

Victor salió de los matorrales, decidido, con el escudo en posición de defensa y la espada ya levantada. Filopatros detrás de él, con el arco tenso, y los otros, detrás del griego, empapados y ateridos, nerviosos, impacientes por matar.

Los lentienses miraron a los intrusos, sin darse cuenta de quiénes eran, luego uno de ellos se puso de pie, amagó un grito, sonó un silbido, hubo un golpe y una flecha le fue directa a la garganta. Fue la señal de la masacre. Draco saltó hacia delante y decapitó con un mandoble brutal al hombre más cercano. La cabeza rodó hacia el fuego. En pocos instantes, en torno a la hoguera solo se sentaron cadáveres.

A los gritos del grupo del *draconarius* respondieron los de los hombres de Bainobaude, llegados de la otra vertiente. De las tiendas salían guerreros adormilados, mujeres y niños presos del pánico. Cogidos totalmente por sorpresa, los germanos intentaron resistir, bien con sus armas recuperadas, bien con ramas, piedras o, incluso, con las manos desnudas. En la luz pálida de los relámpagos, el cielo se llenó de alaridos. El claro era teatro de una masacre que no perdonaba a nadie.

Draco aullaba como un loco preso del delirio, alzando y bajando la larga espada ya viscosa de sangre. Filopatros lanzaba una flecha tras otra, buscando el blanco en la contienda, guiado por un dios que no conocía piedad. El resto de los soldados no se quedaba atrás en desahogar sobre los lentienses el miedo atávico experimentado en el río.

El griego vio a un joven guerrero que iba a su encuentro, armado con un hacha. Buscó una flecha, pero la aljaba estaba vacía. Se puso el arco en bandolera y retrocedió tratando de desplazar el escudo delante del cuerpo. Tropezó con el cadáver de un niño y acabó desplomado en el suelo.

El guerrero se le fue encima y levantó el hacha, con el rostro lleno de furia y terror. Su silueta se recortó contra las tiendas en llamas. Luego el hacha cayó, con tal fuerza que rompió el escudo. El griego sintió el frío de la hoja que le rozaba la piel. Impotente, se quedó mirando, inmóvil, al bárbaro, que levantaba de nuevo el hacha. Quizá, si aquella noche en Vienne hubiera escuchado también a la vieja bruja, le habría dicho que su Frigia era un islote en medio del gran Rin, donde iba a morir para rechazar a los bárbaros de aquella líquida frontera.

El lentiense abrió la boca, un obsceno cráter aullante, cuando una hoja le atravesó el pecho y le partió el corazón. Luego la hoja desapareció, y el guerrero se desplomó encima del griego.

Corax trató de empujar el cuerpo sangrante, pero vio que se lo quitaban de encima.

—Tu dios quiere tenerte cerca, maldito griego —dijo Victor ayudándolo a levantarse—. Para suerte tuya, estoy yo.

—No es suerte —rebatió Filopatros—. Es Él quien te ha puesto aquí para protegerme.

Los gritos se apagaban.

—Dile que lo estoy haciendo, pues —dijo el franco jadeante, sudado, con salpicaduras de sangre como cicatrices sobre el rostro—, y espero una recompensa.

La masacre había terminado.

—La tendrás. Un día la tendrás. Dios nunca se olvida de recompensar a los justos ni de castigar a los injustos —dijo el griego, con la mirada en la herida del guerrero del hacha.

Juliano se frotó los ojos enrojecidos. Había permanecido toda la noche observando el reflejo de las llamas anaranjadas que danzaba indolente sobre el agua negra. Tendió la mirada hacia el manto de humo y de niebla que se elevaba de los islotes. No conocer aún el resultado del enfrentamiento lo tenía inquieto. Era solo una escaramuza, pero el césar sentía que una derrota podía ser el presagio de un descalabro más grave, de un destino funesto.

—Devuélveme a mi *draconarius*, te lo ruego, ¡poderoso Helios!

Con los primeros resplandores del sol, vio aparecer sobre el río una barca. Venía hacia él, pero hasta que no se acercó a la orilla, Juliano no reconoció la figura sentada a la proa, firme como un mascarón, capaz de rasgar incluso las olas.

—Con mi gratitud, invencible soberano.

Bajó de la orilla y se metió en el agua. Sintió la fuerza de la corriente y se detuvo antes de que lo arrastrara.

Detrás de la primera barca aparecieron otras, todas abarrotadas de hombres.

—¡Han vuelto!

De las barcas subió el canto de los legionarios, transportado por el viento.

Al césar se le unieron sus generales y detrás de ellos, la orilla se llenó de legionarios, auxiliares, y guardias de frontera. *Scutari*, *cornuti*, galos, germanos, itálicos, ilirios, ibéricos... El ejército de la Galia acudió a saludar aquella alba que se teñía de victoria.

El hombre de la proa levantó alta la espada aún roja de sangre bárbara, como si quisiera rasgar las nubes.

—Soy Victor, hijo de Klothar de Merseen, *draconarius* de Flavio Claudio Juliano, césar de la Galia. ¡Vengo a decirte que este río ya no es una frontera para nosotros!

XII

Argentoratum

Agosto del 357 d. C.

Juliano mostró el torques de oro al ejército de la Galia formado junto al podio.

—Por el valor demostrado, la constante dedicación y la fidelidad a mi persona, yo te confiero este signo de reconocimiento.

Victor acogió la condecoración y las tropas aclamaron al *draconarius*, que con aquel símbolo se convertía en un predilecto del césar.

—Después de la incursión de nuestros valientes en las islas del Rin —dijo el príncipe—, los lentienses han comprendido que el río no los habría defendido y las tribus han huido al bosque. Cuatrocientos años después de Julio César, nosotros, sus orgullosos descendientes, hemos vuelto a estas tierras y hemos cogido lo que nos pertenecía. Hemos restaurado y abastecido esta fortaleza que los germanos habían destruido. Hoy tenemos el control de todo el valle del Rin y de las vías hacia el interior de la Galia.

De los hombres se elevó un nuevo coro de entusiasmo y el césar pidió silencio.

—Pero la lucha no ha hecho más que empezar. En el combate, todos, hasta el último hombre, deben cumplir su deber, porque cuando alguien falta a su deber el enemigo se aprovecha. —Hizo una pausa y mostró un mensaje que tenía en la mano.

»Mientras nosotros consolidábamos nuestro avance, el general Barbacion, que está por debajo de nosotros, se ha dejado coger por sorpresa en un ataque de los alamanes. Hay una segunda sorpresa, agradable para los enemigos y dolorosa para nosotros: que las tropas del valiente Barbacion, le han dado la espalda a Chodomario y han huido. —Entre las filas de soldados comenzó a subir un murmullo creciente.

»Se han perdido los carros. Han acabado con parte de la retaguardia de infantería y de los servidores, pero una buena porción de la caballería se ha puesto a salvo en los cuarteles de invierno. En cuanto a Barbacion, no dudo que a esta hora habrá llegado a Mediolanum para disfrutar de su merecido reposo. Un gran ejército bien armado ha escapado ante una horda de harapientos alamanes que han atravesado de nuevo el Rin y se han extendido por la Galia, llenos de atrevimiento, en las tierras que nosotros reconquistamos tan fatigosamente. —Vio las miradas de las primeras filas. Estaban desconcertados, como si el entusiasmo inicial fuera solo un sueño desvanecido al despertar.

»Se han unido a la guerra otras tribus y nuestras líneas de comunicación están interrumpidas. Creo saber qué estáis pensando. Habéis trabajado duramente, os habéis batido, no habéis desperdiciado ni un puñado de harina... ¿Para qué? Para encontraros de nuevo rodeados, por una burla del destino, de bárbaros que nos quieren muertos. —Los veteranos de las primeras filas asintieron, apretando los labios.

»Que «nos» quieren muertos. Porque yo sigo aquí. No huyo a Mediolanum con el pretexto de reunirme con el emperador. Permaneceré aquí hasta el final, hasta la victoria. Yo seré el primero en no dormir y no comer si es necesario. ¡Y el primero en combatir y morir, si es necesario! —Un grito de aprobación se elevó de entre los soldados.

»Nosotros somos los hombres del ejército de la Galia, nunca hemos retrocedido y no empezaremos a hacerlo hoy. ¡Porque nosotros somos los mejores! —Frente al gigante, ya nadie recordaba al muchacho—. ¡Despreciad el dolor! ¡Despreciad el destino! ¡Despreciad la muerte! ¡No es más que una travesía, de la que vosotros, mis valientes, no tenéis nada que temer! —Juliano oyó muchas voces llamándolo emperador entre los gritos de la tropa. Estaban dispuestos a dar la vida por él.

»¡Marcharé a vuestra cabeza, y juntos aplastaremos a Chodomario!

Al oír a miles de hombres gritando, convencidos, «Juliano, augusto», Victor se estremeció. Si el *referendarius* todavía fuera leal a Eusebio y a sus secuaces, aquella misma noche debería matar al muchacho. Pero el *draconarius* estaba con él, como todos aquellos soldados y aún más.

A la mañana siguiente se reunieron, temprano.

—He reflexionado —dijo Juliano, acercándose a la mesa de los mapas—. La opción menos arriesgada es mantener nuestra posición en esta fortaleza y actuar desde aquí a la espera de refuerzos. Naturalmente, eso tiene consecuencias. Para empezar, abandonamos la Galia en manos de los alamanes precisamente en el momento de la cosecha, lo que significa que el año próximo el país se enfrentará a la escasez de comida.

Intentó entender sus reacciones. Fue Salustio el primero que se manifestó.

—Teniendo en cuenta el deplorable comportamiento de Barbacion, y no quisiera recordar lo que ha sucedido en Senones, me pregunto si estos refuerzos llegarán alguna vez.

—No pueden abandonarnos —dijo Arinteo.

—Ya lo han hecho. En este momento la única barrera contra los germanos somos nosotros —afirmó Juliano con frialdad.

—¡Entonces ataquemos! —Flavio Nevita no era hombre de largos discursos.

—Es fácil de decir —objetó Valentiniano—, pero son, al menos, el triple que nosotros.

—Es verdad, pero en un enfrentamiento a campo abierto podemos batirlos —replicó Salustio.

—Y a nuestro favor tenemos el equipo y el adiestramiento. Nuestras unidades palatinas están entre las mejores del imperio —añadió el césar.

—Esta no es una escaramuza nocturna contra un puñado de campesinos mal armados —insistió Valentiniano.

—No, será una batalla campal contra un tropel de campesinos mal armados y peor adiestrados —gritó Juliano—. Sé que Chodomario también tendrá magníficos guerreros, pero el resto es gente que sabe saquear granjas y masacrar mujeres y niños, no para batirse contra las legiones. —Juliano los miró a los ojos—. Golpear, rapiñar y huir. Es su táctica. Tenemos que obligarlos a un enfrentamiento en campo abierto, que crean que basta la superioridad numérica para atropellarnos. Luego, nuestra mejor organización los aplastará, como granos de trigo bajo la piedra del molinero.

—Perdóname, nobilísimo —intervino Valentiniano con el dedo sobre el mapa—. Según los exploradores, desde hace tres días los bosques del sur regurgitan las hordas de Chodomario. Un número impresionante de hombres, a los que se están uniendo los clanes de otros jefes, empezando por Vestralpo, y luego Urio, Usicino, Serapión y otros más de nombres impronunciables.

—¿Y qué vamos a hacer? ¿Imitar a Barbacion?

—No se trata de huir, sino de razonar.

—No, Valentiniano, se trata de actuar. De inmediato, antes de que lleguen otros. Elegimos un campo de batalla adecuado y disponemos nuestro ejército sobre dos líneas paralelas distanciadas. De ese modo, si la primera línea cede, las unidades de la segunda pueden apoyarla. Los auxiliares a la izquierda, tres legiones en el centro y los *cornuti* y los *brachiati* a la derecha. En la segunda línea, de nuevo los auxiliares a la izquierda, la legión de los *primani* en el centro y los bátavos a la derecha. Mantendremos una legión en la retaguardia, como reserva. —Silencio—. ¿Estáis conmigo?

Victor se pasó la lengua por los labios resecos, en medio de la polvareda que levantaba la larga columna en marcha. Debía de ser cerca de las once de la mañana, cuando vio grupos de jinetes que remontaban la columna en sentido contrario.

—Tengo que decir que te queda bien, Corax —dijo mirando complacido el yelmo de su amigo, sobre el que la tarde anterior había dibujado dos ojos amenazantes—. Un pequeño truco para parecer un poco más alto y atemorizar al enemigo... al menos a distancia.

Filopatros no respondió.

El ejército de la Galia había dejado la fortaleza de Saverne antes del alba y se había dirigido al este, hacia el Rin, para luego encaminarse hacia el sur, donde los exploradores habían localizado el grueso de las hordas enemigas. Cuando la vanguardia guiada por los *cornuti* de Bainobaude apretó la marcha, alargando peligrosamente la columna, el césar mandó un grupo de jinetes dálmatas para aflojar la marcha de los hombres de cabeza.

Pero los que estaban llegando a la carrera no eran los dálmatas. Victor vio que se dirigían hacia él; o más bien al dragón, ya que sabían que el césar de la Galia estaba cerca de su enseña.

—Nos esperan, nobilísimo. Están formados fuera de los muros de Argentoratum.

El césar pidió un mapa y lo extendió en el suelo. El explorador señaló la posición de los germanos, en la cima de una colina. Luego el césar y Salustio trazaron los movimientos sobre el pergamino siguiendo las propuestas de los comandantes reunidos en torno a ellos.

—Observad —dijo el príncipe, señalando el mapa—. Chodomario ha agrupado toda su infantería sobre esta colina. Es una posición ventajosa, cierto, pero es señal de que no tiene muchos guerreros válidos. Si tuviera más hombres que mi adversario, ensancharía el frente para intentar rodearlo sobre los flancos... a condición de tener una primera línea fuerte.

—Podría haber otras brigadas en el bosque, aquí a la izquierda —sugirió Valentiniano, que había tomado partido por la prudencia—, listas para atacarnos sobre el flanco.

—Por eso mantendremos una legión de reserva, por si hay sorpresas —dijo Juliano—. En cambio, toda la caballería estará en el flanco derecho, donde no hay vegetación, para tener un espacio de maniobra amplio.

Cuando ya estaban de acuerdo en los planes principales, Valentiniano habló de nuevo:

—¿Dónde colocaremos el campamento?

Estaba desfilando la legión de los *primani*. Los hombres estaban cargados y acalorados, envueltos por nubes de polvo, pero continuaban adelante.

—Hay varios puntos adecuados, pero para mí el mejor es este —respondió el césar señalando la ciudad de Argentoratum, detrás de los germanos. Atacándolos ahora, cogeremos a Chodomario por sorpresa.

Sus comandantes se quedaron callados antes de darse cuenta de sus intenciones. Las reacciones se cruzaron y empezaron a discutir entre los favorables, como Salustio, Bainobaude y Nevita, y los contrarios, como Arinteo y Valentiniano, que habrían preferido tener tiempo para montar el campamento.

—Si les damos tiempo de sopesar nuestra capacidad, pueden prepararse mejor. Si los inmovilizamos ahora en esa loma, seremos nosotros quienes dictemos las condiciones —dijo Juliano.

Arinteo alzó la mano.

—Perdóname, césar, ¿pero cómo puedes pedirles a los soldados que entren en batalla después de lo que han marchado sin pausa durante más de veinte millas bajo el sol de agosto?

—No seré yo quien se lo pida, Flavio —respondió Juliano—. Me lo pedirán ellos a mí.

—Estoy orgulloso de vosotros. —El ejército formaba delante del césar en la amarilla llanura de un campo de trigo—. Habéis marchado bajo el sol durante horas, para llegar frente al enemigo. Y el enemigo está aquí. Más allá de esa loma, están los alamanes. Son mucho más numerosos que vosotros y están descansados. —El césar pareció reflexionar y siguió como si tuviera delante a los legionarios de uno en uno.

»Sé que el valor y la determinación os empujan con ímpetu hacia el enemigo, pero debo pediros que os detengáis. —Un rumor de desaprobación se alzó entre las filas de los oficiales—.

No os he dado reposo en los últimos días. ¿Aún tenéis fuerzas para combatir? ¿Con este aire ardiente, la sed, el hambre y el agotamiento después de tanto camino?

Bainobaude empezó a protestar y sus hombres lo siguieron. Los *primani* batieron las astas de las lanzas sobre los escudos, en señal de disconformidad. Los soldados querían entrar en acción.

—¡Acampemos por la noche y mañana, frescos y reposados, los sacaremos de ese cerro!

Los oficiales protestaron, siguiendo el guion acordado con el césar, que trataba de calmarlos. De las primeras filas llegó el relincho de un caballo. Victor salió de la formación sobre su semental, delante de todos. El *draconarius* levantó el asta del dragón y gritó:

—Mi césar, tú nos has guiado hasta aquí hoy. Te hemos seguido, porque somos tu ejército. Y estamos listos, porque somos tu ejército. Otros en nuestro lugar habrían retrocedido ante la primera señal de batalla, nosotros no. Tú nos has enseñado, con el ejemplo, qué es el valor. —Las legiones profirieron gritos de aprobación—. Y nosotros queremos mostrarte que hemos comprendido. ¡Guíanos por la vía de la gloria y nosotros te seguiremos! ¡Ahora!

Antes de intervenir Juliano dejó que el entusiasmo se extendiera como la marea alta por toda la formación.

—¿Es esa vuestra voluntad, pues?

El estruendo de los síes se alzó al cielo hasta alcanzar el olimpo.

—Así sea, este será el día que llevamos esperando tanto tiempo, el día que lavará antiguas ofensas y devolverá la gloria al soberano de Roma. ¿Aplastaréis a los bárbaros por mí?

En aquel momento se acabó el tiempo de las palabras.

Los oficiales ordenaron que formaran las unidades. La sed, el calor y la fatiga habían desaparecido.

El césar llamó a su derecha a Victor, que lo alcanzó de inmediato.

—Te has olvidado de la parte que decía que estábamos protegidos por los dioses.

—Dicho por mí nunca lo habrían creído, nobilísimo. Haremos que lo añada quien se ocupe de redactar el informe de la batalla.

Juliano se cerró el barboquejo del yelmo y miró hacia el sol, en muda plegaria.

—Si hoy fracasamos, seremos responsables de la suerte del imperio.

—Si así fuera, habremos muerto intentando una gran hazaña. Para mí es un honor estar aquí a tu lado, nobilísimo —afirmó el *protector* asintiendo con gravedad.

—Gracias, amigo mío.

Juliano espoleó su caballo y partió al galope, seguido por Victor y por los doscientos jinetes que debían proteger al césar y su precioso estandarte. Remontando la loma, encontraron a Salustio.

—¿Se mueven?

—Hay gran follón en el cerro y he visto moverse algunos grupos —le respondió el estratega.

Mientras el césar observaba a los enemigos, velados por un denso polvo, llegó Nevita al galope tendido.

—Mira allá abajo, mi césar —dijo el oficial, señalando la masa de germanos—. ¿Ves aquel yelmo dorado que centellea bajo un gran penacho rojo? Parece que es su jefe, Chodomario.

—¿Es posible? Pero va a pie, en medio de los infantes.

—Hace un momento ha habido un gran clamor entre esos infantes, que solo se han callado cuando ese jinete, junto a otros, ha desmontado y se ha unido a ellos. Lo han llamado para que los guíe a la victoria.

—¿Esta es toda tu sabiduría bélica, Chodomario? —gritó Juliano—. ¿Un tosco ataque frontal? Veremos. —Se volvió hacia los suyos con mirada decidida—. Nevita, sitúate con tus *clibanari* a la derecha y bárreme esos jinetes. Dagalaifo, coge la caballería ligera y ponte en el extremo derecho, para impedir que nos acorralen; ¡y mantén unido el rebaño! —A continuación llamó a Bainobaude—: Te necesito en el centro, al mando de los *cornuti*. A tu lado irán los *brachiati* y detrás los *primani* de la Itálica, listos para intervenir. No vaciles, la Galia está en tus manos.

El tribuno asintió.

—Los detendremos, nobilísimo. —Bainobaude saludó con la espada—. Puedes decirles a los *milites* de la Itálica que descansen. Los alamanes no pasarán y esta tarde el yelmo de Gigas será tuyo.

—Estoy seguro de ello.

Juliano respondió al saludo, luego partió al galope hacia la izquierda de la alineación para situar las cohortes auxiliares en el límite del bosque.

Draco tenía sed, pero de la cantimplora solo salieron unas gotas. Con un gesto de ira, el franco la tiró lejos. Filopatros lo miró y Victor le correspondió.

—Esta noche beberemos agua del Rin, griego.

—A falta de algo mejor...

—O mucho más, en las aguas pantanosas de la Estigia.

—Allí precédeme también tú, franco.

El *protector* rio, tenso y excitado.

Al sonar un prolongado toque de trompetas, los hombres de Bainobaude se pusieron en movimiento. Los *cornuti* y los *brachiati* avanzaron al paso hacia el cerro. Victor miró a la derecha y a lo lejos vislumbró, además de la infantería, la caballería pesada avanzando hacia el frente enemigo. Se volvió a la izquierda, pero la selva de lanzas de la escolta del príncipe tapaba la vista.

Los germanos esperaban bajo el sol ardiente. Querían que los romanos sufrieran el esfuerzo de la subida.

Las legiones de la primera línea llegaron a los pies del monte y empezaron a subirlo. Mientras, Bainobaude gritaba para mantener compacta la formación. Las primeras filas apuntaron las lanzas y se cubrieron con los escudos, componiendo un largo caparazón sobre toda la línea. De sus gargantas salió el nombre del césar de la Galia como un rugido. Se movían bien alineados, seguidos por los auxiliares y por los arqueros, listos para cubrir a los germanos de flechas y jabalinas.

El lamento emitido por los cuernos alertó a los alamanes. Acompañados por salvajes gritos de guerra, se lanzaron adelante, hacia el centro de la legión palatina de los *cornuti*.

Victor observó de nuevo la polvareda que levantaban los jinetes de la derecha de la formación. Iban adelantados respecto a la línea del frente y estaban perdiendo el contacto con la infantería auxiliar. El césar se percató y le gritó a uno de los mensajeros que hiciera que los hombres que estaban a la derecha se movieran más deprisa.

En cuanto los germanos avanzaron, Bainobaude dio la orden de arrojar las *plumbate*. El cielo se llenó de dardos brillantes que trazaban parábolas perfectas. Los germanos alzaron los escudos, pero las filas posteriores empujaron desordenadamente a los que estaban delante. Los proyectiles se perdieron entre la multitud; muchos se clavaron en las espaldas de los germanos que resultaron heridos de muerte. La letal lluvia cesó cuando los legionarios acabaron los cinco dardos que cada uno llevaba fijados en el interior del escudo.

Pero a pesar de las pérdidas, el avance germano no se detuvo. De sus líneas se alzó en respuesta una lluvia de lanzas y de flechas. Los *cornuti* se cobijaron bajo los escudos cuando la granizada de golpes se estrelló con un fragor sordo sobre ellos. Bainobaude ordenó que avanzaran, que no se pararan de ninguna manera. Los alamanes empezaron a correr, ayudados por la pendiente, para echarse sobre la formación romana. Sus arqueros les cubrían la carga lanzando miles de flechas.

Los palatinos se dispusieron para el choque con su grito de guerra. Inmediatamente después, los chillidos humanos fueron superados por el violento choque de miles de lanzas y de escudos, y de toda la línea de combate surgió un estruendo ensordecedor.

El frente romano se detuvo cuando la horda bárbara lo embistió como un ciclón. Los *cornuti* acusaron el golpe y retrocedieron un poco, pero de inmediato los apoyaron los refuerzos.

Un mar de polvo se tragó toda la primera línea. Órdenes aulladas, toques de trompetas, clangor de espadas, relinchos de caballos. El calor sofocante parecía disgregar la ola de la gigantesca serpiente del frente. También los arqueros de la retaguardia tuvieron que protegerse con los escudos de la repentina y violenta granizada de proyectiles.

Cuando la presión sobre las primeras filas se hizo insostenible, los arqueros recibieron la orden de actuar en parejas, para tirar y al mismo tiempo cubrirse con los escudos el uno al otro. Con esa táctica embistieron de nuevo con nubes de flechas y jabalinas la retaguardia de los germanos, cuyos hombres no estaban, en su mayoría, protegidos con yelmos ni corazas y solo se movía siguiendo a la masa.

A través de un continuo trasiego de mensajeros, el césar coordinaba los movimientos de sus fuerzas, señalando dónde empujar y dónde hacer espacio. Salustio, desde la colina, indicaba cualquier desplazamiento que realizaba el enemigo a lo lejos.

Después de un primer intento fallido de romper el muro de escudos, los alamanes volvieron a la carga. La primera línea romana retrocedió, aunque poco, y los arqueros reanudaron su tiro cadencioso. A gritos entre la confusión, Bainobaude incitó a los palatinos a mantener las distancias y tras el primer impacto la situación comenzó a volverse a su favor. El calor, la tensión y la acción de los arqueros de ambos bandos, junto con la habilidad de los *cornuti* y los *brachiati* habían llevado a las dos formaciones a enfrentarse a menos de diez pasos de distancia. Los bárbaros parecían haber perdido cohesión y se oponían a los romanos con las lanzas, atacando y retrocediendo. Bainobaude solo tenía que aguantar el choque, a la espera de que la caballería que estaba a la derecha cargase sobre el flanco izquierdo del enemigo.

El césar se movía continuamente entre las dos líneas, siempre con el dragón detrás. Subía a la loma, desde la que conseguía tener un cuadro más claro del campo de batalla, y luego bajaba para dar las órdenes oportunas.

Por el contrario, la mucho más numerosa formación enemiga era caótica y desorganizada. Al estar en medio de sus guerreros para guiarlos al asalto, Chodomario había dejado que la dirección de la batalla corriera a cargo de la iniciativa de varios jefes de clan. No había cadena de mando y los hombres de las últimas filas, ansiosos por combatir, presionaban ciegamente contra quienes estaban delante, lo que empujaba a las primeras filas a clavarse en las lanzas de los *cornuti*.

La legión de reserva se había detenido en las inmediaciones del bosque, sin responder a las provocaciones de los grupos de germanos que se habían agazapado en él. A la izquierda la situación estaba más o menos equilibrada. Solo el centro de la formación había tenido que retroceder ligeramente bajo la enorme presión de los germanos, que, no obstante, habían sufrido muchas pérdidas.

Los *primani* estaban, en segunda línea, frescos y listos para entrar en la batalla en cuanto los hombres de Nevita abrieran el flanco derecho. Pero ¿dónde estaba Nevita?

Una nube de polvo se tragó a los auxiliares de la segunda línea. Juliano se enderezó sobre la silla para ver mejor y espoleó el caballo en aquella dirección, después de enviar mensajeros a Bainobaude para animarlo a resistir. Porque estaba ocurriendo algo en el extremo derecho de la formación, algo, quizás, irreparable.

El príncipe y su guardia avanzaron en aquella dirección atravesando el aire espeso por el calor y el polvo, y pronto vislumbraron unos jinetes con coraza que se fugaban de la línea del frente atenazados por el pánico.

Los *brachiati* de la primera fila retrocedieron para no dejar el flanco descubierto al enemigo, según las órdenes, y mantuvieron la formación, pero a su derecha se abría un paso por el que podrían entrar los jinetes germanos. Una carga impetuosa y toda la primera línea corría el riesgo de derrumbarse como una pared de arena.

Juliano ordenó que avanzaran las unidades de la segunda línea. Bajo la guía de sus *centenari*, los bátavos y los regios superaron enseguida la distancia entre las dos líneas. Entre tanto el césar con su guardia se desplazó al extremo derecho. Se quitó el yelmo para que lo reconocieran y obligó a detenerse a los jinetes en fuga.

—¿Qué sucede, soldado? —le preguntó el césar a un jinete herido cogiéndolo por el brazo—. ¿Por qué os retiráis?

—La caballería ligera está en desbandada, así que nos hemos enfrentado al enemigo, pero entre los jinetes hay varios germanos a pie que van pasando entre los caballos. Los desjarretan o les abren el vientre a golpe de espada, y en cuanto el jinete cae, lo masacran —contestó nervioso el jinete.

—¿Dónde está Nevita?

—Lo han herido; luego ya no lo hemos visto.

En torno a ellos se había reunido un grupo de jinetes. Juliano hizo caracolear el caballo y se dirigió a todos:

—¿Adónde pensáis huir, soldados?

Un tribuno se detuvo a oírlo. Su escuadrón se reunió desordenadamente en torno a él. Los jinetes reconocían al césar y se quedaban paralizados.

—¿Estáis seguros de salvar la vida huyendo?

Llegaron otros hombres con coraza que se agruparon en torno a la enseña del dragón. Luego llegó Dagalaifo, que había juntado a buena parte de los suyos. Entonces Juliano desenvainó la espada y señaló a los *brachiati.*

—¡Miradlos! Siguen combatiendo, contra enemigos mucho más numerosos que ellos. ¡Miradlos, antes de abandonarlos!

—El césar tiene razón —gritó Dagalaifo—. ¡Jinetes, a mí! Reordenad las filas y listos para cargar. ¡Hay que rechazar a los alamanes a toda costa!

Bajo la mirada del césar, los hombres parecieron recuperar el coraje y la formación de los acorazados se reconstituyó. Dagalaifo señaló la contienda y lanzó a los suyos al asalto con un grito de guerra.

—¡Nobilísimo, la primera fila ha cedido! —aulló un mensajero de Salustio con el rostro trastornado.

—Se han metido muchos enemigos por esa brecha.

—¡Los *primani* de la Itálica! —gritó Juliano.

—Salustio ya ha ordenado a la Itálica que avanzara —respondió el mensajero, pero el príncipe ya estaba corriendo sobre el terreno.

La tierra que temblaba bajo los caballos de la guardia anunció a Arinteo la llegada de Juliano. Con la cabeza descubierta, jadeando, el príncipe se detuvo un instante para valorar la situación. Era un momento crucial.

—Los *cornuti* han recuperado terreno, nobilísimo —gritó

Arinteo, por encima del estruendo—. El flanco izquierdo avanza presionando sobre el flanco derecho de los alamanes. Bainobaude está por todas partes guiando a los suyos.

Juliano estaba arrebatado por la visión de los *primani* que rechazaban con ímpetu a los germanos. En cuanto a los ya exhaustos *brachiati*, de sus filas se elevó un furibundo rugido y empezaron a avanzar aplastando a su paso contra el flanco de la colina a los germanos, que se batían con arrojo. Flechas en el cielo, espadas contra escudos, lanzas en los cuerpos... actos de coraje, orgía de locura homicida. Pero por encima del valor, el adiestramiento y la táctica, estaban a punto de tener las de ganar sobre la fuerza y el ímpetu desordenado de los alamanes.

Juliano se lanzó a la contienda para sostener la ofensiva. Verlo allí sin yelmo, junto a su estandarte a pocos pasos de la línea del frente, dio vigor a los hombres, y los alentó en el último y decisivo esfuerzo.

Los germanos, que habían roto las líneas romanas con mucho ímpetu, perdieron energía y vacilaron. Intentaron retroceder, pero lo impidió la muchedumbre que tenían a su espalda. Estaban cada vez más amontonados, con cada vez menos espacio para moverse y combatir.

El propio césar cayó con su guardia sobre un grupo de guerreros, que ante la sola vista de los *protectores* se dieron a la fuga. Los *primani* los atacaron con ferocidad y, en cuanto los enemigos se dieron media vuelta, la batalla se transformó en una carnicería.

Como los círculos que se forman en el agua al tirar una piedra en un estanque, el pánico se extendió de un hombre a otro. La horda de los combatientes se convirtió en una multitud en fuga, acosada por los legionarios rabiosos.

—¡Tirémoslos al Rin!

Draco se quedó atónito mirando aquel escenario, terrible y grandioso. Los palatinos no habrían pedido nada mejor que aquella jornada infernal.

—¡Mantened las líneas! ¡Mantened las líneas!

El césar gritaba con los últimos restos de voz. Era necesario evitar que los hombres avanzaran demasiado para que no se dispersaran. Cada comandante que conseguía hacerse oír repetía las órdenes del césar, pero la incapacidad de reaccionar de los alamanes, presas del pánico, era una invitación demasiado atractiva a perseguirlos.

Exhausto y sediento, el joven caudillo controló la situación. A la derecha, la legión de reserva mantenida quieta durante todo el tiempo avanzaba lentamente en el boscaje. Los alamanes habían abandonado la posición también en aquel frente, buscando una vía de fuga entre la maleza.

Sobre la colina ocupada hasta poco antes por los germanos, varios grupos de legionarios se separaban de sus unidades, corriendo incluso riesgos, para perseguir a los fugitivos. Ni él ni ningún otro comandante podría haberlos contenido. Muchos de los soldados eran galos y aquel era el día de su venganza. Querían sangre y la tenían. Por un instante, el césar se preguntó qué habría ocurrido si no hubiera conseguido detener la fuga de los jinetes. Por la mañana ya había decidido que si la batalla se resolvía con una derrota y su ejército se disolvía en la furia de un día desventurado, no tenía ningún sentido sobrevivir. Recordó las palabras de un general romano a sus soldados reproducidas en una carta de Séneca: «Es necesario ir, pero no es necesario regresar.»

—Gracias, poderoso Helios —susurró el joven, alzando sus ojos hacia el sol del ocaso. Luego espoleó el caballo en busca del general Nevita.

Draco lo siguió cabalgando entre los vestigios de la carnicería ya concluida. La muerte y la destrucción, consecuencia de todas las batallas. La estela de cuerpos desgarrados llegaba hasta el Rin, lento e inmutable a media milla de distancia. La caballería debía de haber perseguido a los enemigos hasta el río, para luego remontar su curso hasta encerrar en una mordaza a los alamanes ya acosados por las legiones. Una masacre.

El furor de la contienda era un eco lejano, el fragor de la batalla resonaba en el alma y el silencio era ahora lamento.

Draco se metió en el río, se inclinó para enjuagarse el rostro y bebió, bebió hasta la saciedad, luego se dejó caer de rodillas. Alzó la mirada, la superficie del Rin era una extensión de piedras preciosas en la luz del ocaso, infestada de cadáveres inertes y de vivos que aún buscaban la salvación en la otra orilla. El cuerpo sin vida de un guerrero, con el rostro en el agua, pasó a su lado. Poco más adelante, uno de los *protectores* del césar lo llevó a la ribera con la lanza para ver si tenía encima algo de valor. Al no encontrar nada protestó y lo alejó de una patada.

—Bravo, franco —le dijo Filopatros, que apareció en la orilla, empuñando el arco—. Tenías razón al decir que hoy beberíamos en el Rin.

El chasquido y el silbido, ya familiares. Draco siguió la trayectoria de la flecha. En medio del río, un germano agarrado a un tronco aulló y extendió los brazos. El tronco prosiguió solo.

—Uno menos. —El franco hizo una mueca—. Ha pasado directamente del Rin a la Estigia.

—Me gustaría tener a Gigas, delante de mi arco —dijo Filopatros armando una segunda flecha.

Pasaron dos mensajeros, veloces, no menos enfangados que sus caballos. Filopatros, contrariado, falló el blanco y cogió un segundo dardo.

—Me revienta desperdiciar dos flechas, para un solo blanco.

Chasquido, silbido, muerte.

Draco observó al césar escuchando a los mensajeros mientras hablaba de Nevita. Un médico se ocupaba del oficial, cubierto de heridas. Le habían matado el caballo y los suyos lo habían creído muerto, pero había seguido batiéndose solo. Para Flavio Nevita la batalla de Argentoratum era solo una serie de cicatrices más, y punto.

Juliano vislumbró a Draco y le hizo una señal.

—Coge la mitad de la escolta y sigue a esos dos mensajeros. Hay algunos alamanes que intentaban huir con unas barcas, en un tramo pantanoso a media milla de aquí. Se necesitan jinetes para sacarlos de la madriguera.

—Bien, mi césar.

—Pero que nadie persiga a los alamanes por el río. No quiero perder hombres de valor con la batalla ya vencida.

Tras una jornada marchando y combatiendo, el *centenarius* de los *cornuti* tenía la cara negra de polvo y sudor. Le indicó a Victor una loma cubierta de vegetación.

—Los hemos empujado entre esos árboles. Son bastantes, pero la mayoría de ellos están heridos y mal armados. Nosotros rodearemos la loma desde el oeste e intentaremos empujarlos hacia el río. Vosotros permaneced escondidos detrás de aquellos árboles y en cuanto los veáis, caedles encima.

—Está bien, *centenarius*.

—Creo que en medio de ellos está también Chodomario —le dijo el oficial—. Cuidado, porque no se dejará coger fácilmente.

Victor miró a Filopatros y sonrió.

—Dime algo, *draconarius*, yo ya te he visto antes. ¿Cuál es tu nombre?

—Mi nombre es Victor, *centenarius*.

—Ya lo has visto y oído hoy —gruñó Filopatros.

—Es verdad, eres el que ha hecho aquel bonito discurso, hoy. ¿Eres de los que hablan y luego mandan a morir a los demás? —le replicó el centenario mirándolo de través.

—No, no tengo la intención de discutir contigo.

—Ya somos dos —afirmó el oficial con la voz ronca por una jornada que había pasado gritando.

—El asunto, amigo Victor, es que quiero a ese bastardo de Gigas, y lo quiero vivo. Lo he visto combatir entre los suyos como un demonio y segar a mis compañeros como espigas de trigo. Así que lo quiero yo, ¿está claro?

—Si hoy estabas en el centro de la formación con Bainobaude, te lo has ganado. Os habéis batido bien —dijo Victor asintiendo con la cabeza.

—Ese loco... faltó poco para que nos mataran a todos.

—Pero no habéis cedido.

—No... solo siento que él no pueda celebrarlo.

—¿Qué quieres decir?

—¿No lo sabéis? Cuando los germanos han atacado, a Bainobaude le han clavado una lanza en un hombro. Se la ha quitado y ha guiado el contraataque para cerrar el paso; solo que ya no conseguía sostener el escudo y un germano mierdoso le ha abierto en dos la cara con un golpe de espada, así —dijo imitando el golpe fatal para el valeroso comandante.

Victor inclinó la cabeza. Bainobaude era un verdadero soldado, lo echarían de menos.

—Nos han masacrado incluso por los que, como vosotros, no han hecho otra cosa en todo el día más que galopar de un sitio a otro, así que Gigas es para nosotros.

—¿Cómo puedo reconocerlo, en medio de los otros?

—Verás cómo lo reconoces, es el más alto de todos, un coloso, rubio y con el cuello de un toro. Llevaba un yelmo dorado y un enorme casco rojo, y estaba armado con una jabalina.

—Bien, esperemos encontrarlo.

Victor giró el caballo, pero el *centenarius* le cogió las riendas y le dijo:

—No trates de joderme, *draconarius*... Si lo haces, te mato, ¿entendido?

Victor lo miró y partió al trote, seguido por los *protectores* que el césar le había confiado. Alcanzaron una hilera de álamos desde los que se veía el cañaveral junto al río.

—¿Habéis oído al *centenarius*? ¡Gigas es suyo!

—Estás pensando en joderlo, ¿eh? —preguntó Filopatros.

—No, griego, es solo que la presa, en el campo de batalla, es del primero que la encuentra.

Los hombres asintieron y alguno soltó una carcajada.

—Y si es así, a Gigas lo cogeremos nosotros, los *protectores*, y será nuestro homenaje al césar de la Galia por esta gran jornada.

—¿Tú estás loco?

—Cállate, *graeculo*, y prepara esa moneda de oro. Estás a punto de perder la apuesta.

Pasos a la carrera entre la vegetación, respiraciones jadeantes.

Alguien que trataba de alcanzar el río a través del pantano, donde correr no era nada fácil.

—Aquí están. Esperad... ¡Ahora!

Cuando quedaron al descubierto, los germanos vieron la fila de jinetes que apareció de repente entre los árboles. Se pusieron a correr hacia la única vía de salvación: el río.

El ruido de los cascos en el fango era un sordo tamborileo. Filopatros armó una flecha y tensó el arco, Draco cogió una de las jabalinas de la aljaba que llevaba en la silla y apuntó a los alamanes que descendían a la carrera por la colina. Los caballos surcaron el pantano entre grandes salpicaduras de agua. Filopatros disparó una flecha a la garganta de un guerrero herido que trataba de meterse entre las cañas de la orilla.

Victor atravesó a otro que pedía piedad con los brazos levantados. Persiguió a un muchacho que avanzaba con esfuerzo, con barro y agua hasta las rodillas, y lanzó la jabalina. El muchacho se hundió en el aguazal, con el mango de la jabalina sobresaliendo de la espalda como un árbol sin ramas. Victor avanzó y tiró una segunda lanza, pero falló el tiro. El alamán la recuperó y la cargó. Victor encabritó el caballo, pero se desequilibró y cayó hacia atrás. Acabó en el amasijo de agua, hierbas y barro, y al instante se encontró junto al bárbaro, con una flecha del griego clavada en el hombro. Se levantó, escupiendo y resoplando. El bárbaro aún estaba vivo. Draco le metió la cabeza en el viscoso cieno, hasta que dejó de moverse.

Los otros *protectores*, entre tanto, estaban aniquilando al resto de los fugitivos, sordos a cualquier declaración de rendición. Pero de Chodomario no había ni rastro; quizás había visto a los jinetes desde lejos y se había escondido.

Victor volvió a montar en la silla para buscar a otros fugitivos en el cañaveral y sacó la espada. De repente oyó un ruido y se encontró rodeado por tres o cuatro germanos. Se agarraron a las bridas del caballo, tratando de desarzonar al jinete. Desesperados, querían el caballo para huir. El animal se encabritó de nuevo, pero el franco logró mantenerse sobre la silla. Le pegó una patada en la cara al más cercano. Un germano de largos bigotes trató de golpearlo con un *scramasax* y Victor le partió el cráneo con un violento mandoble. Tuvo un momento de pánico cuando uno de ellos, de un ágil salto, se subió a la grupa del caballo, detrás de él. El alamán tuvo tiempo de agarrarlo por el cuello, pero enseguida se estremeció y soltó un estertor. El caballo, nervioso, hizo un extraño y Victor sintió que el hombre se deslizaba abajo. Se volvió. El alamán estaba en el suelo, con los ojos desorbitados y la punta de una flecha saliéndole del cuello. La deuda con el griego estaba aumentando...

Filopatros y los demás *protectores* aparecieron en el mismo instante que otro grupo de alamanes huían en desbandada. Victor alzó la espada, listo para ordenar la carga.

—¡Quietos! —gritó una voz poderosa, plena de autoridad.

Un gigante se abrió paso entre los guerreros frente a Draco. Se adelantó sin ningún temor, hasta acercarse al *protector*. Era de veras enorme, con aquel cuello de toro. El largo pelo rubio, lleno de barro, rodeaba un rostro constelado de moratones y rasguños, pero no por eso menos noble.

Chodomario. Gigas.

Frente a Victor estaba el rey de los alamanes con el torso encerrado en una coraza llena de abolladuras y las manos levantadas en señal de rendición.

—He oído que me buscas.

Había hablado en su lengua. Victor respondió, en el mismo idioma:

—Sí, si eres Chodomario.

—Soy yo. ¿Tú quién eres?

—Soy Victor, hijo de Klothar de Merseen, *draconarius* de Flavio Claudio Juliano, el césar de la Galia.

—Un franco.

—Sí.

—Conozco Merseen.

—Lo sé, fuiste tú quien la entregó a las llamas, hace unos veinte años. Mi padre consiguió llevarme al otro lado del río. Mi madre, en cambio, no llegó nunca.

—Solo los más fuertes sobreviven, Victor, hijo de Klothar de Merseen.

Victor respiró y asintió mirando el cadáver del germano que tenía entre los pies.

—Parece que sí. Ahora camina, te llevaré con el césar de la Galia.

Montó en la silla y sintió una punzada en el muslo. Se percató de que la pierna le sangraba. El germano le había clavado el *scramasax*, pero en el fragor del combate no se había percatado.

Y al arrogante *centenarius* que le dieran. Victor eligió una decena de jinetes y les ordenó a los otros que continuaran la caza del hombre. Él tenía su presa y pretendía meterla en la jaula.

Al abrigo de las cañas, el grupo se puso en camino.

A lo lejos, los romanos exultantes aclamaban «Juliano, emperador».

[illegible]

XIII

[illegible]

Noviembre de 1863

El presidente [illegible] que debía [illegible] en el [illegible] noticias.

—¿Nuestro Victoriano?

—Sí, tu tío segundo.

[illegible] le dio un [illegible] la bandera [illegible] rancia [illegible] de buena salud. [illegible] dedos [illegible] vez era más [illegible] de Victoriano, que era [illegible] conocía a su primo [illegible] ían [illegible] encantados para [illegible] naban la [illegible]

Victoriano [illegible] años antes, después [illegible] de la Cofia [illegible] victoria sobre los [illegible]

XIII

Conspiración

Noviembre del 359 d. C.

El *praepositus sacri cubiculi* Eusebio observó el sello de la misiva que debía entregar al emperador con un temblor nervioso en el ojo izquierdo, la mirada contrita de quien no tenía buenas noticias.

—¿Nuestro Victorino?

—Sí, divino augusto.

Constancio, recostado junto a su consorte sobre un triclinio, le dio un último mordisco al muslo de perdiz y tiró los restos en la bandeja de plata. Con el rostro pálido, aquella tarde la emperatriz no había tocado la comida. Desde hacía tiempo no disfrutaba de buena salud. El augusto se sentó y con un gesto de los dedos sucios indicó que un servidor le entregara la misiva. Cada vez era más frecuente que se pusiera nervioso al recibir las cartas de Victorino, que era uno de los sobrenombres por los que se conocía a su primo Juliano; también lo llamaban Topo Charlatán, Mico Purpurado o Griego Chupatintas, todos ellos apodos inventados para burlarse de las empresas del césar y que inflamaban la bilis de su augusto y envidioso primo.

«Victorino», el epíteto más usado, había sido acuñado dos años antes, después de la batalla de Argentoratum, cuando el césar de la Galia había enviado a la corte un informe detallado de la victoria sobre los alamanes. El documento había sido entregado por un mensajero particular: Chodomario encadenado. El informe elaborado por el césar decía que al final de aquella dura jornada habían quedado sobre el campo doscientos cuarenta y tres soldados romanos y cuatro altos oficiales, entre ellos el heroico Bainobaude. En el frente de los alamanes, la cuenta de las pérdidas sumaba más de seis mil hombres. Imposible establecer cuántos germanos se había llevado el Rin en las sucesivas fases de la batalla. En efecto, eran pocos los que habían llegado ilesos a la orilla opuesta.

Por toda respuesta, el emperador había hecho público un boletín que celebraba «su» gran victoria sobre las tribus germánicas. En el texto se exaltaba la hazaña describiendo con detalle como él, Flavio Julio Constancio Augusto, había guiado a los hombres en la batalla y había empuñado la espada cuando la guardia imperial a duras penas lo contenía para que no fuera él solo a hacer una matanza de germanos. No faltaban los detalles de la rendición final de Chodomario, que en la versión imperial se había postrado, suplicante, a los pies del augusto. Gigas no había tenido manera de negar la autenticidad del relato, prisionero como estaba en las mazmorras de los *castra peregrina* de Roma.

El único detalle que faltaba en el documento imperial era la presencia sobre el terreno de Claudio Flavio Juliano, el césar de la Galia. El mundo supo, pues, que el propio Constancio había liberado la Galia de los germanos. Hasta los oficiales y los soldados de Juliano se enteraron y fueron a ver al césar para protestar, indignados. Al príncipe le costó serenar los ánimos y exhortó a los oficiales a castigar a los soldados que insistían a aclamarlo como emperador.

Argentoratum había sido solo el principio.

Ganada aquella batalla, Juliano supo intuir que era el momento de dar una lección aún más dura y de obtener una victoria decisiva. No era suficiente una batalla, había que ganar la guerra.

Mientras los prisioneros y el botín eran conducidos a Metz, el césar desembarcó con su ejército en la orilla derecha del Rin. A las poblaciones del otro lado del gran río, que no esperaban una invasión, las cogió desprevenidas. Los estandartes del imperio volvieron a ondear al este del Rin y sembraron muerte y destrucción. El césar les recordó a sus soldados las incursiones, las masacres y las traiciones perpetradas durante años por los bárbaros y los incitó a vengarlas.

Las legiones marcharon, imparables, hacia el este quemando granjas y aldeas, y saqueando cosechas y ganado. Mataban o esclavizaban a los fugitivos por millares y los dispersaban por los cuatro rincones del imperio. Los romanos violaron, mataron y torturaron, en una orgía de violencia, hasta que los jefes de los clanes, consternados, imploraron la paz.

El césar detuvo a su ejército e impuso a los vencidos condiciones durísimas. En las ciudades galas destruidas por los germanos hizo que los supervivientes confeccionaran listas con los nombres de sus familiares raptados por los alamanes. Esas listas se presentaban a los jefes de clan, que, si querían la paz, tenían que devolver los prisioneros y resarcir a sus parientes. Así fueron liberados cerca de veinte mil galos.

El espectro de la guerra y la esclavitud estaba derrotado, pero la Galia continuaba de rodillas. Al volver a casa los prisioneros solo encontraban escombros y las reservas de comida requisadas más allá del Rin no podían conjurar la amenaza del hambre.

Se necesitaba una solución digna de un gran soberano. El césar ordenó a sus tropas que dejaran la espada del soldado por el hacha del leñador. Talaron una gran extensión de bosques a lo largo del río y con la madera las legiones construyeron una flota de ochocientas naves capaces de navegar por el río hasta el mar, para luego alcanzar Britania. La isla, que vivía desde hacía tiempo en paz, era rica y próspera, y las legiones del sur estaban en condiciones de suministrar el trigo necesario para saciar el hambre de la Galia.

Claudio Flavio Juliano comenzó a ser venerado como un salvador. El torpe muchacho que había partido de Mediolanum con trescientos ochenta hombres era un soberano, a la cabeza de un país y de un ejército adiestrado y leal. Consciente de su fuerza, el césar se oponía cada vez con más decisión al prefecto Florencio y a su gestión del erario.

La carta que estaba leyendo Constancio era, precisamente, el enésimo duelo a distancia sobre la política tributaria entre Juliano, que se había establecido en Lutecia, y Florencio, aún envuelto en las comodidades del hermoso palacio de Vienne. El objeto de la disputa era la *capitatio*, un impuesto que costaba a los ya machacados galos la bonita suma de veinticinco sólidos por familia.

Al año siguiente de la batalla de Argentoratum y de la campaña más allá del Rin, Florencio se quejó de que habían descendido los ingresos fiscales e impuso aquella tasa suplementaria. La medida debía ser formalmente avalada por el césar, pero él se negó; no iba a consentir que se exprimiera más a sus súbditos. Florencio se lamentó ante el emperador por el comportamiento del césar, y el divino augusto respondió con melosas alabanzas del prefecto, que siempre había sido digno de su alta misión, etcétera. Juliano le demostró, con muchos números, a su augusto primo que las contribuciones cobradas bastaban para cubrir las necesidades de la provincia. El problema era que solo gravaban a los pequeños contribuyentes, mientras que los ricos terratenientes estaban exentos de pagarlas. Había que remediar esa injusticia.

La batalla epistolar se prolongó durante meses. Hasta el día en que un nuevo informe de Juliano atrajo la atención del emperador. En efecto, el césar demostraba que los funcionarios locales, antes de depositar los tributos en las arcas del erario, se embolsaban una buena parte. Estaba claro que las entradas nunca eran suficientes, ni lo serían aunque aumentaran el gravamen.

Constancio tuvo que autorizar que Juliano supervisara personalmente el cobro de impuestos de una provincia de la Galia oriental.

—Victorino ha vuelto a lograrlo —gruñó el emperador agitando la carta ya impregnada por el perfume dulzón que se ponía Eusebio.

—Deja de llamarlo así —le replicó indolente la emperatriz Eusebia poniéndose un paño húmedo en la frente.

El augusto resopló, irritado, un comportamiento poco acorde con su posición imperial.

—Los impuestos que ha recaudado en Bélgica superan lo necesario, y no es preciso ni aumentarlos ni apremiar a los morosos.

La emperatriz dejó escapar media sonrisa que rompió por un momento el velo de tristeza.

—Por tanto, tenía razón el césar.

—Puede ser que los datos sean falsos —sugirió Eusebio, melifluo, entre el rumor de las sedas.

—¡Los datos no son falsos! —Constancio estaba furioso—. El drama es que estoy rodeado de ladrones, mentirosos e incapaces.

—Sin embargo —prosiguió Eusebio, impertérrito—, Flavio Juliano ha demostrado que es un buen administrador, además de un buen soldado. ¿Por qué no darle confianza, mi divino augusto?

—¿Confianza? —El emperador tiró la carta—. El país entero no hace más que hablar de él, su ejército lo llama emperador. Ha llegado el momento de quitarle poder, ¡no de darle más!

—Los soldados aman a los generales victoriosos —advirtió Eusebia.

—Nuestros observadores —dijo el eunuco— informan de comportamientos alarmantes por parte de los soldados.

—Quieres decir los espías de los que lo habéis rodeado —replicó Eusebia, acalorada—. El césar se comporta de manera intachable y ha hecho de todo para ejecutar su misión. He sabido que la flota fluvial ha vuelto a patrullar el río y que surgen mercados por todas partes.

La voz afeminada del asistente personal del emperador se hizo aún más aguda tras las palabras de la emperatriz al responder:

—Ciertamente, nobilísima señora. Y puesto que el césar de la Galia ha desarrollado perfectamente la misión que le confió el divino augusto, quizá sea oportuno hacerlo volver a la corte. Temo que el nobilísimo Juliano haya asumido una carga demasiado pesada para una sola persona.

Constancio asintió, pero la emperatriz no parecía tener la intención de soltar su presa.

—Quisiera recordarte que está atravesando un momento difícil. Su esposa, tu hermana Helena, ha perdido de nuevo un niño y está postrada.

—Yo soy el emperador. El emperador no tiene hermanas ni hermanos. Yo sirvo al Señor y al Estado. —Constancio lanzó una mirada gélida a su consorte—. Puedes marcharte, mi noble Eusebia. Estás cansada y necesitas reposar.

Inmediatamente el *praepositus sacri cubiculi* batió dos palmas dos veces para llamar a las damas de compañía. Eusebia inclinó la cabeza y obedeció a su marido, el hombre más poderoso de la tierra.

—No quería contradecir a tu noble esposa, mi augusto —le dijo Eusebio, obsequioso, cuando salieron todas las mujeres de la sala—, sin embargo, tienes razón: por el bien del imperio no podemos permitir que se acreciente demasiado la fama de tu noble primo. Los hombres establecidos en la Galia le tienen tanta devoción que ha podido volver contra nosotros nuestro plan del año pasado.

—¿Te refieres a tu idea de no hacer llegar las pagas de las tropas?

—Se suponía que eso exacerbaría los ánimos de los soldados contra él y provocaría altercados, pero el césar nos ha acusado de la falta de pago y, por desgracia, le han creído —dijo Eusebio encogiéndose de hombros y con la mirada triste—. Eso explica que ahora lo aclamen como augusto, acto inadmisible varias veces confirmado por mis informadores. En mi humilde opinión, es suficiente para acusarlo de alta traición.

—¿Y para decapitarlo incluso antes de la sentencia, como a su hermano?

—Nada de ejecuciones sumarias. Que se quede en Lutecia, pero solo con poderes formales —respondió Eusebio con la mirada baja ante el tono airado del emperador. Quizá, mi augusto —sugirió el eunuco—, el primer paso sea alejar de él a Flavio Salustio. Es extraño que un joven inexperto y dedicado a la filosofía haya obtenido tanto. En mi opinión, el general Salustio es en gran medida el inspirador de sus actos. El joven césar es el rostro, y el viejo Salustio, la mente. Sin su influencia, el césar recuperará un papel más... adecuado en relación con tu grandeza.

Constancio escrutó al eunuco mientras mordisqueaba un dulce con miel.

—Pongámoslo a la cabeza de una lejana provincia oriental. El viejo Salustio no se opondrá.

—Excelente idea, mi augusto.

—Y, además, teniendo en cuenta la campaña oriental contra Persia, deberé reclamar gran parte del ejército de la Galia. —El asistente personal del emperador asintió.

»Quiero una lista de sus fieles y que los controlen. En el momento oportuno, el césar deberá estar rodeado exclusivamente por nuestros hombres. Las órdenes se mandarán directamente a los comandantes de las unidades, haciendo caso omiso del césar, para que entiendan cuál es el peso del muchacho en la jerarquía imperial y que el ejército ya no está bajo su dirección. Quiero que sea dividido entre varios generales, que no estén en contacto entre ellos. Y, para terminar, las unidades que más se hayan distinguido en la guerra contra los alamanes serán alejadas de la defensa de la Galia.

—Como tú desees, mi augusto.

Constancio hizo una seña y un servidor acudió con una copa de vino.

—Te dejo a ti los detalles, Eusebio. Tú sabes qué hacer.

Paulo Catena entró furioso en el elegante despacho de Eusebio.

—¡Ya no puedo contar los daños que me ha procurado el Mico Purpurado!

—Estate tranquilo, el Mico tiene los días contados.

—Ha destituido a los funcionarios de media Galia. Y, aparte de los negocios, ya no tengo el control de...

—Cálmate, te lo ruego —dijo Eusebio levantando su regordeta mano—. El rey de reyes, Sapor de Persia, está acudiendo en nuestra ayuda. —Paulo Catena se sentó, con curiosidad—. La pasada primavera, los sasánidas invadieron nuestros territorios. Algunas ciudades se rindieron, pero la fortaleza de Amida, bajo el mando del general Ursicino, resistió.

—Ursicino... un viejo conocido, útil cuando hemos tenido que ajustar cuentas con Claudio Silvano —dijo Catena sonriendo con ironía.

—Amida ha resistido setenta y tres días y las guarniciones vecinas han tenido tiempo de replegarse hacia el oeste. Ursicino ha escapado y ha dejado a los suyos a merced de los persas. Yo mismo le he proporcionado al augusto la información para que pueda destituir al general.

—Su fin estaba escrito desde hacía tiempo.

—Sí. Entre tanto Sapor se ha atrincherado en la fortaleza conquistada y nuestro amadísimo augusto ha contenido el problema, de momento, alineando allá abajo a las unidades más cercanas.

—Pero no bastan para pasar a la ofensiva —objetó el astuto Catena mirándolo de reojo.

—Por desgracia, no —prosiguió compungido el eunuco—. Se necesita un gran ejército, compuesto por las unidades orientales y, sobre todo, por los vencedores de la Galia.

El jefe del espionaje se echó a reír.

—¿Por tanto el Mico irá a reventar en Persia?

—No, a Persia irá su ejército. El emperador quiere apuntarse el éxito, así que el Mico se quedará en Lutecia, en compañía de algunos servidores. Todos sus soldados los cogerá nuestro amado augusto.

—Es peligroso. Lo idolatran —dijo el torturador.

—Los soldados están comandados por oficiales y los oficiales se compran. Ya lo hemos hecho antes.

—No —dijo Catena sacudiendo la cabeza—. Hace tiempo que lo hago espiar y nunca he descubierto su punto débil. El Mico es puro, no se deja corromper y odia a quien sí lo hace. No persigue las riquezas, es más, parece que desprecia el dinero. Vive como sus soldados, come lo que comen ellos y duerme al relente incluso en invierno. No se le conoce mujer que no sea esa patosa de su nobilísima esposa, no es sodomita... y los que lo rodean parecen hechos para él. Los hombres lo sirven por convicción y ser uno de los suyos no significa disfrutar de privilegios, sino esfuerzo y sacrificio. Y si lo llaman «augusto» no es para regalarle los oídos, sino porque sinceramente quieren que ocupe el puesto de nuestro Constancio.

—Brillante análisis, mi querido Paulo, pero cuando solo mande sobre su caballo, el puro volverá a ser lo que era, un filósofo de provincias, que estudia teología y añora un pasado que ya no existe. Te recuerdo que el pueblo está agitado. Después del concilio de Ariminum y el de Seleucia, la Iglesia ha reconocido como supremo soberano al emperador y ahora reina con él en nombre de la lucha contra un enemigo común: los antiguos cultos.

Catena hizo una mueca y apostilló:

—No te ilusiones, Eusebio, los cristianos aún no tienen el control del imperio. En la Galia los viejos cultos están vivitos y coleando. Los soldados adoran a Mitra, el dios guerrero, y le sacrifican animales en cualquier ocasión. ¿Te acuerdas de Apodemio? Si no hubiera estado Marcelo, lo habrían mandado a la hoguera.

—Creo que Juliano está un poco enfadado con nuestro *agens in rebus* desde que este mandó matar al *draconarius*. Lástima, además, porque era uno de nuestros mejores *referendarius*.

—Sí, pero había tomado partido por el césar, y como él hay muchos en la Galia dispuestos a dejarse matar por el Mico. Dentro de poco no tendremos a nadie para controlarlo. No, Eusebio. Debemos cortar el problema de raíz.

—Sé más explícito —le pidió el asistente personal del emperador escrutándolo.

—Nada de Mico, nada de jefe. Los soldados derramarán una lágrima, luego obedecerán al nuevo jefe. —Catena bajó la voz en un susurro—: Si el puro se convirtiera en emperador...

—¿Qué tienes en mente?

—Es solo una hipótesis, pero, llegado el caso, ¿cómo piensas que se comportaría con gente como nosotros? —Eusebio no respondió. Su palidez era más que elocuente—. Debemos eliminarlo, si no queremos correr el riesgo de que nos elimine él.

Aquellas palabras podían significar una condena a muerte, para ambos.

—El emperador ha sido claro. No quiere que se repitan episodios como el del hermano del césar.

—Será como desea el emperador, Eusebio. Nadie podrá acusarlo de nada. Nos basta con alguien que se encuentre en el lugar adecuado en el momento preciso.

—Creo que yo tengo a ese alguien —anunció Eusebio acariciando un precioso anillo de rubíes que llevaba en el meñique.

—¿Quién es? —preguntó Catena entrecerrando los ojos.

—Eso no es importante.

—¿Pero es de confianza?

—Es un devoto cristiano —dijo Eusebio—. ¿Entiendes? El gesto de un fanático, en estos tiempos no tiene nada de asombroso.

—¿Pero estamos seguros de que tu cristiano no nos traicionará? —Catena tenía sus dudas.

—Más que seguros —respondió el asistente del emperador—, porque también él morirá.

XIV

Tabula Cerata

Febrero del 360 d. C.

Envuelto en la pelliza, con la cabeza gacha para protegerse del río, Corax bordeó el Sena iluminado por la luna.

De vez en cuando miraba los remolinos en el agua gélida. Era el tercer invierno que pasaba en Lutecia, con la nostalgia del cálido sol de Grecia. Un escalofrío le atravesó el cuerpo. Empujó la pequeña puerta de una taberna.

Dejó con alivio el aire glacial a su espalda y entró en el local maloliente iluminado por antorchas. Soldados, campesinos, mercaderes y varias mujeres bebían, reían y hablaban en voz alta. El ruido era ensordecedor.

—Maldita sea esta ciudad —farfulló Filopatros acercándose a la mesa donde Victor estaba sentado con Dagalaifo, Suana y los niños.

—¿Tienes las posaderas heladas, *graeculo*? —gritó Dagalaifo, con la voz pastosa por el exceso de vino—. ¡Coge una jarra del bueno y verás como te calientas!

Filopatros evitó a dos legionarios que estaban a punto de pelearse y encontró sitio al lado del pequeño Clodio. Dagalaifo llenó un vaso y se lo pasó a Filopatros, que se lo bebió de un trago.

—Cada vez te pareces más a los persas, con esa barba negra.

El griego se secó los labios con la mano y dijo:

—Maldito franco, quisiera verte en medio del desierto, derritiéndote como el hielo en primavera.

Los dos soldados comenzaron a sacudirse, y Victor apartó a Ario y Clodio para evitar que se vieran implicados. Dagalaifo empujó a un par de espectadores, más borrachos que él, y se inclinó hacia delante.

—Me parece que vamos a descubrir si el griego se parece a un persa —guiñó el ojo—, y si Victor se derretirá como el hielo.

El corpulento oficial contuvo un eructo. Miró alrededor con desconfianza; luego volvió la cabeza y, tras soltar una carcajada, dijo:

—Soplan vientos de guerra en Mesopotamia. Dentro de poco, tendremos que ir a destripar a los persas. —Llenó el jarro y se tragó la mitad de un sorbo—. Han conquistado una ciudad, allá abajo; se llamaba Amida. Esas fieras los han pasado a todos a cuchillo, no solo a los soldados, sino también a las mujeres, los viejos, los niños... todos muertos. —Hizo un gesto ilustrativo con el dedo recorriendo el cuello de lado a lado—. La ciudad ya no existe.

Los hermanitos lo miraban aterrados y Suana los abrazó.

—Estás borracho —dijo Suana, sacudiendo la cabeza.

Dagalaifo eructó.

—Cuando no combaten, los verdaderos soldados se emborrachan.

—De todos modos, es una guerra lejana que no nos concierne. Pan para los dientes de las legiones orientales —dijo Victor.

El germano vació la jarra y exclamó:

—¡Buenas piezas! Si el augusto quiere combatir en serio a los persas, no puede confiar en esos afeminados.

El griego soltó un par de maldiciones y llevó una mano a la espada, pero Victor lo detuvo.

—Piensa en lo que sucede en Britania. Los escotos y los pictos han atacado la frontera septentrional, pero desde aquí no ha partido nadie. El césar ha mandado allí a los hérulos y a los bátavos, que no son galos sino germanos.

—¿Y entonces?

—Y entonces, mientras las legiones galas permanezcan aquí, en la Galia reinará la paz, y el césar lo sabe. La mitad de este ejército está compuesta por gente nacida en esta tierra y que, por lo tanto, se negará a ir a combatir a otra parte.

Dagalaifo se aclaró la garganta y anunció:

—Hace tres días ha llegado a la ciudad el secretario de Estado, Decencio, con la orden de trasladar a los auxiliares y los trescientos mejores hombres de cada unidad. La orden incluye también a trescientos *scutari* y a los *petulanti*. Y viene del emperador.

—Eso significa la mitad del ejército del césar.

—Además, han avisado a los comandantes de las unidades antes que al césar.

—Aquí está lleno de *scutari*, si lo supieran ya habrían protestado, ¿no crees? —le replicó Victor mirando alrededor.

—De hecho, no lo saben.

—Cuando se alistaron, el césar les prometió a estos hombres que nunca irían por debajo de los Alpes; y el césar no es de los que incumplen la palabra dada.

La puerta de entrada de la taberna se abrió de golpe, para dejar entrar a un guardia de los *petulanti*, con yelmo y coraza. El hombre tenía un aire furibundo y agitaba delante de todos un pergamino ajado.

—¡Nos han traicionado!

Los parroquianos se volvieron para mirarlo y los que sabían leer se acercaron al improvisado mensajero. Un leño chisporroteó en el fuego y se levantó una llamarada.

—Ahora ya lo saben —farfulló Dagalaifo.

> Mientras nosotros, como criminales y condenados somos empujados a las regiones extremas de la tierra, nuestros seres queridos, a los que con sangrientas batallas hemos liberado de la esclavitud, serán de nuevo sirvientes de los alamanes.

El césar miró a Victor.

—¿De dónde sale este panfleto?

—Un guardia de los *petulanti* lo ha encontrado clavado en un palo, en el campamento. Los rumores corren y los hombres están agitados.

—No hay nada de extraño, al principio es siempre así —dijo despreocupado un oficial que había llegado y se había situado junto a Juliano. Nadie lo había visto antes.

—El tribuno Decencio —explicó el césar— está aquí en calidad de secretario de Estado del emperador. Me ha transmitido la orden de traslado de los soldados, que algunos oficiales, según parece, ya habían recibido personalmente.

De los presentes, que eran Nevita, Arinteo, Dagalaifo, Valentiniano y unos cuantos más, ninguno reaccionó como si estuviera asombrado. Turbado, Victor descubrió que era el único que no estaba al corriente de la situación. Precisamente él, que a menudo sabía antes que los otros lo que había ocurrido. Observó a aquel Decencio, alto, el pelo corto y gris y una cara sacerdotal. Llevaba una coraza que valía un patrimonio.

—Era inevitable que se supiera —continuó Decencio, en tono afable—. Pero bastarán algunas palabras y una pequeña compensación suplementaria para calmarlos. Una vez en marcha, ya no pensarán en ello.

—No es tan sencillo como piensas, tribuno —rebatió Juliano—. Estos soldados tienen confianza en mí. Me han visto combatir con ellos por su tierra, han acudido a mi lado y han empuñado la espada para ayudarme a liberar la Galia. Lo han hecho por sus seres queridos y también por mí.

—Nobilísimo, tú aquí representas al emperador, así que estos soldados no te pertenecen a ti, sino al imperio; y el imperio ahora les pide que defiendan otras tierras. Demos al césar lo que es del césar.

Juliano rompió el pergamino.

—Debo hablar con ellos.

—Las órdenes ya se están cumpliendo, nobilísimo. —El tono de Decencio quería ser tranquilizador—. Los carros militares van hacia Lutecia desde toda la Galia. Los soldados podrán cargar en ellos sus bienes y su familia, y partir hacia Persia.

Juliano asintió y se acercó a Victor.

—Daremos un banquete. Tengo la intención de hablar con los oficiales de todas las unidades que están llegando a Lutecia. Ordena a los cocineros que no escatimen la comida, y que elijan el mejor vino. Es un momento importante, y el banquete debe estar a la altura.

—Sí, mi césar.

—Y mañana haré frente yo mismo a oficiales y soldados.

—Dispondré la guardia.

—No, Victor —dijo el césar—. Iremos nosotros dos, solos.

—Perdóname, nobilísimo —intervino Decencio a media voz—, pero es mejor no correr riesgos inútiles. Los soldados...

—Si represento el poder imperial en la Galia —replicó Juliano tajante—, estimo que también tengo el poder de hablar con mis hombres.

Desde las grandes ventanas laterales de la sala llegó un griterío lejano, una especie de alarido transportado por el viento. Oficiales y funcionarios se miraron, preocupados. Más allá del río, los soldados estaban comenzando a invocar al césar.

—Ahora, si me lo permitís, debo reposar.

Concluido el encuentro, los presentes se dispersaron por los corredores del palacio.

—¿Qué pasa, griego? ¿Estás enfermo?

A Filopatros le dio un escalofrío y se ajustó la capa. Tenía el rostro pálido.

—Te lo he dicho, debe de ser culpa del frío, tengo fiebre, no me sostengo en pie.

—Si el césar reposa —dijo Victor—, puedes dormir un poco tú también.

—He olvidado quitarle los jaeces al caballo.

—Me ocuparé yo. Vete a reposar, *graeculo*.

En el aire gélido de la noche, Corax fue hacia los alojamientos de los *silentiarii* mientras Draco se dirigía a las cuadras.

El *draconarius* se abrió paso entre la pequeña multitud de

soldados y de mozos. La llegada de nuevas unidades a Lutecia y a los alrededores, y el continuo trasiego de oficiales en el palacio hacían que las cuadras estuvieran más abarrotadas de lo habitual.

El franco controló primero su caballo y le dio un poco de avena, luego fue a ver el bayo de Filopatros, que estaba aún ensillado. Victor comenzó por desatar los jaeces, quitó la silla y la colgó de un gancho. Dejó pasar a un par de reclutas que parloteaban entre ellos y miró las costuras en busca de los pequeños bolsillos escondidos que tenía también su silla: un indicio que habría revelado si el griego tenía algo que esconder.

—¿Filopatros?

En las cuadras el aire era agradable y cálido, pero al oír aquella voz el franco sintió un escalofrío. Era un soldado de caballería envuelto en una pesada capa. La penumbra y la capucha ocultaban sus rasgos.

—Me has asustado —respondió Victor apoyándose en el caballo.

—¿Eres tú, Filopatros?

El *protector* lo miró. No sabía quién era aquella silueta oscura, pero por la manera de acercarse solo podía ser un hombre de los que trabajaban en la sombra. Un espía, con un mensaje secreto para Corax.

—Soy yo —farfulló Victor—. ¿Qué quieres?

Entre las pilastras de la cuadra, una segunda sombra, aún más amenazante. El jinete no estaba solo. Extendió la mano con la palma hacia arriba ante Draco. Este hurgó en la bolsa que llevaba en el cinturón, extrajo el anillo y se lo entregó al hombre. Era el anillo que le había dado Catena en Mediolanum, cuatro años antes. Su único signo de identificación.

«Si conociera a Filopatros, no me habría pedido una prueba», pensó el *referendarius*.

Con el rabillo del ojo miró qué hacía el segundo espía. Vislumbró la ballesta, apuntada hacia él. Si no hubiera tenido el anillo, al jinete le habría bastado una señal y el sicario le habría plantado un dardo en la frente.

—No lo llevo en el dedo, es demasiado peligroso —explicó Victor.

—Sin peligro, sería otro oficio.

El jinete le devolvió el anillo e hizo un gesto. El ballestero fantasma se desvaneció en la oscuridad. Estaban convencidos de hablar con Filopatros.

—Escúchame bien, Filopatros —susurró el jinete—. Los planes han cambiado. Es preciso adelantar los acontecimientos.

—Bien —respondió Victor, que no tenía ni idea de a qué se refería—. ¿Cuáles son los detalles?

El hombre le tendió una tablilla encerada. Victor la guardó debajo de la capa sin mirarla.

—Que la suerte sea contigo, Filopatros.

—Un momento. —Victor extendió la mano con la palma hacia arriba—. ¿Quién me dice que de verdad eres uno de los nuestros? Si no me das una prueba, podría pensar que eres un impostor.

—Venga, sabías que íbamos a ponernos en contacto en Lutecia; por la misión que estabas esperando.

—Sí, pero de todos modos no me fío. Por eso aún estoy vivo.

El otro se rio. Luego le mostró la mano izquierda. La piedra del anillo que llevaba era de otro color, pero la talla era la misma.

—¿Estás satisfecho? Ejecuta las órdenes del mensaje y no volverás a verme. Si no...

—¿Es una amenaza? —le preguntó Victor tratando, inútilmente, de verle la cara.

—No quisiera tener que liquidarte —le advirtió el encapuchado.

—Puedes intentarlo.

Se oyeron voces. Eran los reclutas de antes, a los que se habían unido otros hombres. El franco oyó que hablaban del césar. Se volvió, pero el jinete ya era solo una sombra que se escabullía. Una vez solo, enfundó el *scramasax* que había sacado en la oscuridad. Respiró hondo para calmarse. Al salir de las cuadras, vio que el grupo de soldados se había reunido en torno a un brasero para proseguir la discusión.

—¿Habéis visto a dos jinetes encapuchados?

Un par de ellos señalaron confusamente en dirección a la explanada. El *protector* miró alrededor, pero en el desordenado movimiento de hombres y animales no consiguió localizarlos. La esperanza de seguirlos se había desvanecido.

Cogió la *tabula* que había guardado: dos tablillas de madera cubiertas de cera, plegadas como un pequeño volumen y selladas con un cordoncillo. Contenían mensajes en clave. A lo largo de los años había recibido varios, pero era la primera vez que tenía uno destinado a otra persona. A Filopatros; a su amigo Filopatros, llamado Corax. Victor miró alrededor con recelo. Cualquier transeúnte podía ser un espía. Se encaminó hacia los alojamientos de los *silentiarii*, con la mente confusa. Filopatros era un *referendarius*.

Siempre lo había sospechado, pero ahora ya no pensaba en ello. Después del asedio de Senones, Victor había tratado de olvidar a Catena, Apodemio y el mundo turbio y oculto del espionaje. Se había convertido solo en Draco, un fugitivo que ya no formaba parte de la red de espías y asesinos que Constancio había extendido por el imperio. Filopatros era uno de ellos. Un *agens in rebus* de alto nivel en contacto con la cúpula, bastante hábil como para haber engañado al propio Victor. El franco alzó la mirada a la luna que alumbraba el camino en aquella noche de invierno y proyectaba miles de sombras inquietas. Mil preguntas en la mente. ¿Qué hacer? ¿Enfrentarse a Filopatros? ¿Contárselo al césar? ¿Buscar a los encapuchados? ¿Leer el mensaje de la *tabula*?

—¡Eh, tú, *draconarius*! —Victor se volvió. Un militar que hablaba con un grupo de compañeros de armas y lo señalaba a él—. ¿Él es el *draconarius* del césar?

—¿Qué quieres, soldado?

—¿Es verdad que iremos a hacer la guerra a Persia?

—No lo sé.

—Mentiroso, estás siempre pegado a él, por fuerza tienes que saberlo todo. —El soldado se acercó—. De todos modos, dile al césar que nosotros no nos moveremos de aquí, ¿entendido?

—El césar ejecuta las órdenes del emperador.

—Nosotros no nos moveremos de aquí, repito. Si es necesario lo convertiremos en emperador, así podrá cambiar las órdenes.

Llegaron otros soldados y de repente el *protector* se encontró rodeado, encerrado en un círculo de rostros hostiles. Pensó en abrirse paso por la fuerza, pero eran demasiados y estaban furiosos; habría sido un suicidio.

—¡Queremos hablar con el césar!

—Mañana podréis hacerlo.

El primero que había hablado le dio un empujón. Draco no reaccionó y le dijo:

—Me iba ya a dormir después de mi turno. Yo no sé nada. Solo cumplo con mi deber.

—Eres uno de esos jodidos guardias.

—A vosotros nunca os ocurre nada malo.

—¡Los protegidos del césar!

—Tú estarás en Lutecia mientras que nosotros acabaremos en Persia.

—¿Quién pensará en nuestros hijos?

Victor vio centellear una espada, luego otra.

—¿Qué sucede aquí?

Era una voz como un trueno, seguida por un ruido de cascos. Sobre el grupo se proyectó la sombra de un grupo de jinetes. El oficial al mando se adelantó sin ningún temor. Tras un momento de vacilación, los soldados que rodeaban a Victor se apartaron y lo dejaron pasar. Bajo el yelmo que reverberaba a la luz de la luna, el rostro duro de Flavio Nevita los examinó uno a uno. Detrás de él, los guardias del césar tenían las lanzas listas para dispararlas.

—¡A dormir! —El tono de Nevita era imperioso—. Mañana es un gran día y os quiero bien descansados. —Un soldado hizo gesto de hablar y Nevita lo fulminó con la mirada—. ¿Acaso eres sordo? ¿Quieres que te den una paliza?

Lentamente el grupo se disgregó y los hombres se alejaron refunfuñando.

—Gracias, general. Te ha mandado la fortuna, si no vienes, no sé qué habría sucedido.

—No ha sido la fortuna, sino dos jinetes. Han pasado por el cuerpo de guardia para advertirnos que uno de los nuestros estaba en peligro. —Victor permaneció impasible. Así que lo vigilaban—. Mejor regresamos al palacio. Sopla un viento desagradable.

Draco acercó la lámpara de aceite, luego cortó el cordoncillo que sellaba la *tabula*. Separó con cuidado las dos tablillas cerradas sobre la que estaba extendida la cera donde escribir.

La inscripción se refería a la adquisición de una silla y había el nombre de un par de armeros. El *protector* sabía perfectamente que el mensaje no era aquel. Separó la cera con la punta del cuchillo. El verdadero mensaje estaba debajo, grabado en la madera, al abrigo de ojos indiscretos.

Arañó con las uñas, sopló las virutas de cera e inclinó la primera tablilla, para verla a la luz. Luego limpió también la segunda. Y apareció el mensaje de la *tabula*. Pero el sentido era oscuro.

Ignis usque globus urit languentem abige.

«El fuego quema hasta el globo, atácalo cuando languidezca.»

Lo releyó. Obviamente estaba en clave. Volvió a leerlo. «Piensa, Victor, piensa.» Su mente entró en un laberinto en el que las respuestas no coincidían con las preguntas. Aquella frase podía decirlo todo y nada.

Trató de recordar los mensajes cifrados que había recibido para ver si encontraba una pista. Había que entender que el fuego era una persona... Quizás el globo fuera otra persona... ¿O un lugar? Pero la clave, la orden que había que ejecutar, estaba en la segunda parte: «Atácalo cuando languidezca.»

Solo Filopatros podía resolver aquel enigma. Filopatros, compañero de batallas y juergas, amigo de confianza... Varias veces le había salvado la vida. Y ahora... Pero había algo que no le cuadraba: si el griego era un espía cruel de la banda de Eusebio, Catena y Apodemio, ¿por qué no les había informado de que Victor aún estaba vivo? Todos lo creían muerto. Si hubieran descubierto que no era así, lo habrían hecho matar de inmediato. ¿Por qué Filopatros no los había avisado? Quizá para protegerlo, quizás era un espía, pero también un amigo...

El *protector* releyó el mensaje. No entendía el sentido, pero sabía que era importante. El encapuchado había dicho que los planes habían cambiado, que era preciso adelantar los acontecimientos. Fuera lo que fuera, se esperaba que Filopatros actuara de inmediato.

¿Y entonces? ¿Se lo decía al césar de la Galia? ¿Cómo explicar el modo en que se había adueñado del mensaje? Desenmascarando a Filopatros, se desenmascararía a sí mismo. Hablar de aquel mensaje con el césar significaba decirle que su fiable Draco era un *referendarius*.

¿Cómo habría reaccionado Juliano? ¿Seguiría confiando en él? Apretó los puños. En el fondo de su corazón sabía que ya no era quien había sido, sentía que era leal al joven al que había enseñado a usar la espada. Pero quizá, por un día, por una noche, el *referendarius* podía volver a estar en servicio. No contra el césar, sino por el césar. El *referendarius* podía descubrir cuál era la oscura amenaza que se tramaba en la sombra; y eliminarla. No, no hablaría con el césar.

¿Y Filopatros? Era el único que podía resolver el enigma, pero Victor no se fiaba. Nadie más debía saber nada. Una vez más, estaba solo.

—¿Qué haces, Victor?

—Nada, Suana. Vuelve a dormir —le contestó el *protector* cerrando la *tabula*.

—Los soldados siguen pegando gritos al otro lado del río. ¿Qué sucede?

—Mañana lo descubriremos. Ahora descansa.

Las tablas del puente vibraron cuando los dos jinetes lo atravesaron al trote para luego adentrarse en el dédalo de calles de la población surgida sobre la orilla izquierda del río.

Juliano y Draco cabalgaban en el frío de una mañana de febrero envueltos en las respectivas capas, con la cabeza protegida por el *pilleus* de fieltro. Superaron el anfiteatro entre las miradas curiosas de los aldeanos que lo señalaban y en cuanto lo reconocían caían de rodillas. Una mujer corrió a su encuentro con un niño en brazos.

—¡Mi césar, no nos abandones a manos de los germanos!

Draco sugirió que cogieran una calle secundaria, pero Juliano se detuvo a escuchar a la mujer. En pocos instantes se reunió una pequeña multitud en torno a él. Cuando el gentío comenzó a presionar, superado por una selva de manos tendidas hacia el príncipe, el *draconarius* se abrió paso con decisión y empujó afuera también al césar.

Ya fuera de la ciudad, Juliano y Victor alcanzaron el gran campamento que alojaba a las tropas. Los guardias en la entrada les dieron el alto, pero al instante reconocieron al príncipe y se inclinaron para dejarlo pasar. El césar entró en el cuartel general de los *petulanti*, donde los oficiales estaban dispuestos para la reunión matutina. Juliano se detuvo y le echó un vistazo al orden del día, saludó a todos y los invitó al banquete previsto para la tarde. Luego le dijo a Draco que quería recorrer el campamento y el franco no pudo más que seguirlo, confiando en que no hubiera actos de insubordinación.

Los legionarios lo rodearon, sorprendidos. Después de los primeros momentos de desconfianza, el ambiente cambió. El príncipe se mostró soldado entre los soldados, discutió un poco con ellos, se rio y fue saludándolos uno por uno. Draco lo admiraba por su habilidad de conquistarlos con su personalidad y su naturalidad: parecía nacido para aquello. Estaba allí, en medio de ellos, fuera de la ciudadela fortificada, escoltado solo por un *draconarius*. Se fiaba de ellos y ellos lo admiraban. Aunque el descontento estaba en el aire, era, sin lugar a dudas, su ídolo.

Después de los *petulanti* les tocó a los *brachiati*, luego a los *cornuti* y a todas las unidades establecidas en torno a la ciudad. Hasta el ocaso no retomaron los dos jinetes la vía de Lutecia.

—¿Desde cuándo no cabalgábamos solos por el campo, Victor?

—Hacía mucho tiempo, nobilísimo.

Juliano inspiró hasta llenarse los pulmones.

—Desde el día en que entramos en la Galia, ¿recuerdas? —Draco asintió con media sonrisa—. Estabas enseñándome a usar la espada.

—Ahora ya no tengo nada que enseñarte, nobilísimo.

—Entonces pensé que iba a ser más difícil de lo que ha sido. —El príncipe lo miró—. Verdaderamente no imaginaba cómo es observar desde lo alto del poder.

—Éramos pocos, mi césar, y tus soldados apostaban a que ni siquiera llegarías a la colonia Agripina. Hoy, tienes un ejército de rodillas delante de ti, dispuesto a todo, por ti.

—¿De rodillas delante de mí o del poder de Constancio?

—De rodillas delante de Juliano, el soldado.

Juliano suspiró, con una expresión casi soñadora en el rostro.

—Para un césar es normal ver que los demás inclinan la cabeza a su paso. Hablo y todos me escuchan. Ordeno y los generales obedecen... Todos se fían de mí. ¿Y yo? ¿A quién puedo confiarme para llevar esta carga? Así que pido consuelo a los dioses.

Victor apretó los labios. La cuestión religiosa se había revelado desde el principio uno de los puntos más delicados de su relación. Hacía tiempo que no lo tocaban. Para Juliano, era un testimonio de confianza hacia él. Para él, en aquel momento, era un estímulo para protegerlo aún más.

—Es como si los dioses me hubieran elegido para confiarme una misión, algo que la humanidad espera de mí. Es un privilegio, pero también una condena. El privilegio y la condena de llevar el conocimiento donde está la ignorancia, la civilización donde está la barbarie, la justicia donde está el atropello. Los dioses lo quieren, pero ¿y los hombres?

—No temas —respondió el *protector*—. Los hombres harán cualquier cosa que digas.

—Yo temo, en cambio, que pronto tendré que hacer cualquier cosa que me impongan ellos.

Envuelto en dos mantas de lana, Filopatros aún dormía, calenturiento. El franco miró alrededor, pero no vio nada sospechoso en la estancia.

Lo miró buscando al amigo. Si aún lo era, o si lo había sido alguna vez... La habilidad de un espía se medía por la capacidad de fingir, de ocultarse detrás de apariencias insospechables. El mejor espía era aquel que no existía, salvo para la cúpula de la red. Solo ellos, en sus secretas estancias, sabían quién era quién. El creador de aquella perversa organización había sido Constancio, pero había perdido su control hacía tiempo. Ahora todo estaba en manos de Eusebio y Paulo Catena, con un restringido grupo de individuos como Apodemio. Una orden suya, y cualquiera podía desaparecer, como tragado por un abismo sin fondo...

Habría querido sacudirlo y decirle a la cara aquellas palabras que ya lo obsesionaban. *Ignis usque globum urit languentem abige*, pero cuando Filopatros abrió los ojos Draco no fue capaz.

—¿Entonces, *graeculo*?

—Me siento como si me hubiera pasado por encima una turba de alamanes.

—Tiene razón Dagalaifo, vosotros, los orientales, sois verdaderamente afeminados... Quiere decir que te perderás el banquete que ofrece el césar a los oficiales de todas las unidades. Por una vez que no ha reparado en gastos.

—¿Quién?, ¿él? No me lo creo.

—Ha hecho traer vino en cantidad. Y ayer en las aras se sacrificaron toros y ovejas. Por tanto, carne en abundancia.

Filopatros trató de levantarse, pero se cayó sobre el camastro.

—Bebe a mi salud —farfulló, antes de volver al sueño.

—Claro que lo haré, *referendarius* Corax —murmuró Draco.

Victor entró en la sala de banquetes con la cabeza alta y Suana al lado. Formaba parte del círculo más íntimo del césar de la Galia, llevaba una preciosa coraza y tenía en el cuello el torques de los protegidos. Que, además, tuviera a su lado a una de las mujeres más bellas de Lutecia explicaba las no pocas miradas de envidia que percibía a su paso.

El imperio estaba reunido en aquella sala. Oficiales griegos, hispanos, sármatas, panonios, itálicos, francos, dacios, galos, germanos. Muchos estaban acompañados por sus esposas. A pesar de que se habían puesto sus mejores galas, los rostros duros, marcados por mil cicatrices, revelaban la dureza de vidas recorridas combatiendo sin pausa.

—Todos te miran, Suana. Tengo que estar atento o alguien te robará.

—Tonto —le dijo Suana sonriendo.

—Sé que no es fácil vivir conmigo. Sé que a veces mi deber con el césar te obliga a estar sola esperándome, a veces a tener miedo... —Victor se interrumpió, bajando la voz—, pero quiero que sepas que te estoy agradecido y que lo que siento por ti es... vale más que todo el oro y las joyas que relucen en esta sala.

Ella apoyó con delicadeza la cabeza en el hombro de él.

—Estos pocos años contigo han borrado todas las fealdades de la vida... —los labios le temblaron— de la vida de Murrula.

Intercambiaron saludos y cumplidos con otros oficiales, aunque la mayor parte de ellos eran unos perfectos desconocidos para Victor.

—Un oficial que tiene el honor del torques —dijo una voz, detrás de ellos— y puede disfrutar de una mujer tan guapa. Hombres tan afortunados son raros.

Victor miró al militar. Debía de estar alrededor de los cuarenta y tenía la barba salpicada de gris, la nariz aguileña y dos ojitos crueles. No lo había visto nunca, pero la voz...

—Mi nombre es Gaudencio, destinado en la Itálica. Y tú eres Filopatros, ¿no es así?

El anillo, de distinto color, pero la misma talla, destacaba en la mano que le tendía. Y el robusto militar detrás de él, con rostro de piedra sobre un cuello de toro, debía de ser el ballestero.

Victor le aferró el antebrazo con un vago gesto de complicidad. No esperaba encontrarlos allí.

—Debemos brindar —dijo el oficial—, por las futuras... empresas, Filopatros.

Suana sonrió y dijo:

—Debería estar celosa de Filopatros: mi Victor pasa más tiempo con él que conmigo, pero es que son inseparables.

El franco consiguió sonreír con gran esfuerzo. El oficial parecía perplejo.

—¿De veras?

La mujer asintió.

—Ayer por la tarde Filopatros se sentía mal y Victor, a pesar del frío, fue a las cuadras para ocuparse de su caballo, ¿verdad, Victor?

A Gaudencio, si aquel era su nombre, se le salían los ojos de las órbitas y lo miró con ira. Inmediatamente después el hombretón de la cara de piedra se puso rígido. Draco puso una expresión enigmática. Necesitaba un momento para reflexionar.

En aquel instante hizo su entrada el césar de la Galia acompañado de su esposa, Helena, la pálida y enfermiza hermana del emperador.

—Nos veremos luego —dijo Draco—, mi sitio está junto al césar.

Ninguno de los dos dijo una palabra. Mantuvieron las expresiones formales, pero estaba claro que se preguntaban a quién habían entregado el mensaje secreto.

Victor acompañó a Suana a su sitio, luego aprovechó la confusión y, cuando todos competían por homenajear a Juliano, se movió con discreción entre los invitados.

El torvo Gaudencio sintió que le aferraban un brazo con una mordaza de acero.

—No sé qué elementos enrola ahora Paulo Catena, pero cuando yo empecé no te habrían cogido ni para cepillar los caballos —susurró Victor.

—Pero...

—Calla y escucha. Ayer por la tarde entendí que no sabes nada de la verdadera misión de Filopatros. Ahora debo interpretar mi papel, pero más tarde buscaré la manera de salir, solo. Tú espera un momento, y luego sígueme. Te explicaré cuáles son las nuevas órdenes, así evitarás que nos maten. ¿Está claro?

—Nos veremos. ¿Dónde te encontraré?

—Después de la escalera que desciende a la cocina hay un pequeño jardín colgante. A esa hora estará desierto. Y deja aquí a tu secuaz con la ballesta.

—¿Por qué?

—Porque se hace notar demasiado, Gaudencio. Nuestro primer deber es ser invisibles.

Al hombre no le dio tiempo de responder. Victor ya había desaparecido para volver junto a la bella Suana y sentarse con ella a la mesa del césar.

Entre un plato y otro, Juliano hizo un discurso rápido y apesadumbrado. Empeñado en no perder de vista a los dos espías, Victor lo escuchó solo a medias, pero por la escalada de aplausos y aclamaciones comprendió que el césar había tenido éxito. Los oficiales debían salir de aquella sala tranquilizados, ya que solo así podrían calmar a los soldados que los esperaban, inquietos, en la otra orilla del río.

El *draconarius* Victor comió y bebió, habló con Dagalaifo y con Nevita, sonrió a Suana y a la nobilísima Helena. El *referendarius* Victor, entre tanto, observaba de reojo a Gaudencio y a su compañero. Los vio hablar entre ellos varias veces, pero parecía que no estaban en contacto con nadie. Buena señal.

Un tribuno de los *petulanti* pronunció en honor del césar un largo discurso que desencadenó un aplauso. Victor le dirigió una sonrisa a Suana, luego se levantó y se dirigió a la salida.

Gaudencio lo siguió enseguida. Cuando se alejaba de la sala del banquete, comprobó que llevaba la corta daga en el costado.

El jardín colgante era pequeño y bien cuidado, pero el espía tenía otra cosa en mente. Avanzó hasta la balaustrada y sintió un escalofrío a causa del aire penetrante. Miró hacia abajo, al agua negra del río. ¿Dónde se había metido aquel bastardo arrogante?

Un rumor. Se volvió de repente y algo duro lo golpeó en plena cara con violencia. Se tambaleó y cayó al suelo, gimoteando, con las manos en la cara llena de sangre. Tosió y escupió sangre, y algún diente roto. Victor tiró la pala con la que lo había golpeado y le quitó la daga. Luego lo obligó a levantarse.

—Háblame del mensaje.

El hombre no respondió y Victor lo empujó hasta la balaustrada del jardín y lo colgó sobre el río.

—No sé nada.

—¿Qué otros *agens in rebus* hay aquí, además de Filopatros?

—¡Muérete!

—Si no hablas, te corto el cuello y te echo a los peces. También ellos tienen derecho a un banquete, ¿no? —El franco le colocó la daga sobre el cuello y el otro gruñó—. Dime los nombres.

—Muérete, Victor, o como te llames. Si no me ven volver, te buscarán.

Con un golpe seco, Draco le hundió la daga en la garganta. Gaudencio abrió desmesuradamente los ojos y cogió la hoja con las manos.

—Muérete tú, Gaudencio, o como te llames. Que vengan, en el río hay sitio.

Draco hizo girar el arma en la herida, con fuerza. Luego empujó el cuerpo, que aún se estremecía, por encima de la balaustrada, directamente al río.

Pasó por la cocina para lavarse la sangre de las manos. Tenía que ajustar cuentas con el animal del hocico de piedra.

Sin prisa, atravesó la sala del banquete y fue a sentarse junto al soldado, en el sitio que antes ocupaba Gaudencio.

—Algo no marcha —susurró Victor—. Los hombres del césar están alerta y han duplicado las rondas. Y tú, con esa cara, apestas a sicario a una milla de distancia. ¿Ves a aquel? —Señaló a Dagalaifo, que estaba hablando con Nevita—. Nadie lo sabe, pero está al mando de una red de informadores del césar y me ha preguntado quién eres. Es mejor que te marches aprovechando la confusión.

El otro estaba desconcertado.

—¿Dónde está Gaudencio?

—Le he dicho que me esperara en las cuadras.

El hombretón lo observó con recelo. Victor le sostuvo la mirada. No estaba habituado a esas cosas.

—Si quieres, voy yo también.

—Está bien —dijo el ballestero—. Voy a reunirme con Gaudencio.

Mientras se encaminaban hacia la salida, Dagalaifo se adelantó y le puso un brazo en torno al cuello a Victor.

—Tribunos —dijo, alzando la copa de vino—, ¡dejad que os presente al hombre que ha capturado a Gigas!

—¡Viva!

—¡Brindemos!

—¡Bravo!

El *draconarius* sonrió y tuvo que aceptar una copa de vino. Trató de escabullirse, pero lo habían pillado. Con el rabillo del ojo notó que el coloso salía de la sala. Vació la copa y se la llenaron de nuevo. Saludó a unos cuantos y luego se apartó diciendo que volvería enseguida.

Recorrió varios pasillos, preguntó a sirvientes y guardias, que se encogieron de hombros —soldados altos y corpulentos había muchos—, y se dirigió a las cuadras. En el cuerpo de guardia cogió una capa, para el frío y para esconder la espada. Con la mano en la empuñadura, inspeccionó las cuadras de arriba abajo, pero no había ni rastro del hombre de la cara de piedra.

Decidió volver, antes de que se notara su ausencia. Condujo a Suana a su alojamiento, donde los hermanitos ya dormían desde hacía horas, y le prometió no demorarse demasiado.

Envuelto en su capa, un poco encorvado para parecer menos alto, el secuaz de Gaudencio lo observó desde lejos, pensativo, antes de desaparecer en la oscuridad.

La costumbre era que el césar fuera el primero en abandonar el banquete, pero aquella tarde las esposas dejaron la sala antes, seguidas poco después por el grueso de los oficiales. En la sala, además del césar, habían quedado solo sus seguidores más cercanos. Ya era noche cerrada.

—Creo que hemos entendido tus intenciones, césar.

Juliano miró a Prisco, que picoteaba un racimo de uvas.

—Esperemos que así sea.

Dagalaifo eructó.

—Cuando hayan partido, no pensarán más. Los soldados van donde dice su emperador. —Elevó la enésima copa en dirección al cesar

Juliano, que fingió no haber entendido, dijo:

—Es tiempo de descansar. Mañana será...

Lo interrumpió un grito que venía del patio, al que de inmediato siguieron otros. En el pasillo resonaron pesados pasos a la carrera de sandalias militares y apareció un soldado de la guardia a toda prisa.

—Los *petulanti* vienen aquí.

—¡Que cierren los puentes!

Valentiniano, el más sobrio del grupo, fue el primero en reaccionar. Juliano observó el espectáculo de los centenares de antorchas sobre la otra orilla del río, en movimiento hacia Lutecia.

Sin que el césar lo ordenase, Nevita alcanzó el cuerpo de guardia, Arinteo corrió a las cuadras y Dagalaifo se puso a organizar la defensa del palacio.

—Esos no son solo los *petulanti* —dijo Juliano.

—Nobilísimo, la orilla derecha aún está despejada —informó Valentiniano—. Hago ensillar los caballos y...

Se interrumpió. Por la mirada del césar intuyó que no dejaría el palacio para darse a la fuga.

—En cualquier caso, debemos detenerlos, mi césar, si no...

—Míralos, Valentiniano. A estos hombres no los han detenido los alamanes. ¿Piensas que pueden detenerlos un puente o una puerta atrancada?

—¿Quieres que entren en la ciudad?

—Es su ciudad. ¿Por qué voy a impedírselo?

—Pero el río los mantendría alejados, al menos el tiempo de calmar los ánimos.

—No creo que dejarlos fuera calmara sus ánimos. Pero ahora permitidme ver a mi esposa.

Salió de la estancia con el mismo paso con que se había presentado a Victor en aquella mañana para la lección de esgrima militar. Inseguro. Draco siguió a Juliano como una sombra hasta los aposentos ocupados por el príncipe.

—Ve con tu Suana, Draco, estaba bellísima esta tarde.

—Gracias, mi césar, pero mi deber es estar contigo.

—Mira que te he ascendido, y no desde ayer. Eres mi *draconarius*, no un *silentiarius*. Esta noche eres libre.

El príncipe señaló a los cuatro guardias apostados delante de su puerta.

—Como ves, hay quien vela por mi sueño.

—Uno más no sobra.

—Mañana tendré que castigarte por haber desobedecido mi orden.

—Esperaré el castigo aquí.

Juliano esbozó una sonrisa. El eco de las voces de los soldados estaba más cerca. Con un gesto a Victor, desapareció más allá de la puerta.

Victor se sentó junto a aquella puerta. Observó a los guardias, uno a uno.

«Ignis usque globum urit languentem abige.»

Por todas partes veía sicarios listos para matar al césar.

«El fuego quema hasta el globo, atácalo cuando languidezca.»

—¡No huiré, Helena!

—No es seguro permanecer aquí.

—Son mis soldados.

Fuera, los gritos se convirtieron en un coro acompasado, acompañado por el batir de las espadas sobre los escudos.

—¡Augusto, augusto, augusto, Juliano, augusto!

Los hombres invocaban al emperador, pero no al que se sentaba en Mediolanum.

A Helena le entró un golpe de tos.

—No conseguirás detenerlos.

El césar no le respondió. Fuera, una multitud gritaba continuamente su nombre y desde las calles de alrededor seguían llegando soldados. Un mar de manos se alzaba a la luz de las antorchas al grito de «Juliano, augusto».

Miró a Helena, su esposa y hermana del emperador, su primo, el asesino de su familia. Quién sabe qué estaba pensando ella en aquel momento. Durante aquellos años los momentos de intimidad habían sido escasos y siempre observando la etiqueta de la corte, como si cada uno hubiera interpretado su papel, respetando al otro. Él la había honrado como esposa y ella como marido. Habían tratado de darle continuidad a la dinastía, pero los dos hijos varones habían muerto inmediatamente después del parto. Nunca se habían amado, pero en aquel preciso instante, mirándola, enferma y débil, apreció su actitud de esposa del césar de Occidente y no de hermana del emperador de Roma.

—Si los traiciono, me matarán. Si traiciono al emperador, me matará él.

—Gana tiempo. En la corte hay gente que te apoya. La emperatriz hará lo que sea por ayudarte, como siempre ha hecho.

Juliano volvió a ver a la emperatriz Eusebia y se esforzó por no traicionarse. Recordó la noche en que ella lo había visitado, llevándole como regalo aquellos textos antiguos. Habían leído juntos algunos pasajes... El perfume de ella, aquellos dedos huesudos que corrían sobre los pergaminos. Eusebia era hermosa, y emanaba toda la fascinación de una soberana. Bella e inaccesible, la mujer más poderosa de la tierra. Su mano se deslizaba sobre la suya. Y él, azorado, inmóvil, mientras en su cuerpo se desencadenaba una tempestad. Sus labios, los pechos turgentes bajo el traje imperial...

Juliano volvió al presente. Miró a Helena y le acarició con dulzura la mejilla. La mujer no se movió, pero apreció aquel contacto. Dentro de sí, había aprendido a respetar a su joven esposo, que había dado prueba de una fuerza de voluntad y de un espíritu de abnegación que lo distinguían de las serpientes y los inútiles de la corte imperial.

Por primera vez hubo ternura en la mirada que se intercambiaron. En aquel instante habría abrazado a la pequeña y fea Helena, tan parecida a Constantino el Grande. No lo hizo. Juliano era un instrumento de los dioses, destinado a estar solo. Como siempre había estado, desde que tenía seis años.

En el silencio, resonó de nuevo el eco de los gritos de los soldados. Frente a un momento tan difícil, habría sido fundamental poder contar con Salustio y sus preciosos consejos. Él habría encontrado una respuesta... Precisamente por eso Constancio se lo había llevado lejos, porque conocía su valor.

«Poderoso Helios, ayúdame tú, te lo ruego.»

Al alba, el césar apareció en el umbral. Envuelto en la púrpura, con el cansancio en los ojos. Victor estaba allí, después de una noche igualmente insomne.

Sin una palabra el césar se puso en marcha. Lo siguió la escolta. A lo largo de la marcha, se añadieron Nevita y Dagalaifo. En la sala de recepciones lo esperaba el secretario de Estado Decencio, vigilado por Valentiniano. Fue el tribuno que representaba al emperador el primero en hablar.

—Es preciso que adoptes una resolución clara, y de inmediato. Corremos el riesgo de que la situación empeore.

—Excelente observación, Decencio. ¿Piensas que puedes hacerlo tú? —La cara del funcionario se quedó pálida.

»Vamos a la tribuna. Quiero a la guardia conmigo. Y también a ti, Decencio.

Con el rostro tenso, Juliano bajó las escaleras del palacio, seguido por su *draconarius*, y se detuvo en los peldaños de entrada, desde los que se dominaba la explanada.

Con solo verlo, de los soldados que habían vivaqueado allí toda la noche se elevó un estruendo. Los galos alzaron las espadas al cielo y se acercaron a la entrada. Escoltado por los guardias, Juliano alcanzó la tribuna. Sus oficiales estaban listos para desenfundar las espadas, pero el césar los exhortó a la calma.

Antes aun de que subiera a la tribuna, los soldados habían

empezado a llamarlo emperador. Juliano procuró calmarlos con un gesto de los brazos, pero los gritos no cesaron. Había soldados por todas partes. Tanto la orilla derecha como la izquierda estaban abarrotadas de hombres en armas que proclamaban, como una sola voz, «Juliano, augusto».

Por fin, se hizo el silencio.

—Aplacad la ira en vuestras almas —empezó el césar—. Lo que deseáis se puede obtener sin derramar sangre. Si queréis permanecer en vuestra tierra, así será. Tened confianza, volved a casa, con vuestros seres queridos. Decidles que yo, césar, os lo prometo, y que se lo diré al divino augusto.

—Constancio es un bastardo —aulló una voz desde la multitud—, nos ha dejado en manos de los alamanes.

La muchedumbre se enfureció ante aquel nombre y empezó a insultar a la familia imperial. Volaron piedras, pero Juliano permaneció inmóvil, mientras que Victor y los hombres de la guardia desenvainaban las espadas. De nuevo el césar trató de calmarlos, pero aunque las voces que querían a Constancio muerto se aplacaron, no callaron; y volvieron a gritar, con fuerza imparable:

—¡Juliano, emperador! ¡Juliano, emperador!

—¡Juliano, augusto! ¡Juliano, augusto!

Con el ímpetu de la pasión, comenzaron a avanzar y a presionar sobre la guardia. Blanco, Decencio estaba atónito y aterrorizado a la vez.

—¡Acepta, nobilísimo! —gritó un oficial, seguido por otro. Los soldados de la guardia parecían próximos a ceder—. Acepta, nobilísimo, lo que te piden los hombres —le dijo Valentiniano.

La multitud se movía como un mar tempestuoso. Juviano, otro oficial, subió corriendo a la tribuna y le avisó:

—No podemos contenerlos. Acepta, nobilísimo, o habrá una catástrofe.

Los hombres de la guardia retrocedían, salvo Victor, que mantenía a distancia a los más alborotadores con los movimientos de su espada. Era conocido y respetado, y nadie quería alzar la mano contra él. Si se salvó, fue solo porque un momento antes de que los soldados tomaran por asalto la tribuna, el césar se adelantó y extendió los brazos.

—Acepto —dijo con un hilo de voz; Pero nadie lo oyó, así que gritó—: ¡Acepto!

De entre las legiones se alzó un rugido. Todos avanzaron, Victor se encontró en el suelo y se levantó apenas a tiempo de que no lo pisotearan. Como la crecida de un río que rompe los diques, los soldados habían perdido el control. Un grupo de *petulanti* alcanzó la tribuna y levantó a Juliano. Los vítores invadían el cielo de Lutecia. Pasando de mano en mano llegó un escudo sobre el que pusieron al césar de la Galia y lo llevaron en triunfo por las vías de Lutecia, como un rey bárbaro.

Flavio Claudio Juliano fue proclamado augusto a los veintinueve años. En aquel momento, eran dos los hombres más poderosos del mundo.

Poco después del mediodía las puertas del palacio se cerraron con un ruido sombrío detrás de Juliano y de su séquito.

Los guardias, secretarios, servidores y pajes de palacio, que lo esperaban en religioso silencio, se inclinaron para rendir homenaje al nuevo emperador. Este caminó lentamente entre sus nuevos súbditos, que de inmediato le abrieron paso. Entró en la sala de audiencias, pálido y mudo, y vio a Helena que se inclinaba junto a sus damas. Luego miró en silencio a Decencio, que se sentía incómodo. Las damas de la corte salieron sin darle la espalda, lo mismo hicieron los pajes y todos aquellos que abarrotaban la habitación. Decencio fue el último en salir.

Cuando se quedaron solos, Juliano y Helena se miraron bajo la incierta luz de la tarde que se deslizaba por las ventanas.

—Pronto el mundo entero pagará esta locura —dijo Helena—. Roguemos a Dios por la salvación de nuestras almas.

—Su voluntad ya está cumplida —rebatió Juliano—. Esta noche, cuando los gritos se hicieron cada vez más fuertes, le he pedido a Dios que me hiciera una señal. Se me ha aparecido Zeus, en su forma de *genius publicus*, y me ha dicho que desde hacía tiempo observaba el umbral de mi casa impaciente por elevarme en dignidad. Había sido rechazado y se había alejado muchas veces. «Si me expulsas ahora, me marcharé para siempre», ha dicho.

—Estás blasfemando, Juliano.

—Juliano Augusto.

Helena sacudió la cabeza, luego le sonrió.

—Soy dichosa por ti.

—Sé dichosa por nosotros, emperatriz de Roma.

Victor entró en su alojamiento agotado, después de dos días tan extraordinarios. Suana se le echó entre los brazos y lo mismo hicieron de inmediato Ario y Clodio. Habían oído el tumulto y se temían lo peor, con todo el personal de palacio arriba y abajo con noticias contradictorias, y despertando alivio y pánico alternativamente.

La sucesión de rumores había terminado cuando Juliano regresó a palacio sano y salvo, pero nadie, aun con la satisfacción de verlo vivo, sabía cómo comportarse. ¿El césar de la Galia era el nuevo emperador de Roma o era solo otro usurpador? Victor no tenía dudas. Hacía mucho tiempo que había elegido. Se dejó caer sobre la cama y cayó en un letargo profundo y sin sueños.

La voz de Suana lo despertó, sobresaltado. El *draconarius* abrió los ojos tratando de saber qué estaba sucediendo, porque Suana tenía un tono de voz tan...

—¡Los niños han desaparecido!

El franco se restregó los ojos y miró alrededor. La estancia estaba iluminada por la lámpara de petróleo. Fuera había caído la oscuridad.

—¿Qué?

—Han salido y ya no han vuelto.

—Estarán haciendo alguna travesura. Ya volverán. No son tan pequeños...

—Te lo ruego, ve a buscarlos. Hoy han encontrado un cadáver en el río y los *petulanti* se han agolpado de nuevo en la plaza para asegurarse de que el emperador está sano y salvo.

—¿Un cadáver? ¿Quién era?

—No lo han reconocido porque tenía el rostro desfigurado.

—Desfigurado... exageras. ¿Y qué tienen que ver los niños?

—Han cerrado las cancelas por la noche y puede que se hayan quedado fuera. Tengo miedo, Victor.

Victor se ciñó la espada y el *scramasax*, y recorrió todo el laberinto del palacio. Preguntó a los guardias, a los sirvientes, a todos los que trabajaban en el palacio, silenciosos, pero siempre custodios de muchos pequeños secretos. Por todo el pavimento había trozos de utensilios, cacharros y restos de vivaques. Miró alrededor. El aliento se condensaba en el aire frío. No había ni rastro de los dos hermanos.

Precisamente porque había mucha tensión en el ambiente, les había dicho a Ario y a Clodio que se mantuvieran alejados de los problemas. ¿Dónde podían haber ido? Pensó en las cuadras. Los niños solían frecuentarlas. Les gustaba jugar a pensar qué caballo montarían de mayores. Además allí hacía calor. En invierno eran muchos los que pasaban allí los días, tanto veteranos como reclutas.

Fue a donde estaba su semental, porque de vez en cuando les daba algunas monedas para que se ocuparan del caballo. Nada. Pero al caballo lo habían cepillado y le habían dado forraje. Le dio a algo con el pie. El cepillo de bruzar. Los niños nunca lo habrían dejado en el suelo. Pensativo, acarició al animal y algo atrajo su atención. Un lazo colgaba de la crin. Victor desató el nudo.

Era el pendiente en forma de dragón que había esculpido en hueso para el pequeño Ario. Alguien había atado en él un rollito de pergamino.

«Ejecuta la orden o matamos a los niños.»

Filopatros estaba terminándose la sopa sentado, cuando la puerta de su habitación se abrió de par en par. Victor entró y se sentó frente a él, en silencio. Luego arrojó el pergamino sobre la mesa.

El griego leyó y lo miró, sorprendido.

—¿Qué significa?

—Es el mensaje que han dejado los que han raptado a Ario y Clodio.

—Sigo sin entender.

El *draconarius* le tendió la *tabula* recibida de Gaudencio. Filopatros cogió las tablillas y leyó: «*Ignis usque globum urit languentem abige.*

—¿Qué quiere decir? —El tono de Victor era calmo, como si la suya fuera una simple curiosidad.

—¿Por qué debería saberlo?

Draco lo cogió por la túnica y lo levantó en vilo. La mesa se volcó y lo que había sobre ella se hizo añicos. Los trozos de la jarra quedaron en un gran charco de vino.

—¡Porque la otra tarde en las cuadras me confundieron contigo y me lo entregaron! ¡La comedia ha terminado, griego, eres un *referendarius*, como lo era yo hasta que Apodemio intentó matarme! —Filopatros no tuvo ninguna reacción. Solo una mirada vacua—. Corax, aquí no están Eusebio y los suyos, aquí estoy yo. En otro momento decidirás en qué bando estás de verdad, pero ahora necesito que me ayudes para salvar a Ario y Clodio, que no tienen nada que ver con estas sucias intrigas. Ellos quieren que ejecute la orden, pero no sé qué quiere decir este mensaje. Solo tú puedes decírmelo, ya que estaba dirigido a ti.

Victor soltó a Filopatros, que tragó y se frotó el cuello.

—Necesitaría un trago de vino. —Les pegó una patada a los trozos rotos y le tendió a Draco la *tabula*.

»La frase no quiere decir nada. El mensaje está en las iniciales de cada palabra.

Draco sacudió la cabeza. Era tan sencillo... *Ignis Usque Globum Urit Languentem Abige.*

—*IUGULA*.

—Mata. —Miró a Filopatros—. ¿A quién?

—¿A quién? —El griego apartó la mirada—. Al césar.

La mano de Draco se fue a su espada, pero al instante le dio una patada al escabel y lo destrozó.

—Me has engañado todos estos años. ¡Eras un espía! Es más, eres un espía!

—¿Vas a darme lecciones acaso? Acabas de decirme que tú también lo eras. El asunto ahora es salvar a los críos.

—Sí, no de seguir las órdenes. —Draco lo cogió por el brazo—. Afánate. Tienes que descubrir dónde los tienen y llevarme allí. Y si no me los entregan sanos y salvos, los mato. ¿Has entendido?

—Dices que ya no eres un *referendarius*, pero eso es lo que quisieras. No puedes dejar de serlo; deberías saberlo. Yo tengo una familia en Antioquía. Si descubren que los traiciono matarán a los míos.

—¿Así que estarías dispuesto a matar a Juliano?

—¿Voy a condenar a muerte a mi familia?

—Ayúdame —le replicó el *draconarius*— y yo te ayudaré.

—Son demasiado poderosos, Victor —le respondió Filopatros sentándose en la cama con la cabeza gacha.

—Pero ahora Juliano es emperador, las cosas cambiarán.

El griego resopló.

—Si la orden es matarlo, lo matarán. Si no lo hago yo, mandarán a otros sicarios.

—El hombre que ha traído la orden ya no puede pasársela a nadie. Si rompemos también los demás eslabones de la cadena, pasará bastante tiempo antes de que restablezcan los contactos.

—¿Qué has hecho?

—He matado al que me ha dado la *tabula*. Me ha dicho que se llamaba Gaudencio.

Filopatros se rio.

—¿Y qué crees que has resuelto? Me parece que de toda la escolta de Decencio solo los caballos no son sicarios.

—¿El secretario de Estado?

—Me habían advertido que mi contacto eran dos hombres de su escolta. Los *protectores* de Decencio. Como nosotros lo éramos de Ursicino, cuando asesinaron a Silvano.

Victor le pasó la capa a Filopatros diciéndole:

—En el banquete de ayer por la tarde había otro hombre con Gaudencio, un animal corpulento con acento panónico. Si es de la escolta, se alojará en el palacio.

El griego se ajustó la capa y lo siguió.

—Son al menos treinta hombres. No esperarás que salgamos vivos si entramos tú y yo en sus habitaciones.

Victor se giró y lo miró amenazante.

—¿Tienes una idea mejor?

—Usar la astucia. Hacer el doble juego.

—No hay tiempo.

—Sí lo hay. Voy yo. Me buscaban y me han encontrado —le dijo Filopatros.

El griego se presentó en los alojamientos de la escolta de Decencio. En la entrada lo detuvo un guardia y él se quitó la capucha mostrando el rostro ensangrentado.

—Dile a quien me busque que aquí fuera está Filopatros, que se dé prisa.

—Un momento —le respondió el soldado mirándolo con recelo.

—Apresúrate, tenemos problemas.

Al volver, el centinela lo hizo pasar. El griego se encontró en una habitación oscura, apenas alumbrada por una lámpara. El hombre que lo esperaba era probablemente el hombretón del que le había hablado Victor.

—¿Eres tú quien me busca?

—Dímelo tú. —De pie, el otro era bastante más grande.

—Hace dos noches alguno de vosotros fue a buscarme a las cuadras, pero encontró a alguien que se hizo pasar por mí y le dio el mensaje que esperaba yo. Ese hombre es el brazo armado de Juliano y lo tenemos encima, gracias a vuestra incapacidad.

—Cálmate y cambia de tono.

Filopatros le asestó un puñetazo en la nariz. El coloso se tambaleó, luego lo agarró y lo empujó contra la pared.

—Vuelve a tocarme y te mato.

—¡Idiota! —respondió el griego—. Para reconocerme bastaba con mirarme a la cara; yo soy el que tiene un ojo muerto. Aunque veo mejor que todos vosotros juntos... No fui yo quien entregó un mensaje en el que se hace referencia al césar a su hombre de confianza. ¡Y ahora estamos arriesgando el pellejo, por culpa vuestra!

El coloso lo soltó, pero solo para confiárselo a dos guardias.

—¡Hace cuatro años que arriesgo la vida todos los días y bastan cuatro idiotas para echarlo todo a rodar! Os merecéis tener el mismo fin que Gaudencio.

El coloso se quedó un momento callado y luego les dijo a los otros dos que dejaran a Filopatros, que se secó la sangre de la mejilla.

—Que sepas que al hombre del césar lo tenemos en un puño. He raptado a sus hijos.

—En el puño solo tenéis moscas —dijo Filopatros frotándose la cara—. Ha venido a verme hace un rato para descubrir el significado del mensaje. He fingido que iba a colaborar con él y en cuanto me ha dado la espalda lo he matado.

—Un peligro menos —apostilló el otro con una mueca.

—Sí, pero en cuanto se haga de día lo buscarán; y lo encontrarán, porque ha quedado en mi habitación. No podía arrastrar un cadáver por los pasillos del palacio.

—¿Y ahora?

—Tengo que hacerlo todo yo, ¿no? Óyeme, debemos actuar deprisa, ser más rápidos que ellos. ¿Dónde están los niños?

—Aquí, en la despensa al fondo de las habitaciones.

—De ellos me ocupo yo. Me conocen, les diré que me manda Victor. Los calmaré y me los llevaré, y cuando estemos en el palacio los estrangularé y los echaré al río.

—¿Por qué no lo haces aquí?

Filopatros tuvo un instante de vacilación.

—¿Por qué no los has matado? Para intercambiarlos, ¿verdad? Pues ahora los intercambiaremos por el acceso al palacio para ti y uno de los tuyos. Con la excusa de devolver a los mocosos, vendréis conmigo.

—¿Y por qué deberíamos venir contigo? ¿Para que nos atrapen?

El corpulento soldado lo miraba como si estuviera loco.

El griego resopló exasperado.

—Creo que Decencio tiene prisa por informar al augusto Constancio, ¿no?

—No ve la hora de partir. El terreno comienza a quemarle bajo los pies. Me parece que nos iremos mañana.

—¡Bien! Vosotros os vais, yo me quedo aquí, encuentran el cadáver de Victor en mi alojamiento y Juliano me manda a la hoguera, o me hace decapitar; o algún castigo peor para vengar a su *draconarius*. —A continuación expuso el argumento decisivo—: ¿Y quién se queda para eliminar al usurpador? Como ves, tenéis que venir conmigo y ayudarme a hacer desaparecer el cadáver. Es la única solución.

El hombretón farfulló algo, pero quedó convencido. Envolvieron a los dos hermanos adormecidos en pesadas mantas y se pusieron en marcha, con el griego a la cabeza.

Subieron las escaleras y arriba los guardias los pararon. Filopatros dio la contraseña y les explicó que llevaban a los hijos del *draconarius*.

—¿Cómo sacaremos el cadáver? —murmuró el coloso.

—Lo envolveremos en una sábana y buscaremos una habitación que dé al río, y lo tiraremos a los peces.

Llegaron al alojamiento de Filopatros. El coloso miró alrededor, más desconfiado que nunca.

—Esto no me gusta. Hay guardias por todas partes.

Filopatros, que llevaba al pequeño Ario, no le hizo caso y abrió la puerta. En cuanto entraron los rodearon los *protectores* de Juliano. El coloso de la cara de piedra gritó «¡Traición!» y desenvainó la espada. Victor y Dagalaifo lo atravesaron con sus hojas. El otro guardia, que llevaba en brazos a Clodio, se apresuró a entregarlo y a rendirse pidiendo clemencia. Otros guardias armados con lanzas, que esperaban en una habitación cercana, los cogieron por la espalda. Algunos de ellos se habían desgañitado para aclamar a Juliano como emperador. No dudaron en hundir las lanzas en el macizo cuerpo del sicario de la cara de piedra.

Filopatros alcanzó a Victor. Ario y Clodio, que se habían despertado, sobresaltados, lloraban. El griego les desordenó el pelo y sostuvo la mirada del franco. Draco asintió casi sonriendo.

—Hubiera sido mejor mover tu cadáver que el suyo —le dijo Corax señalando al coloso, tendido en un charco de sangre—. Pesaría menos.

En el despacho de Juliano, el tribuno Decencio, en su calidad de secretario de Estado, estaba sentado como un condenado a muerte a la espera de descubrir de qué suplicio debía morir.

Frente a él, Juliano lo miraba con desprecio. Al lado del césar, Nevita, Dagalaifo y Victor lo examinaban con cara de querer desollarlo vivo. A sus ojos, alguien que usaba a unos niños como arma no era digno de nada mejor.

—Yo... Debéis creerme, no... no sabía nada de todo esto —repetía Decencio una y otra vez, como una letanía.

Juliano apretó los labios.

—Lo supongo, tribuno Decencio. Estoy escribiendo un mensaje para el emperador, con un informe de los hechos de estos últimos días. En cuanto haya concluido, podrás partir con tu escolta, que de momento está segura. Sin duda, podrás confirmar en persona ante el soberano lo que ha ocurrido. En todo caso, no vuelvas a aparecer delante de mí o te condenaré a muerte. Y no es un consejo del césar, sino una orden de Juliano Augusto.

XV

Vientos de guerra

Marzo del 360 d. C.

... Este es el informe de los acontecimientos que te ruego que acojas con ánimo sereno. No creas que los hechos se han desarrollado, ni en lo más mínimo, de otro modo, y no escuches a esos malévolos que susurran consejos dañinos, habituados como están a provocar disputas entre soberanos en su propio beneficio. Acepta lealmente esta igualdad de grado que te propongo entre nosotros, unidos como estamos por el vínculo de sangre y la elevada posición, considerando que esta decisión es en interés del Estado romano. Perdóname, no deseo que cuanto razonablemente se requiere sea llevado a cabo, sino que tú lo apruebes ya que es útil y justo, dispuesto como estoy a seguir tus órdenes futuras.

Te proporcionaré caballos de tiro de Hispania y algunos jóvenes lentienses, estirpe que proviene de la otra orilla del Rin. Prometo hacerlo hasta la muerte y con ánimo grato. Tu clemencia nos dará prefectos del Pretorio conocidos por su equidad y sus méritos, mientras que es natural que me sea concedido ascender según mi arbitrio a los altos funcionarios civiles, los comandantes militares y, asimismo, a los soldados de la guardia. En efecto, es de necios poner al lado del emperador a personas de las que se ignora el carácter y las intenciones.

Constancio tiró la carta, entre las miradas aterrorizadas de los presentes, y se puso a vociferar.

—¿Caballos de tiro de Hispania y algunos jóvenes lentienses?

—El tono de la misiva es sosegado, mi augusto —dijo Decencio—, pero te puedo garantizar que he temido por mi vida, frente a él y a su soldadesca.

—Se ha proclamado emperador —soltó el soberano, furibundo.

Su asistente personal le hizo señas a un sirviente de que recogiera la carta y se aclaró la voz.

—No es el primer usurpador al que tenemos que hacer frente, divino augusto, y si puedo dar mi opinión, nuestro Victorino te teme, porque ha firmado como césar.

—Aniquilaré a ese bastardo, comoquiera que firme —gritó el emperador—. Pero de momento se han amontonado a las puertas de la Mesopotamia demasiados enemigos en armas y los preparativos para la campaña de Persia están muy adelantados. Si desplazamos fuerzas allí, Sapor podría avanzar y tomar otras ciudades.

—Estoy de acuerdo —afirmó Eusebio—. Debemos ganar tiempo, mi augusto.

—No tenemos alternativa, no disponemos de hombres suficientes para combatir en dos frentes, en este momento. Primero debemos resolver la cuestión persa.

—Dejemos que sea la diplomacia la que hable —sugirió el eunuco—. Aceptemos lo que nos da e intentemos bajarle los humos. Vamos a tomarnos tiempo.

Constancio se puso a caminar, nervioso, y todos los presentes lo observaban con la cabeza gacha, en un silencio colmado de tensión.

—Necesitamos al menos ocho meses, quizás incluso diez, antes de estar listos para marchar contra él.

—Comenzaría con una carta en la que aconsejaría al césar que se conformara con el título que tú, mi augusto, magnánimamente le has conferido.

En el foro de Lutecia la multitud explotó en un estruendo de cólera en cuanto Juliano acabó de leer la carta de Constancio. Las voces que aclamaban su nombre se mezclaban con las que vomitaban injurias contra Constancio. Aquel que había sido césar de la Galia se dirigió al embajador, a su derecha, que estaba muy pálido.

—Informa de que han dicho que no.

Fue la respuesta a la misiva de Constancio. La primera de muchas otras transportadas por embajadores y mensajeros que recorrían el imperio. Los acogían con todos los honores y los mantenían a la espera durante días, a veces incluso semanas, antes de poder entrevistarse con alguien en las respectivas cortes. Constancio intentaba imponerse con su habilidad política y diplomática, apoyado por la corte. Juliano usaba la astucia, sostenido por un pueblo que durante años había sufrido los abusos de las numerosas autoridades imperiales.

El primero en huir fue el prefecto Florencio, que abandonó su palacio dorado de Vienne para esconderse bajo la púrpura imperial en Mediolanum. Se precipitó tanto que no recordó que tenía una familia, a la que abandonó en Vienne, sin demasiados escrúpulos, a merced del nuevo amo.

Juliano en persona se ocupó del deplorable asunto. Organizó el traslado de los familiares del prefecto con todos sus efectos personales, a expensas del Estado. Los allegados se reunieron con Florencio en Italia y le mandaron una carta de saludo del soberano de la Galia.

A finales del verano la emperatriz Eusebia, la única que quería de verdad una reconciliación entre los dos soberanos, murió y la corte de Constancio quedó huérfana. Juliano sintió un profundo dolor y le escribió una carta de condolencias a su primo, que se enfureció al leer la firma: «Flavius Claudius Iulianus Augustus.»

Con la primavera avanzada los dos emperadores escrutaban a distancia los movimientos del otro y, al mismo tiempo, continuaban con las escaramuzas diplomáticas. Constancio lamentaba que no hubieran llegado los caballos hispanos y los auxiliares lentienses, que esperaban con urgencia en Antioquía. Juliano respondía diplomáticamente lamentándose de problemas logísticos y, entre tanto, requisaba el trigo almacenado por su primo en las zonas de frontera.

Mientras el ejército de Constancio se desgastaba en una infructuosa y cara campaña en Mesopotamia, los soldados de Juliano se enfrentaron a una nueva agresión de grandes bandas de alamanes, a los que volvieron a expulsar al otro lado del río. Los jinetes de una de las patrullas de Juliano capturaron un correo que iba hacia el sur. El mensajero escondía una carta dirigida a Constancio, cuyo remitente no era un don nadie. Se trataba de Vadomario, el soberano de los territorios de los que había partido aquella última incursión de los alamanes.

Vadomario ya le había escrito a Juliano, sosteniendo que era ajeno a todo cuanto estaba ocurriendo; eran otras personas del clan las que habían decidido la vía de las armas. Para desenmascarar su doble juego Juliano urdió un plan para capturarlo. Envió un embajador con una propuesta de paz e invitaba al soberano a un banquete para ratificar el tratado. Al término del banquete, el reyezuelo fue «convencido» por las buenas de que se demorara mientras su séquito dejaba el campamento romano. Victor y Filopatros condujeron a Vadomario ante Juliano. Frente a la carta interceptada, el alamán admitió que Constancio había ideado el complot, con el fin de bloquear el ejército de Juliano en la Galia. Tras un incómodo silencio, Juliano estalló en una carcajada. El descubrimiento lo ponía en condiciones de actuar como mejor quisiera en relación con su primo Flavio Julio Constancio Augusto. Gratificaron a Vadomario y lo mandaron a un digno exilio en Hispania, donde la imagen de Juliano adquiría popularidad y seguidores.

En Italia, entre tanto, crecía el recelo. Las guarniciones que defendían las fronteras estaban de parte de Constancio, pero los hombres que las formaban habían sido mandados a Persia, hasta el punto que los soldados de Juliano habían vaciado los graneros sin encontrar ninguna resistencia.

El señor de la Galia no quería ser el primero en abrir las hostilidades, pero le envió un mensaje explícito a su primo. Al final del verano trasladó su cuartel general a Vienne, donde fue acogido por una multitud jubilosa, como en los tiempos de su primera entrada en la ciudad, cinco años antes, a la cabeza de un puñado de jinetes que iban a liberar toda la Galia. Con él estaba Helena, que, por desgracia, empeoraba.

La posición de la ciudad era perfecta para seguir controlando el Rin, y al mismo tiempo controlar los Alpes. La única novedad relevante, en resumidas cuentas, fue el anuncio del nuevo matrimonio de Constancio, que en Antioquía se había casado con una muchacha de catorce años llamada Faustina.

Precisamente en Vienne murió Helena, en una triste tarde de noviembre, después de cinco años de matrimonio. Dejó a Juliano solo y sin descendencia. El soberano le prometió fidelidad eterna en su lecho de muerte y permaneció solo el resto de su vida. Llevaron el cuerpo de la emperatriz con todos los honores a su amada Roma y la inhumaron en la vía Nomentana, en la villa que tanto amaba. La pervivencia de la estirpe de los constantinianos estaba en manos de Constancio.

El último vínculo que habría podido unir a los dos contendientes se había disuelto. Juliano y Constancio iban a enfrentarse pronto y solo uno sería el amo del mundo.

La espada de Draco se estrelló contra la madera del escudo, que se hizo añicos. Los sirvientes acudieron y encontraron a Juliano mirando los restos del escudo en el suelo. Era un pésimo presagio, pero el augusto los calmó.

—No os preocupéis —dijo alzando la empuñadura apretada en la mano—; no he perdido el control de la situación.

Se quitó el yelmo y sonrió, luego metió la cabeza en una palangana de agua fría. Podía suceder cualquier cosa, podía resquebrajarse el imperio, pero Juliano siempre habría tenido la situación en sus manos.

—Por hoy basta, *armidoctor*, veo que estás cansado.

—Es por el calor, augusto.

—Hay que contar con ello. Es preciso atacar a los germanos en verano y a los persas en invierno.

—Lástima que Constancio tenga a su disposición gran número de los unos y de los otros en su poderoso ejército —dijo Nevita, que asistía al entrenamiento.

Juliano bebió de un cacillo y se echó el resto del agua sobre la nuca.

—Pero nosotros tenemos a los dioses de nuestra parte, y él solo a ese pobre galileo. —Todos rieron, excepto Filopatros—. El número no basta —prosiguió el joven soberano—. La campaña de Persia ha sido un fracaso, a pesar del tamaño del ejército que mi primo ha puesto en liza. Tengo que decir que en eso siempre ha sido muy bueno: en mandar grandes ejércitos al combate y confiarlos a incapaces que escapan o pierden las batallas. Basta pensar en Marcelo o en el pobre Barbacion.

Sus leales se rieron al recordarlo, pero la cuestión era delicada y Nevita la resumió sin muchos rodeos:

—Constancio tiene el control de Asia, Iliria e Italia y dispone de diez veces más hombres que nosotros para la batalla. Sería mejor no subestimarlo.

—Constancio es un hábil político, pero no vale nada como estratega. Nosotros podemos pedirles a los dioses una ocasión más propicia. Salustio está de nuevo con nosotros y como prefecto de la Galia puede cubrirnos las espaldas. Nuestro lado del Rin está seguro por ahora. No queda más que bajar hacia el sur, veloces como el viento, y derrotar a Constancio en los Balcanes.

Así fue. El ejército de la Galia movió sus estandartes hacia la gran ciudad de Sirmium, en Panonia, capital de la Iliria occidental y, sobre todo, ciudad natal de Constancio.

Para hacer que su ejército pareciera más grande de lo que era, Juliano lo dividió en tres columnas que debían avanzar rápidamente hacia el sur y hacia el este, siguiendo varias direcciones, para luego reunirse en Sirmium. Al mando de diez mil soldados, Nevita atravesó las regiones internas de la Recia; Joviano bajó con otros diez mil hombres por la ladera de los Alpes hacia Italia. Juliano tomó la vía más impracticable, seguido por tres mil hombres de confianza de la guardia, al mando de Dagalaifo, a través de la Selva Negra y a lo largo del Danubio.

Los *protectores* atravesaron la oscuridad de la Selva Negra, marchando durante días sin ver la luz del sol y sin que nadie los detectara. Al llegar al valle del Danubio, los hombres de Dagalaifo requisaron una flotilla de embarcaciones en un puerto fluvial y fueron río abajo hasta la Panonia. Juliano dejó a su espalda importantes fortalezas vigiladas por las fuerzas del enemigo. Sabía que si tomaba Sirmium, todas las otras ciudades situadas a la orilla del río caerían en sus manos.

En el frente itálico, la llegada de los hombres guiados por Joviano hasta el otro lado de los Alpes sembró el pánico en todo el norte. Las estafetas llevaban la noticia de que Juliano llegaba encabezando un poderoso ejército. El prefecto del pretorio de Mediolanum fue uno de los primeros en huir y la ciudad se rindió sin ni siquiera ver a los hombres de Joviano. Juliano mandó una carta a la curia en la que les rogaba que registraran el hecho de que el prefecto había huido. También envió despachos a las guarniciones de la Italia septentrional como si ya estuvieran bajo su autoridad, como de hecho estaban. Les pidió a los comandantes que mantuvieran el orden y que respetaran los cargos del Estado y que se ocuparan de la población. Ante la incertidumbre, todos ejecutaron las órdenes del nuevo augusto.

Al mismo tiempo, las noticias que llegaban de Persia eran, de alguna manera, tranquilizadoras. Constancio y el rey Sapor avanzaban y se retiraban sin atacar nunca a fondo, como si temieran enfrentarse. Mientras el hijo de Constantino el Grande despilfarraba un tiempo precioso, el sobrino trataba de recuperarlo.

Juliano convocó una reunión en plena noche en Bononia, en el barco que lo había alojado durante el viaje por el Danubio. Tras el desembarco, los hombres estaban montando el campamento.

—Mis fieles, nos encontramos a diecinueve millas de Sirmium. Pero la ciudad está fuertemente vigilada y los hombres de Nevita aún están muy atrás...

Lo interrumpió un ruido. Un oficial de la guardia había subido a bordo y pedía audiencia.

—Hemos capturado un correo del servicio postal de Sirmium.

—Hacedlo entrar.

El hombre fue empujado a la sala repleta de oficiales y miró alrededor, atemorizado. Así que aquellos eran los temidos galos de Juliano... Uno de ellos fue a su encuentro. Era alto, fuerte y tenía una mirada magnética. El joven le ofreció el anillo imperial y el correo se arrodilló para besarlo.

—Soy tu emperador, soldado. —El correo se dio cuenta de que estaba ante el legendario césar de la Galia, el nuevo emperador. Pálido, besó el anillo y se inclinó—. ¿Me servirás con lealtad?

El hombre, aún incrédulo, asintió. Juliano lo hizo levantar y le mostró el mapa de la ciudad.

—Necesito saber cómo está dispuesta la guarnición de Sirmium. Dónde están las máquinas de guerra y los cuarteles. Quiero saber cómo está organizada la defensa.

—Mi soberano, la ciudad está llenando los graneros y hay mucho ajetreo, pero las defensas no están listas. Nadie os esperaba aquí antes de diez días.

—¡Diez días! ¿Y quién es el brillante estratega al mando de la guarnición?

—El *comes* Luciliano, que es el administrador de la región y fue nombrado por la corte imperial.

—En efecto, esperábamos encontrar un *comes*, un conde, pero no esperábamos encontrar a un *cunnus*, un desprevenido —bromeó Juliano sonriéndole al soldado.

Los oficiales se rieron. La situación, que se presentaba menos dramática de lo previsto, permitía el buen humor.

—¿Y dónde se encuentra ahora el valiente *comes*?

—En la ciudad, mi soberano. En su palacio.

—Dagalaifo, coge un centenar de los mejores hombres. Ve a Sirmium, despierta al *cunnus* y tráelo aquí. Este correo te guiará derecho a su dormitorio. —Juliano le puso una mano en el hombro—. Ahora depende de ti. —Llamó a Victor y a Filopatros y señaló al joven mensajero, que se estremeció—. Parecen feroces, pero son dos angelitos. Irán contigo y ni te rozarán, siempre que no nos traiciones. Si nos traicionas, no verás el amanecer. Si nos ayudas, te nombro desde ahora jefe del servicio postal de la ciudad.

A pesar de la hora nocturna, en los suburbios de Sirmium había un gran movimiento de gente. Dagalaifo y los suyos recorrieron la vía que llevaba a palacio mirando alrededor, en la cálida noche estival, mientras las tiendas cerraban sus puertas.

Los dos centinelas del palacio que fueron al encuentro de los jinetes se caían de sueño. El correo les mostró un documento con el sello imperial y los dos soldados se apartaron, para volver a adormilarse.

Los soldados de Juliano ocuparon con discreción la explanada y desmontaron. Cuando se disponían a entrar, aparecieron otros dos guardias, más despiertos y más recelosos.

—¿Quiénes sois?

Dagalaifo farfulló algo indescifrable y los guardias se acercaron. Victor y Filopatros los apuñalaron por la espalda y murieron en el acto.

Dagalaifo, Draco y una cincuentena de hombres subieron las escaleras, precedidos por el correo. Los tres hombres de guardia en el vestíbulo del primer piso se pusieron en pie de un salto al ver llegar a aquella formación de hombres armados, pero no tuvieron salvación.

—Abrid esa puerta —ordenó Dagalaifo. Obedecieron los tres y luego fueron degollados.

Luciliano abrió los ojos, sobresaltado. Se le salían de las órbitas mientras una mano poderosa le encerraba en la boca un alarido de terror. Trató de resistirse, pero se encontró en el suelo de mármol con las manos atadas y una espada gélida en la garganta.

—Si gritas, te mato —dijo el gigante rubio que llevaba la espada.

El *comes* vio que la habitación estaba invadida por hombres armados. Uno de ellos saboreaba una copa del preciado vino que tenía sobre la mesilla de noche. El oficial bebió, hizo chasquear los labios, luego lo miró.

—De vinos entiendes, *comes*. De artes militares, no, por desgracia para ti. Mi nombre es Dagalaifo, comandante de la guardia del augusto Juliano. Eres mi prisionero.

—Me alegro de verte, *comes* Luciliano —dijo Juliano cuando le llevaron el prisionero, aún en camisa de dormir—. Imagino que con este oportuno homenaje vienes a traerme las llaves de Sirmium y de su guarnición.

El *comes* se echó a los pies del augusto y le besó la capa. Juliano lo dejó hacer y le concedió la gracia.

—Mi emperador —dijo entonces Luciliano—, es bien conocido tu coraje, pero quizás haya sido imprudente llegar hasta aquí con tan pocos soldados.

Juliano lo miró con afabilidad. El enésimo inepto destinado por Constancio a una misión que lo superaba.

—Conserva esas sugerencias para mi primo. Te he permitido besarme la púrpura no para hacerte mi consejero, sino para que dejaras de temblar.

A medio día Juliano y sus tres mil jinetes entraron en Sirmium aclamados por los habitantes y bajo una lluvia de flores. Dos legiones enteras presentaron armas ante el nuevo soberano.

Su satisfacción era grande por haberle sustraído a Constancio su ciudad natal. Al día siguiente Juliano reunió el Senado y anunció que no iba a destituir a nadie del cargo que le hubiera asignado su augusto primo. Incluso a Luciliano lo confirmó en el suyo.

Nevita se presentó en Sirmium diez días después, a la cabeza de sus hombres. Le llevaba a Juliano las llaves de todas las ciudades de la Recia, que se habían rendido a su llegada. Juliano le hizo caso al general franco y, temiendo que Constancio estuviera ya en marcha hacia Constantinopla, desplazó su ejército a una posición estratégica en Suci, de manera que vigilaba los desfiladeros de los Balcanes que jalonaban la vía hacia la gran metrópolis. Las legiones de Sirmium fueron enviadas a Aquileia para tener el dominio del puerto sobre el Adriático.

A principios de otoño la posición estaba consolidada. Nevita vigilaba los pasos de los Balcanes, bloqueando cualquier vía entre Constantinopla y el oeste. Aquileia, el mayor puerto italiano, estaba bien consolidada en manos de Juliano, que se encontraba en Naiso. Desde allí podía emprender cualquier acción, incluso aquel desembarco en Constantinopla que rumiaba desde hacía tiempo. Constancio estaba en jaque. Podía tratar de atacar, en posición desfavorable, o detenerse en Constantinopla y negociar.

Desde Naiso, Juliano envió cartas al Senado de Roma, y a todas las ciudades de la Iliria y la Tracia. Por primera vez acusaba públicamente a Constancio de desgobierno del país y de grave incompetencia. Por primera vez declaraba también oficialmente que tenía la intención de restaurar el culto de los antiguos dioses.

—Hemos recibido respuestas positivas de Atenas, Esparta y Corinto —dijo Prisco—, pero el Senado de Roma pide respeto para aquel que está en el origen de tu fortuna.

—Que vayan a pedirle respeto a mi padre, a mi tío y a mi hermano. Las leyes de Constantino han trastornado la memoria de nuestros antepasados, han borrado tradiciones centenarias y han elevado a los bárbaros hasta la posición de cónsules; por no hablar de la indulgencia con que se tratan los peores vicios de Constancio. ¿Y estos me piden a mí que tenga respeto?

Apareció un sirviente con un nuevo mensaje. El trasiego de misivas era siempre intenso. Juliano lo cogió directamente, abrió el sello, leyó y empalideció. Presa de la cólera, seguida por una oleada de desconsuelo, se sentó mientras Prisco leía en voz alta.

> Las legiones de Sirmium y la unidad de arqueros mandadas a Aquileia han cometido traición y han tomado partido por Constancio. La ciudad está en manos de los enemigos.

—El acceso al mar está comprometido —dijo Juliano— y ese puede ser nuestro fin. La vía hacia el oeste está abierta. Solo Joviano puede salvarnos. Debe tomar de nuevo Aquileia o estamos perdidos.

Por una vez, nadie consiguió encontrar una razón para sonreír.

Paulo Catena recorrió el largo pasillo sin hacer caso de las inclinaciones temerosas de la servidumbre. Lanzó una mirada casual por las ventanas, más allá de las gradas del gran hipódromo. El cielo azul enmarcaba el puerto, en el Cuerno de Oro, y el mar centelleante de los estrechos del Bósforo y de los Dardanelos.

Constantino el Grande había querido que la antigua Bizancio fuera el centro del mundo y lo era. Pero aquel día Paulo, llamado Catena, tenía en la cabeza cosas muy distintas de los fastos de Constantinopla. Dos pajes abrieron las puertas del despacho de Eusebio.

—Ese hijo de perra ha vaciado los graneros de Italia.

El eunuco estaba ocupado en controlar cuentas e informes, ayudado por una decena de secretarios.

—No moriremos de hambre, amigo mío. Tenemos África. Con el trigo de esas tierras podemos saciar el hambre de gran parte de Occidente.

—Victorino está asediando Aquileia.

—Pero Sapor se ha retirado y gracias a eso nuestro amadísimo augusto puede disponer de muchas más tropas para combatir contra su ingrato primo. Su ejército se está reuniendo en Nicópolis, listo para combatir contra el usurpador de Occidente.

—Así será, pero mis *agens in rebus* dicen que el cabrón querría caer sobre Constantinopla por mar, por eso quiere Aquileia.

Eusebio sofocó una risita tonta y dijo:

—Si sus galos se dieran la mano uno a uno, ni siquiera conseguirían ceñir el perímetro de la ciudad. Nuestro amadísimo augusto no permitirá nunca que la ciudad querida por su padre caiga en manos de un usurpador. Ya están acampados muchos soldados más allá del estrecho.

Catena pidió una bebida, con la esperanza de mejorar su humor.

—Teníamos que haber matado a ese pequeño bastardo.

—No faltará ocasión, ya verás —replicó el asistente del emperador un poco cansado de tanta mordacidad. Sin un prisionero que torturar, Catena no sabía disfrutar de la vida...

Golpearon con insistencia a la puerta. Entró un correo, sudando y con el rostro céreo. Entregó un mensaje sellado a un paje, que a su vez se lo tendió a Eusebio. El eunuco lo abrió y se quedó petrificado.

El sol había desaparecido del Bósforo.

Juliano estaba concentrado en dictar una carta a un escribiente cuando Dagalaifo irrumpió en la habitación.

—Dos oficiales del consistorio de Constancio. Preguntan por ti, y tienen un mensaje muy importante... para el emperador Juliano. —Los oficiales y los otros colaboradores del soberano callaron de golpe y miraron a Juliano. Dagalaifo asintió—. Son sus palabras exactas.

—Llama a los *protectores*, general. Los recibiré en la sala de audiencias.

Victor y Filopatros llegaron a la carrera y se pusieron al lado del resto de la guardia. Dos sirvientes acomodaron la capa de Juliano. Todo estaba listo para acoger a los enviados de Constancio.

La puerta se abrió y entraron los dos embajadores. Se detuvieron varias veces para inclinarse, como mandaba el protocolo; a pocos pasos del trono, se arrodillaron. Sus voces resonaron en el silencio absoluto de la sala.

—Presentamos nuestros saludos a Juliano Augusto, emperador de Roma.

Ante un gesto de Juliano, los enviados se levantaron y uno de los dos desplegó un pergamino.

—El emperador Flavio Julio Constancio cayó enfermo en el camino que de Antioquía lleva a Constantinopla. El 3 de noviembre, en el año vigésimo cuarto de reinado, murió de fiebre en la estación de posta de Mobsucrene, cerca del Tarso.

Fue como si el mundo se hubiera puesto boca abajo y la sala levitara, con todos sus ocupantes, en un empíreo irreal.

—Recibió el bautismo según el rito arriano y, como última voluntad, designó para que lo sucediera en la guía del imperio a su primo Flavio Claudio Juliano, césar de Occidente.

Se hizo el silencio.

Juliano cerró los ojos e inspiró.

Victor se adelantó y golpeó dos veces el suelo con la contera del *draco*.

—Inclinaos ante el señor del mundo, Flavio Claudio Juliano Augusto.

XVI

Constantinopla

Diciembre del 361 d. C.

Constancio murió del mismo mal que Helena, un mal común a toda la dinastía de los constantinianos. La enfermedad lo atormentaba desde hacía tiempo con síntomas que iban y venían, y sabía que debía apresurarse si quería derrotar a su odiado primo antes de la muerte. Quería conquistar la gloria enfrentándose a Juliano, pero, al mismo tiempo, temía un choque directo. Había visto en su primo una amenaza que no había logrado conjurar, y después de tantos años se arrepentía de no haberlo matado junto con su padre cuando era un niño. Por otra parte, consciente de la inminencia del fin, veía en Juliano, sangre de su sangre, al único en condiciones de tomar las riendas del reino.

Constancio siempre se consideró superior al resto de la humanidad y portador de un destino particular, hasta el punto de estar obsesionado por él. Se había sentido depositario de una misión divina que debía revalorizar el papel del emperador en el ámbito religioso: el augusto era garante y promotor de la Iglesia. Por eso organizó concilios eclesiásticos y eliminó a los partidarios de otras corrientes religiosas, opuestas a los dogmas del arrianismo. También prohibió los ritos paganos mediante un edicto por el que había que cerrar los antiguos templos. Asimismo hizo eliminar de la sede del Senado, en Roma, el altar de la Victoria, muy querido por Octaviano augusto, sobre el que desde tiempo inmemorial prestaban juramento los miembros del *Senatus* romano.

Cada vez más atenazado por los miedos y las obsesiones, gobernó recelando de todos y aislándose del mundo exterior. Le confió el contacto con sus súbditos a una camarilla de perversos eunucos, magistralmente manipulados por el peor de ellos, Eusebio, que supo aprovechar al máximo su posición, amplificando los miedos del soberano y encontrando complots por todas partes. Para ello se había servido de la red de espías creada por Constancio, que había crecido desmesuradamente hasta extender sus tentáculos por todos los rincones del imperio. Los *referendarius* se habían convertido en un pequeño ejército secreto cuyos miembros sabían bien su poder y las ilícitas ventajas que podían obtener de él. Bastaba ser denunciados por un *agens* para acabar en el potro de tortura.

Constancio II, *Imperator christianissimus*, había exterminado a su familia y a parte de su pueblo. Cuando murió, nadie lo lloró. El imperio se regocijó por haberse salvado del peligro de una guerra civil y aclamó a Juliano.

Constancio dejó un breve testamento, una lista de recomendaciones para su desmedido séquito y algunos consejos para dirigir el mundo. Juliano se preguntó muchas veces si el testamento no había sido escrito por los eunucos de la corte en un intento de congraciarse con el nuevo amo. Levantó el campamento de Naiso, se reunió con Nevita y se encaminó hacia la capital de Oriente.

Constantinopla acogió a su emperador el 11 de diciembre del 361, en una jornada benigna y bajo un cielo límpido. Las calles estaban ornamentadas de fiesta para Juliano, que había rechazado el carruaje dorado de Constancio y entró en la ciudad a caballo. Todos querían ver al joven elegido por el cielo que había vencido a los terribles alamanes, liberando la Galia, para luego marchar contra Constancio. Todos querían ver al adorador de los antiguos dioses que había conquistado el imperio sin derramar sangre.

Mientras Juliano avanzaba entre la multitud que lo aclamaba, las vías de la antigua Bizancio se cubrían con una alfombra de pétalos de flores. Su nombre resonaba de una plaza a la otra y tardó horas en atravesar la ciudad.

Victor miró alrededor, atemorizado por la gigantesca estatua de Constantino el Grande. La ciudad parecía recién construida, los edificios eran nuevos y relucientes. Observó, asombrado, los colores, las columnas, las estatuas, la opulencia de aquella ciudad. No comprendía la lengua que hablaban, pero captaba la alegría general. Habría querido que Suana estuviera allí para compartir con él aquel momento.

El desfile prosiguió conduciendo al augusto a lo largo de la Mese, la calle principal que llevaba al palacio imperial. Al final de la avenida se erguía el *Milion*, el hito que indicaba el centro del imperio, punto de partida desde el que se calculaban todas las distancias. Constantino lo había querido en su ciudad para emular el antiguo *Miliarum Aureum* de Roma. Más allá del *Milion* se abría el *Augustaion*, la gran plaza, antecámara al aire libre del sacro palacio. En el centro y en hileras había centenares de personas que llevaban la *toga contabulata*, los senadores de la ciudad. Detrás de ellos, en el lado oriental de la plaza se erguía el Senado de Constantinopla y frente a él, en el lado occidental, estaba la Chalke, la monumental puerta del palacio con la cancela dorada y los gigantescos batientes broncíneos. Más allá surgía una basílica majestuosa. Tenía que ser Hagia Sophia, inaugurada el año anterior por Constancio. Juliano quería transformarla en un templo dedicado a Athena Glaukopis, Atenea de los ojos de lechuza.

Juliano bajó del caballo a los pies de la columna dorada en medio de la plaza, donde descollaba la estatua de la madre de Constantino el Grande. Miró a contraluz, fastidiado, la silueta de su tía abuela. Luego, un anciano oficial de los guardias imperiales de Constancio lo condujo a la Chalke, para empezar con la ceremonia de apertura.

Cuando la puerta se abrió, Victor vislumbró la guardia personal de Constancio, miles de armaduras que brillaban al sol. En el centro de la alineación estaban los dragones del emperador, las colas doradas que ondulaban perezosas al viento. Uno, entre todos, destacaba sobre los otros. Estaba cubierto de oro y de gemas preciosas. El *draconarius* era un soldado enorme, con una armadura escamada de estilo oriental.

Victor lo miró mientras la guardia de Juliano se alineaba frente a los *protectores* de Constancio. El hombre del dragón dorado salió de la formación, se acercó a Juliano y bajó el *draco* hacia el emperador.

—A ti lo confío.

—Seré digno de él.

El emperador cogió la enseña de las manos del *magister draconum*.

El ejército había pasado, formalmente, a la guía del nuevo emperador. Y Victor supo que desde aquel instante él era el *protector divini lateris*, el protector del flanco divino.

Juliano atravesó el umbral de la Chalke a pie, después de haber rechazado también la silla de manos imperial. Un ejército de eunucos y pajes vestidos con sedas multicolores se inclinó delante de él. El responsable de las ceremonias, un eunuco lampiño con la túnica cubierta de piedras preciosas, empezó a presentar a la multitud de sirvientes destinados al cuidado de la sagrada persona del emperador. Juliano resopló.

—Sé paciente, mi augusto —le sugirió Prisco.

—Esta armadura pesa como mil demonios.

—Puedes declarar la guerra al mundo, promulgar leyes, elegir senadores, restablecer los antiguos cultos... ¡Pero el ritual de la investidura es intocable! —El filósofo sonrió.

—¿De veras?

Juliano esperó un poco más, luego apartó al eunuco y se encaminó, seguido por sus rudos galos, también ellos a disgusto por todo el ceremonial.

—Mis hombres tienen hambre —dijo el nuevo soberano, en griego.

El maestro de ceremonias no sabía qué hacer, ya que no estaba autorizado a hablar con el emperador. Constancio nunca lo había mirado a la cara.

—Estoy hablando contigo, ¿me oyes?

—La comida —balbuceó el gran maestro—, la comida del emperador será... será servida en la sala de recepciones de los Diecinueve Akkubita, en cuanto haya terminado la presentación...

—La presentación acaba de terminar. Llévanos a la sala de los Diecinueve Akkubita.

El maestro de ceremonias se levantó la túnica para mantener el paso de Juliano y de sus *protectores.*

—El pabellón que aloja la sala de las ceremonias de los Diecinueve Akkubita se encuentra en el ala occidental del palacio, junto al hipódromo.

—Ya decía yo que habríamos llegado antes entrando a caballo —farfulló Nevita.

El grupo salió a una galería porticada con el suelo de mosaicos y se encaminó hacia otro pabellón, adornado con columnas. Una multitud de cabezas a lo largo de los muros se inclinaba al paso del augusto.

—¿Están todos a tu servicio? —le preguntó Prisco susurrando.

—También yo me lo pregunto —le contestó Juliano. Se dirigió al maestro de ceremonias—. ¿Quiénes son todos estos?

—El personal de palacio, mi augusto.

—¿Comen todos aquí?

—Sí, mi augusto, viven en un ala con sus familias.

Llegaron, cada vez más sorprendidos, a un claustro que daba sobre un jardín exótico, donde se paseaban algunos pavos reales blancos. El eunuco abrió camino cada vez más incómodo y pasó a lo largo de la columnata, donde había más guardias alineados con lujosas armaduras de gala.

Tardaron bastante en llegar al pabellón de los Diecinueve Akkubita, una construcción destinada a los banquetes. Siguiendo las paredes había diecinueve mesas, cada una en un nicho. Al entrar el emperador los eunucos de la corte lo recibieron con todos los honores. El perfume dulzón hizo estornudar a Nevita. Los eunucos se movían con gracia con sus vestidos de seda como si se deslizaran sobre los mármoles del pavimento, como barcas sobre el agua. Eusebio se erguía, imponente, en medio de los otros eunucos. Se inclinó ante su nuevo señor y un efluvio de esencia de rosas envolvió la sagrada figura del augusto.

—Mi emperador, señor del mundo, no existen palabras para expresar la felicidad de verte aquí con nosotros. Constantinopla deseaba ardientemente tu llegada.

—Esperaba no verte aquí, Eusebio —dijo Juliano seco.

—He esperado con ansia el momento de poder verte, para ofrecerte mis servicios.

El eunuco se arrodilló, rápido a pesar de las capas de piel y de grasa, para besarle la mano. Permaneció inmóvil, inclinado en aquella pose grotesca, tendido hacia una mano que no llegó.

—Eusebio comerá con nosotros —le dijo Juliano a Victor—, luego le mostraréis las mazmorras del palacio.

El eunuco no encontró respuesta.

El cuerpo de Constancio entró en Constantinopla dos días después de la llegada a palacio de Juliano. Por voluntad del difunto, los funerales solemnes se celebraron en la iglesia de los Santos Apóstoles. La había erigido Constantino el Grande como mausoleo imperial y en ella descansaban sus despojos, entre doce cenotafios, que representaban a los doce apóstoles, como para proclamarse el decimotercero de los primeros seguidores de Cristo.

Juliano estaba a la cabeza del cortejo fúnebre detrás del féretro, tirado por dieciséis caballos negros. Era el mismo carro usado por Constantino el Grande para su viaje hacia el eterno reposo. Durante toda la ceremonia lo acompañó un torbellino de pensamientos.

Había temido a Constancio durante toda la vida. Era como si lo tuviera delante con aquella mirada distante, cargada de desprecio.

Recordó cuántas veces había abierto su preceptor una misiva de la corte con el miedo de que anunciara su condena. Recordó las plegarias que se ofrecían a los dioses para que la comida no estuviera envenenada y que aquel bocado no fuera el último. Incluso recordó la envidia que sentía por los hijos de los campesinos que trabajaban en la casa de Macellum, pobres y descalzos, pero con unos padres que los amaban. Años de exilio, de prisión dorada, de miedo.

Y ahora el culpable estaba allí, dentro de aquel féretro, sin ningún poder. Estaba allí, con el rostro ennegrecido, las mejillas hundidas y la boca entreabierta. De nada valían las estatuas con su efigie que desde lo alto observaban el cortejo. De nada valían las imágenes sagradas que había sembrado por toda Constantinopla. Estaba allí, muerto, mientras que Juliano estaba vivo. Sí, vivo.

La mente volvió a la noche anterior, cuando la puerta se cerró a su espalda y se quedó solo en el sagrado dormitorio, frente a las ventanas que daban a los jardines colgantes iluminados por la luna, que teñía de plata el mar de Mármara.

Se había movido en el aplastante silencio de la gran habitación, entre perfume de incienso, exquisitos vasos de vidrio iridiscente, finísimos cuencos de alabastro, cofres áureos con gemas engarzadas y camafeos preciosos. La cabeza de Marco Aurelio proyectaba su enorme sombra sobre la pared, casi como si quisiera disimular tanto lujo. Los dedos acariciaron la estatuilla de Helios, con su corona radiante, el timón en la derecha y el globo en la izquierda, en disposición de prodigar sus rayos benéficos sobre todo el cosmos. Y luego cojines, grandes, pequeños, en cada rincón, bordados y embellecidos por opalescentes perlas de Basora...

En aquel nido suntuoso, rodeado por un lujo deslumbrante, se había dormido muchas veces Constancio mientras pensaba en cómo destruirlo. Ahora ya no. Estaba dentro de aquel féretro, sin ningún poder.

Cuando el esclavo abrió la cancela de la fastuosa residencia de campo, los jinetes entraron al trote. Se detuvieron delante del edificio principal, que se erguía majestuoso entre adelfas y árboles de laurel. Tres de los jinetes desmontaron y el que parecía el jefe le hizo una señal al mayordomo que estaba en el umbral.

—Tengo un mensaje para tu amo, de parte del emperador.

—¿A quién debo anunciar?

—Tú solo tienes que acompañarme —dijo Victor—. No es una visita de cortesía.

El mayordomo precedió al *protector* y otros dos soldados hasta el atrio de la villa. Superado el patio interior, se detuvo delante de una puerta y miró a Victor, que asintió.

—Mi señor —dijo el mayordomo—, un correo quiere verte. Tiene un mensaje del emperador.

—¿Un correo? ¿Lo conocemos?

Draco empujó a un lado al mayordomo y entró.

—Él no me conoce, Apodemio, pero tú deberías acordarte de mí.

El *notarius* dejó el pergamino que estaba leyendo y miró al *draconarius*, incapaz de hablar.

—¿Has visto a un espectro, Apodemio? —El franco arrojó el despacho sellado sobre el escritorio—. Por cierto, una villa grande y bonita.

Temblando, Apodemio rompió el sello del despacho sin apartar los ojos del soldado, al que creía muerto desde el asedio de Senones.

—Dice que debo conducirte a Calcedonia, donde se juzgará por alta traición a todos los que han conspirado contra el augusto Juliano.

Apodemio se quedó pálido y mudo.

—El emperador me autoriza a comunicarte que tu sentencia ya ha sido dictada. Me ha mandado a buscarte por expresa solicitud mía. Me hacía gracia venir en persona. Un viaje largo, pero merecía la pena.

—¿Y tú no serás juzgado, Victor? Tú trabajabas para mí.

—Agua pasada. Y teniendo en cuenta que intentaste matarme en Remi, no sé quién te daría crédito —dijo el *protector* encogiéndose de hombros.

—Yo solo ejecutaba las órdenes de Catena, y Marcelo y Florencio estaban al corriente de todo.

—Catena te espera en Calcedonia. A los otros estamos yendo a cogerlos.

—Escúchame, tengo mucho dinero, lo suficiente para...

—Tú ya no tienes nada —le cortó Victor señalando la habitación—. Desde este momento todo tu patrimonio está requisado. La casa y todos tus bienes serán vendidos y lo que se obtenga se dividirá entre el Estado y los herederos de las víctimas de tus abusos. En cuanto tengamos esta lista de bienes, se ejecutará la sentencia. —El *agens* tragó saliva, con la frente cubierta por un sudor viscoso.

»Le he pedido al emperador que me permitiera encender tu pira, y ha aceptado. Te haré compañía hasta el final.

Uno de los primeros actos de Juliano emperador fue instituir el tribunal de Calcedonia, la ciudadela situada a orillas del Bósforo, frente a Constantinopla. Era un tribunal militar que debía juzgar a los altos funcionarios de Constancio II, en particular por su implicación en la muerte de Galo, hermano del emperador. Fue una puesta en escena con la que Juliano se deshizo de la cúpula del viejo régimen.

Para presidir todos los juicios llamaron al prefecto del pretorio para Oriente, Salucio Segundo, flanqueado por prefectos y generales como Arbición, hombre de Constancio que estaba intentando redimirse.

Las primeras sentencias fueron arbitrarias. El ex jefe de la cancillería, al que encontraron culpable de acusar falsamente a Galo cuando este ocupaba el cargo de césar, fue exiliado a Britania, a pesar de que no había pruebas. Con los mismos cargos e idéntica falta de pruebas, exiliaron también a varios funcionarios de cierto grado.

A Florencio, antiguo prefecto del pretorio de Vienne, lo declararon culpable de tramar contra Juliano para impedirle desarrollar sus funciones de césar. Las acusaciones eran débiles, porque en aquella época Florencio no hacía más que atenerse a las disposiciones de Constancio, pero había documentos y testimonios que lo relacionaban con el asesinato del general Silvano, falsamente acusado de traición, y el prefecto fue condenado a muerte en rebeldía.

A Paulo Catena, responsable del servicio de espionaje de Constancio, lo condenaron a morir en la hoguera por su participación en los complots contra Constancio Galo y Claudio Silvano. Además lo declararon culpable de torturar y matar a decenas de ciudadanos romanos, para arrancarles confesiones de crímenes inventados, así como de perseguir a sus familias.

Análoga suerte le tocó a Apodemio, *agens in rebus* al servicio de Constancio, acusado de los mismos delitos. Antes de morir, proporcionó una lista de espías que habían actuado bajo sus órdenes. La lista se incorporó a las actas. Su pira la encendió Victor, que contempló la hoguera hasta el final.

A Eusebio, asistente personal del emperador Constancio, lo declararon culpable de tantas acusaciones que llenaron varios legajos de actas judiciales. Entre otros cargos, lo condenaron por apropiarse de los bienes de decenas de ciudadanos romanos inocentes, acusados injustamente de traición, torturados y asesinados. Fue condenado a muerte por decapitación.

—¡Fuera!

Victor reconoció la voz de Juliano. Estaba a punto de preguntar qué estaba ocurriendo, cuando vio salir a toda prisa del despacho del augusto a un hombre regordete de baja estatura, con vestiduras finamente bordadas. La expresión del hombre, que sostenía un saco de piel de misterioso contenido, era de terror.

Por instinto el franco lo agarró por un hombro.

—¡Quieto, tú!

—Déjalo, Draco —intervino el joven emperador—. No es más que un barbero, no un sicario, por más que a algunos sicarios les gustaría intercambiarse con él, a la vista de lo que gana. —El *draconarius* lo miró sin entender.

»Había pedido un barbero, para recortarme la barba, y me mandan a este petimetre perfumado y elegante. Comprendo que estamos en Constantinopla, no en una aldea de pastores, pero que un barbero gane seis veces más que un soldado de los *petulanti* e insista en decir que es justo que sea así, ¡eso no! De todos modos, haré despedir a todos los servidores superfluos.

Victor solo recordaba haberlo visto tan alterado en raras ocasiones.

—Aquí todos rezan y adoran reliquias. Se jactan de tener un trozo de la Verdadera Cruz y los sagrados clavos usados en el suplicio. ¡Pero lo que adoran de verdad es el lujo, el despilfarro más ofensivo!

—Pues me temo que no te traigo consuelo, después de las inspecciones que he hecho de los cuarteles —dijo el franco.

Juliano resopló, irritado, y se sentó.

—Oigamos.

—Hay tantos guardias personales como eunucos, mi augusto. Los dormitorios parecen palacios, y tienen sirvientes que se ocupan del equipo y de todo el resto. Caballos dignos de un príncipe, y armaduras y espadas de gala cubiertas de oro, e inútiles en la batalla. —Juliano escuchaba y su enfado iba en aumento.

»Comen alimentos exquisitos en vajillas de oro y de plata. Todo a cargo del erario, hasta el vino. Es el sistema que organizó Eusebio: comienza con los generales, que se enriquecen con los proveedores del ejército, y llega hasta el último oficial, que se conforma con las migajas.

El emperador se levantó de un salto y empezó a gritar.

—¡Los echaré a todos! —El enfado se había transformado en rabia.

—Cálmate, te lo ruego, augusto —intervino Prisco, que desde el primer momento actuaba como consejero del joven emperador—. Ya has intervenido de manera drástica. Ya has echado a la mitad de los eunucos, sirvientes, pajes, jardineros, y ahora incluso a los barberos. Hay pabellones enteros deshabitados.

—Si queremos hacer una reforma no hay que hacer excepciones. ¿Quieres ver cuánto hemos ahorrado con estas medidas?

—Pero todos aquellos a los que has dejado en la calle ya no tienen un trabajo con el que dar de comer a sus familias.

—Esto era el reino del derroche, Prisco. Con el dinero que se tragaba este palacio se puede saciar el hambre de media Galia. No soporto semejante despilfarro y yo debo ser el primero en dar ejemplo. —Juliano miró a Victor—. Quizá sea demasiado drástico, pero llega un momento en que no se pueden aplazar ciertas cuentas, por más dolorosas que sean.

Draco miró alrededor, nervioso, con la mano en el pomo de la espada. Estaba en el despacho que durante años había pertenecido a Catena, la habitación en la que Eusebio, Apodemio y sus secuaces se encontraban para tejer intrigas y decretar condenas a muerte pensando únicamente en sus intereses. Aunque habían pagado sus culpas, aquellas paredes parecían conservar memoria, como si los destinos decididos sobre aquel amplio escritorio de madera taraceado pidieran aún justicia.

Juliano entró en la habitación y saludó a su fiel *draconarius*.

—Siéntate, Victor.

El expediente que el emperador había depositado sobre la superficie perfectamente lustrada atraía la mirada del franco. Allí dentro estaba también la verdad sobre él.

—Los archivos nos dan información interesante, aunque a menudo espantosa. Cada día aparecen nuevos documentos. —Juliano dejó escapar una sonrisa melancólica—. Se entiende el motivo de muchos comportamientos... Marcelo, Florencio, Barbacion, todos manipulados por Constancio. He encontrado buena parte de la correspondencia entre el emperador y el prefecto de la Galia. Veo que yo estaba rodeado de espías que le informaban hasta de cuándo respiraba. —Victor asintió, incómodo, apretando los dientes.

»Constancio estaba obsesionado por la manía de archivarlo todo y quién sabe cuántas otras cosas comprometedoras habrá hecho desaparecer el asqueroso Eusebio después de la muerte de Constancio y antes de mi llegada. —Juliano señaló los documentos que tenía delante—. Como sabes, queríamos verificar la lista de espías proporcionada por Apodemio durante el juicio. El más interesado, a decir verdad, es Arbición. Yo soy reacio a poner las manos en la suciedad; ciertas cosas es mejor no verlas, pero si se ven, no se pueden dejar impunes. ¿Entiendes?

—Sí, mi augusto.

—Como puedes imaginar —continuó Juliano—, sería un buen golpe para un general de Constancio probar la infidelidad de alguien de mi séquito. Arbición es poderoso y se afana por mantener su posición dentro del ejército, pero en mi opinión es un hijo de puta y está intentando usar nuestras comprobaciones para eliminar a sus adversarios. —Dio unos golpes con el dedo sobre los documentos—. También él nos ha proporcionado su lista de espías al servicio de Catena.

Draco alzó la mirada y encontró los ojos del emperador.

—Aquí está también tu nombre, Victor. —Hubo un interminable momento de silencio—. No te oculto que me he quedado muy sorprendido. Arbición escribe que el *armidoctor* del césar de la Galia es un hombre de Apodemio. Un espía, un *referendarius*, listo para matarme en cualquier momento.

El franco sintió que había llegado el momento de decir la verdad, y experimentó, junto con el dolor y la vergüenza, una extraña sensación de alivio.

—Tu nombre estaba también en la lista de Apodemio —prosiguió Juliano—, eso es innegable. Sin embargo, hay otro documento encontrado en este despacho que, en mi opinión, es aún más interesante que el de Arbición; y es una suerte que en los momentos más confusos del traspaso de poderes no lo haya destruido Catena, o alguien por él. —Victor esperó, respirando lentamente, que pronunciara su condena.

»Es una carta de julio del 356, por tanto, anterior al asedio de Senones, escrita y firmada por Apodemio y dirigida a Catena. Se pide autorización para eliminar al *draconarius* del Mico Purpurado —Juliano esbozó una sonrisa irónica—, que vendría a ser yo. En aquella época aún no me llamaban Victorino... El asunto es que los habías traicionado para convertirte en uno de mis más leales partidarios, así que tenías que morir.

De nuevo cayó el silencio en la habitación. De nuevo fue Juliano quien lo rompió.

—Es una evidente paradoja que una condena a muerte se convierta en una fuente de salvación, pero estoy aprendiendo a no asombrarme de la vida. Y en este juego de acusaciones y contraacusaciones, no exento de paradojas, me gustaría saber a qué juego está jugando el astuto Arbición —dijo el augusto. Luego empujó el pliego hacia Victor—. ¿Quieres intentar descubrirlo?

El *draconarius* se levantó secándose el sudor de la frente. Estaba confuso, azorado.

—Escucha, Draco. Yo estoy aquí por voluntad de los dioses y sé que te han puesto a mi lado para ayudarme a cumplir su voluntad. No me importa cómo empezó esta historia, no me importa por qué insondables vías se encontraron nuestros destinos. Me importa saber que ahora estás conmigo, porque es ahora que podemos comenzar a cambiar el mundo. —Victor asintió, cautivado.

»Uno de los privilegios de mi posición es que puedo establecer la verdad oficial, cuál es la verdad verdadera. Mis predecesores han usado y abusado de ella, la historia me perdonará que lo haga también yo. —Una pausa calculada, de orador—. Las actas del proceso de Calcedonia desaparecerán, como la lista de Arbición y la carta de Apodemio: pero tú desmantela esa banda de espías y asesinos y dispérsalos por los confines de la Tierra. Para mi cancillería necesito cuatro escribas y diecisiete mensajeros. Nada más. Nada de espías, *agens in rebus* o *referendarius*. El sistema de Catena debe desaparecer, y si Arbición es un engranaje de él, también debe desaparecer.

Victor estaba exhausto. Vació un vaso de vino fresco para apagar la sed y volvió a hojear los documentos, aún atónito por lo que había ocurrido.

Como ramas de un gran árbol se entrelazaban listas de nombres, a los que a veces asociaba rostros. La red de espías nacida de la mente de Constancio se había multiplicado hasta alcanzar un tamaño desmesurado.

Releyó la carta de Apodemio, una condena transformada en salvación. Volvió a revisar la larga nota. Nombres de soldados, correos, sirvientes, eunucos y nombres importantes como el del general Barbacion, que Constancio mandó ajusticiar por traición. Victor se puso a buscar los vínculos, algo no cuadraba, pero no sabía qué. Otros nombres muy conocidos por Draco, como Decencio y Gaudencio, y luego una sorpresa: el general Ursicino.

El franco sacudió la cabeza. Era él quien tenía la misión de espiar a Ursicino en la época de la misión contra Claudio Silvano, en la colonia Agripina. Ursicino era espía y espiado. Espiado por él, Victor, hijo de Klothar de Merseen, que estaba en la lista. Y por Filopatros. Habían viajado juntos...

Filopatros. Victor examinó de nuevo la lista, desde el principio. Filopatros no aparecía y tenía que estar. Con lo que pasó en Lutecia Victor estaba seguro de ello. ¿Otro engaño?

Pegó un puñetazo sobre la mesa y volcó la garrafa, como aquella tarde en el alojamiento del griego... Se levantó renegando y recogió los documentos mojados de vino. Una salpicadura violácea había impregnado la carta de Apodemio y el *protector* trató de secarla con la manga para evitar que se estropeara la única prueba que lo había salvado, de momento, de una muerte segura.

La firma aún estaba intacta, pero el texto se había deteriorado un poco. En realidad, cuando más intentaba secarlo más lo dañaba. Draco observó el pergamino a contraluz. El rojo violáceo del vino parecía formar otras palabras. Miró con más atención y... sí, había otro texto; ilegible, pero estaba. El pergamino se había reutilizado, o el texto original había sido borrado.

Humedeció un paño y lo pasó sobre un extremo de la fecha. Como por arte de magia, el número se desvaneció. Repitió la misma operación sobre parte de la firma. Nada. La tinta de la firma no era la misma que la del texto. La del texto era la tinta usada en el ejército, hollín de resina y poso de vino, diluidos con agua y mezclado con goma arábiga. La de la firma, por el contrario, debía contener cobre o hierro, porque era más resistente;

muy adecuada para quien había añadido aquella firma, es decir, Apodemio.

La carta era una falsificación. ¿Quién la había escrito?

Victor salió por la cancela de Chalke y atravesó el Augusteion. Pasó por debajo de la columna de la madre de Constantino y llegó a Hagia Sophia. Entró en la inmensa basílica y sus pasos resonaron entre las columnatas.

Filopatros rezaba de rodillas, mirando hacia el altar. Victor se puso a su lado, hipnotizado por el encanto de aquel lugar sagrado.

—¿Has venido a hablar con Dios, franco?

—A decir verdad, he venido a hablar contigo —le respondió Draco—. Salgamos al claustro, tengo que enseñarte algo.

Los dos *protectores* fueron al jardín interior de la basílica. Se quedaron un momento junto a la fuente en el centro, disfrutando del silencio de aquella mañana de finales de invierno.

—Mira esto —dijo el franco.

Filopatros observó el esquema trazado por su amigo a partir de la lista de Arbición. El griego miró los nombres sin expresar ni la más mínima emoción. Luego le devolvió la hoja a Victor.

—¿Y?

—¿La lista te parece completa? —Filopatros asintió—. ¿No te parece que falta un nombre?

—No, no me lo parece.

—¿No? ¿Cómo es que no está el tuyo, Filopatros? ¿No eres uno de los hombres de Catena?

—No, Victor.

El franco se sentó en la hierba y miró a su amigo preguntándose qué otra sorpresa le reservaba.

—Explícame eso.

Filopatros se quedó en silencio escuchando un momento el agua que salía de las bocas de los leones de la escultura, luego habló.

—Mi padre sirvió bajo Constantino el Grande y combatió en la batalla de Puente Milvio, en el 312. Constantino venció, mi padre quedó lisiado. Obtuvo una pequeña parcela de terreno, fuera de Antioquía, que cultivó con mi madre y con eso podían ir tirando. Cuando vine al mundo, mi padre pensó en añadir otro trozo de tierra, contando con mi futura ayuda. Él se endeudó y yo tuve que trabajar duro desde que era niño para ayudarlo. Luego vino la sequía y la penuria. Fue terrible y justo entonces mi madre trajo al mundo a mi hermana. Los acreedores nos dejaron en la calle, la escasez de comida y las guerras hicieron el resto. Tuvimos que ir a Antioquía en busca de fortuna. Era una ciudad bellísima, pero llena de desesperados como nosotros. Evacuados, tullidos, enfermos, viejos... La Iglesia hacía lo que podía, pero las bocas que saciar eran demasiadas. Mi madre murió pocas semanas después del parto y yo me encontré con una niña recién nacida y un inválido. Los confié a un convento y me presenté en la guarnición de guardia de fronteras de Antioquía. La vida militar no era gran cosa, pero bastaba para saciar mi hambre y la de ellos. Y mientras hacía la guardia en las torres, veía a los monjes mendicantes que ayudaban a los enfermos en la plaza de la basílica. Así me hice cristiano. Comencé a escoltar a los curas que debían salir de la ciudad...

»En el 345 el vicario de la diócesis de Antioquía dio mi nombre para acompañar a un obispo hasta una finca imperial en Cesarea. Debía acompañar a Macellum, una residencia a los pies del monte Argeo, a un obispo arriano llamado Jorge de Capadocia, que había llegado de Alejandría. —Filopatros cogió una ramita antes de continuar.

»Estaba contento, el obispo era un personaje importante, y disfrutaba de los favores del emperador Constancio. Como buen cristiano, escuchaba sus enseñanzas, aunque no entendía qué iba a hacer, alguien tan importante, en aquel lugar perdido en una punta de Anatolia. Cuando llegamos allí descubrí que su misión era educar a dos jóvenes huérfanos en los preceptos de la fe cristiana. Eran Flavio Claudio Juliano y Flavio Constancio Galo, los primos del emperador. —Filopatros partió la ramita entre los dedos—. El obispo estaba contento conmigo y convenció a mi comandante para que me pusiera a su cargo como escolta personal, junto a otros tres soldados. En Macellum era como estar en un retiro espiritual. Todo lo que teníamos que hacer era escoltar a los muchachos y al obispo y no perderlos de vista, pero a distancia, porque nos estaba prohibido hablar con ellos. Escuchaba algo de las lecciones del obispo Jorge, que tenía muchas expectativas respecto al más joven de los dos hermanos. Yo tenía vigilado al muchacho, lo seguía en sus solitarios paseos al atardecer... Era un portento y conocía a la perfección el Viejo y el Nuevo Testamento mientras que Galo no aprendía nada y solo tenía en la cabeza la caza y la lucha.

»Mi existencia cambió dos años después, cuando un mensajero vino para anunciar la inminente llegada del emperador, que viajaba con toda la corte. Teníamos que limpiar y ordenarlo todo para acoger a Constancio de la mejor manera posible. Un gran trasiego de gente... Y uno de los huéspedes era Eusebio, el asistente personal del emperador. —La mirada del griego se hizo sombría, ante el recuerdo—. Fue él quien me llamó. Me hizo muchas preguntas, sobre mí, sobre los muchachos y sobre el obispo. Luego me dijo que merecía una compensación por mi trabajo y me preguntó a quién podía hacérsela llegar. Le dije dónde vivían mi padre y mi hermana. Y así empecé a trabajar para él.

Durante un momento ninguno de los dos dijo nada.

—Bien, pero no has contestado a la pregunta —dijo Victor—: ¿por qué no estás en la lista?

—Porque soy un hombre de Eusebio, no de Catena. Arbición no conoce todas las ramificaciones del espionaje imperial.

El franco se levantó y miró a Filopatros, incrédulo. La red era inmensa, por tanto, la lista era solo una rama de un árbol que tenía raíces por todos los rincones del imperio.

—Entonces ¿vuestra misión era vigilar a los espías de Catena?

—Las misiones nos las asignaban de una en una cuando había que cumplirlas. No sabíamos más.

Victor extendió los brazos, desconsolado.

—Espías por doquier. ¿Cómo desmantelar semejante organización, que es lo que quiere el augusto Juliano?

—La organización ya está desmantelada, franco. Actuábamos solos, guiados por Eusebio y los suyos. Muertos ellos, creo que casi todos se han quedado sin contactos y nadie tiene ganas de arriesgar la cabeza confesando que ha trabajado a sus órdenes.

Victor asintió, luego lo abrazó.

—Debo marcharme, griego. Pero estoy contento de que tú no estés en esa lista.

De camino hacia donde estaba el césar, Victor se cruzó con una fila de personas que dejaban el palacio entristecidas, víctimas de las decisiones radicales del nuevo augusto: tesoreros, mayordomos, sirvientes, camareros... Los nuevos amos, los legionarios del ejército de la Galia, asistían a aquel éxodo con mal disimulada satisfacción. Era el fin de una era.

Draco entró al zaguán y subió al primer piso. A su paso los guardias de los *petulanti* lo saludaron y se apartaron. En la sala de audiencias, Juliano conversaba con dos correos que decían saber dónde se había escondido Florencio, el viejo prefecto de la Galia, y estaban dispuestos a denunciarlo si el emperador los mantenía a su servicio.

—¡Salid de aquí antes de que os meta en la cárcel! El emperador no necesita eso para obtener información. Y que Florencio se quede encerrado en una cueva, si tiene miedo de enfrentarse a la justicia. Tendrá más tiempo para meditar sobre su miseria.

Los correos se marcharon con el rabo entre las piernas. Juliano parecía exhausto.

—Draco, ¿tienes buenas noticias?

El franco le devolvió el legajo y su mapa con la lista de nombres. No había borrado el suyo. Juliano examinó el folio; luego levantó la mirada hacia el *protector* y dijo que salieran todos los demás. Permanecieron el uno frente al otro, en silencio, hasta que todas las puertas estuvieron cerradas.

—La lista redactada por Arbición es verdadera —dijo Victor—. La he transcrito para distinguir los comandantes de los ejecutores. Muchos de esos nombres no sirven para nada, unos porque han muerto y otros porque, temiendo las represalias, han desaparecido. En todo caso, sin la cúpula la organización no resistirá y se disolverá como nieve al sol. Los *agens in rebus* no se conocían casi nunca entre ellos.

—Bien —apostilló Juliano—, esa es una buena noticia. ¿Algo más?

—Sí —respondió el *protector* tendiéndole al emperador la carta de Apodemio—. Esta carta es una falsificación. La firma es verdadera, pero el texto se añadió después, no sé quién ni por qué. —Se quitó el talabarte con la espada y lo depositó sobre la gran mesa que los separaba—. Te he mentido, mi augusto. Yo era un hombre de Apodemio y de Catena, desde que partimos de Mediolanum. Me pagaban para hacerte de *armidoctor* y para protegerte, pero tenía que estar listo para matarte, si me lo hubieran ordenado. Es justo que tú lo sepas y es justo que yo pague por ello.

Juliano bajó la mirada a la carta.

—Y sigues mintiendo —dijo, llevando la mirada al *draconarius*—; o, mejor, omitiendo la verdad. ¿Algunos ejemplos? Has callado ante todos mi veneración por Helios, desde aquel ocaso en la vía hacia Augusta Taurinorum. Me defendiste de las espadas enemigas en mi primer enfrentamiento armado. —Juliano dejó la carta sobre la mesa—. No has dicho que has cabalgado llevando mi dragón, arriesgando la vida, bajo los muros de Tricasae, ni que advertiste a la guarnición de Senones de la llegada de los alamanes y eso salvó la ciudad. No hablas del ataque nocturno al campamento enemigo, de cómo te batiste en las escarpas, y de que estabas dispuesto a que te torturara Apodemio para no traicionarme... No has dicho que llegaste donde estaba aquel bastardo de Barbacion para detener a los alamanes en el Rin, que guiaste a los hombres de Bainobaude a nado en el río de noche y que al liberar las orillas permitiste nuestro avance incluso sin flota. No has dicho que has comido mi mismo polvo en Estrasburgo y que has mantenido el dragón a la vista para los nuestros y para los enemigos. No has dicho que habías capturado a Gigas, el temido rey de los alamanes. No has dicho que velabas mi sueño en Lutecia mientras nuestras propias legiones nos acorralaban en el palacio. No has dicho que arriesgaste la vida para estar cerca de mí en aquel dramático momento sobre la tarima frente a los *petulanti*. —Victor captó una luz en los ojos del emperador—. Y sobre todo, no has dicho que has sido el único en este nido de víboras que es la corte, llena de seres ambiguos, de aprovechados, de traidores y de hipócritas, que ha dado prueba de integridad moral y espíritu de sacrificio. El único que ha tenido el coraje de venir a verme y decir la verdad, aunque nadie te lo había pedido, incluso cuando, una vez más, habrías podido salvarte, borrando tu nombre y tu pasado con una esponja mojada. —Juliano señaló la carta—. Así que ¿a quién le has mentido, Victor?, ¿a mí o a Apodemio? —Cogió el pergamino y se lo enseñó al *protector*.

»Sé que es una falsificación. Yo hice que la redactaran —dijo el emperador con los ojos brillantes—. Lo he hecho porque acompañaste a un muchacho torpe, solo, confuso y escarnecido por todos a lo largo de un camino lleno de peligros, en el que acechaban hombres poderosos que lo querían muerto. He tomado esta decisión porque aquel muchacho nunca habría llegado a ser emperador sin un hombre como tú al lado. —Draco sintió un nudo de emoción en la garganta. No conseguía balbucear ni siquiera una palabra—. Y en vista de que es el momento de la sinceridad, tampoco yo te he dicho toda la verdad.

Juliano batió las manos. De inmediato entró un paje.

—Hazlo pasar —ordenó el augusto.

El *draconarius* se dio la vuelta sin entender nada y vio a Filopatros de pie en el umbral. Después de un momento de azoramiento, el griego entró y se sentó junto a Victor, mirándolo intermitentemente de reojo.

—Volvamos catorce años atrás, Victor —dijo Juliano—. Todo comenzó durante mi exilio en la finca imperial de Macellum, en el 347. Era un chiquillo confuso, con un pasado terrible y un futuro incierto. Un obispo fanático, feroz y poderoso me había empujado hacia la iniciación cristiana, a la que me había dedicado con entusiasmo, hasta ser admitido para leer con voz clara los textos de las Escrituras durante la meditación de los fieles. En ocasión de la primera y única visita a Macellum de mi primo Constancio, el obispo, Jorge de Capadocia, quiso que yo leyera los textos sagrados. Leí y releí las Escrituras, con el obispo que me golpeaba con una varilla en los dedos al más mínimo error, hasta aprender de memoria lo que habría debido leer al día siguiente, en presencia del emperador y de su corte. —La mirada de Juliano se perdió durante algunos instantes en el vacío.

»Tenía que leer aquellos textos delante del asesino de mi padre. Me escucharía y me juzgaría. Sabía que no sería capaz de mirarlo a los ojos y, aterrorizado, me puse a rezar, hasta que lloré. Hui al jardín y casi choqué con Lanice, la hija mayor del granjero, que estaba arreglando unas flores. Le hice señas de que no dijera nada y ella me vio los ojos hinchados por el llanto. Me preguntó por qué estaba triste y se lo expliqué. Aún me acuerdo de su mirada, sus ojos oscuros que me analizaban... Luego me hizo señas de que la siguiera y se puso a hurgar entre las raíces de un seto. De un paño doblado, extrajo un pequeño y gastado anillo de bronce, adornado con una cabeza bifronte: la efigie de Jano. Me lo dio, y le pregunté cómo lo había obtenido. Lo había encontrado entre la hierba cuando era niña, pero nunca se había atrevido a llevarlo a casa, porque temía que su padre lo tirara o lo vendiera. Era peligroso que te encontraran con objetos que representaban a los antiguos dioses, así que Lanice lo había escondido y de vez en cuando iba a mirarlo. Me dijo que lo llevara conmigo, escondido, para superar la importante prueba que yo tenía que pasar al día siguiente. —Los labios del emperador se abrieron en una sonrisa apenas esbozada—. Miré bien el anillo, la imagen de aquel que los antiguos consideraban el padre de los dioses. Jano, el dios del principio de todo. El dios que vigilaba las puertas, el dios que protegía a quien entraba y a quien salía... "Quizá mañana te abra un camino", me susurró la hija del granjero. El contacto con el anillo y con la piel de ella me produjo un estremecimiento que nunca había sentido, como si tuviera fiebre. —Suspiró y miró a Filopatros.

»Al día siguiente entré en la *domus ecclesiae* de la villa con el corazón agitado. Esperé en mi sitio la llegada de Constancio y del obispo, aunque habría querido huir, escapar lejos, disolverme como el incienso que ardía... En la mente veía las imágenes de la noche anterior. Los besos de Lanice, sus caricias, el perfume de su piel... Con su amor había encendido mi inmadura virilidad. Volví al presente, al rito que estaba a punto de celebrarse, al incienso en el aire, tan acre que hacía lagrimear... Me encaminé hacia el altar, siguiendo la luz de la lámpara en forma de nave con Pedro y Paulo, símbolo de la Iglesia, colocada a la derecha del altar. Llevé la mano bajo la túnica para tocar el anillo y se me cayó. Un leve tintineo de metal y el terror de pensar en las consecuencias; si lo hubiera encontrado el obispo..., pero Filopatros se movió imperceptiblemente y lo cubrió con la sandalia. No movió ni un dedo hasta el final de la ceremonia. —Los dos intercambiaron una mirada.

»Leí, es más, recité con gran arrobo las Escrituras, alzando de vez en cuando la mirada, para valorar, por la expresión de los presentes, cuál sería el veredicto. Entonces noté la puerta de la *domus ecclesiae* abierta de par en par y unos haces de luz que entraban como largos dedos hasta rozarme. Era una señal, era Jano que se manifestaba.

Juliano calló y prosiguió el griego.

—Acabada la ceremonia, me incliné a recoger el objeto que tenía bajo el pie. Era un anillo de bronce de escaso valor. No el tipo de joya que adorna las manos de los nobles, así que debía de tener un significado importante, si el muchacho lo llevaba en aquel día solemne. Lo escondí bajo la coraza y vi que él seguía mirando al suelo, pero no podía acercarme ni hablarle; no sabía qué hacer.

—¿Os imagináis —lo interrumpió Juliano— qué me habría sucedido si me hubieran encontrado encima un objeto sacrílego? ¡Por suerte Filopatros fue hábil en esconderlo! Me lo devolvió algunos días después mientras estaba contemplando el horizonte desde las laderas del monte Argeo. Constancio y su séquito habían partido. —En la mano derecha del augusto apareció un pequeño anillo de bronce.

»Junto a esto, Filopatros me hizo otro don aún más precioso. Me dijo que Eusebio le había pagado para espiarme. Con aquel dinero podía hacer que vivieran mejor su padre y su hermana, pero no tenía la intención de ir contra su moral cristiana ayudando a un poderoso a hacer daño a un alma pura como la mía. Fue un juramento de fidelidad recíproca. Desde aquel momento, Filopatros empezó a hacer el doble juego con Eusebio y a informarme con antelación de cada uno de sus movimientos. —Victor estaba estupefacto.

»Cuando tuve que dejar Macellum, nos separamos —continuó Juliano—, pero mi sorpresa fue grande al descubrir, en Mediolanum, que Filopatros formaba parte de mi escolta para el viaje a Vienne. Pensé, y aún lo pienso, que detrás de aquellos acontecimientos había un designio divino.

—Eusebio —explicó Filopatros— me había llamado a Mediolanum desde Antioquía, donde yo era comandante de la guarnición, para un encargo de la máxima importancia. Tenía que controlar al joven césar de la Galia, y a todos los espías de su séquito a sueldo de Catena.

—¡Así que estaba todo calculado! —exclamó Victor—. Y vosotros lo sabíais desde el principio.

—Fue Catena el que hizo que, «por casualidad», tú tuvieras el *draco* el día de mi investidura —le contó Juliano—. Al convertirte en mi *draconarius* estarías siempre cerca de mí y podrías controlarme mejor. A Filopatros, en cambio, Eusebio le asignó la misión de hacerme de *protector*...

—... Y me habló de un franco llamado Victor —siguió el griego—, que formaba parte de la escolta y estaba al servicio de Catena. El eunuco me dijo que debía vigilaros a los dos, al príncipe y a ti. ¡Menudo trabajo!

—Pero si lo sabíais desde el principio, ¿por qué no me habéis eliminado o alejado, al menos? —Victor intentaba asimilar aquella revelación.

—Porque habrían mandado a otro —dijo Juliano—. Necesitábamos que Eusebio y Paulo Catena creyeran que tenían la situación bajo control. Y al entender cómo eras, pensé que te quería de nuestra parte, a toda costa.

—Me habéis manipulado —afirmó el franco levemente resentido.

—La tarde en la que la emprendiste a puñetazos con Filopatros por una mujer, comprendimos cuál era la clave para llegar a tu corazón. La bella Suana era la jugada ganadora.

—Murrula...

—No fue fácil encontrarla, pero mereció la pena.

—Murrula... ¿Suana sabía de...?

—No. La pobre Murrula no sabía nada... y el amor de Suana es sincero —dijo el soberano—. Está viniendo a Constantinopla y me gustaría veros felices y definitivamente unidos.

—¿Cuándo habéis entendido que podíais fiaros verdaderamente de mí?

—Desde el asedio de Senones. Por tu comportamiento entendimos que ya eras de los nuestros.

—¿Y por qué no me hablasteis con sinceridad?

—¿Tú me lo habrías dicho, si tu nombre no hubiera aparecido en la lista de Arbición? —Victor no respondió—. Ha sido precisamente tu nombre en esa lista lo que nos ha recordado tu pasado. Así, para evitarte el riesgo de una depuración, nos inventamos una carta que te exculpara. Filopatros conocía el modo de tratar los textos para borrarlos. Bastaba coger de los archivos una de las tantas cartas firmadas por Apodemio y ya teníamos la solución. Yo dicté y nuestro *graeculo* escribió. Parecía perfecto, como recurso.

Las miradas se hicieron cómplices. Victor sacudió la cabeza, Filopatros se rio.

—No esperábamos que vinieras a agitarnos la falsificación bajo la nariz, maldito franco.

—Siempre he dicho que eres una serpiente, *graeculo* —bromeó Victor, en tono falsamente amenazante.

Juliano los miró, asintió con la cabeza y luego los tres se echaron a reír. Por un instante estuvieron serenos.

—¿Y ahora, mi augusto, cómo harás para salvarme?

—Por tu culpa, al haber desenmascarado una excelente falsificación con un poco de vino de taberna, me veré obligado a mandar a Arbición a algún remoto rincón del imperio, con un buen pellizco para mantenerlo tranquilo.

—¿Y los documentos?

—Los documentos nunca han existido —dijo Juliano, tirando el pliego a un brasero y encogiéndose de hombros—. No temo el juicio de los hombres, temo el de los dioses. —Recogió la espada de Victor, y se la tendió, por la empuñadura—. Ellos me han puesto aquí, con la ayuda de algunos buenos amigos que, casualmente, han puesto en mi camino.

XVII

Antioquía

Agosto del 362 d. C.

El enorme toro blanco, cubierto de guirnaldas rojas, avanzaba, lento, acompañado por los *victimarii*. Sus ojos estaban desencajados, como si supiera qué iba a ocurrir poco después, pero no tuviera el control de sus movimientos. Antes no se habría aceptado el sacrificio de un animal drogado, pero con el paso del tiempo y el acoso de las nuevas religiones se admitían algunos pequeños recursos con tal de ganarse el favor de los dioses. Era crucial que el animal no se opusiera a los sacerdotes que lo guiaban. Habría sido un pésimo auspicio, que podía incluso alejar la benevolencia de Zeus.

El emperador, en calidad de sacrificador, esperaba al animal cerca del altar, de espaldas al brasero en el que se había vertido vino e incienso. Llevaba una larga toga a la manera antigua, *velato capite*, es decir, con la cabeza cubierta. Un acólito pidió silencio y recitó una fórmula con los ojos y las manos hacia el cielo.

Juliano Augusto vertió sobre el toro la *mola salsa*, una pasta de cebada y sal, según el uso transmitido por las vestales. De la boca del animal caía un hilo de baba mientras el sacrificador recitaba la fórmula de la inmolación pasando simbólicamente la hoja de un cuchillo por el lomo del animal.

Dos prosélitos con el torso desnudo se acercaron al toro, que volvió hacia ellos los ojos desorbitados y acuosos. Uno sostenía un martillo plateado, el otro un hacha de dos filos. El sacrificador rezó a los dioses para pedirles su favor y los sacerdotes repitieron las oraciones. Después hubo un momento de silencio. El hombre con el martillo, el *malleus*, se puso delante del toro y lo miró. A la señal del sacrificador el hombre asestó un violento golpe de mazo entre los ojos del animal. La enorme mole se estrelló contra el suelo con un ruido que hizo vibrar el pavimento del templo. Inmediatamente después, con la boca abierta y los ojos en blanco, comenzó a contraer los músculos de las patas y el cuello presa de espasmos nerviosos, impidiendo que el hombre del hacha asestara el golpe final. De hecho, cuando el hacha cayó dio en un cuerno, se desvió y se clavó en el codillo del animal en vez de cortarle la cabeza.

Juliano cerró los ojos.

El segundo golpe se hundió en el cuello hasta la mitad. Un chorro de sangre caliente y viscosa ensució la túnica blanca del emperador. Los acólitos se aprestaban a llenar los *kylikes*, las copas de los sacrificios.

Lo que más impresionaba a Victor era observar la escena reflejada en la cara de los presentes. Apenas había aparecido en ellas una sombra al ver que fallaba el golpe, sin embargo, miraban hipnotizados la hoja del *victimarius* que destripaba a la bestia para extraer las vísceras. Debía de haber algunos novicios, a juzgar por las miradas que se apartaban y los labios que se apretaban cuando el olor de la sangre se mezclaba con el del incienso. En el rostro de Filopatros había una mueca de absoluto disgusto. En cambio, Juliano estaba inquieto. Le había lanzado una mirada feroz al acólito que había fallado el golpe y había pedido un nuevo toro para aplacar la ira del Dios.

Era solo el último de una serie de ritos iniciada en Constantinopla más de un año atrás, cuando Juliano se había convertido en señor del mundo y había reunido en el palacio a los obispos cristianos, entre ellos los seguidores del credo niceno, que Constancio había mandado al exilio.

Los arrianos, que tanto habían luchado para que su doctrina

tuviera el monopolio de la verdad, se encontraron sentados junto a los odiados herejes del credo niceno. Se sentía la tensión en el aire. Era evidente que, con tal de hacer prevalecer su credo, los sucesores de los apóstoles no habrían vacilado en degollarse los unos a los otros.

Juliano los observaba desde lo alto de su trono, consciente de su autoridad. En calidad de emperador tenía todos los poderes del cargo de *Pontifex maximus*, al que correspondía presidir la vigilancia y el gobierno de los cultos religiosos. Los detestaba tanto como ellos a él, por lo menos, y ya no soportaba que aquellas disputas entre fanáticos pusieran en peligro la existencia de un imperio milenario.

—Durante siglos el espíritu del ciudadano romano ha asegurado el bien del Estado. Un espíritu hecho de *ius* y *pietas*, derecho civil y culto de lo sagrado. Valores que junto a la lealtad hacia el emperador forman nuestro espíritu. Un espíritu que nos enorgullece y que nos ha permitido beber también de los conocimientos de otras gentes, para hacerlos nuestros y mejorarlos. Desde los tiempos más remotos siempre hemos reconocido los dioses de otros pueblos, los hemos hecho nuestros, les hemos reservado un sitio en nuestro panteón y les hemos erigido templos para no ofenderlos. La tolerancia hacia todas las formas religiosas nos ha permitido enriquecer la espiritualidad de los individuos, de sus familias, de las ciudades en que vivíamos, del imperio todo. —El golpe de tos del obispo de Nicomedia fue la primera señal de discrepancia. Juliano lo miró con odio, correspondido por el prelado.

»Aun rechazando los cultos que no reconocían y no respetaban nuestras leyes y la autoridad del emperador, poniendo así en peligro la unidad del Estado, nadie, en nuestra milenaria historia, ha pensado nunca en imponer nuestro credo a todo el mundo. —Un rumor hostil se alzó en la sala, y Juliano alzó la voz—: A mí me corresponde el gobierno del Estado, yo debo garantizar-le seguridad y prosperidad. A diferencia de mi predecesor, seré tolerante y os dejaré profesar vuestro credo con plena libertad. Ateneos a vuestras reglas, que dicen que le deis al césar lo que es del césar y a Dios lo que es de Dios; y que vuestras disputas teológicas y vuestros cultos permanezcan confinados en las sedes eclesiásticas.

Hubo gritos, protestas y miradas cargadas de odio, y algunos dignatarios se levantaron, enfadados, para abandonar la sala. La arenga de Juliano había dado en el blanco.

—Con tal de acrecentar vuestros ya desmesurados poderes os habéis manchado con muchos delitos. Y para demostrar que estáis en lo justo, estaríais dispuestos a hacer correr la sangre de quienes no creen lo mismo que vosotros. ¡Es hora de terminar con las intrigas, los juegos de poder y los inútiles concilios a expensas del Estado, para establecer si el hijo es de la misma naturaleza que el padre o cuál es la fecha exacta de la Pascua! La fe no se adquiere con sínodos y concilios. Por tanto, desde este momento os ordeno que cese cualquier disputa teológica. Desde hoy ningún ciudadano romano estará obligado a escucharos. Todos podrán profesar la fe que elijan, cualquiera que sea, sin temor. ¡Cada uno es libre de buscar su dios, siempre que quiera hacerlo! Y deberéis aceptar un asunto fundamental, os guste o no: que el cristianismo haya sido la religión de los últimos emperadores no significa que se haya convertido en la religión del imperio.

—¡No reconozco la autoridad de este imperio! —gritó un obispo.

—Cuidado con lo que dices, augusto, tu poder no es nada en comparación con el de Dios, ¡y Dios está mirándote! —proclamó otro y algunos más se sumaron con gritos vehementes.

—Si tu dios me mira, también te ve a ti y tus ricas vestiduras tejidas con oro. ¿Recuerdo mal o tu dios ha dicho que es difícil que un rico entre en el reino de los cielos?

Entre las voces cargadas de rabia y de insultos, se elevó un grito que multiplicaron cien bocas.

—¡Apóstata!

Fue el caos. Ya nadie escuchaba. Los guardias se agruparon en torno a él mientras Juliano trataba inútilmente de recuperar el orden.

Los seguidores de Arrio, los protegidos de Constancio, estaban indignados. Los partidarios del credo niceno, autorizados a practicar su culto, estaban resentidos con los arrianos. Los defensores de los antiguos cultos, ebrios de venganza, eran los únicos satisfechos con las decisiones del emperador. Juliano les permitía así volver a acceder a los altos cargos y a la enseñanza, sin discriminaciones. Concedió fondos para la restauración de los lugares de culto, retiró los privilegios fiscales atribuidos a los arrianos y les dio permiso a los judíos para reedificar el templo de Jerusalén.

Juliano Augusto dejó Constantinopla a principios del verano, seguido por su ejército. Los oráculos consultados daban buenos augurios: no podía haber mejor momento para entrar en guerra contra los invictos enemigos de los romanos, que tantos hijos le habían quitado a Roma, y aniquilar para siempre la amenaza persa en los confines.

El emperador se sentía animado por el mismo fuego sagrado del gran Alejandro, por lo que partió para aniquilar al rey de reyes, Sapor, soberano de Persia, y a conquistar sus tierras, que le habían dado a Roma el culto de Mitra. Sus galos lo siguieron, ansiosos de demostrar a los rivales y a los mismos legionarios de Constancio, protagonistas dos años antes de una campaña desastrosa, cómo se afrontaba a un enemigo y cómo se ganaban las batallas.

Juliano avanzó lentamente por Calcedonia, deteniéndose en cada ciudad para celebrar sacrificios y promover el culto de los antiguos dioses. Llegó a la gran Antioquía, que lo acogió con todos los honores y, a pesar de la mala cosecha de aquel año, dio la bienvenida también a su poderoso ejército, cuya necesidad de suministros era constante.

Para congraciarse con la población de la ciudad, desde siempre proclive a la diversión, Juliano convocó también certámenes hípicos. Para atender las protestas de los comerciantes disminuyó los impuestos y condonó las atrasadas. Donó terrenos públicos a ciudadanos particulares y ordenó otros sacrificios. Muchos, demasiados para una ciudad de mayoría cristiana.

Salió del templo escoltado por los suyos, bajo la mirada de la multitud que lo observaba. Algunos lo alababan y trataban de tocarlo, otros se mantenían a distancia, en silencio.

Victor y Filopatros caminaban a su lado, con la mano en la empuñadura de la espada y la mirada sobre la multitud.

El augusto se detuvo junto a un hombre sin piernas que quería besar su capa. Hizo que le dieran algunas monedas; al instante hubo decenas de manos tendidas hacia la púrpura imperial. Draco se vio obligado a que los guardias rechazaran a los más exaltados para permitir que Juliano reanudara el camino.

—No dejes que te toque toda esta gente, mi augusto —dijo Libanio, el filósofo que Juliano había querido a su lado mientras estaba en la ciudad. Nacido en Antioquía, había dedicado toda la vida a los estudios y a la enseñanza. Juliano había pensado, muchos años antes, en convertirse en su discípulo, pero Constancio se lo había impedido y lo había mandado a Nicomedia.

—Deja que me toquen si eso los hace acercarse a mí.

—Pueden transmitirte enfermedades, augusto, y entre ellos podría haber algún fanático peligroso. Te expones a demasiados riesgos. La ciudad está llena de cristianos descontentos y estos sacrificios son un ultraje a sus creencias. Recuerda que la doctrina comenzó a difundirse por doquier desde aquí; y recuerda que son poderosos.

—En efecto, esperaba un poco más de comprensión por parte de los jefes galileos ortodoxos. Míralos, allí, pedantes y descarados, en su ignorancia fanática no saben hacer más que maldecirme.

—Ahora que ven a donde has llegado —dijo Libanio, tranquilo—, piensan que has fingido que orabas en sus altares plegarias en las que en realidad nunca has creído.

—Mi predecesor, *imperator chistianissimus*, mandó al exilio a muchos adoradores de su mismo dios. Los persiguió, encarceló y masacró. Yo les permito profesar su credo, he revocado el exilio de muchos, he restituido las propiedades confiscadas a sus legítimos propietarios. ¡Bajo mi autoridad no se ha derramado una gota de su sangre!

—Son cristianos, augusto. Necesitan ser perseguidos. Para ellos, la vida en este mundo es solo un paso hacia una vida mejor, hacia un reino mejor.

—Eso es lo que me desconcierta —dijo Juliano, mirando al filósofo—, y eso es lo que me entristece, en un momento en que la *romanitas* es nuestra única posibilidad de salvación para abatir a los enemigos que se hacen cada vez más fuertes y numerosos en nuestras fronteras. Mira el himno de la vida —instó indicando el majestuoso palacio y los poderosos muros de la ciudad que trepaban sobre el monte Silpio—, mira lo que hemos conseguido hacer a lo largo de siglos para defender la esperanza en nuestra vida. Piensa en el ingenio que hemos usado para tratar de hacerla mejor. Piensa en las miles de obras, acueductos, termas, teatros, anfiteatros, mercados, palacios, los templos, estatuas, caminos, centenares de miles de vías construidas por nuestros soldados, a costa de grandes sacrificios. Piensa en las leyes, en el Senado, en la economía. Mira el espíritu que ha transmitido nuestra sociedad, nuestra eterna lucha por la supervivencia, por acrecentar el conocimiento, por conquistar la felicidad, por realizar los sueños y las ambiciones humanas. Todo eso es magnífico y yo disfruto de ello con alegría y libertad, sin sentirme lejos de mi creador. ¿Por qué renegar de estos grandes desafíos que hemos sabido vencer? ¿Por qué renunciar a la vida terrenal y glorificar el culto de los muertos?

—La esperanza del más allá es mucho más atractiva, augusto, sobre todo para los miserables, los marginados y los esclavos. Para ellos la cruz no es un símbolo de suplicio, sino de victoria, el triunfo de quien ha vencido a la muerte con la fe. Yo creo que esta religión tiene una fuerza interior y un impulso innovador que no conseguiremos contrarrestar fácilmente. Nosotros nos presentamos ante nuestros dioses en los templos y les pedimos que nos guíen; somos nosotros los que les pedimos ayuda a ellos. El concepto cristiano es el contrario y en eso radica su fuerza. Dios se ocupa de cada ser humano, desde que nace hasta que muere. Cuando un cristiano reza, sabe que Dios nunca ha dejado de mirarlo y amarlo. No son los hombres los que buscan a Dios a través de una plegaria, una ofrenda o un sacrificio, porque Dios ya está con ellos.

—Sabes perfectamente que todo esto es una invención de la mente humana para aprovecharse de la ignorancia de los humildes y los menos acomodados —dijo Juliano cabeceando meditabundo.

—Pero funciona. Mira cómo han atraído a las masas, que llenan sus grandes basílicas y escuchan a sus sacerdotes. Nuestra religión parte de espiritualidades individuales, la suya se funda en la plegaria común, y creo que ese sentido de fraternidad les da aún más fuerza.

Nacido en Constantinopla e impregnado de helenismo, Juliano se sentía odiado por su gente. Era evidente que los antioqueños lo habían decepcionado profundamente y eso lo llevó a actuar con más dureza cuando ordenó restaurar un santuario dedicado a Apolo fuera de la ciudad, que Constancio había hecho transformar en iglesia cristiana. El consejo municipal, formado en su mayoría por cristianos, se opuso, porque el lugar alojaba la tumba de un obispo. El augusto mandó sus galos a exhumar los restos del obispo y los envió a Antioquía.

—Para satisfacer su pasión necrófila, les he dado su montoncito de huesos que adorar.

La ciudad se escandalizó y poco después un incendio destruyó el templo. Los cristianos alabaron el milagro, Juliano los acusó del incendio y para castigarlos hizo cerrar la mayor iglesia de Antioquía.

—Si no podemos rezar nosotros, tampoco lo harán ellos.

Filopatros estaba cada vez más desgarrado entre su fe y la fidelidad al muchacho de Macellum. De momento se limitaba a lanzarle furibundas miradas de reojo.

—Esta es la consecuencia de dejarles libertad a los súbditos, mi augusto. Nadie se hubiera atrevido a tanto con Constancio.

—No es la libertad, Nevita, es el uso equivocado que los antioqueños hacen de ella. La sabiduría de los antiguos, aquí, es solo un recuerdo. Me odia la mayoría del pueblo, que no cree en los dioses, y me odian los ricos, porque he puesto un gravamen a las mercancías. Yo soy la fuente de todos los males, porque he beneficiado a ánimos ingratos. La culpa es de mi estupidez, no de su libertad.

Suana llevaba un velo de color naranja, el *flammeum*, que le cubría la cabeza enmarcándole el rostro. Sosteniendo el velo llevaba una corona de mirto y flores de naranjo entrelazadas. Miró a Victor a los ojos, al que cogía de la mano.

—*Ubi tu gaius, ego gaia*: dondequiera que estés, allí estaré.

Todos los presentes se regocijaron y expresaron sus deseos de felicidad para los esposos. Dagalaifo fue el primero en alzar el vaso; lo siguieron todos los demás y comenzó el banquete. Draco y Suana llegaron a la mesa, se sentaron en el centro, donde una gran bandeja de plata les esperaba, y los músicos comenzaron a tocar las flautas. La bandeja era un regalo de Juliano a los recién casados. Suana pasó las yemas sobre la decoración repujada en oro que representaba la *magna mater* Cibeles, simbolizada con Atis sobre un carro arrastrado por leones.

Victor había hecho feliz a Suana, pero también a Juliano, con aquella boda, celebrada según las antiguas tradiciones —con el velo naranja, flores, laurel y un cerdo que sacrificar para atraer buenos auspicios para el futuro— junto a amigos y compañeros de armas.

—Que la *magna mater* os proteja siempre —les deseó Juliano. Suana se inclinó, pero el augusto se saltó la etiqueta y la hizo levantarse de inmediato y abrazó a los novios—. Los dioses te han concedido la mujer más hermosa del imperio. Trátala bien.

Suana se había reunido con Victor por intercesión del emperador. Draco había manifestado la voluntad de desposarla antes de partir para la lejana Persia y Augusto había puesto sus correos al servicio de su *protector divini lateris*. Tras salir de Vienne, la mujer había llegado a Antioquía casi a punto de que el ejército partiera para la campaña sasánida. Al casarse la pequeña Murrula ya no volvería nunca jamás a la fétida posada de Mediolanum. Así se borraba su pasado para siempre. Suana era una mujer de la corte y el rudo Victor sintió que, por fin, había hecho algo bueno en la vida.

—¿Quién es esa mujer que está con Corax?

—Es su hermana pequeña y es muy atractiva.

—¿La ha traído aquí para encontrarle marido?

—Quién sabe... Oigamos, esposa mía, ¿tú con quién la casarías?

Suana sonrió, pasando revista a los rostros conocidos: Arinteo, Dagalaifo, Victorio, Joviano... Llegó a un rostro nuevo, extraño.

—¿Quién es ese viejo de piel oscura?

—Cuidado con lo que dices; es su alteza el príncipe Ormisda, hermanastro del rey de reyes.

—¿Y qué hace aquí?

—Nos hace de guía. Reclama para sí el trono de Persia, nada menos. Sapor lo echó del país hace cuarenta años y desde entonces siempre ha servido a los romanos. Primero a Constantino, luego a Constancio y ahora a Juliano.

—Juliano —dijo Suana, convencida—. Eso es, se la daría como esposa a Juliano, porque es inteligente, capaz, valeroso, fuerte y sensible.

Victor le besó el pelo.

—Perfecto, lástima que el griego se la daría como pasto a los lobos, antes que como esposa a Augusto.

—¿Por qué? Es el emperador de Roma.

—Sí, pero no es cristiano.

—¿No bastan las lenguas y las guerras para dividirnos, ahora también los dioses? —preguntó Suana que dejó de sonreír.

El banquete prosiguió entre carcajadas, música y libaciones hasta el anochecer, que cubrió de centellas doradas el perezoso curso del Oronte, más allá de los muros del palacio imperial.

Dagalaifo, como siempre, se había excedido con el vino y cantaba, intentando que una doncella se sentara sobre sus rodillas. Nevita se mesaba la barba y lo miraba, entre divertido y disgustado. Arinteo estaba sentado a poca distancia del emperador, con una sonrisa amarga en el rostro. A su lado Joviano sorbía vino de una copa de plata y observaba distraído a los músicos. Todos, de un modo u otro, pensaban en la empresa que les esperaba.

Fue Joviano quien abrió el cortejo para acompañar a Suana a sus aposentos. Al llegar a la puerta, Filopatros y Arinteo la levantaron, para hacerle pasar el umbral de la vivienda sin que los pies tocaran el suelo. El gesto simbólico debía ocultar a los espíritus de la casa del novio la entrada de una extraña que iba a establecerse en aquella casa. Un mujer del séquito acompañó a Suana al dormitorio. Luego fueron saliendo todos y en la habitación se hizo el silencio, a la excepción del chisporroteo de un brasero. Unas pequeñas linternas dispuestas aquí y allá difundían resplandores rojizos, dando contornos temblorosos a las cosas.

Victor se le acercó con una pequeña linterna en la mano, como quería la tradición, y ella la cogió. Desde aquel momento era misión de la mujer que el fuego de la casa no se apagara nunca. Las manos de él se deslizaron sobre la capa y soltaron el broche dorado. Luego descendieron sobre el triple nudo del cinturón que ajustaba la túnica ligera.

La mirada de Suana se confundía entre las sombras y devolvía el reflejo de las llamas mientras las manos de él la cogían por la cadera. La estrechó en un delicado abrazo y ella apoyó el rostro en su pecho abandonándose entre sus brazos. Él le apartó un poco el pelo. Le besó la frente y las mejillas, y le rozó los labios. Permanecieron así, saboreando el uno el perfume de la otra. Luego Suana le acercó los labios al oído.

—Te amo, Victor.

—Te amo, Suana.

Ella lo miró con los labios entreabiertos, los ojos brillantes. Una lágrima le cayó por el rostro. Lo abrazó aún más fuerte.

Nunca nadie le había dicho aquellas palabras. Nunca, en toda su vida. Sabía que al día siguiente la realidad de aquella noche se habría convertido en sueño y, luego, en un recuerdo.

Pero aún tenía ante sí toda la noche y les pidió a los dioses, a todos los dioses, que la hicieran infinita.

XVIII

La campaña sasánida

Marzo del 363 d. C.

Sapor, soberano de Persia, había mandado embajadores a Antioquía con una oferta de paz. Una demanda de paz antes del inicio de las hostilidades era un buen comienzo, pero no servía de mucho intentar un acuerdo cuando el ejército romano ya estaba acampado delante de Ctesifonte, la capital del reino sasánida.

Para recibir a los enviados de Sapor, Juliano quiso que sus galos lo rodearan. Los eligió altos e imponentes, con la barba descuidada y el pelo largo. Quería intimidar a los emisarios. Quería impresionar a aquel que osaba firmar como «rey de reyes, partícipe de los astros, hermano del Sol y la Luna».

Sin una palabra el augusto leyó el mensaje con ademán aburrido y rompió la carta con expresión ofendida e indignada, fulminando a los delegados orientales con la mirada.

El ejército que estaba a la espera a las puertas de Antioquía partió para el sur el 5 de marzo del 363, día de inicio de la campaña sasánida. Victor se unió a los sesenta y cinco mil hombres que se dirigían a Persia a la mañana siguiente de su boda, aún aturdido por el envolvente perfume de Suana. Le había aconsejado a su esposa que fuera a Constantinopla, o que volviera a la Galia, a Vienne o a Lutecia, porque no estaba tranquilo sabiéndola allí. Suana, la dulce Suana, no quiso escucharlo. Antioquía era la ciudad más próxima a Persia y ella iba a esperar su regreso.

La guardia imperial estaba alineada en el patio del palacio, armada con corazas relucientes, yelmos de toda clase de formas y lanzas con cintas de colores en los mangos, todo ello reminiscencias de aquella primera y lejana carga de caballería en la Galia.

Victor y Filopatros aún estaban en las cuadras, esperando al emperador para escoltarlo hasta la formación. Draco llevaba la coraza de las grandes ocasiones, un yelmo con gemas que emitía resplandores siniestros y una capa negra como la muerte. Miró a su amigo y sonrió.

—¿Pero qué yelmo te has puesto?

El griego levantó el mentón, exhibiendo ferozmente el yelmo en el que Victor le había pintado un par de ojos años antes, una tarde, en la Galia. Una broma, un juego después de algunas copas de vino.

—El nuevo es para los desfiles. Para el combate uso este. Me resulta cómodo y... siempre es mejor tener dos ojos de más.

El franco le dio una palmada en el hombro. Entendió que el griego estaba triste y no era difícil imaginar el motivo.

—Antioquía es mi ciudad, franco. Lamento tener que partir.

—Lo entiendo, amigo mío. ¿Has encontrado un buen acomodo para tu hermana?

—Sí, finalmente hemos hallado una casa espaciosa y toda para nosotros. También he encargado un monumento funerario para la tumba de mi padre. Cuando vuelva ya estará todo en su sitio. Solo me falta encontrarle un buen marido. La casa debe llenarse de niños alegres.

—¿Y tú? ¿Aún no has elegido una mujer?

—Cuando vuelva pensaré en ello, Victor. ¿Y tú? ¿De verdad quieres partir? Estoy seguro de que si le pidieras un cargo aquí, o en Constantinopla, él te lo concedería.

—En tal caso preferiría Mediolanum, griego, por el clima. Pero mi sitio ahora está aquí.

En el corredor que conectaba las cuadras con el palacio resonó un ruido de pasos pesados que precedió la llegada del emperador. Los dos *protectores* se inclinaron.

—Estamos felices de verte, augusto.

Juliano los abrazó.

—¿Qué tramabais vosotros dos? Estáis al corriente de demasiados secretos.

—Nada, mi soberano. El franco está preocupado por si no encuentra el camino para salir de Antioquía. Está habituado a su aldea de ovejas, pobrecillo, donde basta escupir para estar fuera del poblado.

Juliano rio con gusto.

—Que te den, *graeculo* —replicó Victor, con una mueca feroz—. Veremos si aún te ríes cuando los persas te cuezan los cojones a fuego lento.

Fuera, un millar de jinetes en formación esperaban a su comandante.

—Estamos de veras lejos de Mediolanum —dijo Juliano, mirándolos, antes de montar—. Todo mi ejército de entonces hoy es un tercio de mi guardia.

El «protector del divino flanco» se situó de inmediato a su derecha y Filopatros lo hizo a la izquierda. A su espalda, los imponentes *protectores* al mando de Dagalaifo. El germano rugió una serie de órdenes que resonaron entre las bóvedas de las cuadras del palacio. Juliano se acomodó la capa. Estaba listo, pero percibió un movimiento con el rabillo del ojo. Una figura grácil, con un vestido anaranjado que se entreveía al abrigo de una columna. Suana estaba allí, incapaz de resignarse a la partida del primer hombre que le había dicho que la amaba.

Con un gesto de autoridad, el señor del mundo detuvo la orden de Dagalaifo y le hizo señas a Suana de que podía acercarse. Bajo los ojos de la tropa, con paso ligero, Suana se aproximó al emperador para besarle el anillo y agradecerle aquella enésima gentileza con ella. El augusto la miró, tan hermosa que quitaba el aliento, e inclinándose sobre la silla le besó la punta de los dedos.

—Adiós, Suana. Te deseo que seas feliz.

—Esperaré con alegría tu regreso triunfal, mi augusto.

Una última mirada, luego Juliano se enderezó y miró hacia delante dejándole que saludara a su esposo. Victor le pidió con la mirada que no llorara. Ella asintió y sonrió, pasándose rápido los dedos sobre los ojos ya brillantes. Luego se puso sobre el corazón la corona de mirto y flores de naranjo que había llevado la tarde anterior, durante la ceremonia. Besó aquellas flores y se las ofreció a Victor.

—*Valde te expectabo*. Te esperaré con ansiedad.

Dagalaifo rugió una orden y los caballos relincharon, entre el clangor del hierro.

Aún una mirada, un toque leve sobre la rodilla de él, la silente solicitud de que regresara, luego la columna se movió, las cabalgaduras se pusieron en marcha, resoplando por el hocico. Ruido de soldados, ruido de fatiga, ruido de guerra. No había nada más majestuoso y noble, nada más espantoso y triste. ¿Cómo podían correr peligro Juliano, Filopatros, Dagalaifo y todos los demás? ¿Cómo podía el futuro de aquellos hombres, que parecían forjados en las fraguas de Zeus, ser incierto? ¿Quién habría podido negar que parecían inmortales?

La guardia salió del palacio, atravesó el puente sobre el Oronte y fue acogido por un estruendo. La multitud de las grandes ocasiones se aglomeraba en las calles, exultante ante el espectáculo del paso de los soldados, pero también porque, ¡por fin!, dejaban la ciudad junto a aquel a quien muchos llamaban el Apóstata. Juliano dejaba la región en manos de Alejandro de Heliópolis, el nuevo gobernador que acababa de nombrar. Un hombre inflexible y resuelto, que pronto iba a hacer valer su autoridad en aquella ciudad insolente. Antioquía, por su parte, era feliz de ver partir a Juliano y rezó para que no volviera nunca jamás.

Corax había confeccionado para Victor un sombrero de tipo persa, con un velo que protegía la boca y solo dejaba libres los ojos. De ese modo no se metía arena en la nariz ni en la boca y se aliviaba un poco el castigo del sol. El griego le dio un golpecito sobre el hombro a Draco, que parecía a punto de dormirse en la silla.

—Allá abajo —le dijo, señalando una franja grisácea que se perdía en el paisaje polvoriento—. ¿Ves? Es el Éufrates.

—Dime una cosa, griego, ¿tendremos que aguantar este maldito calor y esta maldita arena durante todo el viaje?

Filopatros estalló a reír.

—La arena y el calor... aún no has visto nada, Victor.

La columna llegó al río y lo atravesó, para dirigirse hacia Carras, lugar que desde tiempos remotos era sinónimo de amargura para Roma. Las arenas de aquel desierto aún custodiaban los despojos de los legionarios de Craso, aniquilados por los partos cuatrocientos años antes. Juliano hizo detener el convoy durante toda una jornada y participó con los sacerdotes en una ceremonia en honor de Artemis, para llevar ofrendas a la memoria de los soldados muertos.

Al día siguiente, el ejército prosiguió hacia el oeste y se dividió en dos partes. La primera, bajo el mando del general Procopio, tomó el camino de Armenia, donde lo esperaban las fuerzas del rey Arsaces, desde siempre aliado de Roma y enemigo jurado de Sapor. El odio de Arsaces contra el rey de reyes era profundo e intenso: el soberano hizo prisionero a su padre, le sacó los ojos y finalmente lo mató. Las fuerzas conjuntas de Procopio y Arsaces siguieron hacia el sur, bordeando el río Tigris y asolando la región de la Media, para llegar a Asiria. Allí tenían que reunirse con la columna de Juliano, que desde Carras, en una maniobra de distracción, se habría dirigido hacia el Éufrates.

El augusto quería avanzar todo lo posible a lo largo del río, a fin de tener siempre un flanco protegido y garantizarse los suministros gracias a la flota fluvial que seguía al cuerpo de la expedición con vituallas, armas y máquinas de asedio. El encuentro con la fuerza naval se produjo a finales de marzo, cuando el ejército alcanzó Callinicum.

Al entrar el ejército en la ciudad se derrumbó un pórtico y mató a una decena de soldados que formaban debajo de él. No era un buen augurio, pero Juliano no quiso escuchar a los arúspices etruscos y sus artes adivinatorias, y se dedicó con energía a la flota. Más de mil naves de transporte cargadas de armas, hombres y víveres estaban aún ancladas a lo largo del curso del río, hasta donde alcanzaba la vista. Se añadían cincuenta naves de guerra y otras tantas equipadas para construir puentes. La flota estaba al mando de Luciliano, el responsable de la administración imperial de Sirmium, que Dagalaifo había conquistado cuando Luciliano dormía.

—Esperemos que no se duerma durante el viaje.

—Silencio, Dagalaifo.

—Perdóname, augusto.

—Luciliano ha sido un buen administrador de la región; además —Juliano bajó la voz—, es el suegro de Joviano.

Dagalaifo se rio y fue en busca de una copa de vino al tiempo que en la tienda entraba Nevita.

—Mi augusto, aquí fuera hay algunos príncipes sarracenos que quieren hablar contigo. Quieren poner sus jinetes a tu servicio.

—Les había mandado mensajeros desde Antioquía, para recordarles que serían bienvenidos en nuestras filas. A medida que avancemos creo que encontraremos a más caudillos locales dispuestos a ofrecernos servicios y lealtad.

—¿Piensas que podemos fiarnos, mi augusto?

—Aceptaremos sus servicios y estaremos atentos a la lealtad, mi buen Nevita. No podemos enemistarnos con todos ellos.

—Mientras seamos dueños de la situación —intervino Salustio, con una mueca de disgusto en el rostro— estarán de nuestra parte, pero en cuanto cambie el viento, se pasarán al bando de Sapor.

—Estoy seguro de ello —coincidió Juliano—. Tendremos que mantenerlos vigilados y llegado el caso estar listos para atacarlos antes de que nos ataquen ellos.

—¿No podemos matarlos de inmediato?

—Hay opciones más moderadas, Dagalaifo. No deberías beber tanto vino, con este calor. Y ahora, prepara una sonrisa cordial. Nevita, haz entrar a los sarracenos.

El ejército volvió a partir al día siguiente hacia Cercusio, último bastión del Imperio romano antes de la inmensa Persia. La moral del ejército era alta y el augusto cabalgaba a su cabeza llevando una corona de oro ofrecida por los sarracenos. Día tras día, los jinetes orientales habían engrosado las filas de la caballería de Dagalaifo, que no escondía que su presencia lo molestaba.

Los enormes bastiones de Cercusio, rico y poderoso centro comercial en la confluencia del río Abora con el Éufrates, parecían extenderse sobre el paisaje como una nave sobre el agua.

Apenas había llegado y sin tiempo de descansar, Juliano Augusto recibió una misiva de su viejo amigo y consejero Salustio. En la carta, el nuevo prefecto de la Galia enumeraba una serie de desgracias y signos premonitorios, que desaconsejaban la continuación de la campaña.

> ... te ruego que suspendas la empresa porque todos los arúspices han interpretado como negativos los signos divinos. No te expongas a semejante peligro sin el favor de los dioses.

Juliano ignoró el mensaje. Después de alentar a los hombres con uno de sus discursos capaces de mover hasta las piedras, dio la orden de tender los puentes sobre el río Abora. Y cuando lo hubo atravesado el último soldado, hizo que los retiraran. Si algún soldado tenía en su ánimo desertar y volver atrás camino de casa, ya sabía que no podía hacerlo.

El ejército estaba en Persia y avanzaba en dirección a Dura Europos. La alineación de marcha había cambiado y las filas se habían ensanchado, para dar la impresión de que el contingente de Juliano era mucho más numeroso. Mil quinientos jinetes fueron en reconocimiento. Juliano comandaba personalmente la infantería, situada en el centro de la formación, mientras Nevita, a la derecha, bordeaba el Éufrates, manteniendo el contacto con la flota de Luciliano. El flanco izquierdo estaba bajo el mando de Arinteo y de Ormisda, impaciente por cruzar las espadas con su odiado hermanastro Sapor. Dagalaifo y Victor cerraban la columna, al mando de la retaguardia.

Dura Europos había sido un gran centro romano, pero cuando llegó el Apóstata, en el 363, no era más que un montón de escombros abandonados, refugio de animales salvajes gracias a los cuales los soldados pudieron comer carne fresca durante algunos días. Cuatro días después de haber dejado Dura Europos, siempre descendiendo hacia el sur, las legiones galas tuvieron el primer contacto con el enemigo, atrincherado en la fortaleza de Anathas. El príncipe Ormisda le mandó un mensaje claro y directo al comandante de la guarnición: podían elegir entre rendirse o morir. La fortaleza se rindió y a las pocas horas estaba en llamas. A sus ocupantes los enviaron a la ciudad siria de Calcidia.

Envanecidos por aquella fácil victoria, Juliano Augusto y sus valientes prosiguieron la fatigosa marcha hacia el sur, realizando continuos saqueos para almacenar víveres. Quemaron todo lo que no podían llevarse, asolaron varias aldeas y dejaron atrás algunas fortificaciones cuyo asedio habría requerido demasiado tiempo. A Juliano no le interesaba cualquier fortaleza, porque apuntaba al corazón del Imperio persa, la ciudad de Ctesifonte.

Ante el anuncio de su llegada, la ciudad de Diacira fue abandonada precipitadamente por sus habitantes, que dejaron atrás almacenes abarrotados de trigo y de sal blanca. Después del pillaje, también a Diacira la entregaron a las llamas. La misma suerte le tocó a Macepracta y Ozagardana, donde finalmente se produjo el primer enfrentamiento con los persas, que esperaban entre las arenas ardientes. La caballería romana atacó con tal ímpetu que los enemigos no tuvieron ocasión de cargar una sola flecha. Desde aquel momento, habiendo probado el temple de los invasores, se mantuvieron a la debida distancia.

Después de haber saqueado e incendiado Ozagardana, las tropas tuvieron dos días de reposo. Luego la columna volvió a partir, a pesar del calor sofocante, hacia la gran Pirisabora, ciudad rodeada por canales colmados de agua. Allí los habitantes cerraron las puertas y decidieron resistir.

El asedio duró días, y fue sangriento. Se derrumbó una torre bajo los golpes de las máquinas de guerra y los galos se dispersaron una vez pasadas las murallas, masacrando a todos los que se encontraban en ellas. Los últimos supervivientes consiguieron refugiarse en la ciudadela, último baluarte en la defensa de la ciudad, construida con ladrillos cimentados con alquitrán.

Un cansado Arinteo se quitó el casco, jadeante, y señaló la ciudadela, que coronaba el dédalo de callejas.

—No hay manera de abatir la puerta con los arietes. Se necesitaría una torre, ¿pero cómo hacemos para traerla hasta aquí arriba?

El emperador estudió la puerta, observando el camino lleno de escombros y proyectiles improvisados. Su mente hervía buscando una solución.

—Podemos destrozar la puerta, o desmontar en pedazos las máquinas y remontarlas aquí. Creo que es más sencillo intentar destrozar la puerta, ¿no crees?

—Mi augusto, es peligroso.

—La guerra es peligrosa.

—De las murallas llueve de todo.

—¡A mí la guardia! ¡Formación en cuña!

Victor y Filopatros maldijeron entre dientes y junto al resto de los *protectores* dejaron los caballos a los mozos de cuadra y se embrazaron los escudos.

—¡Adelante!

Los hombres avanzaron a paso veloz y regular, tratando de empequeñecerse debajo de los escudos. A medida que se acercaban a la muralla, desde lo alto caían piedras y residuos de todo tipo que les dificultaban el avance. Arinteo señaló a Juliano los puntos donde los soldados estaban cavando para abatir la puerta; mientras tanto, la granizada de proyectiles desde el cielo se intensificaba.

Junto al augusto, al que sujetaba por un brazo, Victor apretó los dientes. Oía el ruido de las piedras sobre el escudo y esperaba que resistiera. El fragor se volvió ensordecedor, pero la formación siguió avanzando hasta llegar junto al portón. Juliano mismo animaba, sin pausa, a los hombres que tenía alrededor.

Filopatros apoyó la espalda en la puerta, manteniendo alto el escudo donde de inmediato se clavaron dos flechas. Draco lo alcanzó, en la misma incómoda posición.

—Maldito seas —gritó Filopatros—. ¿Quieres que nos maten a todos?

Draco no respondió. A pocos pasos de él había dos soldados, muertos, con los rostros desfigurados por las piedras que seguían cayendo. Allí no se podía resistir. Finalmente, dio la orden de replegarse y la guardia protegió a duras penas al emperador de una letal lluvia de flechas.

Entre tanto, los ingeniosos defensores bajaron grandes pieles empapadas de agua a lo largo de las murallas, suficientes para atenuar el impacto de los golpes de las pequeñas catapultas que las tropas romanas habían conseguido transportar hasta allí. Se necesitaban varios meses para adueñarse de la ciudad y Juliano no tenía tanto tiempo; pero retirar un asedio después de haberlo empezado habría sido un signo de debilidad. Todas las demás ciudades seguirían el ejemplo de Pirisabora, cerrando las puertas a la cara de los romanos. No, esa ciudad debía caer... pero para vencer deprisa se necesitaba una demostración de fuerza.

Juliano hizo demoler varias casas para obtener una zona libre, donde empezaron a construir una enorme máquina de asedio. La llamada expugnadora de ciudades adquirió forma en poco tiempo, bajo los ojos de los sitiados, y cuando los andamios para la construcción del gigantesco ingenio superaron en altura las torres de la ciudadela, entre los asediados se extendió el miedo y el comandante pidió parlamentar. Lo bajaron por la muralla con una cuerda y se presentó ante Juliano, con Ormisda haciendo de intérprete, para ofrecer la rendición a cambio de la vida de los dos mil quinientos habitantes encerrados en la ciudadela.

El emperador les concedió a los ocupantes la libertad de marcharse, a condición de abandonar las armas, los víveres y todas sus pertenencias.

La ciudad era tan rica y estaba tan bien abastecida que no pudieron cargarlo todo en las naves. Una vez más, quemaron todo lo que no pudieron llevarse. Destruyeron incluso lo que quedaba de la ciudadela. A cada soldado le correspondieron cien silicuas, una moneda local de escaso valor. Muchos de los soldados reaccionaron mal, como si se tratara de una ofensa. Sin vacilar, el emperador subió a un cúmulo de escombros humeantes para arengarlos. Detrás de él, Pirisabora en llamas.

—Durante siglos los desiertos de Siria y las montañas de Capadocia han sido *terrae nullius* entre Roma y Persia, nuestro verdadero y gran adversario. Ayer enemigos de Atenas, hoy enemigos de Roma, esos son los persas. Lo que os puedo dar es mucho más que unos trozos de plata. ¡Mirad a los persas, miradlos ahora! —dijo Juliano, señalando a los habitantes de la ciudad que dejaban la ciudad con la cabeza gacha, despojados de todo—. Estamos al inicio de nuestro viaje, el territorio que se ofrece ante nosotros es inmenso, y fuerte y opulento es el pueblo al que vamos a combatir. Nosotros estamos aquí para luchar por nuestra tierra y la única riqueza que perseguimos es la gloria. Por desgracia el Estado romano ha sido reducido a la pobreza por mis predecesores, que han seguido pagando a los bárbaros para asegurar las fronteras. ¡Os ruego que me creáis! —Juliano elevó los brazos al cielo—. A causa de ello, el erario ha sido saqueado, las ciudades vaciadas y las provincias asoladas. —El resplandor del incendio mandaba relámpagos rojizos en torno a su figura—. La guerra contra Persia pasa de un emperador a otro como una herencia. Yo estoy aquí para interrumpir este ciclo, para romper un orden, para lograr laureles que mis predecesores no han sabido o no han querido conseguir. Yo estoy aquí por el bien supremo del Estado y os pido que estéis conmigo para llegar juntos a la victoria.

No era un discurso que fuera a levantar la aclamación, pero los hombres pusieron fin a las protestas por el miserable salario y volvieron a las tiendas en silencio, para consumir una frugal comida. Se dijeron con resignación que nunca serían ricos, combatiendo para el Apóstata.

El ejército se puso en marcha al día siguiente, bordeando un canal lateral del Éufrates durante catorce millas, hasta encontrarse en medio de una vasta zona anegada. En efecto, para cerrar el paso a la armada invasora, los persas habían abierto las compuertas de los ríos. El avance de Juliano se ralentizó, pero superaron el obstáculo construyendo anchas balsas con troncos de palmera. Sometieron a sangre y fuego la amplia extensión de tierras fértiles que encontraron después, junto con la ciudad de Birtha, ya abandonada por sus habitantes.

La última barrera antes de Ctesifonte era la gran ciudad de Maiozamalca, a la que vieron aparecer a lo lejos en la calina de una jornada tórrida. El augusto avanzó con su guardia junto a las murallas para valorar la situación y delinear una estrategia.

—¡Sarracenos!

Ante el grito de Filopatros, que había desenvainado de inmediato la espada, Juliano y los suyos vislumbraron un denso pelotón de jinetes que salían al galope desde una hondonada escondida entre las dunas.

—¡Fuera, fuera de aquí! —gritó Victor, espoleando a su semental, cuando los jinetes enemigos se lanzaron al asalto contra el grupo de romanos, como demonios envueltos en telas oscuras que ondulaban al viento.

Corax se adelantó hacia uno de los jinetes, que lo evitó para apuntar a Juliano, reconocible por su capa púrpura. Victor golpeó al atacante con el escudo en pleno rostro y el emperador lo atravesó con un mandoble decidido. Inmediatamente Draco se volvió, para enfrentarse a un segundo jinete. El escudo detuvo la hoja curva, luego la hoja recta del franco cayó sobre el cuello del adversario, desgarrándolo. El persa cayó del caballo.

Victor oyó el chasquido que conocía bien. Filopatros había dado voz al arco. Uno de los jinetes vestidos de oscuro abrió los brazos en cruz, y cayó hacia atrás. La escaramuza arreció aún durante algunos momentos, luego Draco golpeó mortalmente al que parecía el jefe de la banda, fueran guerreros o maleantes. Como si aquello fuera una señal, los otros cesaron el ataque. Revoleando las espadas mientras se alejaban, dos de ellos pagaron un último tributo al arco del griego, que no falló el blanco.

Victor desmontó para recoger la espada curva del jefe de los jinetes, y del cuerpo cogió la funda, un anillo precioso y un puñal con la vaina de plata. Le ofreció la espada al emperador y el anillo a Filopatros, en recuerdo de la señal de reconocimiento de los *referendarius*, luego se metió el puñal en el cinturón.

Maiozamalca sufrió la furia de los romanos durante tres días. El asedio fue comandado por Juliano, siempre en primera fila para dirigir los asaltos a los bastiones. Nevita y Dagalaifo guiaban a los hombres que excavaban galerías para debilitar las murallas. La ciudad cayó al tercer día, por casualidad, cuando un propicio golpe de ariete derrumbó un torreón y buena parte de la muralla. Aquella noche acabaron la galería y al alba del día siguiente, cuando los legionarios asaltaron la zona desmoronada, los galos de Dagalaifo se dispersaron por la ciudad desde el paso subterráneo.

Al atardecer, de las vías de la ciudad aún llegaban esporádicos alaridos. Victor y Filopatros se habían quedado al lado del emperador, siguiéndolo hasta la puerta principal, ya abierta de par en par como una boca en un mudo grito de dolor. Había dejado que los hombres se entregaran a la violencia para desahogar la rabia y el cansancio, pero no había querido tomar parte en ella. Distante y en parte también disgustado por las miserias de los hombres, Juliano ocupó su puesto en el trono desde el que habría presidido el reparto del botín, en función de los méritos de quienes se habían distinguido durante el asedio. Correspondía al emperador establecer la división de los despojos de guerra de manera equitativa. El botín estaba constituido, en general, por prisioneros aterrorizados, que se habían salvado de la furia de las espadas.

Dos legionarios arrastraron hasta sus pies a un hombre, herido y con el rostro tumefacto.

—Mi augusto, el comandante de la guarnición de Maiozamalca —dijo Nevita, señalando al prisionero—. Y esos son los restos de sus tropas.

Juliano escrutó a los derrotados, de rodillas frente al ejército vencedor.

—Se han batido con honor —dijo—. Han ejecutado las órdenes y esperan su suerte con dignidad. Merecen vivir y yo establezco que su suerte sea la vida.

Nevita asintió. También a los soldados les parecía bien: ya habían visto demasiada sangre para aquel día. Juliano miró al comandante de la guarnición, que lo observaba sin entender una palabra.

—Vete —le dijo en su lengua—. Sois libres, tú y tus hombres.

Incrédulo, el hombre se postró delante de Juliano y luego se encaminó hacia la puerta, seguido por el puñado de supervivientes.

La operación de reparto del botín se prolongó hasta la noche. El emperador rechazó a las prisioneras que le ofrecieron sin ni siquiera verlas. En cambio, quiso a un muchacho mudo, que se expresaba con gestos, valorado en tres denarios de oro. El emperador convino que era un precio equitativo, por su participación en el asedio.

El ejército dejó Maiozamalca en llamas y se dirigió hacia Ctesifonte, a través de un paisaje idílico de bosquecillos y fértiles campos cultivados, ricos en árboles frutales. En medio de aquella bendición de Dios los romanos tropezaron con un palacio real abandonado, un lugar demasiado hermoso para que lo devoraran las llamas; así que se limitaron a una batida de caza de los animales salvajes que Sapor había liberado en el parque del palacio.

En los días sucesivos los romanos encontraron las ruinas de Seleucia, la gran metrópolis destruida por los legionarios del prefecto del pretorio Caro, unos ochenta años antes.

Aquella noche algunas cohortes cayeron en una emboscada

y los días siguientes una serie de escaramuzas culminaron con la destrucción de una fortaleza. Luego los exploradores encontraron el canal artificial que Trajano había hecho excavar para conectar el Tigris con el Éufrates: el río de los reyes, que estaba seco porque los persas habían construido un dique para bloquearlo. En pocos días los arquitectos restablecieron la obra, el agua superó las compuertas y se unieron los dos ríos.

La flota romana atravesó el desierto y llegó al cauce del Tigris, seguida por el ejército. Un grandioso escenario, digno de un dios de la guerra. En efecto, en la otra orilla lo esperaba el ejército persa, que bloqueaba el camino hacia Ctesifonte. No era la ilimitada armada del rey de reyes, sino el ejército de Surena, general de Sapor, miembro de una de las siete familias más ricas del imperio. Surena estaba flanqueado por el joven hijo del rey de reyes.

Juliano dio la orden de detenerse y dio descanso a los hombres hasta el anochecer. Luego, con el favor de las tinieblas, hizo que descargaran de las naves las máquinas de guerra y los suministros y que embarcaran cuantos soldados fuera posible. Tenía intención de aniquilar a los persas que se encontraban enfrente.

El emperador estaba en el muelle cuando la primera gran oneraria repleta de hombres soltó las amarras. En la nave se amontonaban ochocientos legionarios, a las órdenes de Victorio. Tenían que atracar y llamar la atención, mientras el resto de la flota, subdividida en dos grandes contingentes, surcaba el río en puntos diferentes, para desorientar al enemigo.

Juliano miró cómo la nave se deslizaba sobre el agua plomiza. La hoz de luna que cortaba el cielo lo condujo hasta Hipócrates de Quíos, a sus *lunulae* y a sus teoremas geométricos, y a las pequeñas *lunulae* de oro que las niñas romanas llevaban como amuleto. En un santiamén se dio cuenta de que aquella noche habría sido necesario tener de su parte tanto la perfecta geometría como la fortuna.

Victor llamó la atención de Juliano. En la otra orilla había movimiento. Poco después, el cielo se llenó de estelas anaranjadas. Flechas incendiarias. Habían descubierto a Victorio.

—¡Rápido —gritó Juliano, perentorio—, hay que acudir en su ayuda!

El emperador subió con su séquito a una pequeña embarcación. Tenía que alcanzar la orilla opuesta para guiar a los suyos en el campo de batalla, como había hecho siempre.

Un silbido insidioso, luego otro, y un tercero, muy cerca. De inmediato Victor y Filopatros encerraron al emperador en un caparazón con sus escudos, para protegerlo de la lluvia de flechas, pero Juliano los apartó, impaciente, y se puso a dar órdenes a los arqueros. La luna y los fuegos extraían resplandores siniestros del metal, en el silencio de la noche violado por el clangor de las armas, el ruido de los remos y el jadeo de los hombres.

Las embarcaciones apuntaron hacia la orilla del río y los legionarios se echaron al agua, para luego correr hacia la orilla, donde los engullía la oscuridad.

—¡Adelante! —ordenó el emperador saltando de la barca—. ¡Quiero que forméis a lo largo de la orilla, sobre la pendiente!

Victor siguió de cerca a Juliano, con el agua hasta el cinturón y los pies hundidos en el fango. Ganaron la orilla y se los tragó el salvaje choque en la oscuridad, rodeados por gritos de muerte y por el ruido siniestro del hierro contra el hierro. Sosteniendo el dragón, el franco siguió al augusto a lo largo de la pendiente. Entrevió a Corax al otro lado y oyó las órdenes aulladas por Dagalaifo, un poco más adelante.

Los persas retrocedieron, mientras los romanos subían por la ladera que bordeaba el cauce del río. En la cima, un cielo de estrellas infinito circundaba al ejército sasánida. Victor enmudeció al vislumbrar a lo lejos las siluetas negras de los elefantes, montañas en movimiento.

Entre tanto habían llegado las naves con los caballos; los primeros fueron para el emperador y su séquito. Juliano saltó a la silla y partió al galope, Victor a su lado, como una sombra, para alcanzar a los soldados de Victorio, formados en primera línea.

—¡Hombres, el enemigo ha cometido un error! —gritó el

augusto, montado con la espada desenvainada—. ¡Nos han dejado desembarcar y si no nos han detenido en la orilla, ya no nos detendrán, porque tienen miedo de nosotros! —Los galos rugieron mientras Juliano repetía—: ¡Tienen miedo de nosotros!

Estaban listos para combatir, decididos a demostrar su valor. El frente izquierdo avanzó, henchido de rabia por el sol y el calor sufridos en aquellas malditas tierras de arena. Gruñían, pateaban el suelo, levantaban polvo y a su paso los persas de Surena vacilaban.

En el centro de la formación, Juliano impartió rápidamente una serie de órdenes para ganar eficiencia: desplazó los veteranos adelante e hizo retroceder a los reclutas. Luego arrastró consigo a la caballería ligera en una carrera contra el enemigo, cuando todo el frente empezaba un avance inexorable. Las trompetas resonaron, los *centenari* gritaron las órdenes, los hombres apretaron los dientes.

Adelante, más adelante, bajo el viento de flechas en el cielo nocturno, y luego el momento. El choque.

El fragor salvaje de miles de lanzas que se cruzaban, pegaban, penetraban. El sonido, siempre igual, de una batalla sin cuartel, las órdenes, las imprecaciones, los insultos, el clangor del hierro sobre los escudos y los yelmos, los alaridos de quienes caían golpeados y caían entre las olas del río de la muerte, en la oscuridad y en la nada.

Los grandes escudos de mimbre de los infantes persas no podían mucho contra el violento ataque de los galos. Sus jinetes acorazados no conseguían aprovechar la potencia de choque a causa de la alineación demasiado compacta.

La fuerza de aquellos guerreros del desierto era su capacidad de atacar y huir. Así inducían al enemigo a perseguirlos para luego volver a la carga con un repentino cambio de frente. Acosados, presionados y oprimidos por la infantería pesada, nada pudieron contra los romanos. Cedieron. Retrocedieron. Huyeron.

El *protector* tuvo que perseguir a Victorio para darle la orden de Juliano de detener a los hombres que se habían lanzado demasiado a fondo. El franco se abrió paso asestando golpes a los enemigos que ahora corrían entremezclados con los romanos hacia las puertas de Ctesifonte. Halló a Victorio, que a pesar de llevar una flecha en el hombro se desgañitaba aullando a los suyos que se detuvieran, por miedo a que algunos se encontraran atrapados entre los muros. Juntos pararon aquella carrera impetuosa.

A las primeras luces del alba, en el escenario de aquella primera batalla campal contra los persas, yacían en el suelo cerca de dos mil quinientos enemigos. Los romanos caídos entre el río y Ctesifonte eran solo una setentena.

Montaron el campamento en la orilla izquierda y todo el ejército se reunió en torno a la tienda del emperador para aclamar su nombre. Juliano salió de la tienda para mezclarse con sus hombres y prodigar recompensas a los muchos que se habían distinguido en la larga noche. El Apóstata ordenó también que se hicieran sacrificios a Marte y a Belona. De los diez toros conducidos al altar, nueve se dejaron caer al suelo y uno huyó, rompiendo las cuerdas.

Un pésimo auspicio.

—El inmenso ejército de Sapor podría llegar de un momento a otro, mi augusto. —El tono de Joviano era de preocupación—. Podrían amenazarnos por dos lados mientras asediamos los imponentes bastiones de la ciudad. Eso es lo que más temen los soldados.

—Si ese ejército es tan inmenso —rebatió Juliano, airado—, ¿por qué no conseguimos encontrarlo? ¿Dónde se esconde? Lo busco desde que hemos puesto los pies en este maldito país. —Se levantó y señaló el mapa de Ctesifonte—. ¡Claro, están los bastiones, pero al fin y al cabo es solo una ciudad como tantas otras!

—No se trata solo de las imponentes murallas —dijo Salucio—, la ciudad está enraizada sobre el monte y es el sustrato de roca en el que se apoyan lo que hace formidables esas murallas. Se necesitarán meses para tomarla.

—Nuestros antepasados no temblaron tanto delante de Masada.

—Y una vez conquistada Ctesifonte —dijo Joviano—, ¿qué habremos obtenido?

—¡Es su capital! —Juliano había perdido la calma—. ¿Cómo nos sentiríamos si Constantinopla estuviera a punto de caer?

—Me refería —dijo Joviano—, a que aún tendremos que enfrentarnos a Sapor y a su ejército.

—He combatido al feroz Chodomario con trescientos ochenta jinetes. ¿Crees que me da miedo Sapor, ahora que tengo ochenta mil hombres?

—Muchos de ellos desanimados, augusto.

—Imagino que hablas de los galileos, Joviano.

—Saben que Sapor cuenta con fuerzas cinco veces superiores.

—¡Tonterías!

—No puedes contar con ochenta mil soldados, mi augusto —intervino Salucio. Juliano le lanzó una mirada furibunda—. Al menos, aún no. No hemos vuelto a tener noticias del contingente de Procopio; ni de él ni de nuestro aliado, el rey Arsaces. Sin embargo, deberíamos haberlos encontrado hace rato.

—Llegarán, debemos tener fe.

—¿Y si Sapor hubiera destruido las legiones de Procopio y estuviera viniendo hacia aquí? —Arinteo había conseguido atraer todas las miradas—. ¿No creéis que querrá salvar a su hijo, atrincherado en la ciudad con el general Surena? No sé cómo podríamos librarnos, si fuéramos cogidos en semejante mordaza.

El augusto se desmoronó en la silla y se llevó las manos a la cara. En la tienda se imponía el silencio, solo roto por las respiraciones.

Victor miró a Dagalaifo, que como Nevita aún no había abierto la boca. Con Ormisda estudiaban el mapa de la Mesopotamia. Arinteo y Victorio intercambiaban miradas perplejas; mientras, Joviano y Salucio observaban preocupados a Juliano.

—¿Qué me aconsejáis hacer?

Joviano respondió de inmediato:

—Vamos hacia el sur, a buscar a Procopio y a los suyos.

—Si reunimos nuestras fuerzas con las de Procopio y Arsaces —añadió Salucio—, podríamos afrontar a Sapor lejos de aquí. Y si aniquiláramos a Sapor, Ctesifonte caería sin necesidad de combatir.

El príncipe Ormisda rebatió irritado.

—¿Tanto camino para volver atrás? ¡Acordamos que Procopio se uniría a nosotros aquí!

—Si no ha llegado —dijo Arinteo—, ¿dónde está? ¿Y dónde está el ejército de Sapor? Es impensable empezar un asedio tan a ciegas.

Juliano parecía pensativo. Luego sacudió la cabeza.

—¡La flota nunca remontará el Tigris a contracorriente! La mayor parte de las naves no tienen remos y el viento no siempre es favorable.

—De todos modos es un problema que habríamos tenido que resolver antes o después —aventuró nerviosamente Victorio.

—¿Quién ha dicho que la flota era para volver atrás? —El emperador dio un puñetazo sobre la mesa de los mapas—. Las naves son el apoyo para nuestro avance, nos sirven para llevar la guerra aún más abajo, a lo largo del curso del río.

—Si tenemos que subir hacia el norte —señalando Dagalaifo, con el gran mapa colgado de la pared—, no podremos mantenernos bordeando el río y en largos tramos deberemos separarnos de la flota. Si nos dividimos, seremos una presa fácil.

—¿Queréis dejar las naves a los persas?

—No, Victorio —respondió Nevita—, las quemaremos.

—¡Es una locura destruir la flota fluvial! —Joviano estaba indignado—. Eres un buen comandante en la batalla, Nevita, pero no tienes visión estratégica.

—No sé si tú la tienes, Joviano, pero lo que sí es seguro es que tienes miedo de todo; tienes miedo de asediar, tienes miedo del rey Sapor, para ti los hombres nunca son suficientes y, cuando los tienes, los usas para defenderte y no para atacar.

El rostro de Joviano se enrojeció.

—¡Yo no tengo miedo y siempre trato de valorar cuál es el mal menor! Si esta campaña se resuelve con una derrota, habrá graves repercusiones sobre el imperio.

—Y mientras tú valoras —gritó Nevita—, hace noventa días que avanzamos con la mitad de los hombres que tú querrías y combatimos sometiendo a estas tierras a sangre y fuego. ¡Porque estamos aquí para eso, para vivir o morir combatiendo!

—Calmaos, os lo ruego, amigos míos —dijo Juliano, intentando aplacar los ánimos—. Hay algo de razón en lo que decís cada uno de vosotros; por eso he querido oír vuestra opinión, antes de decidir. Todos sois valerosos comandantes, y vuestras dudas y temores son también los míos. Pero una vez tomada la decisión, deberemos sostenerla todos a una. —En silencio, sus oficiales asintieron.

»No comparto el temor de Joviano de que nuestra situación sea desesperada, para mí no es en absoluto así, pero veo en vosotros que el temor de lo desconocido es fuerte. Sin embargo, me doy cuenta de que para asediar y tomar Ctesifonte necesitaríamos meses y un gran dispendio de energía. Si pudiera elegir, trataría de enfrentarme a Sapor y a su inasible ejército en el campo, convencido como estoy de que saldríamos vencedores. —El augusto hizo una pausa, observando los mapas.

»A falta de eso, creo que la única esperanza es volver río arriba por la orilla izquierda del Tigris para reunirnos con Procopio y valorar la situación. —Arinteo, Joviano y Victorio parecieron visiblemente satisfechos—. Las regiones que surca el río son ricas en mieses y ganado, y es mejor que nos sacien a nosotros antes que a nuestros enemigos. Arinteo, a ti te corresponderá la tarea de coger todo lo que podamos llevar, y quemar todo el resto.

—Sí, mi augusto.

—¿Y en cuanto a la flota, mi augusto? —preguntó Salucio.

—Nevita tiene razón. Tendremos que incendiarla. —De nuevo, todos gritaron sin escuchar a los otros. Juliano tuvo que ordenar que se callaran—. La flota emplea a veinte mil hombres. Es mejor tenerlos en el campo, en caso de batalla.

—Perdóname, mi soberano, pero es una decisión demasiado precipitada.

—La flota está perdida, Joviano. Ha cumplido su objetivo, ahora que cambian los planes es solo una molestia.

Victor asistió enmudecido al incendio de las naves, que ardían en un largo tramo del río elevando al cielo columnas de humo negro y denso. Incluso a distancia de la hoguera, el calor de las llamas golpeaba los rostros como una tempestad de los infiernos.

Se salvaron solo doce naves equipadas para construir puentes, que cargaron sobre enormes carros tirados por bueyes. El objetivo era mantener la posibilidad de cruzar los ríos.

—¿En qué avispero nos hemos metido, Victor?

—No lo sé, Corax, pero siento que saldremos. No sé cómo, pero saldremos.

—Espero que tengas razón, pero ayer por la tarde Arinteo volvió con las manos vacías. Los persas han sido más rápidos: lo quemaron todo antes de que fuéramos a cogerlo.

—También los galos están desanimados. Ya no soportan estas tierras y este maldito calor, pero son fieles al augusto y no le darán la espalda.

—Y yo te digo que Arinteo, Victorio y Joviano están cada vez más distanciados del Apóstata. No ven la hora de volver atrás —dijo el griego encogiéndose de hombros.

—¿Cómo lo has llamado? —preguntó Victor dándose la vuelta de golpe.

—Como lo llama desde hace tiempo buena parte de la tropa: el Apóstata. —Filopatros se azoró—. Lo siento por ti, franco, pero es cada vez más difícil mantener un juramento de fidelidad sabiendo que el hombre que tiene en sus manos tu futuro es enemigo jurado de la fe en la que crees.

—No es así —dijo Victor—. Él cree en la libertad de rezar a quien cada uno quiera.

El griego escupió en el suelo.

—Desde Antioquía las cosas han cambiado, Victor. Soy un

galileo, como nos llama él. Un peligro para el imperio, si no fuera porque su maldito ejército está formado en tres cuartas partes por galileos.

—Dime la verdad, Filopatros, ¿hay un complot en el aire?

—Aún no, pero si no devuelve pronto a casa a estos hombres lo habrá. Hay demasiado mal humor.

Victor se interrumpió. Estaba llegando Juliano, que iba a darles un breve discurso a las tropas formadas y esperándolo. El emperador le susurró algo al oído de Victor y subió los peldaños de un podio improvisado.

Algunos *petulanti* condujeron junto al podio a una cincuentena de maltrechos prisioneros persas y los hicieron arrodillarse en el suelo. El chisporroteo de la madera de las naves en llamas era ensordecedor y una bocanada de humo negruzco caía sobre las filas inmóviles.

—Miradlos, los grandes guerreros que nos obligan a dar la espalda a una victoria segura. —Un murmullo se elevó entre los soldados—. No son más que sucias y desgraciadas cabras, listas para darse a la fuga aun antes de la batalla.

Juliano le hizo una señal a Victor. El *protector divini lateris* avanzó entre los prisioneros, se detuvo como una torre en donde estaban más apretados y sacó uno al azar cogiéndolo por el pelo. Junto al persa, Draco descollaba como un gigante.

—¿De estos tenéis miedo? —Victor cogió con las manos la túnica del prisionero y la desgarró, exponiendo aquel cuerpo efébico e imberbe a las miradas de los legionarios.

»¿Son estos los guerreros que pueden hacer que se amotine mi ejército? —Nadie respondió. Sopló el viento arrastrando una ráfaga de denso humo.

»Yo no tengo miedo de ellos, pero quiero que vosotros os sintáis seguros y que no tengáis dudas sobre mi guía. He decidido ponerme en vuestras manos. Lo que significa que volveremos atrás.

En los rostros más cercanos, Juliano vislumbró un sentimiento de satisfacción mezclado con vergüenza que debía de estar pasando por la mente de todos.

—He pedido consejo a los dioses sobre la vía que debemos seguir, pero no he obtenido respuestas. Y he decidido que me plegaré a vuestra voluntad, y no a la de los oráculos.

Al día siguiente, el 16 de junio, el ejército se puso en movimiento siguiendo la orilla derecha del Tigris.

El emperador cabalgaba con la mirada apagada, inmerso en sombríos pensamientos. Luego los exploradores señalaron que habían visto altas nubes de polvo por el norte. Una gran masa de hombres se acercaba. Podían ser, por fin, Procopio y Arsaces, o el ejército de Sapor, que venía a enfrentarse a los invasores.

El ímpetu de Juliano se encendió. Comenzó a recorrer la larga columna adelante y atrás exhortando a los hombres a avanzar. A pesar del calor y el nerviosismo tenía una palabra de aliento para todos a medida que daba órdenes sobre la disposición de las fuerzas. Al atardecer hizo montar el campamento en una buena posición defensiva y mandó adelante a los exploradores. La cálida noche pasó insomne, para todos, y con las primeras luces del alba volvieron los exploradores con la respuesta: era el ejército del rey Sapor.

Desde las filas de los galos se elevó un belicoso coro de alaridos, y también las otras unidades se animaron a la vista de las formaciones persas, hierro que brillaba lejos, bajo los primeros rayos de sol. Todos querían enfrentarse a aquel cobarde de Sapor y a sus soldados.

Juliano refrenó a sus hombres. El terreno no era adecuado para una batalla campal y entre las dos formaciones corría un curso de agua, que sin duda habría puesto en desventaja al ejército que hubiera intentado vadearlo primero.

A última hora de la mañana, después de una larga exhibición de fuerza de los dos ejércitos, una unidad de persas intentó avanzar, pero fue derrotada por la violenta respuesta de los auxiliares. Los persas dejaron sobre el terreno numerosos caídos y para cubrir su retirada tuvieron que intervenir los jinetes sarracenos. Dagalaifo mandó contra ellos la caballería, pero no consiguió provocar un enfrentamiento decisivo. La táctica era siempre la misma desde hacía siglos: los persas nunca se enfrentaban a todo el ejército, sino que provocaban de continuo a los romanos para ir desgastándolos.

Con la frustración del fallido triunfo, las legiones se movieron al día siguiente hacia el norte. Enseguida los sarracenos atacaron a la retaguardia. De nuevo los rechazó la caballería, pero algunas unidades se retiraron y se mantuvieron a distancia del combate. El castigo fue ejemplar. Juliano puso enseguida a aquellos hombres a controlar los pertrechos a pie y exoneró del mando a cuatro oficiales.

La marcha prosiguió por paisajes espectrales. Los persas que precedían al ejército de Juliano Augusto iban dejando tierra quemada en el camino. El trayecto presentaba tramos de terreno pantanoso, que obligaban a las tropas a alejarse mucho de la llanura, lo cual hacía la marcha aún más fatigosa.

El veintiuno de junio, en Maranga, el ejército de Sapor finalmente se alineó en el campo con toda su terrorífica potencia. Una larguísima fila de jinetes, adornados con dibujos grabados como sus caballos. Estatuas de hierro, con máscaras de rasgos humanos. Detrás de la primera fila, los arqueros, que debían proteger el avance de los jinetes y de los elefantes, los cuales esperaban más atrás.

Juliano se colocó de inmediato la armadura, que se había quitado por el calor insoportable, y en cuanto estuvo listo, se puso a la cabeza de sus filas y las condujo al asalto, como había hecho desde los tiempos de la campaña de la Galia. El enfrentamiento fue duro, pero breve. Los persas tenían la ventaja de sus temibles arcos, pero en cuanto las unidades entraron en contacto y los jinetes del rey de reyes no pudieron contar con el apoyo de los arqueros, se derrumbaron bajo el impulso de los romanos.

Otra victoria; y, sin embargo, el joven que había vencido el miedo para convertirse en caudillo no conseguía ganar la guerra.

Tras aquella batalla el ejército acampó durante tres días. Había que curar a los heridos y recuperar las fuerzas. Los víveres escaseaban y también el forraje para los caballos. Se distribuyeron entre los soldados las reservas de comida destinadas a los oficiales, pero en las filas del ejército ya reinaba el desconsuelo.

Victor se levantó de repente. Empapado en sudor, miró a Filopatros de pie empuñando la espada.

—¿Qué sucede?

—He oído algo, como un grito sofocado —dijo el griego agitado.

Draco cogió la espada y apartó el borde de la tienda. Los dos *protectores* entraron en la antecámara del pabellón imperial. Los guardias de la entrada les cedieron el paso. Él y Corax estaban entre las pocas personas autorizadas a entrar en la tienda del emperador.

Juliano estaba en el suelo, de rodillas, y rezaba de cara a un altar. La mesa de trabajo estaba repleta de libros y pergaminos. Draco esperó a que el soberano dejara de rezar, antes de preguntarle si necesitaba algo. Juliano lo miró con el rostro pálido y reluciente de sudor.

—Estaba leyendo a César y he sido presa del cansancio —dijo con la voz reducida a un susurro—. Luego he visto una sombra entrando en la tienda. —Victor se llevó la mano a la espada, mirando alrededor.

»No sirve de nada la espada, Draco —siguió el emperador—. Ya se ha marchado. Era el *genius publicus*, el espíritu del Estado, que se me apareció en Lutecia antes de la coronación. —Filopatros inclinó la cabeza—. Tenía la cabeza velada y me ha pasado al lado. Me ha mirado con una expresión triste, sin una palabra ni un gesto, luego ha desaparecido.

Los arúspices etruscos, convocados antes del alba, confirmaron que la visión era un pésimo augurio. Una segunda señal nefasta que se sumaba a otra que también lo era: el paso de un cometa durante la noche.

—Mi augusto soberano —dijo el jefe de los sacerdotes, después de una larga discusión—, los antiguos textos de la adivinación son claros a propósito de los signos celestes. El espacio sagrado de la bóveda celeste lo surcan dos líneas perpendiculares, el cardo, que desde septentrión desciende hacia meridión, y el decumano, que de oriente apunta a occidente. La estrella caída en la noche partió de la línea del cardo, pero se desplazó hacia el decumano y desapareció por el oeste, donde residen los dioses hostiles de ultratumba. Con semejantes presagios, es mejor no empezar una batalla ni realizar ninguna acción de guerra.

Juliano miró en silencio al arúspice, envuelto en su manto rayado. Se sentía solo, abandonado por todo y por todos. Así que decidió desafiar al destino.

—Partiremos al alba.

El ejército salió de Maranga hacia el norte en el calor tórrido del 26 de junio del 363. Como solía hacer en aquellos días, Juliano montó a caballo llevando solo la túnica y con la cabeza descubierta, con el único peso del talabarte y la espada. El calor feroz dificultaba la marcha y era imposible llevar coraza. Incluso la mayoría de los soldados habían dejado las lorigas en los carros de transporte.

El emperador miró enigmático a los arúspices etruscos, que lo observaban con aire melancólico. Luego espoleó el caballo y los suyos lo siguieron. Filopatros estaba a su lado, armado con lanza. Llevaba la panoplia completa y el yelmo con los ojos pintados. Victor renunció a la coraza de escamas por el *subarmalis* de cuero y ató el yelmo en el flanco del caballo.

La columna siguió el sendero que llevaba a Samarra y durante todo el tiempo del avance los soldados se sintieron observados por los centinelas persas, apostados en las alturas. De vez en cuando, el resplandor de un yelmo traicionaba su presencia.

Siguiendo al dragón imperial que llevaba Victor, Nevita alcanzó al augusto en la vanguardia.

—La infantería está agrupada por los flancos, pero no consigue mantener una formación compacta.

—El terreno no lo permite, Flavio. Lo importante es que los escuadrones de caballería estén siempre dispuestos a moverse rápidamente en caso de ataque.

Como si alguien los hubiera oído, llegó al galope uno de los oficiales de Dagalaifo.

—¡El enemigo nos asalta por la retaguardia!

Nevita tiró de las bridas e hizo girar el caballo. Juliano lo siguió y detrás de él todos los *protectores.*

—¡Augusto!

Victor hizo que su semental se lanzara tras los pasos del emperador.

—¡Mi augusto, detente, te lo ruego! —Juliano aflojó al oír la llamada del franco—. ¡No puedes batirte así, mi soberano, sin armadura ni yelmo!

El emperador sonrió.

—Tengo el sol de frente y a Draco a mi derecha, nada puede ocurrirme. —Victor desató el lazo que le aseguraba el escudo al hombro—. Llévate mi escudo ¡te lo ruego!

Con un destello en la mirada Juliano cogió el escudo, pero no se lo fijó al hombro.

Remontaron la columna como un río contracorriente; mientras tanto, los infantes se volvían para entender qué estaba sucediendo. Una nube de polvo, casi una milla más atrás, hacía presagiar lo peor. Además, habían aparecido tropas en movimiento también sobre la ladera escarpada de una colina, en el centro de la columna romana.

—Alcanza la retaguardia, Nevita —gritó Juliano—. ¡Yo trataré de frenar ese ataque!

En poco rato una horda de jinetes al galope bajó de la loma. El emperador ordenó hacer frente por la izquierda, pero los sarracenos ya habían penetrado entre los infantes que marchaban a lo largo del flanco de la colina, cogiéndolos por sorpresa.

—¡Hay que rechazarlos!

Filopatros espoleó el caballo, lanza en ristre, pero Victor no pudo hacer lo mismo, cogido en medio de una cohorte que trataba de reordenar las filas. Consiguió abrirse camino y hundió los talones en el flanco del animal, que relinchó de dolor. En la densa polvareda se entreveían las siluetas de los elefantes descendiendo del monte. Prosiguió al galope, luego atropelló a alguien que desapareció bajo los cascos, sin saber si era amigo o enemigo. De la nube emergió una sombra armada con una espada curva. El franco tiró bruscamente de las riendas y paró de algún modo el mandoble, y de inmediato respondió con precisa violencia y le partió el yelmo y el cráneo al sarraceno entre salpicaduras rojas.

En el caos, con los ojos irritados por el polvo, le pareció vislumbrar más adelante el yelmo de Corax y, un instante después, la cabellera del emperador. Draco espoleó el caballo y, arrollando a cualquiera que se encontrara en su camino, entró en la contienda, fragmentada en numerosos enfrentamientos a muerte entre los *protectores* y los adversarios. La silueta gigantesca de un elefante espantó al caballo, que hizo un extraño giro. Victor chocó con fuerza contra un sarraceno y antes de que el otro se recuperara lo atravesó con la contera del dragón. El franco recuperó el control de la cabalgadura.

Vio de nuevo el yelmo de Filopatros junto al augusto y fue hacia ellos gritando. Un sarraceno lo atacó y Victor lo decapitó con la fuerza de la desesperación. Luego el polvo se hizo menos denso y los espacios, más amplios. Los sarracenos se retiraban. Por instinto, Victor pensó en perseguirlos, pero su deber era alcanzar su puesto, al flanco derecho del emperador.

Al llegar se volvió y se quedó petrificado. Juliano Augusto, el emperador, el señor del mundo, se arrancaba una lanza del costado. Luego se inclinó hacia delante, mirándose las manos teñidas de rojo, y se cayó de la silla, en el polvo.

El *draconarius* saltó al suelo, lanzando un grito de alarma. De inmediato los *protectores* lo rodearon y levantaron como defensa para el herido una muralla de escudos, sobre la que se abatió una nube de flechas.

Juliano aún vivía, pero había perdido el conocimiento. De la herida la sangre manaba en abundancia, imparable, y se fundía con el polvo. Con un gesto desesperado, Draco cogió el brazo del soberano. Oyó la voz de Dagalaifo. Luego decenas de manos levantaron el cuerpo inanimado de Juliano y lo pusieron a cubierto dentro de la formación de los infantes, que se había reconstituido.

Oribasio, el médico personal del emperador, corrió a prestarle los primeros auxilios. Victor lo observó arrodillarse junto al emperador, lo ayudó a arrancarle la túnica y no habría querido ver la mueca desesperada del médico ante la herida descubierta.

Estaban llegando otros soldados. El emperador tendido sobre la arena se había convertido en el *onfalos*, el ombligo del ejército, el centro del mundo. Un mundo que parecía, de pronto, a punto de derrumbarse.

Alaridos, órdenes, polvo. Imágenes confusas. Un enésimo chorro de sangre de la dinastía de los constantinianos absorbido por la arena del desierto. Los arúspices no habían sido desmentidos. Nevita, trastornado, le preguntó al médico qué se podía hacer, y Oribasio sacudió la cabeza. Juliano estaba pálido, con la mirada nublada.

Arinteo se abrió paso, desesperado entre desesperados.

—¡Vamos a alejarlo de aquí!

La voz voló de boca en boca, y los hombres recuperaron las fuerzas y atacaron con furia a los enemigos.

El dragón había caído.

El dragón. Victor se miró las manos manchadas de sangre. Había perdido el dragón.

Se levantó tambaleándose, sacudido por el gentío. Se encaminó como un espectro hacia el punto fatal, que se había convertido en tierra de nadie.

Corax estaba allí, de rodillas, con la mirada perdida entre armas y cadáveres. Mantenía apretada la espada de Juliano, inmóvil, como si la razón lo hubiera abandonado.

A pocos pasos de él, el dragón imperial, con su cola de seda púrpura, yacía en el polvo. Victor lo recogió. Destrozado, quizá pisoteado por los cascos de los caballos, había perdido buena parte de las piedras preciosas con las que estaba adornado. El *draconarius* lo izó y su mirada encontró la muda pregunta de los ojos de Filopatros. Draco sacudió la cabeza y le tendió la mano sucia de sangre.

El griego la cogió y se levantó, con dificultad, como si su cuerpo fuera de piedra. Sin preocuparse por el enfrentamiento que aún hacía estragos, alcanzaron el lugar donde estaba tumbado Juliano.

El cordón de los *protectores* delimitaba un espacio en torno al emperador, tendido sobre una tela mientras los sirvientes montaban su tienda. Lo pusieron con delicadeza sobre una cama improvisada. Nevita y Dagalaifo aullaban órdenes en todas direcciones.

Oribasio humedeció el rostro y el pecho del herido con un trapo mojado. Juliano parpadeó varias veces, abrió los ojos y los cerró con una mueca de dolor. Se pasó la lengua por los labios secos y trató de levantarse, pero el dolor lacerante lo obligó a desistir. Su respiración era afanosa.

Le dieron de beber sosteniéndole la cabeza. Susurró algo y todos se acercaron a él para entender.

—¿Cómo se llama este lugar?

XIX

Frigia

Junio del 363 d. C.

La batalla arreció durante toda la jornada y se prolongó después del ocaso, en una orgía de feroz violencia. Solo con la noche ya cerrada los romanos, exhaustos, se encerraron en un improvisado acuartelamiento.

Agotados, los generales de Juliano se reunieron en su tienda, montada en el centro del campamento. Depositaron en su cabecera como homenaje numerosas espadas arrebatadas a los sátrapas persas caídos y a la panoplia del general enemigo Merena.

Dagalaifo apareció en el umbral de la tienda, sucio de polvo y sangre. El poderoso germano entró, iluminado por la luz amarillenta de las lámparas de aceite. Juliano le sonrió débilmente. Su fiel comandante se arrodilló y le ofreció un anillo con un gran zafiro.

—Tus *protectores* quieren obsequiarte con este anillo, mi augusto, que le arrancamos al general persa Nohodare, muerto junto con su escolta.

El rostro del emperador se iluminó por un instante; luego un golpe de tos le produjo una mueca de dolor. Solo el médico, Oribasio, estaba cerca de la cama. Los otros estaban a algunos pasos por detrás, europeos por un lado, asiáticos del otro. Victor y Filopatros, que desde los tiempos de la Galia habían estado junto al trono, estaban inmóviles a los lados de la cama.

El viejo Salucio fue el último en entrar en la tienda. Había estado a punto de morir, porque se había quedado aislado y en aprietos entre los enemigos; solo el sacrificio de algunos hombres de su guardia había evitado lo peor. Se inclinó a besar el anillo imperial y ocupó su sitio entre dos hileras de hombres en los que Juliano había procurado infundir su pensamiento unificador. El silencio llenó la tienda, apenas sacudida por el viento del desierto.

—Debo devolverle mi vida a la naturaleza —dijo Juliano, aclarándose la voz—. Ha llegado el momento de despedirse, amigos míos.

El rostro de Nevita, desgarrado por una fuerza misteriosa e invisible. Dagalaifo, de golpe con la cabeza gacha. Victor, agarrado a la enseña como para no caerse. Filopatros, con regueros de lágrimas sobre el rostro sucio. Un silencioso sufrimiento cayó entre aquellos hombres que hasta aquel momento no habían temido el destino.

—Soy un deudor leal. Me voy sin tristeza porque sé que el alma es más feliz que el cuerpo; por tanto, no debéis afligiros ni llorar, sino estar contentos, porque dejaré, en breve, solamente lo peor de mí. —Su mirada se deslizó sobre Victorio, inmóvil como una gélida estatua.

»He sido un privilegiado. Se me ha concedido una vida dura, que me ha enseñado a no humillarme ni doblegarme, a no ceder frente a las dificultades, y sé que los dioses me conceden esta muerte como máxima compensación por lo que he hecho en la vida. ¿Cuántos emperadores pueden jactarse de semejante muerte? Estoy en mi tienda después de una batalla victoriosa, en presencia de mis generales, de mis amigos, y puedo saludarlos con la mente lúcida. Puedo miraros, llevarme conmigo vuestro recuerdo y, al mismo tiempo, dejaros el recuerdo de mi vida. —Arinteo escondió el rostro entre las manos.

»Gracias a los dioses inmortales he podido conservar mi alma pura, tanto en los momentos oscuros y míseros de mi existencia como tras subir al trono de Occidente. He intentado administrar la vida civil con equilibrio y conducir el Estado con el espíritu de un padre. He alejado el lujo y la molicie cuanto he podido de la corte. He castigado con dureza a todos aquellos que se han manchado con crímenes. He sido tolerante con quien quería profesar su propio credo, he suprimido los excesivos privilegios de quienes habían hecho de la religión un instrumento de poder, he amado la paz y, cuando no me ha sido posible mantenerla, he afrontado guerras después de una madurada deliberación. No obstante, no todas las decisiones se han visto coronadas por el éxito y la utilidad, puesto que inevitablemente eran fruto exclusivo de la voluntad de los dioses omnipotentes. —Calló, interrumpido por la tos; luego alzó los ojos hacia su *draconarius*.

»Desde hace tiempo sabía que moriría *ex horribili ferro* y que ocurriría en Frigia. Por eso estoy más agradecido al destino, porque no muero por insidias ocultas, después de una larga y dolorosa enfermedad o condenado injustamente, como mi hermano. He tenido una muerte de soldado, en brazos de la gloria. —Joviano se pasó una mano por el rostro para secar el sudor, y las lágrimas.

»En cuanto a la elección de mi sucesor, cautamente callo; para no omitir a alguien que sea digno o para no exponer al extremo peligro a quien estimo adecuado para esta misión si, por casualidad, fuera otro que el preferido. —Los miró a los ojos, uno a uno—. Solo os pido que después de mí encontréis un buen emperador. Mi esperanza es que sea un hombre honrado y que honradamente guíe el Estado. Sé que mis esperanzas no serán desatendidas. —Le tendió la mano a Salucio.

»¿Dónde está Anatolio, mi canciller? Le he entregado un documento, con el legado que he establecido para mis más íntimos amigos.

—Anatolio es feliz —respondió Salucio, después de un instante de silencio.

Los ojos del emperador se velaron. Así se decía de quien había encontrado la muerte en la batalla. Juliano Augusto lloró, con los ojos cerrados y el rostro desgarrado por el dolor. En torno a él, la flor y nata de los generales de Roma ya no pudo contener las lágrimas al verlo morir.

—Tenéis que ser fuertes... no podéis llorar, tenéis que combatir... tenéis que cultivar mi sueño para poderlo realizar, tenéis que devolverle a Roma la grandeza que le es propia. Este será vuestro mandato. Yo... yo me detengo aquí, esta noche me reúno con el cielo y las estrellas, y eso solo debe provocaros felicidad. Venid, ahora quiero saludaros.

Nevita se secó el rostro y fue el primero en acercarse al emperador, que le tendió la mano para que se la besara. Luego fue el turno de Arinteo, Victorio, Dagalaifo y Joviano, y poco a poco de todos los demás. Juliano tuvo una sonrisa y una palabra para todos. Quedaron Victor, Filopatros, el médico Oribasio, el filósofo Máximo y el amigo Prisco.

Filopatros le besó la mano de rodillas, con los ojos cerrados.

—Has vivido una vida de peligros y soledad a mi servicio. Has vivido en la sombra y solo yo sé cuánto has hecho para hacer posible mi destino. Te estaré eternamente agradecido, por tanto, no te aflijas por lo que ha ocurrido hoy, porque estaba escrito. La mía es una muerte de héroe griego, como siempre he deseado. Gracias, Filopatros.

El griego ya no pudo contener la conmoción, apretó la mano de Juliano y salió corriendo, llorando. Por último le tocó a Victor.

—Mi Draco. —Estaba cansado; su voz era un hilo resquebrajado—. El hombre al que la historia no recordará y que más ha arriesgado la vida por mí. El silencioso maestro de armas, honrado, arrojado y fuerte. Aquella mañana de invierno, cuando cruzamos las espadas por primera vez, comprendí, mirándote a los ojos, que si te conquistaba a ti, podía conquistar el mundo.

—Me has conquistado, para siempre, joven césar de la Galia, pero no hemos conseguido conquistar el mundo.

Juliano dibujó una mueca que era un amago de sonrisa.

—Al menos lo hemos intentado, Victor.

—¿Qué haré ahora, en este mundo, sin ti?

—Finalmente, podrás construir tu propio mundo. Coge a Suana y a los niños y llévatelos de Antioquía. Os he dejado una gran propiedad en Mediolanum, lo suficiente para vivir con serenidad.

Victor se agarró a la mano del augusto.

—El mundo es la familia, Draco. Estoy solo desde niño y he comprendido que no hay peso más duro de soportar que el abandono. No hay nada más satisfactorio que el bienestar y la alegría de nuestros seres queridos. Ese es el sentido de la vida, eso es lo que el Estado debe proteger.

El moribundo pidió agua y Oribasio le acercó la copa a los labios. Juliano solo pudo tragar una pocas gotas; luego le preguntó a Máximo cuál era la naturaleza del alma y bajo qué forma regresaba ante los dioses. El filósofo dijo en voz baja y en griego:

—Agua.

Victor se inclinó sobre Juliano y le levantó con dulzura la cabeza, para ayudarlo a beber de la copa. El emperador bebió un pequeño sorbo, luego empezó a pesarle la cabeza. Los labios se cerraron y un hilo de agua mezclada con sangre salió de la boca. Oribasio apoyó dos dedos sobre la yugular, miró a los presentes y sacudió la cabeza.

—El emperador Flavio Claudio Juliano ha muerto.

Máximo le cerró los ojos.

—Cuando hayas sometido la raza persa a tu cetro, persiguiéndolos hasta Seleucia a golpes de espada, entonces subirás al olimpo sobre un carro de fuego a través de las vertiginosas órbitas del cosmos. Liberado del doloroso sufrimiento de tus miembros mortales, alcanzarás la morada sin tiempo de la luz etérea, que abandonaste para entrar en el cuerpo de un mortal.

Oribasio acomodó el cuerpo, luego salió con la cabeza gacha llevando consigo sus medicamentos, ya inútiles. Filopatros fue a darles la noticia a los oficiales. Prisco salió de la tienda con Máximo, visiblemente conmocionado.

Victor se quedó solo. Cogió el dragón y se puso, como siempre, al lado del emperador; finalmente, lloró.

Los comandantes desfilaron por última vez delante del cuerpo, luego se reunieron en el vano contiguo, donde se había encendido la discusión. Nevita era el más nervioso y ya había alzado la voz, a pesar de que Salucio y Joviano lo invitaban a la calma.

—Aún está el cuerpo caliente y vosotros, los cristianos, ya confabuláis para volver a mandar en palacio.

—El imperio necesita estabilidad, Flavio —replicó Arinteo.

—¿Y vosotros sabréis garantizarla? Habrá matanzas en cuanto el poder vaya a los nazarenos. No, se necesita un moderado, alguien que prosiga con la tolerancia, como Juliano, y al mismo tiempo consiga llevar a término esta campaña.

—¿Serías tú el moderado, Flavio Nevita?

—No, pero se necesita un franco o un germano para salir de esta situación.

—No —dijo Victorio—, tres cuartas partes del imperio no lo aceptarían. Se necesita un hombre de Constantinopla, de Oriente y, sobre todo, que sea cristiano. Acordaos de Antioquía, donde todos lo odiaban; para ellos, era Juliano el Apóstata. Si eligiéramos a un cristiano, la Iglesia lo apoyaría y la mayor parte del pueblo está con la Iglesia. El pueblo hará lo que los obispos digan.

—¿Y los fieles del credo niceno? —preguntó Dagalaifo—. ¿Dejamos que los maten? ¿O tenemos que matarlos nosotros?

—Vosotros estáis locos —dijo Nevita—. De todos modos, la cuestión más urgente es ver el fin de esta maldita guerra; y sin demasiados daños. Lo primero es asegurarnos el favor del ejército, luego veremos qué hacer.

—El loco eres tú, germano. Cuanto antes dejemos este lugar, mejor.

—No, Joviano. Tenemos que consolidar nuestras conquistas y podemos lograrlo. Hemos vencido todas las batallas, hasta ahora. ¿Qué sentido tiene haber combatido para luego dejarlo todo?

—¡Pero ya no tenemos víveres, Dagalaifo, trata de razonar! Yo propongo que nos retiremos lo antes posible —insistió Joviano—. Mandaremos embajadores a Sapor. El rey recuperará su desierto y nosotros tendremos un salvoconducto para salir vivos de este reino infernal.

—¡Es lo último que habría querido el augusto! —aulló Nevita, furibundo.

—Juliano Augusto está muerto. Debemos mirar hacia delante.

Dagalaifo contuvo a Nevita, que se abalanzaba contra Arinteo.

—Bastardo ingrato, si no hubiera sido por él...

—Amigos, generales, valientes soldados —intervino Salucio, que aún llevaba los signos de la terrible jornada sangrienta—, se acaba de apagar el último descendiente de la dinastía de los constantinianos, nacido en Constantinopla y que ha vivido treinta y dos años. Su cadáver está más allá de esa lona, su gloria es inmortal y vivirá para siempre. Os pido un instante de recogimiento para honrar su memoria. —Ante aquellas palabras todos se calmaron.

»Nuestro emperador nos ha dejado en un momento de profundos cambios —continuó el viejo general—. Los enemigos presionan en nuestras fronteras y en el interior del imperio hay fuertes disputas heredadas de sus predecesores. También entre nosotros hay desacuerdos, pero os pido que no dejéis que lleguen a las legiones que están ahí fuera; podrían entrar en discusiones insalvables y sería una catástrofe ahora que estamos frente a un enemigo aún fuerte. —Los miró y comprendió que se daban cuenta.

»Debemos tomar una decisión que no conformará a todos, pero que necesitará del apoyo de todos. Ninguno de nosotros —Salucio hizo una pausa, conmovido—, ninguno de nosotros es, y nunca será, como Juliano. Ninguno de nosotros tiene su valor, su carisma y su finura de pensamiento.

—Yo creo —dijo Joviano—, por el bien de todos, que el sucesor debe ser un hombre capaz y sensato. Alguien que compense con la moderación la diferencia de carisma con Juliano y que esté en condiciones de llevar el imperio hacia un período de estabilidad.

Las miradas de los otros comandantes fueron de nuevo a Salucio.

—Serías el hombre justo, Salucio —dijo Dagalaifo—. Podrías tener la aceptación tanto de Nevita como de Arinteo.

—Estoy viejo y cansado, y quizá no salga vivo de Persia. Y aunque así fuera, no creo que viviese el tiempo suficiente para darle estabilidad al imperio. No, es un compromiso demasiado gravoso para un viejo. Un hombre a la altura de la misión podría ser Valentiniano, pero, por desgracia, se retiró a la vida privada cuando Constancio lo obligó a despedirse.

—Debe ser alguien que esté aquí —dijo Victorio tajante—, porque alguien, mañana por la mañana, tendrá que darles nuevas órdenes a las tropas.

Victor escrutó el rostro lívido de Juliano. Desvanecida la expresión doliente, casi parecía que durmiese con serenidad. Eran fuertes los recuerdos de los años que había pasado a su lado, en la guerra y en la paz, recuerdos que iba a custodiar con esmero.

—Tú me hablabas de las empresas de Alejandro y de Trajano —dijo en voz baja, dirigido a los restos del muchacho convertido en emperador—, pero después de ti, aquí ya no hay rastro de grandeza. Solo hombrecillos asustados, que nunca estarán a tu altura y ya están intentando repartirse tus despojos.

El franco permaneció inmóvil, presa de un agudo dolor. Había sido *armidoctor*, *protector*, *draconarius*, *protector divini lateris*..., palabras altisonantes, pero ahora, tras disolverse todo en unas pocas horas, ya no era nada. Ahora solo era un centinela, custodio fiel de un cadáver incómodo, alférez del *draco* maltrecho de una estirpe extinta.

«Estarán listos para echarte todas las culpas, para muchos serás un monstruo, para otros un héroe. Yo, que he sido tu sombra en estos años, sé que siempre has luchado y sufrido con valor, en tu soledad. Nunca has vacilado en ponerte en peligro por el bien del imperio, al que has amado por encima de todo. Yo, Victor, hijo de Klothar de Merseen, te admiro, mi augusto. A tu servicio he entendido que los valores de la vida van mucho más allá de nuestra existencia y que todo pasa, pero quedan las acciones, permanece el recuerdo.»

Victor fue al rincón de la tienda donde estaba custodiado el equipaje del emperador. Abrió un baúl y cogió el yelmo engarzado de gemas que el joven césar había colgado de la empuñadura de la espada clavada en el terreno, en un lejano día de invierno, a lo largo de la vía de la Galia. Comenzó a frotarlo con un paño para que brillara.

Llegó Filopatros, con un trozo de galleta para su amigo, pero al ver que Draco lustraba el yelmo, cogió la armadura y las espinilleras de Juliano, y se puso a su vez a frotar, en silencio. Cuando el metal ya brillaba como un espejo, vistieron al difunto con movimientos lentos y solemnes. La túnica, luego el *subarmalis*, por fin la coraza. Apretaron los lazos de la *lorica muscolata*, cruzaron las manos sobre el pecho y apoyaron el yelmo en él. El augusto estaba preparado.

Victor supervisó que todo estuviera perfecto y apartó un mechón de pelo de aquel rostro indefenso y sereno.

Filopatros se sentó en un rincón, con la cabeza entre las manos. Estaba exhausto. Victor aferró el dragón y se puso a la derecha de los despojos. No dijeron una palabra.

Poco antes del alba, en la tienda entraron Arinteo y Victorio. Buscaban la capa púrpura del emperador, porque cuanto antes había que mover a los hombres y el nuevo augusto debía llevar la púrpura, símbolo de su rango. La elección había recaído sobre Flavio Claudio Joviano.

Poco después, mientras desmontaban la tienda imperial y cargaban los restos a toda prisa sobre un carro, el ejército aclamó al nuevo emperador. A su paso entre las unidades listas para partir, los gritos de los soldados se propagaron a lo largo de las cuatro millas de la columna. Parecían corear el nombre de Juliano, más que el de Joviano, y quizás era así, porque los soldados que lo veían de lejos creyeron que el emperador se había recuperado de la herida y se disponía a guiarlos como todos los días.

Victor montó a caballo, convencido de que la semejanza del nombre era el único motivo de aquella elección. Corax ocupó su sitio en el carro. El resto de los *protectores* del emperador fueron a apoyar la retaguardia, que sufrió el primer ataque de la jornada en cuanto la columna se puso en marcha. Durante todo el día se sucedieron asaltos furiosos en varios sectores, como si los persas quisieran a toda costa asestar un golpe decisivo. Los enemigos recurrieron también a los elefantes para romper el flanco izquierdo de la formación, pero las unidades de los *ioviani* y de los *herculiani* consiguieron rechazar las cargas de la caballería pesada, hasta que otras dos legiones fueron a sacarlos del apuro. El precio fue alto, porque muchos soldados y nada menos que tres tribunos quedaron sobre el terreno; pero habían abierto el camino del norte.

Aquella noche algunos legionarios dijeron que durante los enfrentamientos habían visto a un portaestandarte de la legión de los *ioviani* entre las filas persas. La presencia de uno o más desertores significaba que Sapor estaba al corriente de la muerte de Juliano y tenía, por tanto, la intención de aniquilar, lo antes posible, al ejército romano.

El día siguiente fue, de nuevo, una jornada durísima, con continuos combates en todos los sectores. Al llegar la noche el nuevo emperador hizo montar un campamento en una amplia zona llana, que se convirtió en constante blanco de los arqueros persas.

Corax y Draco, exhaustos, se apoyaron en la rueda del carro que llevaba el féretro, protegidos por una piel de buey para parar las flechas. El griego acabó de masticar el último bocado de pan. La batalla, por aquel día, llegaba a su fin. A lo lejos, desde las filas enemigas, llegaron los gritos de una voz. Frases entrecortadas, en griego, repetidas varias veces.

—¿Qué dicen? —preguntó Victor.

—Que no merecemos vivir —tradujo Corax tras desatarse la coraza.

—¿Y qué más?

—Que hemos traicionado y asesinado a nuestro emperador.

—¿Asesinado?

—Eso dice el persa. Tratan de asustarnos... —dijo Filopatros, con el rostro deshecho por el cansancio. Luego se acurrucó sobre la tierra desnuda dándole la espalda a Draco. En el suelo, a pocos pasos de ellos, se clavaron media docena de flechas. Victor cerró los ojos y pensó en Suana, antes de caer en un profundo sueño.

El ejército reposó durante todo el día siguiente y retiró las tiendas de noche. El avance fue más lento, pero bastante tranquilo. La misma táctica se repitió también en los días siguientes, hasta el primero de julio, cuando el ejército fue bloqueado por los continuos obstáculos puestos por los jinetes sarracenos.

Cansados y hambrientos, al igual que sus animales de carga, los romanos sufrieron cuatro días de ataques, hasta que avistaron el Tigris, que estaba en plena crecida.

—Hombres —gritó Joviano a los soldados exhaustos señalando el río—, no creáis que la frontera está tan cerca y no creáis que el río se puede atravesar. No tenemos suficientes naves y la crecida de las aguas no nos permite pasar.

De entre las tropas se elevó un murmullo que se convirtió en un coro de imprecaciones, primero, y en cólera, después, que se propagó de unidad en unidad. Con sus galos en primera fila de la protesta, Dagalaifo se enfrentó a los generales llegados de Oriente.

—Lo atravesaré yo a nado, con mis guerreros.

—No lo harás, te lo prohíbo —le dijo Joviano al comandante de la guardia con una mirada de reproche.

Los galos empezaron a gritar, furiosos, y Victorio cogió a Dagalaifo por un brazo.

—¿Quién pondrá freno a los tuyos si algo va mal? Debes permanecer aquí.

—¡Deben ver que hay una posibilidad de salvación!

La discusión no parecía tener solución cuando Victor se adelantó.

—Iré yo. Ya lo hice en el Rin contra los germanos. Puedo volver a hacerlo aquí. —Se dirigió a Dagalaifo—: Dame algunos de los hombres que estaban conmigo en aquella ocasión. Me seguirán.

—¿Y si sale mal?

—Te habrás liberado de algunos galos cabeza loca y de un franco que ya no tiene nada que perder. Un precio aceptable para convencer al ejército de que no se puede atravesar el río. Y si sale bien, habremos encontrado una vía de escape.

Victorio consultó con Joviano, Arinteo y Nevita. Dagalaifo intentaba aplacar los ánimos.

—Así sea, Victor. El emperador te lo agradece. Os moveréis durante la noche.

Victor señaló una pequeña embarcación amarrada en la orilla opuesta.

—Preparad un fondeadero, la traeré a esta orilla. Servirá para el féretro.

—Voy contigo —dijo Filopatros.

—No, te necesito aquí. Si no lo consiguiera tendrás que ser tú quien escolte los restos hasta Tarso, donde Juliano Augusto eligió ser sepultado. —El griego miró el carro que contenía los despojos del emperador—. Debes estar aquí con él hasta el final —insistió Victor pasándole el dragón—. Tenlo hasta mi regreso, lo pondremos en su sarcófago.

Estaba oscuro cuando los galos se reunieron en torno al *draconarius*, que les dio instrucciones sobre la travesía y les señaló algunos puntos de referencia; entre otros, un fuego, que revelaba, sin duda, una avanzadilla persa sobre la orilla opuesta. Se cogieron a una cuerda atada a un palo clavado en el suelo y con el torso desnudo entraron en las aguas del Tigris.

Victor notó la corriente en las piernas. El agua estaría más alta todavía en la otra orilla. Saludó a Filopatros y dirigió la mirada al carro que custodiaba los restos de Juliano. «Si me quieres contigo, mi augusto, cógeme ahora», pensó. A continuación se zambulló en la negrura.

El agua fresca era un alivio para el cuerpo sucio. Victor iba girándose a mirar a los otros y soltaba cuerda. Nadaba en silencio, con la cabeza bajo el agua. Una brazada tras otra, con vigor. «No me quieres contigo, quieres llegar a Tarso», pensó ya cerca de la otra orilla.

Tardó menos de lo que esperaba, hizo pie y salió del agua con la cuerda en la mano. Esperó a que llegara el resto del grupo. Mientras unos aseguraban la cuerda al tronco de un árbol, Victor y los otros se aproximaron al fuego que ardía cerca de la barca como depredadores nocturnos. Arrastrándose por la hierba, con los puñales preparados, cayeron sobre los persas que reposaban, ignorantes, convencidos de que el río era impracticable. Pasaron del sueño a la muerte sin darse cuenta.

Los galos tomaron el puesto de los muertos y Victor agitó un tizón para señalar el éxito de la empresa. Luego, con un par de hombres, el franco tomó posesión de la barca. Comenzaron a impulsarse sobre el fondo con las pértigas. A medida que se movían por el río iban oyendo chillidos que salían de la orilla. Un ataque nocturno, por sorpresa. Victor gritó:

—Hay que moverse.

Manejaron con fuerza las pértigas, pero necesitaban más tiempo para llegar al punto de atraque. Victor vio que ya estaban peleando e impaciente saltó al agua antes de que la barca tocara tierra.

—¿Dónde estás, Filopatros? —gritó, mientras remontaba la orilla.

Nadie respondió, nadie lo oyó. Victor intentó moverse en el caos para llegar al féretro del emperador, que era uno de los puntos donde arreciaba el ataque. Tropezó con un cadáver y se levantó sobrecogido:

—¡Filopatros!

Lo vio llegar al galope, tirando de los caballos reacios a llevar el carro fúnebre. El griego desmontó, jadeante, y le pasó las riendas a Draco.

—Me han dado en un hombro, pero es leve. —Escupió en el suelo, rabioso—. Esos hijos de perra de los sarracenos se nos han echado encima de golpe.

Victor subió al carro para comprobar que no faltara nada.

—¡El dragón! No está el dragón imperial.

—Se ha quedado allí, Victor —dijo Corax asintiendo y señalando las palmeras entre las que habían tenido el carro.

Sin pensarlo, Victor saltó y echó a correr, armado solo con su *scramasax*. «Enemigos.» Chocó con un sarraceno de pie y lo atropelló. Evitó por poco el golpe de lanza de un jinete; por instinto, se agarró al asta y le dio un violento tirón. El persa soltó el arma y Victor la atravesó con ella. Entonces saltó sobre el caballo del caído y llegó en nada a las palmeras. Desmontó y palpó la arena, pero estaba oscuro; y ya estaban acudiendo otros persas.

Eran dos, vestidos con corazas ligeras y armados con lanzas. El franco paró el embate del primero con el asta y le clavó la lanza en la garganta. Luego se echó sobre el segundo y lo arrastró al suelo con el impulso. Así de cerca una lanza era inútil, mientras que el *scramasax* de Victor era ideal para un cuerpo a cuerpo. El franco golpeó al enemigo en la cara, lo dejó aturdido y, a continuación, lo apuñaló en el cuello con violencia. Se limpió como pudo la sangre caliente y volvió a buscar afanosamente hasta que encontró lo que estaba buscando: el dragón.

Lo recogió, pero estaba rodeado. Los persas avanzaban con cautela. Un oficial les gritaba órdenes en aquella lengua incomprensible. El franco valoró la situación. Plantó el dragón en el suelo, blandió la lanza y la arrojó directa al pecho del oficial, que se desplomó. Luego les mostró los dientes, como una fiera, y empuñó el estandarte con la contera hacia delante.

Estaba en una trampa, pero antes de caer mandaría a unos cuantos a los infiernos. Se echó a un lado, giró sobre sí mismo y atravesó a un enemigo con la contera. A partir de ahí, un frenesí de golpes: una lanza le dio de refilón, un leve dolor, remolineo de mandobles para defenderse, cayó y rodó... Luego alaridos, el relincho de un animal aterrorizado y un cuerpo que caía delante de él, luego otro, ambos traspasados por flechas...

El griego cargó contra el grupo de persas gritando como un loco, el pequeño griego pegaba mandobles con la fuerza de un titán, rompiendo cabezas y cortando brazos.

—¡Corre, Victor! ¡Ven!

Draco se agarró del caballo y saltó a la silla detrás de su amigo. Sintió un golpe, un alarido sofocado. Golpeó con la contera de la enseña a otro persa, luego el caballo dio un salto. El franco se aferró a Filopatros, que inclinado sobre la silla incitaba al semental a correr e irse lejos de los enemigos, de los amigos, de todo.

El caballo recorrió un buen trecho a toda velocidad, remontó una loma y bajó por la otra ladera. De repente le faltó el suelo bajo las patas y cayó, arrastrando consigo a los dos hombres. Victor rodó sobre las piedras entre una nube de polvo y se golpeó la cabeza.

Se detuvo, dolorido, con las manos despellejadas y un fuerte aturdimiento. Intentó levantarse apoyándose en los codos. Tenía el rostro sucio de sangre y arena, mezclados como en una máscara. Buscó a Corax y lo vio poco más allá, en el suelo, inmóvil.

—¡Filopatros! —El griego lo miró con el único ojo sano, sin poder moverse. Victor le desató el yelmo y vio el sufrimiento en el rostro de su amigo—. ¿Por qué no te has marchado, maldito griego?

—Ya sabes que sin mí... no haces nada bueno. —Corax pareció sonreír.

—¿Estás herido?

El otro asintió con la respiración afanosa. Draco buscó la herida a tientas.

Líquido caliente en el costado derecho del griego, un desgarro en la malla de hierro, quizás un golpe de lanza. Filopatros sofocó un grito de dolor y Victor comprendió que la situación era grave.

—En estos años nos hemos salvado la piel recíprocamente unas cuantas veces, franco. —Filopatros se esforzó por sonreír—. Creo que tengo crédito, pero esta vez es por aquella noche en el Rin, cuando aquel bastardo lentiense quería cortarme en lonchas... —Un relámpago en la mirada del griego—. ¿Recuerdas? Te dije que Dios no se olvida nunca de recompensar a los justos ni de castigar a los injustos. Esta es la prueba.

El *draconarius* asintió, pero no consiguió encontrar la fuerza para sonreír a su vez. Filopatros estaba a punto de morir, por una herida idéntica a aquella que había matado a Juliano Augusto. Cruel ironía de la suerte, que se llevaba a las personas más importantes de su vida.

Los labios de Filopatros temblaron.

—Tengo sed, Draco.

Victor se levantó y se acercó al caballo, que también estaba muriendo. Buscó la cantimplora, pero en la caída casi se había roto. Cogió la poca agua que quedaba, desató la silla y agarró la manta. Cubrió a su amigo y le puso en la boca las pocas gotas de agua que restaban en la cantimplora. Filopatros sintió los labios humedecidos, aunque la boca continuó pastosa.

—Te sacaré de aquí, *graeculo*. Lo conseguiremos también esta vez, verás.

—Yo no, Victor. Para mí ha terminado —dijo Filopatros sacudiendo la cabeza.

—No digas tonterías. Caímos juntos en este maldito desierto y juntos saldremos de él. —El franco se inclinó y lo cogió por los hombros—. Ha sido culpa mía, Filopatros.

—No. Es un designio del Señor. —El franco le limpió la cara de arena a su amigo—. El Señor me ha llamado, y yo he hecho lo que me ha pedido. Hágase la voluntad del Señor.

El viento le desordenó el pelo al franco, que cogió el *scramasax* y cortó un borde de la túnica para taponar la herida.

—Todos hemos hecho lo que se nos ha pedido.

—No entiendes, Victor. Debía hacerlo —dijo el griego agarrando a Victor del antebrazo.

El franco asintió y le cogió la mano.

—Debo taponarte la herida, Corax.

—Déjalo estar. Es la misma herida que ha matado a Juliano, la misma, entiendes, yo estoy... —El griego comenzó a toser convulsamente.

—Valor, Filopatros.

—... Estoy muriendo como ha muerto él. —El franco, que había tenido el mismo pensamiento, no sabía qué decir—. ¿Y sabes por qué?

Victor sacudió la cabeza, y Filopatros se agarró de nuevo a su brazo.

—Porque lo he matado yo.

Draco se quedó de piedra. La mirada vítrea, la sangre latiendo en las sienes. Se quedó quieto, inmóvil en un tiempo sin tiempo, con el sonido de aquellas palabras en la cabeza.

—He matado al Apóstata.

Las imágenes de la batalla reaparecieron en su mente. Volvió a verse en medio del combate: atrapado por una unidad de legionarios que se alineaban, se había quedado detrás a su pesar. Del polvo había salido el rostro de un enemigo y había debido enfrentarse a él... El polvo, la sangre, los alaridos, otros persas y el elefante que había asustado al caballo... Y entre tanto, Victor intentando abrirse paso, como el rostro de una nave entre las olas. La imagen era cada vez más confusa, como dibujada sobre un trapo al viento... Luego un recuerdo claro. Filopatros. El yelmo de Filopatros, con los ojos dibujados por él, había aparecido a la derecha del emperador, metiéndose entre los enemigos.

Victor había pensado que la llegada de su compañero protegería el flanco derecho del Augusto, así que se había enfrentado a otro jinete, al que decapitó, antes de darse cuenta de que los persas habían desistido y se retiraban. Hasta entonces no se había vuelto hacia Juliano. Lo hizo en el instante en que se arrancaba del cuerpo aquella maldita lanza, clavada en el costado derecho. Recordó que había aullado y que Juliano se había inclinado lentamente sobre la silla tras extraer la lanza.

La lanza. La lanza de Filopatros, que el griego ya no tenía. Y no se había quedado en el cuerpo de un persa.

—Yo he matado al Apóstata.

La voz doliente lo devolvió a la realidad. En la oscuridad, la brillante mirada de Filopatros estaba a punto de decir adiós al mundo. Victor apartó la mirada.

—Hubiera sido mejor que me dejaras morir, Filopatros.

—No podía, Victor. Tú eres mi amigo. En nombre de Dios se puede matar, pero por ti valía la pena morir. ¿Te acuerdas de aquella vez en el campamento de Barbacion, cuando me dijiste que si moría contigo al menos moriría por algo por lo que valía la pena hacerlo? Tenías razón, Victor.

El franco sintió un nudo en la garganta.

—Teníamos un mundo nuevo por construir, Filopatros. ¿Por qué?

—Porque somos peones en las manos de Dios y, como ves, se ha hecho su voluntad.

—¿Y por qué tu dios se complace en hacerme sufrir todo esto? Me cuesta reconocer que ni siquiera sé dónde buscarlo si quisiera hablarle.

Filopatros tosió.

—Quizá para impulsarte a pensar más a fondo, a buscarlo en tu corazón y no en tu mente. Quizás, un día, cuando lo encuentres, podrás perdonarme. —Draco alzó la mirada hacia la inmensa bóveda celeste y apretó la mano de Filopatros—. Él, en su grandeza, lo ha hecho. —De nuevo Victor no entendió.

»Juliano me vio golpearlo. No dijo nada. Me miró a la cara antes de sacarse la lanza. —Draco lo miró, incrédulo, y Filopatros se puso a llorar—. La noche en que murió me dijo que no me afligiera por lo que había sucedido. Estaba muriendo como un héroe griego y eso lo hacía feliz.

A su pesar, Victor secó las lágrimas del rostro de su amigo. ¿Aún podía llamarlo así después de aquella confesión?

—En mi cinturón encontrarás la moneda de oro de la apuesta de Augusta Taurinorum. Has ganado tú, el muchacho ha tenido éxito, ha derrotado a Gigas y a sus alamanes. —De nuevo el franco sacudió la cabeza, desconsolado, recordando aquella fría noche en el palacio de la ciudad a los pies de los montes.

»¿Qué momentos hemos vivido, eh, franco? Las batallas contra los germanos... Las ciudades de fiesta por nuestra llegada con el césar al frente... Y aquella noche, la isla en medio del Rin, los lentienses... Se las hicimos pasar de todos los colores...

Victor asintió, apretando los labios, un nudo de dolor que parecía extenderse por todo su cuerpo.

—Tienes que gastar ese dinero en dar una fiesta en Mediolanum. Tú tienes que conseguir regresar.

—Sin ti no será como antes.

—Pero yo estaré. Estaré allí contigo, anidado en tus recuerdos.

Victor cogió la mano de su amigo entre las suyas. Dolor, furia, necesidad de entender.

—Sé que te he causado un gran disgusto, como también sé que Juliano era un gran hombre, un hombre extraordinario. Fue el mejor de todos nosotros...; pero no era cristiano.

El franco y el griego lloraban. Ellos, que habían visto los peores actos que los hombres eran capaces de cometer, que habían afrontado la muerte en cien ocasiones sin temblar, no conseguían contener las lágrimas.

—... No debía ponerse contra Dios.

Victor se llevó los nudillos de su amigo a la frente.

—Yo te perdono, Filopatros. Te perdono.

Corax lo miró, con el reflejo del alba en la última mirada. Juntó los labios en una sonrisa y se quedó quieto. Victor sintió que se contraía la mano y se aflojaba. La respiración cesó, los ojos se nublaron. Filopatros había muerto.

Draco quedó prisionero en aquel rincón del mundo inmerso en el dolor, prisionero de aquella mano cada vez más fría. Lloró, por Juliano y por Filopatros. Lloró por los sueños rotos y por las esperanzas decepcionadas. Levantó al cielo la mirada nublada por las lágrimas.

—¿Me oyes? —preguntó con voz ronca—. ¿Puedes ver mi llanto?

Se volvió hacia el sol que se extendía sobre el paisaje, dejó la mano de Filopatros y se levantó, trastornado por un dolor insoportable.

—¿Es esto lo que quieres? —aulló—. ¿Es esto lo que tenemos que hacer para complacerte? ¿Matarnos en tu nombre mientras miras nuestras miserias? ¿Es eso lo que les pides a los hombres para que se haga tu voluntad?

El franco giró sobre sí mismo, tambaleándose, hacia el sol.

—¿Por qué me has hecho conocer y apreciar a las dos mejores personas del mundo, para luego hacer que se mataran entre sí? ¿Por qué me has hecho conocer el amor para luego negármelo y llevarme lejos de ella?

Contempló el cielo, pero el cielo permaneció mudo.
—¿Qué te he hecho?
Se dejó caer en el suelo. Entreabrió los labios y susurró:
—O somos nosotros los que no entendemos.

Con las manos y algunas herramientas improvisadas cavó una pequeña fosa. Volvió donde estaba el cuerpo de Filopatros, le quitó la coraza y el talabarte, y lo arrastró a aquella tumba de tierra quemada por el sol.

—Te dejo, Filopatros, te dejo solo, en medio de este maldito desierto. Quisiera tener tu fe y creer que ahora serás feliz. Sé que te llevaré conmigo para siempre, donde quiera que estés, porque has sido parte de mi vida.

Cogió el trozo de túnica que había servido para taponar la herida de su amigo y le cubrió los ojos por última vez.

—Absuelve su alma de todos los vínculos de los pecados. Que pueda merecer evitar el juicio final por tu gracia y disfrute, feliz, de la luz eterna. —Su mirada fue de nuevo al cielo, se le hincharon las venas del cuello y su voz rugió entre las arenas—: Condenados y malditos, arrojados a las llamas vivas, reclamadlo entre los benditos. Te lo ruego, suplicante y postrado, con el corazón contrito como ceniza: cuida de su suerte.

Una sombra de polvo, ya sin color. Dio los últimos retoques a aquel sepulcro primitivo y tosco, y se quedó contemplando el túmulo durante un momento, bajo el sol ya alto en el cielo.

Recogió la espada, el cinturón y el yelmo de Filopatros con los ojos pintados. Recogió también el dragón y se detuvo a observar un buen rato la escultura de aquel monstruo de dientes afilados, símbolo de poder destinado a infundirles temor a los enemigos. Era como si desde el día de la muerte del emperador hubiera perdido la voz, su potencia. Ahora era solo una reliquia de un mundo desaparecido para siempre.

Desaparecido para todos, pero no para Victor.

Miró de nuevo el túmulo de Filopatros, luego volvió atrás, con paso inseguro. Cogió la cabeza del dragón y, con la hoja de la daga, presionó sobre los ribetes que la fijaban al asta. Apretó los dientes por el esfuerzo, luego la cabeza se separó y cayó al suelo con un ruido sordo.

Asió el asta y la apoyó contra la rodilla para hacer palanca, apretó sobre los dos extremos hasta que la madera se partió con un chasquido seco. Victor lanzó un grito que le salía del corazón y, de inmediato, se perdió en el viento del desierto como un lamento.

Cayó de rodillas. Ató los dos pedazos del asta con el cinturón, formando una tosca cruz que plantó sobre la tumba. Se levantó con el corazón en un puño, en la mente las palabras de Juliano, como arrastradas por el viento: «Ruego a Helios, rey universal, que me dé su gracia, una vida buena, una sabiduría más perfecta, una mente inspirada y, de la manera más leve y en el momento oportuno, el distanciamiento de la vida establecido por el destino. Que yo pueda subir hasta él y estar a su lado por la eternidad.»

—Perdóname, mi augusto.

Recogió la cabeza del dragón y se encaminó hacia el norte.

Victor vagó mucho rato.

Al atardecer, un grupo de jinetes sasánidas se cruzó en su camino. Los persas se detuvieron a mirar a aquel fantasma tambaleante, con los calzones desgarrados y la coraza rota. Llevaba un yelmo de forma oriental, en estridente contraste con los ojos azules, y apretaba contra sí una cabeza de dragón dorada.

Los jinetes lo miraron, impasibles, cuando el espectro avanzó hacia ellos, con paso cansado pero decidido y la cabeza alta. Caminaba como si no existieran, como si no le importara lo que pudiera ocurrirle.

Dos jinetes se apartaron y lo dejaron pasar. Victor siguió y luego oyó un silbido. Sus ojos se cruzaron con los de uno de los jinetes. Un rostro oscuro, marcado por una vida pasada en el desierto. El persa le arrojó una cantimplora de agua.

Flavio Claudio Joviano había firmado la paz con el rey Sapor y había abandonado todos los territorios conquistados por Juliano en Mesopotamia; también había dejado Armenia bajo el control del Imperio sasánida. El fiel aliado, el rey Arsaces, fue entregado a Sapor. Procopio habría encontrado al ejército al día siguiente, pero era, de verdad, demasiado tarde.

XX

Eternidad

—¡Oíd, pueblos! Se ha extinguido el tirano, el dragón, el Apóstata, el Gran Intelecto, el asirio, el común enemigo y abominación del universo, la furia que montó orgías y amenazó la Tierra, mucho obró contra el cielo con la lengua y con la mano.

Con esas palabras, Gregorio Nacianceno, obispo de Constantinopla, anunció triunfante mi muerte a una multitud gozosa y satisfecha.

Todos reconocieron, en mi imprevista desaparición, una señal del cielo. Una señal en el momento más adecuado para que la historia tuviera pocos motivos para recordarme. En efecto, la muerte interrumpió todos mis proyectos: no conquisté Persia, no conseguí completar mi reforma religiosa y aún menos la del imperio.

Y después de la intercesión divina que me arrebató la vida, los hombres trataron de eliminar la esencia del peligro: mi recuerdo. Me atribuyeron frases nunca dichas, acontecimientos nunca ocurridos, gestas innobles, profanaciones, ritos macabros con sacrificios humanos, en breve, calumnias de todo tipo. Borraron con un solo gesto mi nombre: de albergues para mendigos, de hostales para extranjeros, de casas para mujeres oprimidas y espantadas y de orfanatos que hice erigir para todos aquellos que, humillados por una vida infausta, podían encontrar consuelo. Mi alma fue condenada para la eternidad y aquel que puso fin a mi existencia con la ayuda de Dios, el griego Filopatros, fue santificado con el nombre de san Mercurio de Cesarea y venerado cada 25 de noviembre.

Lo más penoso no fue mi desaparición prematura, sino constatar que conmigo murió para siempre un maravilloso sueño. El sueño de una cultura que había conseguido unir a millones de personas de tribus diversas, desde el Muro de Adriano hasta el curso del Éufrates, la quimera de una universalidad real.

Siglos de lucha contra la barbarie, en los que se construyeron ciudades, caminos, puentes y acueductos, se promulgaron leyes, se difundieron comercios y culturas, capaces de integrarse y de convivir. Siglos de progreso, que vieron prevalecer la luz sobre las tinieblas. Y la prodigiosa capacidad de adaptación, de saber cambiar en el momento oportuno principios y sistemas; esa fue una de las razones principales por la que Roma consiguió ser grande durante tantos siglos.

Y luego, de golpe, mil generaciones de hombres se encontraron en el error. Todo en su relación con lo sagrado se revelaba de pronto equivocado: Pitágoras, Heráclito, Anaxágoras, Sócrates, Platón, Aristóteles, Séneca, Epicteto, Marco Aurelio, Plotino..., todos habían pasado inútilmente su existencia en la vana búsqueda de un significado superior y no habían captado el misterio de la vida. El misterio del nacimiento y del ineluctable fin. La revelación de la verdad había quedado reservada para un grupo de pescadores de Galilea.

Una nueva estirpe de poderosos se estableció en los palacios. Eran los detentores de la verdad absoluta, inspirados directamente por Dios. En pocos años habrían arrastrado a la humanidad a un remolino de fanatismo e intolerancia, y hubieran precipitado al hombre a una época de decadencia sin igual. El oscurantismo llamaba a la puerta, con toda su enorme carga de sufrimiento.

Tras mi desaparición, en Antioquía, hubo tumultos durante varios días y la población se rebeló contra el prefecto que nombré antes de la campaña sasánida. Derribaron altares, destruyeron templos, persiguieron a estudiosos del helenismo. Mis seguidores se esfumaron como la bruma al amanecer. Casi todos mis fieles colaboradores perdieron sus cargos, salvo el viejo Salucio, que continuó como gobernador.

Libanio, temiendo por su propia vida, huyó de Antioquía y Prisco se retiró a Atenas. A Máximo, el filósofo, se le prohibió practicar sus actividades teúrgicas. Primero amonestado, luego arrestado y, por último, decapitado.

El médico Oribasio hizo que le perdieran el rastro huyendo lejos, entre los godos, donde continuó practicando sus artes. Volvió a la patria en la vejez, poco antes de morir.

Dagalaifo continuó en el ejército. Era un comandante valeroso y siguió prestando servicio también bajo Valentiniano, del que recibió el honor del consulado. También Victorio sirvió bajo Valentiniano y, luego, bajo Valente. Su destino se volvió oscuro después de la desastrosa batalla de Adrianópolis, donde desapareció, probablemente para retirarse a llevar una vida tranquila.

Arinteo, como Victorio, sirvió bajo Valentiniano y Valente, pero murió aún joven por causas desconocidas, en el 378. De Nevita ya no hubo noticias. Había sido un general rudo y a veces cruel, pero también valeroso y leal. Dejó el cargo y desapareció.

En cuanto a Victor... El *draconarius* llegó a Tarso en una tórrida jornada de fines de agosto, cuando ya mi sarcófago había sido sellado. Lo vi entrar en el pequeño mausoleo construido en la orilla del río y fui feliz. Me había escuchado. Antes de venir a verme había vuelto a Antioquía y se había llevado a su familia. Sabía que Antioquía no era un lugar adecuado para quien había estado tan cerca de mi persona.

Permaneció mucho tiempo, junto a la bellísima Suana y los muchachos, delante de mi tumba. Fue precisamente ella, Murrula, con los ojos velados de lágrimas, la que dejó una frase escrita para mí:

> Desde las orillas del impetuoso Tigris, ha llegado aquí a reposar Juliano, al mismo tiempo buen rey y guerrero valeroso.

Antes de salir con su séquito, Victor apoyó el dragón sobre mi sepulcro y se arrodilló por última vez; luego su silueta desapareció y la luz del sol engulló la sombra del césar.

La campaña sasánida había terminado.

Ya no lo vi. Se dirigió al norte, a la Galia, para proseguir hasta su Merseen, donde vivió una vida larga y feliz con Suana, Clodio y Ario.

En lo más hondo de su corazón, a veces, sentía una punzada de nostalgia; por eso quiso volver a donde todo había comenzado, a Mediolanum. Precisamente en aquella ciudad se encontró, muchísimos años después, la *patera* que le regalé por su boda. Se había convertido en la cubierta de una urna funeraria carente de cualquier inscripción. Típico de un hombre como él, que creía simplemente en la vida.

La vida se disuelve, pero la verdad permanece. A veces oculta durante siglos, resurge como por encanto del pasado y les deja un mensaje a aquellos que están en condiciones de oírlo. En esos casos el tiempo nos recuerda que la especie humana no sufre los mismos cambios que cada individuo. La humanidad toda, a diferencia del individuo, no envejece, no pierde la memoria, progresa siempre y aumenta su sabiduría. Por eso es posible comprender, milenios después, acontecimientos y vicisitudes que las personas que vivieron cuando ocurrían nunca podrían entender.

En vida fui Flavio Claudio Juliano, emperador de Roma, que pasó a la historia con el nombre de Juliano el Apóstata. De mí no quedan restos mortales, ni siquiera mi sarcófago, que trasladaron años después a Constantinopla y luego quedó olvidado.

Viví luchando, sufriendo y buscando. Me impuse el valor y la pureza. Albergué por todos aquellos que me rodearon un sentimiento de justicia, fraternidad y clemencia. Me asesinaron por querer reunificar el mundo bajo la égida de Roma, sí, pero libre.

Libre de profesar el culto que desde siempre nos pertenecía, el culto de nuestros padres, el culto que había sido propio de nuestra civilización.

Y eso era un valor innegable, tanto si me juzgáis un demonio como si me creéis una mente iluminada.

Personajes en orden de relevancia

(en cursiva los personajes históricos)

Victor: originario de Merseen, en el territorio de los francos. Espía a sueldo de los servicios secretos de Constancio II, enviado como maestro de armas y servidor personal de Juliano, césar de Occidente.

Filopatros: griego, originario de Antioquía y servidor personal del césar de Occidente, Juliano. La identidad de este soldado es, con toda probabilidad, fruto de una conjetura medieval; su simbólico nombre, Filopatros, «aquel que ama a su padre», es atribuido originariamente a san Mercurio de Cesarea.

Murrula: esclava originaria de Aquincum, en Panonia, obligada a prostituirse en una taberna extramuros de Mediolanum.

Flavio Claudio Juliano: más conocido como Juliano el Apóstata (Constantinopla, 6 de noviembre de 331 – Camino de Samarra, 26 de junio de 363). Emperador, filósofo y escritor de la dinastía constantiniana, y último rey pagano. Durante su reinado concedió la libertad de culto y trató de restablecer los antiguos ritos politeístas, oponiéndose abiertamente a la obra iniciada por su tío, Constantino I, y por su primo, Constancio II, que habían favorecido el cristianismo.

Flavio Julio Constancio: más conocido como Constancio II (Sirmio, 7 de agosto de 317 – Cilicia, 3 de noviembre de 361). Emperador de la dinastía constantiniana y primo de Juliano. Subió al trono en el año 337, tras morir su padre, Constantino I, el Grande, y permaneció en el poder durante veinticuatro años. Defendió el imperio mediante una política militar débil que causó descontento entre las filas del ejército y que lo llevó a tejer una red de espías para oponerse a los diversos usurpadores del poder. Asumió un papel activo en las disputas teológicas del cristianismo y promovió varios concilios favoreciendo abiertamente la corriente arriana.

Flavio Claudio Julio Constancio Galo: más conocido como Constancio Galo (Massa Veternensis, 325/326 – Pola, 354), hermanastro de Juliano y césar de Oriente desde el año 351. Su comportamiento violento e impulsivo despertó el odio del pueblo y de la corte imperial. El emperador Constancio II, su primo y cuñado, ordenó que lo arrestaran y lo ejecutaran; luego lo reconsideró, pero el mensajero que llevaba la contraorden fue entretenido por una maquinación de los eunucos de la corte y no llegó a tiempo.

Flavia Eusebia: su fecha y lugar de nacimiento son desconocidos, pero murió en Tesalónica en el año 360. Segunda mujer del emperador Constancio II y principal defensora de Juliano, primo de su marido; a este lo convenció de que nombrara a Juliano césar de Occidente.

Helena: nacida presumiblemente en el año 325/326 en lugar desconocido y muerta en Vienne en noviembre del 360. Hija de Constantino I, hermana de Constancio II, prima y esposa de Juliano. Cuando este fue nombrado césar de Occidente, el propio Constancio II, su primo, le entregó a Helena como esposa. Perdió dos hijos en los respectivos partos y, según el historiador Amiano Marcelino, ambas muertes fueron causadas por la emperatriz Eusebia. La enterraron en el mausoleo construido para ella en la Via Nomentana de Roma, en la actual iglesia de Santa Constancia.

Eusebio: alto funcionario del Imperio romano, *praepositus sacri cubiculi* (asistente personal del emperador) con Constancio II. Era, a todos los efectos, el cerebro oculto del imperio. Ejerció su poder de manera malvada y fue condenado a muerte en el proceso de Calcedonia.

Paulo Catena: prohombre imperial, que pasó a la historia con el sobrenombre de *Catena* por los despiadados métodos usados para mantener bajo control a los elementos subversivos que podían amenazar el poder del emperador Constancio II. Por sus crímenes fue condenado a la hoguera en el proceso de Calcedonia.

Apodemio: alto funcionario del Imperio romano y agente secreto (*agens in rebus*), implicado en la muerte del césar de Oriente, Constancio Galo. Condenado a muerte en el proceso de Calcedonia.

Flavio Salustio: político del Imperio romano de religión pagana, prefecto del pretorio de la Galia desde el año 361 hasta el 363. Amigo del emperador Juliano, con el que compartió los intensos momentos de la campaña de la Galia.

Saturnino Segundo Salucio: alto funcionario del Imperio romano y filósofo. De religión pagana, sostuvo el programa de restauración de la religión romana ideado por Juliano, con tanta ponderación que fue prefecto del pretorio de Oriente bajo cuatro emperadores.

Flavio Nevita: comandante del séquito de Juliano. De origen franco y de religión pagana. Las fuentes lo describen como un hombre valiente, leal y, al mismo tiempo, tosco y cruel. Encabezó con Dagalaifo la facción gálica, que quería un rey pagano como sucesor de Juliano. Después de la muerte de este, Nevita ya no es mencionado por las fuentes, por lo que es probable que hubiera abandonado la vida militar cuando el ejército se alejó de los paganos seguidores de Juliano.

Dagalaifo: comandante militar del Imperio romano, pagano de orígenes germánicos. Aunque seguidor de Juliano, sobrevivió a la reorganización del ejército después de la muerte del emperador. Joviano lo nombró comandante en jefe del ejército y también sirvió a Valentiniano I, a cuyas órdenes recibió el honor del consulado.

Flavio Victorio: general romano de origen sármata y de fe cristiana. Partidario de la facción cristiana que favoreció la elección de Joviano como emperador después de la muerte de Juliano. Después de Joviano, sirvió bajo Valentiniano I y Valente.

Flavio Arinteo: general romano de fe cristiana. Partidario, también, de la facción cristiana que favoreció la elección de Joviano como emperador después de la muerte de Juliano. Sirvió bajo los emperadores Juliano, Joviano, Valentiniano I y Valente.

Chodomario Gigas: temido soberano de los alamanes, apodado *Gigas*, «el gigante». Realizó continuas incursiones más allá del Rin hasta que fue derrotado por Juliano en la batalla de Argentoratum. Capturado, se lo mandaron como trofeo a Constancio II, que lo encarceló en una finca imperial en la colina de Celio, donde murió pocos años después.

Flavio Florencio: militar y político del Imperio romano. Siguió las disposiciones de Constancio II, oponiéndose a Juliano durante la campaña de la Galia. Fue procesado en rebeldía en Calcedonia y lo condenaron a muerte, pero sobrevivió a Juliano.

Barbacion: general romano, implicado en las conspiraciones dirigidas a derrocar a Juliano.

Amiano Marcelino: (Antioquía, hacia 330 – Roma, hacia 400). Oficial. El mayor de los historiadores romanos del siglo IV. En su obra *Res gestae* describe los años que van del 96 al 378 d. C.

Ursicino: general romano al que Eusebio implicó, falsamente, en una intriga cortesana, por lo que lo condenaron a muerte. No obstante, la condena fue abolida y Constancio II lo utilizó para eliminar al usurpador Claudio Silvano.

Claudio Silvano: general del Imperio romano, usurpador en la Galia contra el emperador Constancio II. Su condena a muerte fue decretada por una carta falsificada por Eusebio, que lo acusaba de urdir un golpe de Estado.

Flavio Claudio Joviano: fue el comandante nombrado por la facción cristiana para sustituir a Juliano como emperador después de su muerte. Llevó a cabo una desastrosa retirada de la campaña de Persia y firmó con el rey Sapor una rendición ignominiosa. Murió después de solo ocho meses de reinado, probablemente ahogado por las exhalaciones de un brasero.

Sapor II de Persia: fue rey de los sasánidas desde el nacimiento hasta la muerte. Durante su largo reinado combatió numerosas guerras, todas victoriosas, y garantizó un período de prosperidad a su imperio.

Libanio: filósofo y amigo de Juliano durante su estancia en Antioquía, ciudad natal del rétor, donde pasó el tiempo concentrado en los estudios. Después de la muerte de Juliano fue exiliado en Nicomedia.

Máximo de Éfeso: teúrgo que inició a Juliano en los misterios de Mitra. El emperador lo acogió en la corte como su consejero espiritual. Después de la muerte de Juliano se le prohibieron las prácticas místicas y posteriormente fue condenado a la pena capital.

Oribasio: médico personal de Juliano, al que siguió a la Galia y a Persia. Cayó en desgracia después de la muerte del emperador y fue a practicar su arte entre los godos. Cuando ya era viejo, el emperador Valente lo reclamó para que volviera a su patria.

Euterio: funcionario nativo de Armenia, capturado en su juventud y castrado antes de ser vendido a los romanos. Formó parte de la corte de Constantino I y de su hijo, Constante I. Luego sirvió a Juliano en calidad de embajador ante el emperador Constancio II en Mediolanum para defenderlo de las acusaciones presentadas por Marcelo.

Agradecimientos

A menudo me ha ocurrido, concluida la obra, que he abierto una página al azar y me he emocionado, siempre como si fuera la primera vez que la leía, perdiéndome en las líneas de la escritura, arrebatado por algún matiz que con el tiempo había olvidado. He recordado la atención que le presté a la introducción de las referencias históricas en el texto y al peso que le di a cada palabra, cuidadosamente equilibradas para intentar exaltar la unicidad de los personajes. *Draco* para mí no es un libro, son mil, como las páginas que aún habría querido escribir sobre Flavio Claudio Juliano.

La idea inicial de una novela sobre el emperador filósofo vino de Marco Lucchetti. En un primer instante me pareció muy atrevido el proyecto de abandonar el apogeo de los años del imperio para adentrarme en los meandros oscuros de aquel que, en mi ignorancia, estimaba un período de decadencia. Luego me acerqué, escéptico, al argumento y, una vez analizado el escenario, entendí que Marco, como de costumbre, tenía razón. El imperio tardío es menos conocido, pero no por eso menos fascinante que las épocas anteriores, y el augusto Juliano y sus contemporáneos se han revelado protagonistas asombrosos; baste pensar que, por exigencias de la trama, he limitado a una treintena los personajes, pero habría podido poner el doble.

He tenido la suerte de tener como ayuda en esta elección y como guía en los campos de batalla europeos y asiáticos del siglo IV d. C. a un hombre de armas de excepción, el queridísimo Filippo Crimi, que me ha permitido hacer una vívida reproducción de los detalles de las armas y de los equipos de los soldados. Debemos, sin duda, a él la defensa incondicional de Senones y la aplastante victoria de Argentoratum. Recordaré para siempre sus palabras de aliento en un momento de desconsuelo, cuando escribir libros era todavía un sueño: «¡Escribe!, escribe para mí. No importa si los demás no lo leen, me habrás hecho soñar a mí.» Y por Filippo he llegado al tercer libro.

Pero el trabajo no habría sido tan impresionante si no hubiera tenido la ayuda de otra persona extraordinaria: Laura Bertozzi della Zonca, a la cual este libro está dedicado, desde la primera hasta la última palabra. Laura, *L'aura* (el aura),* como le agrada firmar, ha transformado esta gema en un brillante, resaltando el trabajo con detalles que han conferido verdaderos matices de luz histórica a la narración. Con su sensibilidad ha sabido acompañarme de puntillas a aquel mundo y hacerme percibir los singulares sonidos, vibraciones y energía de aquel período. Le debo a ella un inmenso salto cualitativo de este trabajo.

Se añade a estos imprescindibles agradecimientos un grandísimo profesional que tiene el misterioso e innato don de darle vida a lo que escribo. Estoy hablando de Angelo Guarracino, realizador de los *booktrailer* y gran experto en comunicación mediática. Angelo tiene el don de contar toda una historia con un fotograma. Basta mirar la cubierta de este libro para darse cuenta de ello. Obviamente continúa siendo un misterio cómo consigue mostrarme las imágenes exactas de lo que yo tengo en la cabeza, pero creo que solo la providencia tiene la respuesta.

A propósito de la providencia, espero que mi editora deje estas últimas palabras dedicadas precisamente a ella, por haberme dado la posibilidad de expresarme incluso con el título y la cubierta. Sé que pocos escritores gozan de semejante privilegio. Gracias, Mariagiulia.

* Véase la nota de la página 7.

Índice

MEDIOLANUM - MILÁN
6 NOVEMBRE DE 355
JULIANO RECIBE EL NOMBRE DE CÉSAR

BRIGANTIO - BRIANÇON
JULIANO CÉSAR ENTRA EN LA GALIA

VIENNE - VIENNE
INVIERNO 355-356

AUGUSTODUNUM - AUTUN
JUNIO DE 356 - PRIMER CHOQUE

TRICASAE - TROYES
JULIANO Y SU EJÉRCITO SON
REEMPLAZADOS POR LOS ALAMANES

REMI - REIMS
JULIO DE 356 - ENCUENTRO CON MARCELO

COLONIA AGRIPINA - COLONIA
SEPTIEMBRE DE 356 - LA CIUDAD ES
LIBERADA DEL ASEDIO DE LOS ALAMANES

SENONES - SENS
INVIERNO DE 357 - JULIANO ES ASEDIADO
DURANTE 30 DÍAS POR LOS GERMANOS

ARGENTORATUM - ESTRASBURGO
AGOSTO DE 357 - JULIANO
DERROTA A LOS ALAMANES

LUTECIA - PARÍS
INVIERNOS DE 358, 359, 360

358, 359, INCURS
DE RENO CONTRA
Y ALAMANES

LUTECIA - PARÍ
INVIERNO DE 360
ACLAMADO COM
POR SU EJÉRCITO

VIENNE - VIENN
PRIMAVERA DE 3
ATACA LA GUARN

SIRMIUM - SREM
361, LA CIUDAD S
SIN COMBATIR